COMENTARIO BIBLICO MUNDO HISPANO

TOMO 9

PROVERBIOS
ECLESIASTES
CANTARES

COMENTARIO BIBLICO MUNDO HISPANO

TOMO 9

PROVERBIOS ECLESIASTES CANTARES

Editores Generales

Daniel Carro
José Tomás Poe
Rubén O. Zorzoli

Editores Especiales

Antiguo Testamento: Dionisio Ortiz
Nuevo Testamento: Antonio Estrada
Ayudas Prácticas: James Giles
Artículos Generales: Jorge E. Díaz
Diagramación: Exequiel San Martín A.

EDITORIAL MUNDO HISPANO

EDITORIAL MUNDO HISPANO
7000 Alabama Street, El Paso, Texas 79904, EE. UU. de A.
www.editorialmundohispano.org

Nuestra pasión: Comunicar el mensaje de Jesucristo y facilitar la formación de discípulos por medios impresos y electrónicos.

Primera edición: 1995
Quinta edición: 2013

Clasificación Decimal Dewey: 220.7

Tema 1. Biblia–Comentarios

ISBN: 978-0-311-03133-7
E. M. H. Art. No. 03133

750 10 13

Impreso en Colombia
Printed in Colombia

PREFACIO GENERAL

Desde hace muchos años, la Editorial Mundo Hispano ha tenido el deseo de publicar un comentario original en castellano sobre toda la Biblia. Varios intentos y planes se han hecho y, por fin, en la providencia divina, se ve ese deseo ahora hecho realidad.

El propósito del Comentario es guiar al lector en su estudio del texto bíblico de tal manera que pueda usarlo para el mejoramiento de su propia vida como también para el ministerio de proclamar y enseñar la palabra de Dios en el contexto de una congregación cristiana local, y con miras a su aplicación práctica.

El *Comentario Bíblico Mundo Hispano* consta de veinticuatro tomos y abarca los sesenta y seis libros de la Santa Biblia.

Aproximadamente ciento cincuenta autores han participado en la redacción del comentario. Entre ellos se encuentran profesores, pastores y otros líderes y estudiosos de la Palabra, todos profundamente comprometidos con la Biblia misma y con la obra evangélica en el mundo hispano. Provienen de diversos países y agrupaciones evangélicas; y han sido seleccionados por su dedicación a la verdad bíblica y su voluntad de participar en un esfuerzo mancomunado para el bien de todo el pueblo de Dios. La carátula de cada tomo lleva una lista de los editores, y la contratapa de cada volumen identifica a los autores de los materiales incluidos en ese tomo particular.

El trasfondo general del Comentario incluye toda la experiencia de nuestra editorial en la publicación de materiales para estudio bíblico desde el año 1890, año cuando se fundó la revista *El Expositor Bíblico.* Incluye también los intereses expresados en el seno de la Junta Directiva, los anhelos del equipo editorial de la Editorial Mundo Hispano y las ideas recopiladas a través de un cuestionario con respuestas de unas doscientas personas de variados trasfondos y países latinoamericanos. Específicamente el proyecto nació de un Taller Consultivo convocado por Editorial Mundo Hispano en septiembre de 1986.

Proyectamos el *Comentario Bíblico Mundo Hispano* convencidos de la inspiración divina de la Biblia y de su autoridad normativa para todo asunto de fe y práctica. Reconocemos la necesidad de un comentario bíblico que surja del ambiente hispanoamericano y que hable al hombre de hoy.

El Comentario pretende ser:

* crítico, exegético y claro;
* una herramienta sencilla para profundizar en el estudio de la Biblia;
* apto para uso privado y en el ministerio público;
* una exposición del auténtico significado de la Biblia;
* útil para aplicación en la iglesia;
* contextualizado al mundo hispanoamericano;

* un instrumento que lleve a una nueva lectura del texto bíblico y a una más dinámica comprensión de ella;
* un comentario que glorifique a Dios y edifique a su pueblo;
* un comentario práctico sobre toda la Biblia.

El *Comentario Bíblico Mundo Hispano* se dirige principalmente a personas que tienen la responsabilidad de ministrar la Palabra de Dios en una congregación cristiana local. Esto incluye a los pastores, predicadores y maestros de clases bíblicas.

Ciertas características del comentario y algunas explicaciones de su metodología son pertinentes en este punto.

El **texto bíblico** que se publica (con sus propias notas —señaladas en el texto con un asterisco, *,— y títulos de sección) es el de *La Santa Biblia: Versión Reina-Valera Actualizada.* Las razones para esta selección son múltiples: Desde su publicación parcial (*El Evangelio de Juan,* 1982; el *Nuevo Testamento,* 1986), y luego la publicación completa de la Biblia en 1989, ha ganado elogios críticos para estudios bíblicos serios. El Dr. Cecilio Arrastía la ha llamado "un buen instrumento de trabajo". El Lic. Alberto F. Roldán la cataloga como "una valiosísima herramienta para la labor pastoral en el mundo de habla hispana". Dice: "Conservando la belleza proverbial de la Reina-Valera clásica, esta nueva revisión actualiza magníficamente el texto, aclara —por medio de notas— los principales problemas de transmisión. . . Constituye una valiosísima herramienta para la labor pastoral en el mundo de habla hispana." Aun algunos que han sido reticentes para animar su uso en los cultos públicos (por no ser la traducción de uso más generalizado) han reconocido su gran valor como "una Biblia de estudio". Su uso en el Comentario sirve como otro ángulo para arrojar nueva luz sobre el Texto Sagrado. Si usted ya posee y utiliza esta Biblia, su uso en el Comentario seguramente le complacerá; será como encontrar un ya conocido amigo en la tarea hermenéutica. Y si usted hasta ahora la llega a conocer y usar, es su oportunidad de trabajar con un nuevo amigo en la labor que nos une: comprender y comunicar las verdades divinas. En todo caso, creemos que esta característica del Comentario será una novedad que guste, ayude y abra nuevos caminos de entendimiento bíblico. La RVA aguanta el análisis como una fiel y honesta presentación de la Palabra de Dios. Recomendamos una nueva lectura de la Introducción a la Biblia RVA que es donde se aclaran su historia, su meta, su metodología y algunos de sus usos particulares (por ejemplo, el de letra cursiva para señalar citas directas tomadas de Escrituras más antiguas).

Los demás elementos del Comentario están organizados en un formato que creemos dinámico y moderno para atraer la lectura y facilitar la comprensión. En cada tomo hay un **artículo general**. Tiene cierta afinidad con el volumen en que aparece, sin dejar de tener un valor general para toda la obra. Una lista de ellos aparece luego de este Prefacio.

Para cada libro hay una **introducción** y un **bosquejo**, preparados por el redactor de la exposición, que sirven como puentes de primera referencia para llegar al texto bíblico mismo y a la exposición de él. La **exposición** y **exégesis** forma el elemento más extenso en cada tomo. Se desarrollan conforme al bosquejo y fluyen de página a página, en relación con los trozos del texto bíblico que se van publicando fraccionadamente.

Las **ayudas prácticas**, que incluyen ilustraciones, anécdotas, semilleros homiléticos, verdades prácticas, versículos sobresalientes, fotos, mapas y materiales semejantes acompañan a la exposición pero siempre encerrados en recuadros que se han de leer como unidades.

Las **abreviaturas** son las que se encuentran y se usan en *La Biblia Reina-Valera Actualizada.* Recomendamos que se consulte la página de Contenido y la Tabla de Abreviaturas y Siglas que aparece en casi todas las Biblias RVA.

Por varias razones hemos optado por no usar letras griegas y hebreas en las palabras citadas de los idiomas originales (griego para el Nuevo Testamento, y hebreo y arameo para el Antiguo Testamento). El lector las encontrará "transliteradas," es decir, puestas en sus equivalencias aproximadas usando letras latinas. El resultado es algo que todos los lectores, hayan cursado estudios en los idiomas originales o no, pueden pronunciar "en castellano". Las equivalencias usadas para las palabras griegas (Nuevo Testamento) siguen las establecidas por el doctor Jorge Parker, en su obra *Léxico-Concordancia del Nuevo Testamento en Griego y Español,* publicado por Editorial Mundo Hispano. Las usadas para las palabras hebreas (Antiguo Testamento) siguen básicamente las equivalencias de letras establecidas por el profesor Moisés Chávez en su obra *Hebreo Bíblico,* también publicada por Editorial Mundo Hispano. Al lado de cada palabra transliterada, el lector encontrará un número, a veces en tipo romano normal, a veces en tipo bastardilla (letra cursiva). Son **números del sistema "Strong"**, desarrollado por el doctor James Strong (1822-94), erudito estadounidense que compiló una de las concordancias bíblicas más completas de su tiempo y considerada la obra definitiva sobre el tema. Los números en tipo romano normal señalan que son palabras del Antiguo Testamento. Generalmente uno puede usar el mismo número y encontrar la palabra (en su orden numérico) en el *Diccionario de Hebreo Bíblico* por Moisés Chávez, o en otras obras de consulta que usan este sistema numérico para identificar el vocabulario hebreo del Antiguo Testamento. Si el número está en bastardilla (letra cursiva), significa que pertenece al vocabulario griego del Nuevo Testamento. En estos casos uno puede encontrar más información acerca de la palabra en el referido *Léxico-Concordancia...* del doctor Parker, como también en la *Nueva Concordancia Greco-Española del Nuevo Testamento*, compilada por Hugo M. Petter, el *Nuevo Léxico Griego-Español del Nuevo Testamento* por McKibben, Stockwell y Rivas, u otras obras que usan este sistema numérico para identificar el vocabulario griego del Nuevo Testamento. Creemos sinceramente que el lector que se tome el tiempo para utilizar estos números enriquecerá su estudio de palabras bíblicas y quedará sorprendido de los resultados.

Estamos seguros que todos estos elementos y su feliz combinación en páginas hábilmente diseñadas con diferentes tipos de letra y también con ilustraciones, fotos y mapas harán que el *Comentario Bíblico Mundo Hispano* rápida y fácilmente llegue a ser una de sus herramientas predilectas para ayudarle a cumplir bien con la tarea de predicar o enseñar la Palabra eterna de nuestro Dios vez tras vez.

Este es el deseo y la oración de todos los que hemos tenido alguna parte en la elaboración y publicación del Comentario. Ha sido una labor de equipo, fruto de esfuerzos mancomunados, respuesta a sentidas necesidades de parte del pueblo de Dios en nuestro mundo hispano. Que sea un vehículo que el Señor en su infinita misericordia, sabiduría y gracia pueda bendecir en las manos y ante los ojos de usted, y muchos otros también.

Los Editores
Editorial Mundo Hispano

Lista de Artículos Generales

GENEROS LITERARIOS DEL ANTIGUO TESTAMENTO

Gary Light

Mateo y Lucas nos preservan la historia de la tentación de Jesús. Una de las tentaciones que enfrentó Jesús fue la tentación de lo espectacular: lanzarse del pináculo del templo. Como parte de esta tentación, el diablo trató de convencer a Jesús citando el Salmo 91: *A sus ángeles mandará acerca de ti, y en sus manos te llevarán, de modo que nunca tropieces con tu pie en piedra.* No obstante, Jesús rechazó la tentación: *No pondrás a prueba al Señor tu Dios.* Jesús reconoció que la escritura que citó Satanás no era una promesa dada al Hijo de Dios, sino que fue una expresión poética de la protección de Dios dada a todos los creyentes. No es una garantía literal que el Mesías, o aun el creyente, no sufrirá daño alguno en este mundo. Jesús entendió la importancia de saber el género literario de un pasaje bíblico para comprenderlo y aplicarlo a la vida.

Igualmente, nos ayudará comprender los distintos géneros literarios de la Biblia y reconocer las formas literarias que contiene cada género. Este artículo presentará una introducción básica a los géneros literarios del AT. Se estudiará tanto la importancia de los géneros en la historia de las formas como su importancia en los nuevos métodos de interpretar el AT. Se identificarán las características generales de cada género, sus formas más usadas y los propósitos del uso de cada uno. Así el lector estará mejor preparado para interpretar el texto del AT.

GENEROS LITERARIOS Y LA HISTORIA DE LAS FORMAS

La formación de la Biblia hebrea tiene una historia larga. La religión de Israel no se inició con un libro escrito. Durante mucho de la historia de Israel sus tradiciones religiosas se encontraron en forma oral y en conexión con instituciones o celebraciones específicas. Luego se escribieron para preservarlas, para establecer uniformidad en las tradiciones del pueblo y para formar una obra grande utilizando varias tradiciones que se aplican al tema.

La historia de las formas es el estudio del desarrollo de las formas literarias breves del AT. Trata de fijar cada forma distinta en su contexto sociohistórico original. Así se explica mejor su significación y se ilumina la vida social y cultual de Israel. Los géneros literarios del AT se dividen en seis clases generales de literatura: poesía cultual, escritos legales, y las literaturas histórica, profética, sapiencial y apocalíptica. Dentro de cada clase se identifican varios géneros específicos que se originaron en situaciones distintas.

POESIA CULTUAL

La poesía cultual del AT se encuentra mayormente en el libro de Salmos, pero no se limita a este libro. Por ejemplo, hay poemas semejantes en Lamentaciones, Jeremías, Jonás, Isaías 40—66 y Job. Estos textos muestran que el culto de Israel tenía varias ceremonias que utilizaron lenguaje poético para expresar la comunicación entre el adorador y Dios. Algunas ceremonias se fijaron en ciertos tiempos del año cuando todo el pueblo celebró un evento histórico o una fiesta agraria. Otros ritos del culto señalaron fases distintas de la vida humana: nacimiento, circuncisión, matrimonio y muerte. Otros se observaron en momentos de crisis del individuo (enfermedades, dudas, etc.) o de la comunidad (sequía, invasión, etc.).

Cada evento en el culto tenía sus propios géneros poéticos. Sin embargo, no tenemos una liturgia completa del culto de Israel. El libro de Salmos es más un depósito de textos cultuales preservados para estudio y devociones. Podemos encontrar salmos que se originan en tiempos del segundo templo, otros que vienen de la época antes del primer templo y otros de cada edad entre los dos. El libro de Salmos muestra una larga historia en su composición y su colección, pero en cada colección aparecen todos los géneros.

En un estudio importante, Hermann Gunkel identificó las formas básicas de la literatura poética. Según él, todos los géneros se presentaron en el culto del primer templo. Sin embargo, muchos de estos salmos se perdieron con la destrucción del primer templo. Se escribieron nuevos salmos durante el destierro para expresar la piedad y devoción individual aparte de un culto. Luego con la construcción del segundo templo, los antiguos salmos cultuales y los salmos no cultuales se unieron con nuevos salmos para el nuevo culto. Otros eruditos, como Sigmund Mowinckel, creen que el libro de Salmos preserva muchos salmos preexílicos. Estos eruditos no separan la devoción individual y el culto del primer templo. Creen que los salmos que expresan la piedad individual, igual que los que contienen elementos proféticos, siempre han estado en el culto de Israel. El destierro puede haber sido el impulso para escribir el libro de Salmos y le dio su énfasis de estudio y reflexión sin reflejar las ocasiones actuales del culto. Sin embargo, no inició una actividad poética fuera del culto. Al contrario, el libro de Salmos recibió su forma final como el "himnario" o "devocionario" del segundo templo.

Lamentos y canciones funerarias

El lamento, *qina*, tiene un metro poético único en hebreo: cada línea contiene cinco sílabas con acentos. Este género se compone de: 1) Expresiones de pesar y dolor que comienzan con *¡Ay!* o *¡Cómo!* (2 Sam. 1:25, 27; Jer. 22:18); 2) descripciones de una catástrofe (2 Sam. 1:19); 3) recuerdos del bienestar o poder anteriores (2 Sam. 1:22, 23); 4) llamamientos a llorar (2 Sam. 1:24); y, a veces, 5) súplicas sumisas (Lam. 1:21, 22). Aunque todos los elementos no aparecen en cada lamento, hay suficientes lamentos para fijar su forma normal.

Los lamentos bíblicos más conocidos son 2 Samuel 1:19-27; Amos 5:1-3; Ezequiel 19 y Lamentaciones. Erhard Gerstenberger sugiere que la forma del *lamento* tiene su influencia en algunos salmos (35; 44; 74), pero el tono de pérdida total está ausente. Según él, no hay lamentos auténticos en el libro de Salmos.

Quejas

Gerstenberger prefiere nombrar los textos como el Salmo 22 o Jeremías 20:7-13 *quejas* en vez de *lamentos*. Esos poemas expresan una súplica antes de que cayera la catástrofe final. Reflejan el dolor que sufre el individuo y la esperanza con que todavía puede dirigirse a Dios quien responderá con liberación de enfermedades, enemigos u otras aflicciones personales. Toda la comunidad puede utilizar la *queja* ante la amenaza de sequía, invasión, plaga o alguna maldad que sufre el pueblo en general (por ejemplo, Sal. 25). Así la comunidad consulta a Dios pidiendo su ayuda y espera su acción salvadora.

Los elementos de este género son: 1) La invocación a Dios (Sal. 22:1a); 2) la queja que describa o pida (Sal. 22:1b, 2); 3) La confesión de pecado o protesta de inocencia (Sal. 51:3-5; 59:3, 4); 4) la declaración de confianza (Sal. 22:4, 5, 9, 10); 5) la súplica de ayuda (Sal. 22:19, 20); 6) la imprecación contra los enemigos (Sal. 59:5, 10-13); 7) el reconocimiento de la respuesta divina (Sal. 22:21: *Y desde los cuernos de los toros salvajes ¡me has respondido!);* 8) el voto (Sal. 22:22; 56:12); 9) la bendición o elementos hímnicos (Sal. 22:3; 57:11); 10) la anticipación de acción de gracias (Sal. 22:22-27).

Los elementos más importantes de este género son la súplica y la imprecación contra los enemigos. Hay varios eruditos que sugieren que el género se llama "oraciones de súplicas". Sin embargo, Gerstenberger tiene razón en decir que las súplicas de estos textos "siempre tratan de cambiar una situación de injusticia y miseria a una mejor". Por eso, el nombre *queja* describe bien el género. Entre las quejas del Salterio están los Salmos 3—7, 9—13, 17, 22, 25—28, 35—36, 54—57, 59, 69—71, 120, 130 y 140—143.

Dentro del Salterio hay algunos textos en que un elemento de la *queja* domina todo el salmo. "La confesión de pecado" domina el Salmo 51 y el Salmo 26 se compone de "la protesta de inocencia". Hay tantos salmos que consisten de "la declaración de confianza" que casi forman un género propio, *himnos de confianza*. Entre esta clase se encuentran los Salmos 23, 4, 11, 16, 62 y 131.

Himnos de adoración

Los himnos de adoración celebran a Dios por varias causas: su papel de creador, su señorío sobre la historia, su superioridad de poder y su excelencia en todas las cosas. Estos temas diversos se expresan mediante una forma que muestra elementos comunes: 1) Invocación a Dios (Sal. 8:1); 2) llamamiento a adorar (Sal. 115:18; 117:1); 3) alabanzas a Dios por sus cualidades, obras o hechos (Sal. 115:1, 15, 16); 4) bendiciones o deseos (Sal. 115:12-14).

Los himnos babilónicos usan muchas veces unas invocaciones largas y artísticas para impresionar a los dioses a fin de que escuchen. Es interesante que en el Salterio muchos himnos no contienen la invocación. Las invocaciones que aparecen son sencillas. La invocación del Salmo 18:1-3 es la más ostentosa de los Salmos, pero no es como los de Babilonia. La mayoría de los himnos en el Salterio se inician con el llamamiento a adorar. Es probable que un coro o el dirigente del culto lo proclamó y la gente de la congregación participó en cantar las alabanzas. Quizá la mejor manera de entender los llamamientos que ocurren al final de un salmo es que son una señal para que el pueblo continúe cantando otros himnos más.

Estos himnos se utilizaban en las fiestas anuales de Israel. Dentro de estos salmos mismos se encuentran detalles de la música y la liturgia. Su estructura es de una presentación antifonaria. En este género se incluyen los Salmos 8, 29, 33, 77, 100, 103—104, 111, 139 y 145—150.

Canciones de acción de gracias

El individuo en Israel hizo una promesa a Dios que haría un sacrificio si éste lo libraba de su problema o aflicción. Cuando recuperaba su salud, o cuando se acercaba su salvación, el creyente iba al sacerdote para pagar su voto. El sufrimiento o el peligro se dejaba atrás mediante este culto de sacrificio. Por eso la canción de acción de gracias se elevaba con gozo y gratitud. Los elementos de este género son: 1) La invitación a alabar a Dios y darle gracias (Sal. 66:1-4); 2) el relato de peligro y liberación (Sal. 41:4-9); 3) alabanzas a Dios (Sal. 138:4, 5); 4) fórmula de ofrenda en presentar el sacrificio (Sal. 138:1, 2); 5) bendiciones sobre los participantes en el culto (Sal. 32:1, 2); y 6) exhortación (Sal. 32:8, 9).

En las canciones de acción de gracias del individuo se notan dos tipos de discurso. Por un lado, hay un discurso dirigido hacia Dios, el idioma de oración. Por ejemplo, la fórmula de la ofrenda: *Te doy gracias* o *Doy gracias* se dirige a Dios en el momento de ofrecer el sacrificio de acción de gracias (*todah*). Por otro lado, hay un discurso dirigido a los participantes en el culto u otros que observan. Este discurso bendice, explica e invita. Los dos tipos de discurso iluminan la naturaleza de este tipo de ceremonia dentro del culto de Israel.

Este género se representa no sólo por las canciones de un individuo, sino también las de la acción de gracias de la comunidad que celebran victorias de Israel (Sal. 18, 66, 67, 118 y 129, igual como Exo. 15:1-9 y Jue. 5).

Salmos reales

El Salterio tiene otro género que se distingue por su contenido en vez de su forma. Desde el tiempo del erudito Gunkel los salmos que tocan los temas del rey y su corte se han llamado *salmos reales*. Sus formas pueden variar entre *quejas*, *canciones de acción de gracias* e *himnos*, pero celebran algo del rey: coronación (Sal. 2, 110), boda (Sal. 45) o la ciudad real (Sal. 132).

Mowinckel creyó que los *salmos reales* sirvieron primero al culto real de Israel. El culto popular y la mayoría de los salmos actuales se derivaron del culto real. Según Gerstenberger la situación fue la opuesta: el culto antiguo de Israel fue de familias y clanes. Luego, con el desarrollo de los gobiernos de tribus, jueces y reyes, el culto estatal adoptó los ritos populares con sus géneros poéticos. Aunque es verdad que los *salmos reales* muestran una influencia de otras culturas del antiguo Cercano Oriente, las formas reales más viejas se derivan de los ritos del pueblo.

Salmos de sabiduría y ley

Hay numerosos salmos que no se conforman con las características de los géneros mencionados anteriormente. Estos salmos tienen un énfasis didáctico y emplean elementos de la literatura sapiencial: 1) Proverbios, 2) dichos numéricos, 3) preguntas y respuestas, 4) acrósticos, 5) beatificaciones, 6) amonestaciones y 7) prohibiciones. Utilizan palabras clave como "sabiduría" y "temor de Jehovah". También utilizan temas de la literatura sapiencial: el destino del justo e injusto y el problema del sufrimiento del inocente. Estos salmos alaban a la Ley (*torah*, "instrucción divina") y llaman al lector a meditar en ella.

Desde los tiempos de Gunkel y Mowinckel se ha pensado que estos salmos no tenían una relación original con el culto de Israel. Al contrario, se cree que los *salmos de sabiduría* se escribieron para usos educativos particulares. Este argumento se deduce, por ejemplo, de los salmos acrósticos. No se escribieron para uso oral en el culto porque su efecto se ve solamente en forma escrita. Entonces, se dice, es un artificio educativo. Sin embargo, Gerstenberger advierte contra tal concepto de estos textos. Según él, son poemas del destierro y reflejan el cambio en el culto que provocó la nueva situación del pueblo de Israel. Sin templo y sacrificios, esparcido por el mundo, el pueblo de Israel mantuvo su fidelidad a Jehovah mediante un estudio de la Palabra de Dios escrita. Los *salmos de sabiduría y ley* se escribieron para la instrucción del pueblo en las sinagogas para que se mantuviera su identidad judía. Gerstenberger los describe como una forma de consejo pastoral. Los *salmos de sabiduría y ley* incluyen los Salmos 1, 19, 34, 37, 49, 73, 78, 91, 112, 119 y 127.

Liturgias de procesión y entrada

Cinco de los salmos muestran un uso específico en los ritos de Israel. Se recitan antes de ingresar al atrio del templo para adorar (Sal. 15 y 24) o se cantan en la procesión litúrgica (Sal. 68, 118, 132). Este género se marca no sólo por su tema, sino también por su uso de la forma antifonal que sugiere un tipo de diálogo entre el sacerdote y los adoradores.

ESCRITOS LEGALES

Los *escritos legales* del AT se encuentran en el Pentateuco. Aun en los tiempos más tardíos, Israel tenía que basar cualquier modificación de sus leyes en la autoridad y las enseñanzas de Moisés. En realidad, varios códigos legales se incorporan en la narración de la historia de Israel bajo Moisés: 1) Los diez mandamientos (Exo. 20:2-17; Deut. 5:6-21); 2) el código del pacto (Exo. 20:22—23:19); 3) leyes deuteronómicas (Deut. 12—26); y 4) el código de santidad (Lev. 17—26). Estas colecciones de leyes muestran los varios géneros de los *escritos legales*.

La mayoría de las leyes se escribieron en la forma *casuística*. Una *ley casuística* es una que describe un caso específico, lo distingue de casos semejantes y especifica las consecuencias (Exo. 21:18, 19). El comentarista Patrick propone una división de este género. La *ley casuística primaria* es una que describe una relación legal entre personas y los derechos y deberes en la relación antes de que haya una violación (Exo. 22:25). Esta forma es más personal que la *ley casuística remediadora* que describe una violación de derechos y su remedio legal (Exo. 22:5).

Las *leyes casuísticas* del AT, tanto en su forma como en su contenido, tienen mucho en común con las leyes de los códigos reales del Antiguo Oriente, por ejemplo el Código de Hamurabi. Algunos sugieren que Israel adoptó estas leyes de la cultura de Canaán. Es mejor reconocer que las clanes de Israel compartían un ambiente cultural semejante mediante los patriarcas y estas leyes son parte de su mundo sociológico.

Entre las leyes del AT están las de forma *apodíctica*, que afirma incondicional y categóricamente una aserción del bien y el mal. Es una ley absoluta que no depende de condiciones o casos. Este género se divide en tres clases: 1) *el mandamiento*, que prohibe en forma absoluta sin especificar el castigo por la desobediencia *("No robarás"*, Exo. 20:15); 2) *leyes de muerte*, que afirman que ciertas acciones traen la muerte como consecuencia ("*El que maldiga a su padre o a su madre morirá irremisiblemente"*, Exo. 21:17); y 3) *la maldición*, que pronuncia una maldición sobre la persona que haga cierta acción. Este juicio recibe el apoyo del pueblo que responde: *¡Amén!* (Deut. 27:15-26).

Albrecht Alt, quien primero hizo la distinción entre leyes *casuísticas* y leyes *apodícticas*, creía que las leyes *apodícticas* eran distintivamente israelitas. Sin embargo, hoy se reconoce que otras culturas también tuvieron leyes absolutas que son paralelas con los mandamientos. Es discutible si las *leyes apodícticas* tienen su origen en la autoridad del clan y la tribu o en la autoridad del culto. Por lo menos Israel utilizó esta forma de instrucción religiosa y moral conocida en el Antiguo Oriente para expresar la voluntad de Dios.

Estas colecciones de leyes expresan cómo debe vivir Israel bajo la voluntad de Dios. Por eso, el contenido de estas leyes toca no sólo la vida religiosa sino también la vida secular. Toda la vida se dedica a Jehovah, entonces no hay distinciones entre lo sagrado y lo secular. También estas colecciones se presentan como una parte integral de una tradición más grande, el pacto entre Jehovah e Israel. Colocar los códigos legales en la estructura del pacto acentúa que la naturaleza de los *escritos legales* es expresar la voluntad de Dios en una manera personal: Jehovah (o su vocero) se dirige a su pueblo que le escucha.

LITERATURA HISTORICA

Mucho del AT es la narración de la historia de Israel desde su origen como familia y clan hasta las épocas de las tribus, monarquía, destierro y restauración. La definición de "historia" para el estudio literario de la Biblia no es la de la ciencia moderna porque el propósito del AT no es presentar una "exposición sistemática de los acontecimientos" de Israel. Todos los libros de la Ley (*torah*) y los libros de los profetas anteriores tienen un propósito *kerigmático*, proclamar la palabra de Dios mediante eventos selectivos, interpretados y ordenados de la historia de Israel.

Se encuentran distintas formas en la presentación de esta historia. Los autores, o redactores, de las narraciones usaron muchas tradiciones, escritas y orales, para relatar los hechos de Dios en la historia de su pueblo. Por su naturaleza, la narración histórica contiene ejemplos de *discurso formal* (2 Rey. 18:17-35) y de una *carta* (2 Rey. 5:5-6). También, se preservaron *listas* en contar la historia de Israel como la *lista* del botín en Números 31:32-40. Las *genealogías* (Gén. 10:1-32) e *itinerarios* (Núm. 33:5-37) son tipos especiales de *listas.* Las formas de *informes* y *etiologías* preservaron tradiciones de nacimientos (Gén. 25:19-26), batallas (Gén. 14:1-24), o el origen del nombre de alguna cosa, práctica o lugar (Gén. 32:30-32).

Los nombres de otras formas que componen la narración histórica del AT pueden malentenderse. Estos nombres se originan en el estudio de la literatura folclórica de Alemania. Debe recordarse que estos términos describen una forma literaria y no hacen un juicio en cuanto al valor histórico del contenido de la forma. Las narraciones de Génesis se describen con el término *saga.* La *saga* es una larga narración tradicional en prosa, que puede ser primitiva (Gén. 1—11), familiar (Gén. 12—26) o heroica (Exo. 2-14). La *saga* misma se compone de una *colección* de otros tipos de relatos más breves. Una tradición histórica puede preservarse en la forma de una *leyenda.* Otra vez, la palabra *leyenda* no cuestiona nada del valor histórico de la tradición. Es un término que describe un relato cuya narrativa pone énfasis en una característica del héroe, especialmente una virtud suya. Se distingue de la *fábula,* que narra un relato que incluye figuras humanas y animales. Es típico de la *fábula* enseñar una moraleja o corregir el egoísmo de una persona (Núm. 22:31-35). No hay *mitos* en el AT porque el *mito* se define como una narrativa fantástica que explica el mundo humano por las actividades de los dioses en el mundo celestial. El AT no conoce ningún dios fuera del Dios verdadero y vivo, Jehovah. A veces un escritor puede utilizar unos temas de mitos o aludir a ellos en su descripción de un evento o de una persona histórica, pero no debemos decir que hay mitos en el AT.

Estos elementos de las *sagas* reflejan una transmisión oral hasta, e inclusive, la formación de la narración larga. Al otro lado, la *novela* es una narración compleja que se originó como un relato escrito. Muchas veces incluye con su historia principal varias historias subordinadas (Gén. 37:1—47:27, Rut y Ester).

LITERATURA PROFETICA

Los libros proféticos se componen de una colección de los oráculos de los profetas y, normalmente, relatos de la vida de los mismos. Las tradiciones de los profetas anteriores se preservaron en la forma narrativa y se encuentran en la obra del historiador. En esta sección se considerarán las obras de los profetas posteriores. Hay mucha variedad en la composición de estos libros: pueden formarse en un orden cronológico (Ezequiel) o sin orden cronológico (Jeremías); pueden formarse de los oráculos del profeta exclusivamente (Sofonías) o de una narración que no tiene más que cinco palabras de la predicación profética (Jonás).

Las narrativas de los libros proféticos se expresan en tercera persona o en primera. Preservan la *vocación* o el llamamiento del profeta (Isa. 6; Jer. 1), *visiones* (Amós 8:1; Eze. 37) o *acciones-señales* (Isa. 7:3; Ose. 1:2-9; Jer. 27). También hay varios *informes del conflicto* que narran un encuentro hostil entre un profeta y la autoridad cultual o real (Jer. 26:1-19; Amós 7:10-17).

No obstante, los géneros proféticos más importantes son los que preservan el discurso de los profetas. La predicación de los profetas aparece por lo general en una forma poética. Hay un número de sermones en prosa en el libro de Jeremías que ha causado mucha discusión entre los eruditos. Es mejor entenderlos como una imitación de los sermones deuteronomísticos por el profeta. Sin embargo, los discursos poéticos forman la mayor parte de las palabras proféticas y varían en origen y en género.

Mucho del discurso profético parece tener su origen en un ambiente legal o cultual. El *pleito del pacto (rib)* es una forma común en los profetas. Es un litigio contra el pueblo de Dios que contiene un llamamiento a testigos, declaración de un *pleito*, una exposición de las cargas contra el pueblo y un anuncio del castigo que corresponde con las cargas (Ose. 4:1-3). El *apercibimiento de arrepentirse* se compone de un llamado de atención y una declaración de motivación. El llamado consiste en la *fórmula del mensajero* ("Así dice Jehovah"), el *vocativo* ("oh apóstata Israel") y la *admonición*. La declaración incluye una *promesa*, una *acusación* y una *amenaza* (Jer. 3:12, 13). El profeta suena como juez en Israel cuando pronuncia un *discurso de juicio*. No obstante, sus palabras no son las de un juez humano, son las del juez divino. Este género incluye la *carga* y el *juicio* (Amós 7:16, 17). Otro género profético es el *oráculo de salvación* que anuncia un evento futuro ("en aquel día") sin explicación de mérito de lo que Dios hará por su pueblo (Ose. 2:18-23). Se supone que este género es una adaptación del discurso litúrgico del sacerdote que responde a una lamentación del individuo. Los profetas también adoptaron *himnos* del culto en su mensaje (Amós 4:13; 5:8, 9; 9:5, 6). En otras ocasiones aun hicieron parodias del *llamamiento a la adoración* del sacerdote (Ose. 4:15b; Amós 4:4, 5).

Es cosa segura que los profetas adoptaron y adaptaron formas de discurso de muchas áreas de la vida, no sólo las jurídicas y cultuales. El uso de *parábolas* y *alegorías* por los profetas sugiere una influencia de *sabiduría* en los profetas. Así también el uso de *proverbios* (Jer. 23:28) y *dichos numéricos* (Amós 1:3—2:8) demuestra un conocimiento de la *sabiduría de las tribus*. El profeta pudo imitar los *cantos de amor* (Isa. 5:1, 2) o un *lamento* (Amós 5:2, 3). Quizá este último sea el origen de los *oráculos de ¡Ay!* (Amós 6:1).

Es importante notar que los profetas utilizaron y adaptaron un gran número de géneros para predicar su mensaje. Los profetas bíblicos no tenían un púlpito en un templo o una congregación que les escuchaba cada semana. Tenían que proclamar en las calles, en los mercados o en la entrada de la ciudad. Para que se escuchara su mensaje tenían que utilizar las formas de un litigio o una canción para captar la atención de la multitud. La variedad de géneros proféticos es testigo a la gran variedad de situaciones en que predicaron los profetas.

LITERATURA SAPIENCIAL

La Biblia contiene una clase de literatura que se distingue por su ocupación del tema de la sabiduría *(jokmah)*. Esta clase sí exhibe temas y géneros característicos, pero no podemos designar todos los textos que utilizan los géneros como *literatura sapiencial*. Es posible encontrar una parábola en la *literatura profética* (Eze. 15) o una fábula en *literatura histórica* (Jue. 9:8-15), pero Ezequiel no es un sabio ni el libro de Jueces es un ejemplo de la *literatura sapiencial*. Las tradiciones sapienciales tenían una influencia en cada faceta de la sociedad israelita. La *literatura sapiencial* de la Biblia consiste en Proverbios, Job y Eclesiastés.

Se disputa el origen de las tradiciones sapienciales de Israel. Varios proverbios y admoniciones bíblicos sugieren que el hogar servía como el primer centro de instrucción; la sabiduría se inició como una función de las familias o clanes. Las responsabilidades de instrucción se compartieron entre el padre y la madre (Prov. 6:20) y no prestar atención resultó en el castigo (Prov. 13:24). Que la sabiduría tiene un origen popular se ve en las similitudes que comparan varias tribus con animales (Gén. 49:8, 9, 14 y 17). Sin embargo, algunos proverbios se entienden mejor como productos de la corte (Prov. 16:12-15). Por eso, se sugiere que la sabiduría de Israel tiene su origen en una escuela de la corte para instruir a los príncipes. No es extraño llamar al maestro "padre" y hay suficientes modelos de tales escuelas en el Antiguo Oriente como en Egipto y Mesopotamia.

Las dos teorías no son mutuamente exclusivas. El hogar ha de ser un lugar de instrucción, especialmente de los jóvenes. Este tipo de instrucción utilizó dichos memorables por siglos en una forma oral. Luego, con el establecimiento de escuelas en la corte, se coleccionaron los aforismos, proverbios y dichos populares juntamente con la sabiduría desde otras culturas (comp. Prov. 22:17—24:22 con la sabiduría de Amenemope). Este proceso de colección se inició en el reino de Salomón, pero duró por siglos (ver Prov. 25:1; 30:1; 31:1; 24:23). Por fin, en el tiempo del destierro se formó una escuela de escribas religiosos que preservó la sabiduría "secular" de la corte porque era una expresión de la sabiduría de Dios y la estimó como *torah*, "instrucción," igual como la Ley. Es esta escuela que dio a Job, Proverbios y Eclesiastés su forma canónica.

En la literatura sapiencial se encuentra una cantidad de formas. El aforismo, *mashal*, puede distinguirse entre: 1) El *proverbio*, que es un aforismo popular basado en la experiencia y la observación (Prov. 11:24); 2) el *dicho sabio*, que es un dicho didáctico que infunde un valor o una lección (Prov. 16:20); y 3) el *dicho numérico*, que es un aforismo caracterizado por una forma numérica que consiste en un título y una lista (Prov. 30:18, 19). No es necesario que el *dicho sabio* sea bien conocido por el pueblo. El maestro puede formar un ejemplo para enseñar una lección específica. La sabiduría usa también *admoniciones* (Prov. 16:3), *mandatos* (Prov. 8:33) y *prohibiciones* (Prov. 22:24, 25). Según Proverbios 1:6 los sabios usaron *enigmas* para instruir, pero el único ejemplo completo en el AT se encuentra en Jueces 4:10-18.

Además, los sabios emplearon formas más extensas en su instrucción. Se usa la *alegoría*, un cuento cuyos detalles representan otras cosas en la interpretación (Prov. 5:15-23). Hay el *cuento ejemplar* que es un relato concreto para ilustrar un punto de enseñanza (Prov. 7:6-23). La *narración autobiográfi-*

ca, sea *confesión* o *reflexión personal*, comparte la experiencia rica del sabio con el alumno (Ecl. 1:12—2:26). Finalmente, los sabios aun utilizaron *himnos* para describir la sabiduría. Se personificó la sabiduría y el *himno* alaba a esta personificación (Job 28).

LITERATURA APOCALIPTICA

Friedrich Lücke reconoció la literatura apocalíptica como una clase distinta en el siglo XIX. Sin embargo, poco se ha hecho en analizar las formas del género. Las causas de esta carencia incluyen el uso múltiple del término *apocalíptico* para describir elementos sociológicos y filosóficos tanto como literarios y el hecho que el género *apocalíptico* usa muchas formas literarias que se encuentran en la *literatura profética*. En realidad muchos quieren clasificar la *literatura apocalíptica* como una clase de la *literatura profética*. Sin embargo, parece mejor reconocer que la diversidad de formas componentes y la similitud de ellas con otros géneros no oculta la consistencia que la *literatura apocalíptica* tiene en sí.

La *literatura apocalíptica* es un género de literatura que narra la revelación de una realidad trascendente por parte de un ser sobrenatural. Esta realidad tiene aspectos temporales y espaciales, es decir que tiene que ver con una salvación al fin de la historia (*escatología*) y un nuevo mundo sobrenatural. Hay dos divisiones en este género: un *apocalipsis con viaje al otro mundo* y un *apocalipsis histórico* que no incluye un viaje al mundo sobrenatural. Ejemplos de libros apocalípticos judíos del primer subgénero son 1 Enoc 1—36, 2 Enoc y 3 Baruc. Los libros canónicos (Apocalipsis del NT y Daniel del AT) son ejemplos del subgénero *apocalíptico histórico*. La función de este género literario es proveer una visión del mundo que consuela a la comunidad de fe en tiempos de crisis y opresión. Su revelación de la voluntad de Dios y su última victoria apoyan a la gente a mantenerse fiel bajo la autoridad divina que es más grande que la autoridad opresiva que se les opone.

La forma más común en la *literatura apocalíptica* es la *visión (o sueño) simbólica* (Dan. 7—8). Esta narrativa se compone de una indicación de las circunstancias, una descripción de la visión o sueño, una petición por una interpretación (muchas veces es una oración y se hace por miedo), la interpretación alegórica por un ángel (pero en 2 Baruc 39 es Dios mismo quien interpreta) y una conclusión que narra la reacción del vidente o incluye más instrucciones del ángel.

La *epifanía* (Dan. 10:1-9) también es la narración de una visión. Sin embargo, esta visión es menos comprensiva que la *visión simbólica* y consiste en una revelación de una sola figura sobrenatural. Muchas veces esta forma precede el *discurso angélico*, una revelación de la voluntad divina por parte de un ángel sin elementos visuales. Relacionada con esta forma es el *diálogo revelador*. Es una conversación entre el recipiente y un ser celestial que revela (un ángel o Dios). Este *diálogo* puede ocurrir en una visión o independiente de una visión.

Daniel es el único libro *apocalíptico* en el AT con su visión del fin decisivo de la historia. Hay otras obras proféticas que tienen un interés escatológico, sin embargo se mantienen firmemente dentro de la historia de este mundo. Por eso Isaías 24—27, 56—66 y Zacarías 9—14 pueden describirse como *literatu-*

ra protoapocalíptica. Zacarías 1—8 y Ezequiel también son *protoapocalípticos* en cuanto a su simbolismo, visiones y uso de un ángel como intérprete. El desarrollo completo del *género apocalíptico* estaba en el período intertestamental con *El testamento de Levi, Apocalipsis de Sofonías, Apocalipsis de Abraham* y *Similitudes de Enoc*, entre otros. Este género se usaba no solamente en el NT (Apocalipsis), sino también en la creación de libros apocalípticos de los gnósticos.

GENEROS Y LOS NUEVOS METODOS DE INTERPRETACION

No es suficiente simplemente identificar los géneros o las formas del AT y buscar la situación en la vida del pueblo (*Sitz im Leben*) en que se originó cada forma. Estas tradiciones se formaban con formas orales y escritas. Originalmente ellas se preservaron por distintos grupos en Israel, la una independiente de la otra. Sin embargo, ahora no existen en formas aisladas sino como elementos integrados en el contexto de un libro (y en el contexto más amplio del AT como una totalidad). Por eso, es imperativo estudiar los textos del AT en su forma final; estudiarlos como escritura y como literatura.

El estudio de la historia de formas trata de penetrar detrás del texto bíblico para reconstruir la situación sociohistórica de cada texto. La *crítica canónica* no usa el texto como una fuente de una significación que está detrás del texto, sino que reconoce que la significación del texto bíblico para la comunidad de fe radica en el texto mismo. Se enfoca en lo que dice el texto al creyente. Para descubrir qué dice el texto, el lector debe apreciar no sólo el proceso de la composición literaria del texto pero también cómo la comunidad de fe ha entendido este texto en cada generación.

Las comunidades de fe que aceptan el AT como escritura (la comunidad judía y la cristiana) han adoptado textos completos, no solamente partes de textos. Han adaptado estos textos durante los cambios en sus situaciones históricas. Por ejemplo, las leyes ceremoniales de sacrificio en el libro de Levítico no tenían el mismo significado para el Israel preexílico como el que tenía para los judíos de la diáspora o el que tenía para los primeros cristianos. La *crítica canónica,* entonces, reconoce que el texto sagrado puede llevar una pluralidad de significado dentro de una comunidad de fe.

El estudio de la Biblia como literatura es aún más amplio porque una interpretación auténtica del texto no depende de que el intérprete es miembro de la comunidad de fe. El texto bíblico se analiza como obra literaria con una énfasis en las estrategias artísticas del texto. Los libros de la Biblia son obras literarias en sí mismas. Las tradiciones que se preservan en estas obras ahora pierden su independencia y se desligan de su *Sitz im Leben* social. Forman parte de un texto que crea su propio "mundo." Es el trabajo del intérprete apreciar este "mundo del texto" y hacer claras las conexiones entre este mundo y el mundo del lector.

Los métodos de la *nueva crítica literaria* se centran en el texto como una totalidad. Es importante leer la obra como *novela* o *poesía* u *obra didáctica.* Se busca no solamente el género de una sección de la obra, sino también se quiere identificar el género de la obra completa que causa la cohesión de todas las partes en formar algo más grande que simplemente la suma de las partes, que es el texto. Otros métodos literarios se centran en el lector como quien produce la significación de la obra. En estas teorías de la *respuesta del lector* el significado se encuentra en la interacción entre el texto y el lector. Todavía, para llegar a una interpretación auténtica, el lector ha de reconocer la coherencia de la obra total, es decir que tiene que reconocer el género que da a la obra su unidad.

El estudio de los géneros del AT se inició en identificar *micro-géneros*, formas breves y reconstruir la situación sociohistórica de su origen. Sin embargo, esta identificación de un evento detrás del texto como lo tenemos no es el fin de la interpretación bíblica. Hay también la necesidad de reconocer el género de la obra completa, el *macro-género*, apreciar su arte literario en el uso de formas, *micro-géneros*, y descubrir las significaciones para la comunidad de fe que existen en la conexión entre el "mundo del texto" y el mundo de la comunidad de fe. Dominar los géneros del AT nos ayudará a entender la significación del texto de la Biblia, la Palabra de Dios.

PROVERBIOS

Exposición

Victor Lyons

Ayudas Prácticas

James E. Giles

INTRODUCCION

EL TEXTO BIBLICO DE PROVERBIOS

El libro de Proverbios es *Mishley Shelomoh* en hebreo. Hay unas 6.915 palabras en el texto (*Jenni*, II, 689). Se encuentra en la tercera parte de la Biblia judía (*ketubiym*, o los escritos). Hay amplia evidencia de la antigüedad del libro dentro del AT. Es el tercer libro en el orden hebreo dentro de los Escritos (Salmos, Job, *Proverbios*, Rut, etc.).

La Septuaginta (LXX), la traducción más importante del AT al griego, tiene un orden distinto en estos libros: Job, Salmos, *Proverbios*, Eclesiastés, etc. La Vulgata, la traducción al latín, siguió el orden de la Septuaginta; también lo hicieron las versiones modernas, incluida la española. Por lo tanto, la Septuaginta ordena los capítulos en una forma distinta. Además de omitir algunos versículos, el orden de los capítulos es: 1—24, 30:1-14, 24:24-34, 30:15-33, 31:1-9, 25—29, 31:11-31. No hay una explicación satisfactoria para el orden cambiado de la Septuaginta. Sin embargo, se nota la separación de los caps. 30 y 31 en dos partes cada uno. Así se da evidencia a la teoría que los dos capítulos son, en realidad, cuatro secciones.

La autoridad de los Proverbios se comprueba por su uso por Josefo, Filón, Misná, los Rollos del Mar Muerto y el NT. (Se citarán algunos comentarios de estas fuentes dentro de esta obra.) Por lo tanto, el libro de Proverbios se sitúa dentro de la conciencia de los judíos (y los judíos cristianos), en el primer siglo después de Cristo.

EL AUTOR DE PROVERBIOS

¿Quién es el autor de Proverbios? A primera vista se puede decir, Salomón. Sin embargo, el verdadero autor es Dios. Ciertamente, la sabiduría de Salomón era la respuesta de Dios a la petición de Salomón (1 Rey. 3:9). Jehovah es la fuente principal de la sabiduría (Prov. 2:6). Por lo tanto, la relación entre la fe y la sabiduría es estrecha. La verdadera fe, *el temor*, es el comienzo y el fundamento de la vida prudente y exitosa (ver 1:7). Sin la fe en Dios, una dimensión esencial se ausenta de la educación y la prudencia del hombre.

El papel de Salomón en el libro de Proverbios: Como el recipiente de un "corazón sabio" de Dios, él dirigió la construcción del palacio del rey y la del templo. Además se instaló un sistema administrativo y militar comparable al de los reyes orientales. El comercio internacional creció; se traían a Palestina los objetos más raros de toda la tierra conocida de aquel tiempo. La plata fue utilizada como piedras para las calles de Jerusalén (1 Rey. 10:27). Había una abundancia de alimento y de riquezas. Josefo brinda una lista de las riquezas de

Salomón en su obra *Antigüedades*, cap. 8. Aun el *Corán*, la literatura sagrada de los musulmanes, habla de la sabiduría y la gloria de Salomón (Sura XXVII, 170, Sura XXXIV, 190 y Sura XXXVIII, 201). Además, hay menciones en libros apócrifos, como la *Sabiduría de Salomón*, de carácter dudoso; estos libros son rechazados por judíos y protestantes.

Salomón compuso 3.000 proverbios y 1.005 canciones según 1 Reyes 4:32. Allí se menciona una lista de los sabios de aquel entonces que eran inferiores a Salomón, aunque grandes en su sabiduría (v. 31). De hecho la sabiduría de Salomón era superior a la sabiduría oriental y egipcia (v. 30). Los escritos de Salomón que se encuentran en las Escrituras son Proverbios, Eclesiastés, Cantar de Cantares y los Salmos 72 y 172. El NT, por lo tanto, habla de la gloria de Salomón (Mat. 6:29; Luc. 12:27), la sabiduría de Salomón (Mat. 12:42; Luc. 11:31) y del juicio de la reina del sur (la reina de Saba), que serán testigos contra los que escuchaban a Jesús, quien era más sabio que Salomón (1 Rey. 10:1-13; Mat. 12:42; Luc. 11:31).

La gran falla de Salomón fue su relación con las mujeres. Con 700 esposas y 300 concubinas, muchas de ellas importantes, como la más prominente, la hija de Faraón, Salomón participaba en la construcción de los recintos religiosos y en la adoración de los dioses paganos (1 Rey. 11:4 ss.). Según el texto bíblico, tal desgracia se produjo cuando Salomón *era ya anciano* (1 Rey. 11:4). ¡Qué lástima vivir una vida recta ante el Señor, una vida bendecida por los favores divinos y, en los últimos años de la vida, perder la fuerza moral para seguir el camino recto! La influencia de los demás pesa sobre nosotros, no importa cuál sea nuestra edad. Al pecar, Salomón pierde el reino de David y la unidad de un pueblo que había sacrificado bastante para mantener su gloria (1 Rey. 11:11-13).

El nombre de Salomón se menciona en tres citas del libro de Proverbios (1:1; 10:1; 25:1). Es difícil determinar si la primera cita en 1:1 se relaciona con los caps. 1—9, con todo el libro, o con ambos. Es cierto que los primeros nueve caps. son distintos a la forma encontrada en las listas de proverbios que siguen las otras dos citas (10:1 y 25:1). Los caps. 1—9 contienen una serie de exhortaciones ampliadas, parecidas a los estudios científicos de algunos casos donde se busca entender las posibles acciones y el porqué de las decisiones. Sin embargo, el maestro de las exhortaciones bíblicas no deja al lector en duda acerca de la decisión esperada y apropiada. Aquí no hay una ética relativa y oscura. La sección de 10:1—22:16 incluye alrededor de 375 proverbios, y quizás simbólicamente iguala los valores numéricos de la suma de las letras hebreas sh + l + m + h, las letras hebreas de Salomón. Por lo tanto, la sección de 25:1—29:27 incluye unos 130 proverbios, y quizá simbólicamente iguala los valores numéricos de Ezequías en el hebreo: j + z + q + y + h. Ezequías fue responsable de la obra en los caps. 25—29.

Además de las secciones, 1—9, 10:1—22:16 y 25—29, los rabinos judíos quisieron atribuir la totalidad del libro de Proverbios a Salomón. Especialmente, ellos encontraron designaciones ocultas para Salomón en los nombres *Agur* (30:1) y *Lemuel* (31:1). Se buscaba, entonces, el significado de las palabras en referencia a la persona de Salomón (ver 30:1 y 31:1).

No se puede negar la participación de varias personas en la composición del libro de Proverbios. Salomón juega un papel fundamental pero no exclusivo. La redacción de los proverbios que se encuentran en los caps. 25—29 es el trabajo de los sabios en el tiempo de Ezequías, unos 250 años después del reinado de Salomón. Como rey de Judá y descendiente de Salomón (ya habían pasado nueve generaciones según Mat. 1:6-9), Ezequías había sobrevivido la invasión de los asirios y había visto la destrucción de Samaria y todo Israel del norte. La mención de Ezequías nos ayuda a ver una composición no acabada hasta por lo menos 700 años a. de J.C., nueve generaciones después de Salomón.

En dos citas se menciona a los sabios (22:17; 24:23). La designación es ambigua dando pocos detalles. Jeremías 18:18 nombra al sabio entre el sacerdote y el profeta. Preguntamos: "¿Es el sabio un profesional en Israel?" Volveremos a la pregunta más tarde.

Los nombres de Agur y Lemuel, ambos de Masá, si se acepta el texto hebreo, representan una influencia no hebrea en Proverbios. Sin embargo, varios eruditos consideran que ellos son descendientes de Ismael (Gén. 25:14; 1 Crón. 1:30). Así estos orientales son verdaderos descendientes de Abraham y primos de los hebreos. Agur es Agur ben Jaqué de Masá, Lemuel es Lemuel ben "su madre" de Masá. El nombre Agur significa "unir, congregar, buscar reunir, etc.", mientras Lemuel significa "consagrado o dedicado a Dios". Masá fue el séptimo hijo de Ismael.

LA AUDIENCIA-OYENTE DEL LIBRO

¿Quién es la audiencia del libro de Proverbios? En 1:4, 5 se da respuesta a esta inquietud. Estos proverbios apuntan a los "jóvenes-ingenuos" y a los "sabios-entendidos". Los jóvenes son aquellos que no tienen mucha experiencia en la vida y están muy abiertos a cualquier influencia; son muy vulnerables a los engaños y las trampas que ponen los hombres violentos y malvados. Los jóvenes son ingenuos y no tienen un criterio formado de cómo funciona la vida y cómo tener un éxito duradero en la misma. La juventud, o la etapa de la adolescencia, es muy difícil, pues el adolescente está cambiando en lo físico y en lo afectivo. No es un niño; pero no tiene el criterio para ser un adulto. Se muestran las tensiones entre la dependencia y la independencia. Es una etapa en la que la sexualidad juega un papel importante, también los amigos y las preguntas existenciales: "¿Quién soy?", "¿para qué sirvo?", "¿qué lugar me corresponde en el mundo?" Los adolescentes quieren saber el porqué de las reglas y la autoridad impuesta se cambia para la autodisciplina, una calidad adulta. Lograr la autodisciplina es difícil y requiere la paciencia y la constancia del individuo. La falta de la autodisciplina resultará en la adicción a las drogas, especialmente al alcoholismo, la trampa de las bandas juveniles, la violencia y robo, la prostitución juvenil, la consecuencia del embarazo y el incremento de madres y padres adolescentes. En América Latina, la adolescencia representa entre el 20 y el 25% de la población. A veces las madres adolescentes representan entre el 25 y el 35% de la totalidad de las madres, afectando la posible educación de las madres solteras y su futuro. Muchas veces la pobreza es la cara de una madre soltera con niñitos pobremente alimentados. Una adolescencia que fracasa denota una sociedad fracasada con un futuro en peligro. ¡Qué necesidad hay de la Palabra de Dios!

Una segunda agrupación de oyentes del libro de Proverbios son los sabios (1:5). Nunca es tarde para aprender la sabiduría divina. Es necesario repasar un contenido tan importante. De hecho, Salomón se perdió en su vejez (1 Rey. 11). Aun Nicodemo aprendió bastante del Maestro Jesús (Juan 3:1 ss). Jesús dijo a Nicodemo: *Tú eres el maestro de Israel, ¿y no sabes esto?* (Juan 3:10). No es fácil modificar el comportamiento cuando uno es anciano. Nicodemo preguntó a Jesús: *¿Puede acaso* (un hombre) *entrar por segunda vez en el vientre de su madre y nacer?* (Juan 3:4). Quizás será más fácil nacer de nuevo que cambiar el comportamiento cuando uno es viejo. Sin embargo, Jesús dio la respuesta adecuada cuando apuntó a Nicodemo a la obra del Espíritu Santo (Juan 3:6 ss.). Todo sabio puede aprender a los pies de Jesús, escuchando la palabra divina.

FORMAS LITERARIAS DE LOS PROVERBIOS

Veamos ahora las formas literarias de los Proverbios. La palabra del título es *Mishley Shelomoh. Mishley* viene de la palabra *mashal*, que tiene como raíz el significado de "reinar" o "comparar". Si se combinan las dos ideas, tenemos el concepto de un "dicho poderoso de comparación". *Mashal* aparece seis veces en el libro de Proverbios y otras 33 veces en los otros pasajes del AT. Su significado puede ser una sentencia breve de sagacidad antigua como se encuentra en 1 Samuel 24:13: *Como dice el proverbio (mashal) de los antiguos: "De los impíos saldrá la impiedad."* Estos dichos breves ocupan la parte principal de los Proverbios (caps. 10—29). Una segunda definición de *mashal* se encuentra en su uso en Salmos 44:14 y 69:11 como refrán de burla. Una tercera definición se encuentra en Números 23:7, donde la palabra *mashal* ha sido traducida como *profecía* por su naturaleza de discurso profético. Por lo tanto, *mashal* tiene un cuarto significado de *parábola* (Eze. 17:2). Así que la palabra *mashal* puede significar un dicho breve o un discurso prolongado (e. g. una parábola).

El *mashal* tiene una función pedagógica muy importante, siendo uno de los métodos mas dinámicos, y más antiguos, en la enseñanza en el antiguo Cercano Oriente. Este dinamismo didáctico exalta el uso del oído, del intelecto y de la imaginación. La memorización y la reflexión juegan papeles fundamentales. El *mashal* es el puente oportuno entre la fe en Jehovah y la vida real con toda su posibilidad y todo su peligro. El libro de Proverbios consiste en unos 800 a 900 puentes, momentos didácticos, donde el corazón palpa y la imaginación corre. Estos momentos didáctico-reflexivos revelan la verdadera condición de un mundo dolido a causa de la violencia, la corrupción, el engaño, la drogadicción, la prostitución, etc. Tales características urbanas también se encuentran en el mundo hispano, donde un sector de la sociedad exalta los valores alterados, los antivalores. El *mashal* da la oportunidad para que la fe en Jehovah se enfrente con estos antivalores.

Jesús utilizó algunos proverbios en sus enseñanzas, como los que se encuentran en Mateo 7:6: *No deis lo santo a lo perros, ni echéis vuestras perlas delante de los cerdos...* Por lo tanto, algunos de los dichos de Jesús han llegado a ser verdaderos modismos latinos como: *Dad a César lo que es del César y a Dios lo que es de Dios* (Mat. 22:21; Mar. 12:13-17; Luc. 20:20-26); *no se debe echar vino viejo en odres nuevos* (Mat. 19:17; Mar. 2:22; Luc. 5:37); *nadie es profeta en su tierra* (Luc. 4:24). Si se agregan todas las parábolas a la lista de *mashal* como indicaría su definición más amplia, entonces la enseñanza de Jesús fue primordialmente la de la literatura sapiencial. De hecho hay dichos parabólicos como Mateo 5:13: *Pero si la sal pierde su sabor, ¿con qué será salada?*, o Mateo 9:12: *Los sanos no tienen necesidad de médico, sino los que están enfermos.*

Por fin, habría que exponer los dos tipos de *mashal* que se encuentran en el libro de Proverbios. El primero es el del dicho común y breve (caps. 10—29). El segundo es el del discurso más largo, notablemente visible en los caps. 1—9. Dentro de los discursos largos hay dichos comunes mas breves como el de 1:17: *Ciertamente en vano se tiende la red ante los ojos de toda ave.* También se puede ver en 6:11: *Así vendrá tu pobreza como un vagabundo, y tu escasez como un hombre armado.* Además, está el ejemplo de Proverbios 9:17: *Las aguas hurtadas son dulces, y el pan comido en oculto es delicioso.* Como se puede ver, no todos los modismos son expresiones agradables a Dios. El modismo o dicho común puede expresar tanto una maldad como una verdad; es decir, puede llegar a expresar un antivalor.

El *mashal* mas frecuente en Proverbios toma la forma de un *aforismo*, una sentencia breve que se propone como regla. Por lo tanto, el proverbio breve toma un traje poético de dos líneas paralelas. Robert Lowth, en 1753, estableció las diversas formas de la poesía hebrea en su libro *De Sacra Poesi Hebraeorum Praelectiones Academicae*, llamando a la expresión hebrea un *parallelismus membrorum*, es decir una "rima de ideas". A veces hay una aliteración donde se repite el mismo sonido de alguna consonante, pero puede ser que el paralelismo sólo se encuentra en una repetición de la misma idea central. Además, a veces se puede ver una cantidad de sílabas con los correspondientes acentos. Dentro de esta rima de ideas se notaba la presencia de unidades de un verso con dos líneas del versículo. Cuando las dos líneas del versículo compartían la misma idea se llamaba "paralelismo sinónimo". Es decir, la segunda línea repite la idea de la primera. Por ejemplo, Proverbios 1:5 dice: *El sabio oirá y aumentará su saber* (primera línea), *y el entendido adquirirá habilidades* (segunda línea). La segunda línea refuerza la primera línea. Este estilo ayuda como un medio para la memoria, y a la vez pone énfasis en lo esencial del dicho. Otro ejemplo se encuentra en 1:28: *Entonces me llamarán, y no responderé* (primera línea): *me buscarán con diligencia y no me hallarán* (segunda línea). Le segunda línea repite complementando la primera línea. El paralelismo sinónimo figura en forma prominente en Proverbios 1—9, 16:1—22:16, etc.

Una segunda rima de ideas es la del "paralelismo antitético". Esta rima consiste en una segunda línea que expresa lo opuesto de la primera línea. Por ejemplo, 10:3 dice: *Jehovah no deja padecer hambre al justo* (primera línea), *pero impide que se sacie el apetito de los impíos* (segunda línea). El contraste se encuentra entre las palabras *justo* e *impío*, además de las ideas de "padecer hambre" y "saciar el apetito". Un segundo ejemplo se encuentra en 15:1: *La suave respuesta quita la ira* (primera línea), *pero la palabra áspera aumenta el furor* (segunda línea). Así, la segunda línea contrasta *la suave respuesta* con *la palabra áspera*, y los verbos "quitar" y "aumentar". Proverbios 10—15 está lleno de dichos con un paralelismo antitético.

Una tercera rima de ideas se relaciona como "paralelismo sintético". En este paralelismo, la segunda línea no repite la primera idea sino construye sobre ella o algún aspecto de ella. Por ejemplo, 23:9 dice: *No hables a oídos del necio* (primera línea), *porque despreciará la prudencia de tus palabras* (segunda línea). La segunda línea no repite ni la misma idea ni la idea opuesta a la primera línea. Al contrario, la segunda línea agrega algo, el porqué, de la primera línea. Un segundo ejemplo se encuentra en 30:10: *No difames al siervo ante su señor* (primera línea), *no sea que te maldiga, y seas hallado culpable* (segunda línea). Otra vez, la segunda línea define más los pormenores de la idea expresada en la primera línea. Por supuesto, estas tres construcciones son ayudas para comprender el texto y el espíritu hebreo; no debemos exagerar su utilidad. La poesía sirve a varios propósitos: Como apoyo para la memoria, para describir la escena proverbial y para la estética, mostrando un sentido placentero para el oído y la imaginación.

Otra característica del libro de los Proverbios es la formación de los dichos. Algunos son numéricos (6:16; 30:15, 16, 18, 19, 21-23, 24-28, 29-31); otros utilizan la palabra hebrea *tob* para decir que una cosa es *mejor* que una segunda cosa (3:14; 8:11, 19; 12:9; 15:16, 17; 16:8, 16, 19, 32; 17:1; 19:1, 22; 21:9, 19; 25:7, 24; 27:5, 10; 28:6); y un proverbio ampliado utiliza el alfabeto hebreo como ayuda para la memoria (31:10-31). Ciertos proverbios son imperativos o mandatos (ver 6:3; 7:25; 19:18; etc.), mientras otros proverbios son las conclusiones de algunas observaciones éticas de la vida (ver 10:1 ss.; 31:10 ss.).

LA UNIDAD DEL LIBRO

Los proverbios se unen en 10:1—22:16 y caps. 25—29 a través de temas comunes entre los versículos (e.g. *justicia, flojera,* etc.) y palabras comunes entre los versículos (ver *lengua, pan, vida,* etc.). Hay más de 500 temas en el libro de Proverbios y docenas de palabras comunes, uniendo así los pasajes.

EL VOCABULARIO ESPECIAL DE PROVERBIOS

Otra característica literaria del libro de Proverbios es el vocabulario especial. Este vocabulario especializado se concentra en los temas de la literatura sapiencial. La palabra *jakam* (sabio), en sus distintas formas verbales y nominativas, se encuentra en 318 citas del AT. El 58% de las citas, es decir 183 versículos, viene de los tres libros sapienciales de Job (28 citas), Proverbios (102 citas) y Eclesiastés (53 citas), que representan sólo un 6% del texto del AT. En Proverbios, las palabras especiales son: *musar,* disciplina (30 citas de un total de 50 en el AT); *biynah,* inteligencia (14 citas de un total de 37); *petiy,* ingenuos (15 citas de un total de 18); *lets,* burladores (14 citas de 16); *tokajat,* reprensión (16 citas de un total de 24); *tabunah,* entendimiento (19 citas de un total de 42); *'atsel,* perezoso (14 citas de un total de 15); *tehmukah,* perversidades (9 citas de un total de 90); *'eviyl,* insensatos (19 citas de un total de 26); *hon,* riquezas (18 citas de un total de 26); y *re'sh*, pobreza (7 citas de un total de 7). Otras palabras incluyen *camino, equidad, sagacidad, saber* y *pobre*.

EL PAPEL DEL DICHO EN EL MUNDO HISPANO

El dicho juega un papel fundamental en el mundo hispano. Tal afirmación se basa en la cantidad de modismos que se pueden encontrar y en la presencia del refrán en la literatura desde el tiempo de Miguel de Cervantes Saavedra, del siglo XVI. En su obra magna, *El ingenioso hidalgo Don Quijote de la Mancha* (1605-15), Cervantes llena la boca de Sancho Panza con los modismos de la razón, aunque Sancho siempre decía que no podía ni escribir ni leer. Tal es el uso de los modismos que Don Quijote grita: "No más refranes, Sancho, pues cualquiera de los que has dicho basta para dar a entender tu pensamiento; y muchas veces te he aconsejado que no seas tan pródigo de refranes, y que te vayas a la mano en decirlos..." (*Don Quijote*, II, 67). Se encontrarán algunos de los dichos de Panza, de su esposa Teresa y aun de Quijote entre los Proverbios. Teresa utiliza una frase de Proverbios, es decir el *pan de balde* (31:27): "...los escuderos andantes no comen el pan de balde..." (*Don Quijote*, II, 5). Por lo tanto, se citan 31:10 (*Don Quijote*, I, 33) y 12:4 (*Don Quijote*, II, 22), ambos acerca de la mujer. De la obra magna salieron los siguientes dichos y aun muchos más: "Dios que da la llaga, da la medicina"; "el hombre pone y Dios dispone"; "... fuese por lana y volviese trasquilado..."; "... quitada la causa, se quita el pecado..."; "la mejor salsa del mundo es el hambre"; "no se mueve la hoja en el árbol sin la voluntad de Dios"; "Dios los cría y ellos se juntan".

El valor de los modismos depende de su calidad moral, no de la forma literaria y el contexto en que se usan. Ningún proverbio puede expresar toda la verdad. "Soñar no cuesta nada" es un dicho que nos trae a la realidad cuando alguien se hace ilusiones de posibles hechos futuros. Un segundo dicho desanima a emprender nuevos desafíos: "El que mucho abarca poco aprieta." Tal dicho puede ser una forma oculta de aplastar una actividad necesaria, o puede ayudar a aquella persona que tiene demasiado trabajo para hacerlo bien, mientras piensa asumir una nueva tarea. Por lo tanto, hay dichos como "más vale tarde que nunca" que pueden motivar a uno a equivocarse. No hay duda que hay momentos en la vida cuando hacer algo es hacerlo demasiado tarde. El libro de Proverbios habla del tiempo oportuno (1:24, 28; 10:5). Cada dicho tiene que ser comprobado a la luz de la Palabra de Dios.

El dicho latino tiene como propósito por lo menos dos cosas. En primer lugar, ayudar en la formación del carácter. Varios dichos apuntan al peligro de tomar bebidas alcohólicas, de la flojera, del chisme, de las malas compañías, etc. Un segundo propósito se encuentra en los dichos que intentan decir algo en una manera suave. Por ejemplo, las frases "está curado", "pegarse una mona" y "anda más cufifo" apuntan a un estado de ebriedad. Un segundo ejemplo habla acerca del hombre violento: "Se salió de las casillas."

EL CONTENIDO TEOLOGICO DE LOS PROVERBIOS

El contenido teológico de los Proverbios afirma el fuerte énfasis en la ética. Se eleva al justo como el modelo y al sabio como el gemelo del justo. Ser sabio es ser justo, mientras ser insensato o necio es ser injusto o impío. La ética y la sabiduría andan mano en mano. Además, el libro muestra que la sabiduría verdadera no es algo abstracto sino una prudencia práctica que ayuda en la vida diaria. El éxito se define en los términos íntegros del carácter, de la prosperidad y de la fe en Dios.

ALGUNAS INQUIETUDES ACERCA DEL LIBRO

¿Cuáles son algunas inquietudes negativas acerca del libro de los Proverbios? En primer lugar, algunos han criticado la manera en que se ve a la mujer, especialmente en los términos de la prostituta, la adúltera y la esposa rencillosa (2:16 ss.; 5:3 ss.; 6:20 ss.; 7:6 ss.). Pero hay que entender que el libro apunta a la educación del varón joven y por ende, señala los peligros de algunas mujeres pecaminosas, capaces de arruinar sus emociones y su formación. Por otro lado, hay que entender que si la audiencia original hubiera incluido las mujeres jóvenes, habría ejemplos del hombre adúltero, del marido violento, etc. De todas maneras, la imagen de la mujer en el libro no es tan negativa. Hay que recordar la importancia que juega la madre y su imagen tan positiva que inunda el libro desde 1:8 hasta las palabras maternales de la madre de Lemuel (31:2-9) y las palabras acrósticas sobre la mujer ideal (31:10-31). El tema de la mujer es importante para el adolescente. Casarse bien es algo importante en la vida. El autor (o los autores) de Proverbios es sabio en tratar el tema desde el lado negativo y su lado más positivo.

Un segundo aspecto de la crítica gira alrededor de la naturaleza de la justicia en la vida. El optimismo en el libro indica que la vida es ciento por ciento justa. Siempre el justo va a prosperar y siempre el impío sufre. Algunos eruditos critican este idealismo. Sin embargo, un examen cercano mostrará que el libro lucha con el tema del malvado próspero. El verbo "envidiar" trata indirectamente el tema: *No envidies al hombre violento; no tenga tu corazón envidia de los pecadores; no tengas envidia de los hombres malos, ni desees estar con ellos;* (no) *tengas envidia de los impíos* (3:31; 23:17; 24:1, 19). La envidia ocurre porque se ven tan poderosos y prósperos. Sin embargo, la eternidad les va a mostrar el valor de sus caracteres.

Un tercer aspecto de la crítica gira alrededor del castigo físico que se encuentra en Proverbios. No hay duda que *la vara* fue utilizada con los niños (13:24; 22:15; 23:13, 14) y contra los adultos pecaminosos (10:13; 26:3), ¿Qué papel debe jugar el castigo físico en la formación del joven y en la reformación del adulto? Ciertamente, el libro de Proverbios exalta el poder de la persuasión y de las palabras, los dichos, y utiliza el castigo físico en una forma infrecuente. El libro de Proverbios es un testamento en cuanto al valor de la educación por la palabra y sólo en raras ocasiones está suplementada por el castigo físico cuando no hay otra alternativa y el peligro moral es grave.

LAS CITAS QUE SE ENCUENTRAN EN EL NUEVO TESTAMENTO

Hay varias citas directas del libro de los Proverbios en el NT. Hay por lo menos 14 citas explícitas y unas 50 citas adicionales que muestran una alusión a alguna frase del libro de los Proverbios. Entre los Proverbios citados figuran el concepto de la disciplina dada por el Señor (Prov. 3:11 s. con Heb. 12:5, 6), el paralelismo antitético que dice que *Dios resiste a los soberbios, pero da gracia a los humildes* (Prov. 3:34 con Stg. 4:6 y 1 Ped. 5:5), el concepto del juicio sobre el justo y el impío (Prov. 11:31 con 1 Ped. 4:18), la frase que dice que *el amor cubre todas las faltas* (Prov. 10:12 con 1 Ped. 4:8), el concepto del juicio de Dios según las obras (Prov. 24:12 con Mat. 16:27 y Rom. 2:6), el dicho acerca de pacificar al enemigo (Prov. 25:21 s. con Rom. 12:20) y la expresión que dice que *el perro se volvió a su propio vómito* (Prov. 26:11 con 2 Ped. 2:22), entre otras citas. Además se puede ver Proverbios 1:16 incorporado a una cita más larga que se usa en Romanos 3:10-18: *Sus pies son veloces para derramar sangre.* Algunas de las citas vienen de la Septuaginta como mostrará el comentario más tarde.

ALGUNAS DIFICULTADES DEL TEXTO HEBREO

Ahora vamos a ver las dificultades con el texto del libro de Proverbios. En primer lugar, hay 78 palabras en el texto hebreo que sólo aparecen una vez en el AT. Estas 78 palabras pueden ser difíciles de traducir si no hay un significado raíz, como en otras palabras. Además, el texto hebreo es difícil por las ausencia de una línea o el verbo en unos 30 pasajes. En tercer lugar, hay pasajes que no se pueden entender porque el texto hebreo no tiene un sentido obvio. Así habría que utilizar los otros textos antiguos como la Septuaginta y la Peshita. Desgraciadamente ningún texto es adecuado en sí mismo. La Septuaginta ha sido ampliada para clarificar el sentido del texto; pero, obviamente, se cae en la trampa de ser una paráfrasis en algunos pasajes.

LAS CARACTERISTICIAS DEL MOVIMIENTO SAPIENCIAL

El libro de los Proverbios se sitúa dentro de un contexto más amplio del movimiento sapiencial. Las características de la sabiduría son especiales. En primer lugar, se enfoca la atención en la **experiencia,** es decir el hecho o la acción humana y su consecuencia. Así se logra reunir datos sobre diversas acciones y los resultados, determinando lo conveniente y lo inconveniente. El sabio observa la vida y llega a algunas conclusiones que pueden ayudar al hombre en su deseo de **lograr el bienestar y el éxito** dentro del marco de la fe en Jehovah. Este blanco mira en forma especial a **la conducta del hombre,** distinguiendo entre el bien y el mal. La naturaleza práctica de la sabiduría hebrea presupone el descubrimiento de **un orden natural-moral** en el universo. De hecho, el sabio observa que cierta acción produce vez tras vez una consecuencia trágica al participante. Así puede afirmar que al participar en tal acción le espera un fin trágico. En quinto lugar, la sabiduría hebrea está **preocupada por el hombre íntegro.** Es decir, la sabiduría no es un mero ejercicio religioso que espera orientar la vida del culto de los judíos. Tampoco la sabiduría espera ser un mero instrumento que se usa en ciertos días especiales, días sagrados. Al contrario, la sabiduría espera aconsejar al hombre en todas las esferas de su vida cotidiana. Así, el movimiento sapiencial anhela lograr su sexta característica, es decir, **la integración de la fe con la vida cotidiana.** La fe en Jehovah desea enfrentar el mundo real con las nuevas de la bondad y la verdad de

Jehovah. La sabiduría bíblica rechaza una filosofía especulativa y nihilista. Además rehusa utilizar las "ciencias ocultas" como medio para el descubrimiento del orden en el universo. Estas ciencias ocultas tantas veces han llegado a ser sistemas arbitrarios sin ningún fundamento. No así con la sabiduría hebrea, que lleva la experiencia humana al laboratorio para examinar, de verdad, las consecuencias de los hechos. Se pueden distorsionar o exagerar las consecuencias de algún hecho en una telenovela donde puede reinar el caos. Sin embargo, la vida misma muestra un orden moral asombroso donde ciertos hechos producen ciertas consecuencias. Quizá la búsqueda de la verdad ha sido reemplazada en las telenovelas por un deseo de producir sentimientos diversos y cada vez más exagerados; nos hace recordar el circo romano. Desgraciadamente, hoy por hoy, el circo se encuentra en el hogar de cada hombre moderno. Por eso, la formación del adolescente es más importante hoy en día que en el pasado.

EL MOVIMIENTO SAPIENCIAL EN LA HISTORIA HEBREA

El movimiento sapiencial dentro de Israel tiene una larga historia que anticipa el rey Salomón. Aun en el tiempo de Abraham el Medio Oriente se preocupaba en la sabiduría. En Génesis 39 en adelante se muestra que José fue un sabio dentro del contexto egipcio. Los sabios egipcios se mencionan junto a los magos, todos consejeros del faraón (Gén. 41:8). Después de la interpretación del sueño sobre las siete vacas gordas y las siete vacas flacas, el faraón dijo de José que *no hay nadie tan entendido ni sabio como tú* (Gén. 41:39). Así que José figuraba como uno de los más sabios de Egipto. Más tarde, en tiempos del exilio, Daniel iba a figurar como uno de los más sabios entre los babilónicos (Dan. 1:20), y aun como el *intendente principal de todos los sabios de Babilonia* (Dan. 2:48). Además, se puede ver en una forma muy transparente la naturaleza de la "escuela babilónica". Básicamente, esta "escuela real" tomaba los mejores jóvenes de los pueblos conquistados y los preparaba durante un período de tres años para un servicio civil (Dan. 1:1-7). Por la evidencia, podemos ver que el sabio en el antiguo Cercano Oriente se sentaba junto al mago, al adivino y al encantador, muchas veces siendo él mago y sabio a la vez. El elemento mágico en la sabiduría no hebrea es innegable. Sus rasgos astrológicos y de hechicería se parecen mucho a la búsqueda de la sabiduría moderna en el horóscopo (los astros o por lo menos ciertos astros, dado que algunos astros son ignorados por estos cosmobiólogos) y una gran parte de la parapsicología juegan papeles importantes. En toda esta sabiduría descubrir "el destino" llega a ser la meta, pues se considera que el comportamiento es un mero reflejo de los astros.

LAS CUATRO FUENTES DE LA SABIDURIA HEBREA

José y Daniel son sólo dos ejemplos de sabios dentro de Israel. El espíritu sapiencial tenía un lugar importante dentro de Israel, habiendo varias fuentes. En primer lugar, el hogar funcionaba como la escuela primaria (Exo. 13:8; Deut. 6:7; Prov. 1:8; 4:1-4). El padre tenía una responsabilidad muy grande frente a su familia y la comunidad de comunicar a sus hijos la sabiduría, los mandamientos divinos. El libro de Proverbios mantiene este fuerte énfasis en el hogar como la verdadera escuela del niño.

Una segunda fuente de la sabiduría hebrea es la presencia de *los ancianos* en las ciudades. Esta fuente ha sido ignorada por los eruditos. Sin embargo, es obvio que ellos tenían que escuchar los asuntos cotidianos y juzgarlos (Rut 4:1 ss.; Job 4:3-6). Los niños tenían la oportunidad de estar entre la multitud y escuchar a los ancianos en sus decisiones. Antes de conversar con el faraón, Moisés y Aarón habían conversado con los ancianos (Exo. 4:29 s.). Después ellos fueron al monte con Moisés (Exo. 24:1 ss.). Aun en tiempos postexílicos se mencionan junto a Esdras como *los jefes de las casas paternas* (Esd. 3:12). De modo que los ancianos fueron instrumentales como modelos para la sabiduría elemental en Israel.

Los videntes-profetas son una tercera fuente de la sabiduría hebrea. Sin duda sus consejos orientaban a Israel (1 Sam. 9:9; 2 Sam. 24:11; etc.). El impacto moral se puede sentir en los profetas como Amós (*Por tres pecados... y por cuatro...*) y Habacuc (*¿Hasta cuándo daré voces a ti diciendo: ¡VIOLENCIA!, sin que tú libres?)*.

La cuarta fuente de la sabiduría hebrea fueron *las instituciones como la del sacerdocio y la del juez* (1 Sam. 2:12; 8:1). Por supuesto, más tarde nace la corte real y sirve también como modelo de sabiduría para los jóvenes, seguramente formándose una escuela organizada en tiempos de Salomón aunque falta toda la evidencia que uno desearía. Por fin, no se pueden ignorar los grandes modelos de la sabiduría que estaban presentes en la tradición hebrea. El espíritu de sabiduría estaba sobre José, Moisés y Josué entre otros (Gén. 41:38; Núm. 11:24 ss.; Deut. 34:9). Siempre la sabiduría hebrea se relaciona con la presencia y el espíritu de Jehovah.

LA INTEGRACION DE LO SAGRADO Y LO PRACTICO

Estas fuentes ya mencionadas forman el trasfondo local de Salomón. La tesis que espera lograr separar lo religioso de lo práctico en los Proverbios no ha admitido la influencia pasada sobre el tema de la sabiduría. La integración de los conceptos teológicos es muy natural en el libro de Proverbios, y no son agregados como algunos han sugerido (ver von Rad, 75-98). Por lo tanto, no se debe sobreestimar el valor de la literatura sapiencial extrabíblica y subestimar la contribución hebrea al Cercano Oriente en este campo. Son eliminados los elementos mágicos y fatalistas, los que buscaban el "destino". Se enfoca la importancia de la decisión ética y la conducta apropiada ante Dios. Así, se puede decir que el destino del hombre no está en los astros sino en su propia forma de conducirse en la vida cotidiana. Por fin, Jeremías nombra al sabio junto al sacerdote y al profeta (18:18). Es importante comparar algunos pasajes en Isaías y en Jeremías (Isa. 19:11, 12; 29:14, 15; Jer. 49:7; 50:35; 51:57).

LA ESCRITURA SAPIENCIAL EN EL ANTIGUO TESTAMENTO

Hay varios pasajes fuera del libro de Proverbios que utilizan el espíritu sapiencial. Otros libros enteros son Job, Eclesiastés y Cantar de Cantares. Los Salmos 1, 37, 49, 73, 112, 127, 128 y 133 son sapienciales.

LA LITERATURA Y EL AMBIENTE EN EL CERCANO ORIENTE COMO UNA FUENTE ADICIONAL PARA EL MOVIMIENTO SAPIENCIAL EN ISRAEL

Una fuente adicional para la sabiduría hebrea es la influencia mutua entre Israel y los vecinos, especialmente Egipto, Mesopotamia, Moab, Amnón, etc. En Proverbios se citan dos extranjeros, quizá primos a través de Ismael: Agur ben Jaqué (30:1) y Lemuel ben "su madre" (31:1), ambos de Masá (Arabia). Además de los autores explícitamente mencionados en el texto, hay algunos indicios del uso de ciertos materiales extrabíblicos en la construcción de ciertos dichos. Tal es el caso de 22:17—23:14, donde se ha reconocido una relación con un escrito egipcio descubierto en 1923-24 y que se ha traducido. Su fecha es alrededor de 1.200 a. de J.C. Los cuatro papiros y nueve *ostraka* o tablillas exhumadas nos relatan las "Instrucciones de Amen-em-ope" a su hijo. Están divididos en treinta capítulos, llamados "casas". Estas "Instrucciones de Amen-em-ope" nos entregan un paralelo muy útil para comprender los valores del mundo que rodeaba a Israel. El texto de Proverbios, sin embargo, muestra una clara transformación del texto extranjero y una incorporación de algunos elementos propios a su fe y práctica. Otros escritos extrabíblicos tocan temas del campo sapiencial, como el problema del sufrimiento (*Los lamentos del pobre campesino, Diálogo del desesperado con su alma, Llamada de auxilio de un hombre maduro a su dios, La queja de Inannakam, Justo doliente, Diálogo sobre la miseria humana*, etc., ver Cazelles, 636-46), como el concepto de la virtud (*La instrucción de Ani, Instrucción de Ptah-hotep, Los consejos de Sabiduría*, etc., ver Brown, 396-404) y como el valor de vivir en un ambiente pesimista (*Disputa sobre el suicidio, Diálogo del pesimismo*, etc., ver Brown, 398-404). Son muchísimos los textos todavía no traducidos y aún más los que no han sido encontrados. La sabiduría hebrea, por tanto, se ubica dentro del contexto más universal sin perder de vista el dador de la sabiduría, Jehovah, y la contribución única de Israel.

LA INFLUENCIA DEL MOVIMIENTO SAPIENCIAL EN EL NUEVO TESTAMENTO

El NT en general muestra la influencia sapiencial del mundo antiguo. En el Sermón del monte, Jesús llega a ser una especie de nuevo dador de la ley (Mat. 5—7). Por lo tanto, el impacto más obvio está en el campo de la ética. Un segundo pasaje que refleja una influencia sapiencial se encuentra en 1 Corintios 1—2, que revela una marcada apreciación del concepto sapiencial. Citando Isaías 29:14, el autor de 1 Corintios declara que Dios va a destruir *la sabiduría de los sabios...* (1 Cor. 1:19); además, echa un reto consultando: *¿Dónde esta el sabio?* (1 Cor. 1:20). Por fin, el pasaje declara que Cristo es la *sabiduría de Dios* (1 Cor. 1:24), que el creyente recibe la sabiduría mediante su espíritu (1 Cor. 2:6 ss.) y que la sabiduría humana se muestra incompetente en las cosas más profundas de Dios (1 Cor. 2:8, 13 s.). Santiago también habla de la sabiduría en 3:13-18 llegando a mostrar los frutos de la verdadera sabiduría. Por fin, cabe destacar los dichos de 1 Corintios 1:25, 27: *Porque lo necio de Dios es más sabio que los hombres* y *Dios ha elegido lo necio del mundo para avergonzar a los sabios.* Estos son algunos pasajes que hablan de la sabiduría en el NT.

Se puede ver la influencia obvia del libro de Proverbios y el movimiento sapiencial en Israel.

La búsqueda de la sabiduría se remonta a la antigüedad, cuando el hombre buscaba identificar las cosas en el mundo, entender la forma en que funcionaban las plantas o los animales, y cómo el hombre podría tener alguna ventaja cuando poseía esta información. Tal búsqueda es, a la vez, universal con el nacimiento de cada niño que sale en búsqueda de descubrir y de conquistar el mundo a su alrededor. En esta búsqueda, el niño se autodescubre y conoce sus capacidades y sus limitaciones. Por eso, la sabiduría no puede limitarse a un solo pueblo ni a un solo tiempo; es un movimiento universal y tremendamente personal; es la historia de cada ser humano. Ahora vienen las preguntas sobre cómo descubrir el mundo, su orden, etc., y organizar esta información para el provecho del ser humano. ¿Hay un orden meramente físico, o es a la vez moral? ¿Cuáles son las normas de este orden? La respuesta del libro de los Proverbios afirma el orden moral del universo, como siendo creado por Dios e invita al individuo a descubrir el corazón divino como se expresa en la conducta humana. El libro busca introducir al joven a la vida moral a través de los modismos y las minihistorias que se pintan en los modismos.

Bosquejo de Proverbios

I. ¿POR QUE UN LIBRO DE DICHOS SAGRADOS?, 1:1-7

1. El título, 1:1
2. Las metas de los proverbios de Salomón, 1:2-6
3. La fuente y la consigna de la sabiduría, 1:7

II. LAS EXHORTACIONES-DISCURSOS PARA EL APRENDIZ, 1:8—9:18

1. La primera escuela: el hogar, 1:8, 9
2. Una invitación a la violencia, 1:10-19
3. Un predicador callejero, 1:20-27
4. El tiempo oportuno no es para siempre, 1:28-33
5. La sabiduría abre una estrecha relación con Dios, 2:1-9
6. La sabiduría desarrolla la personalidad, 2:10, 11
7. Una liberación de los compañeros pervertidos, 2:12-15
8. Una liberación de la mujer deceptiva, 2:16-19
9. Las decisiones sobre la conducta conllevan consecuencias, 2:20-22
10. Cómo vivir bien, 3:1-4
11. El autoengaño en la racionalización, 3:5-10
12. La excelencia de la disciplina, 3:11, 12
13. La sabiduría, el mayor de los bienes, 3:13-18
14. La sabiduría, el participante en la creación, 3:19, 20
15. Cómo derrotar el temor, 3:21-26
16. Construyendo una relación fraternal con el prójimo, 3:27-35
17. La alta y constante prioridad de la sabiduría, 4:1-9
18. ¿La aurora o la oscuridad?, 4:10-19
19. Un compromiso integral de la persona, 4:20-27
20. ¡Pon atención!, 5:1, 2
21. El engaño de la mujer perversa, 5:3-6
22. El peligro y la vergüenza del encuentro sexual ilícito, 5:7-14
23. El auténtico placer sexual, 5:15-20
24. El trastorno del pecado, 5:21-23
25. Liberándose de una fianza inoportuna, 6:1-5
26. La flojera, una causa del hambre, 6:6-11
27. Los siete rasgos del hombre vicioso, 6:12-15
28. Los siete hechos condenados por Dios, 6:16-19
29. Las enseñanzas paternales como luminaria, 6:20-23
30. El peligro y la locura del adúltero, 6:24-35
31. Estrechando lazos profundos con la sabiduría, 7:1-5
32. Andando en la calle, 7:6-9
33. Un encuentro nocturno, 7:10-20
34. Una decisión ignorante del costo, 7:21-23
35. El alto costo del adulterio, 7:24-27

36. La sabiduría, el predicador, dice la verdad, 8:1-11
37. El sano juicio de la sabiduría, 8:12-16
38. Los tesoros de la sabiduría, 8:17-21
39. La sabiduría, un consejero antiguo, 8:22-31
40. ¡Qué dicha los que escuchan!, 8:32-36
41. La sabiduría, un buen dueño de casa, 9:1-6
42. La inutilidad de corregir al cínico, 9:7-9
43. La proyección del sabio y el fin brusco del cínico, 9:10-12
44. El grito mortal de la callejera, 9:13-18

III. LOS PROVERBIOS DE SALOMON, 10:1—22:16

1. El esfuerzo premiado por Dios, 10:1-5
2. El testimonio perpetuo del justo y del malvado, 10:6-10
3. El uso y el abuso del habla, 10:11-21
4. Un "deporte" necio, 10:22-26
5. Los dos futuros, 10:27-32
6. La integridad es superior a las riquezas, 11:1-7
7. Los modales que enriquecen y empobrecen a la ciudad, 11:8-19
8. El criterio divino, 11:20-23
9. La generosidad audaz, 11:24-31
10. Una proyección sólida, 12:1-7
11. El pan adquirido, una señal del carácter, 12:8-12
12. La buena palabra confronta la mentira, 12:13-25
13. Los alcances de la persona diligente,12:26-28
14. Los no sabios, 13:1-6
15. Las pretensiones, 13:7-14
16. El contraste abismal entre el necio y el justo, 13:15-19
17. El peligro de los compadres corruptos, 13:20-25
18. Los que destruyen, los que construyen, 14:1-8
19. La culpabilidad y la amargura, 14:9-13
20. Los temores de los ingenuos, 14:14-19
21. La actitud apropiada hacia el pobre, 14:20-25
22. Una sociedad justa y próspera, 14:26-35
23. Las palabras que pacifican, 15:1-7
24. Dios no se engaña, 15:8-14
25. Los diversos ambientes de la alegría, 15:15-21
26. Una participación sabia, 15:22-26
27. Las ganancias que dejan pérdidas, 15:27-33
28. Un examen divino del corazón humano, 16:1-9
29. El gobierno honrado, 16:10-15
30. Los pasos hacia la perdición, 16:16-25
31. Las actitudes destructivas, 16:26-33
32. Las vivencias en el hogar, 17:1-10
33. Las personas problemáticas, 17:11-23

34. Los ojos son el espejo del alma, 17:24-28
35. Los hechos de los malvados, 18:1-9
36. Los sentimientos mejores, 18:10-15
37. Los actos que abren las puertas cerradas, 18:16-24
38. El pobre y el testigo falso, 19:1-14
39. La flojera, la pobreza y el hijo, 19:15-18
40. La furia, la ambición y la flojera, 19:19-24
41. La corrección o castigo del hijo necio, 19:25-29
42. El alcoholismo y otros males, 20:1-6
43. La integridad personal y profesional, 20:7-11
44. Las formas inadecuadas para adquirir el pan cotidiano, 20:12-18
45. Los hechos repugnantes, 20:19-25
46. Las cualidades del buen gobierno, 20:26-30
47. La justicia divina desautoriza el engaño, 21:1-5
48. Los modales que destruyen el hogar, 21:6-13
49. El soborno y otros vicios, 21:14-23
50. Los deseos frustrados, 21:24-31
51. La compleja relación entre la riqueza y la bendición, 22:1-9
52. Los rasgos de la inmadurez, 22:10-16

IV. LOS TREINTA DICHOS DE LOS SABIOS, 22:17—24:22

1. Una disposición para el desarrollo de la personalidad, 22:17-21
2. El opresor del pobre, el amigo del violento, 22:22-25
3. Las tres enseñanzas financieras, 22:26-29
4. El afán de vivir en el lujo, 23:1-8
5. Los dos esfuerzos inútiles, 23:9-11
6. La disciplina, un elemento imprescindible, 23:12-16
7. El alcoholismo y la glotonería, 23:17-21
8. La alegría paternal y la prostitución traicionera, 23:22-28
9. Las consecuencias inesperadas de la borrachera, 23:29-35
10. Una envidia peligrosa y una sabiduría subestimada, 24:1-9
11. Una renuncia prematura y el verdadero fracaso, 24:10-16
12. El enemigo, el malvado y el inestable, 24:17-22

V. OTROS DICHOS DE LOS SABIOS, 24:23-34

1. Los abusos de la corte judicial, 24:23-29
2. El fruto de la flojera, 24:30-34

VI. OTROS DICHOS DE SALOMON, 25:1—29:27

1. El ambiente apropiado en el gobierno, 25:1-7b
2. La palabra inoportuna y la palabra amena, 25:7c-15
3. Las advertencias sobre diversas relaciones, 25:16-22

4. Los proverbios pintorescos, 25:23-28
5. Cómo tratar al necio, 26:1-12
6. La mentalidad del flojo, 26:13-16
7. Los trastornos del dicho y del hecho, 26:17-28
8. La jactancia, los celos y el vagabundeo, 27:1-10
9. Las relaciones desplomadas, 27:11-16
10. Un análisis del carácter humano, 27:17-22
11. Un análisis del estado agrícola-ganadero, 27:23-27
12. Las consecuencias de los valores alterados, 28:1-14
13. El ambiente del gobierno tirano, 28:15-22
14. El juicio apropiado, 28:23-28
15. La sociedad alterada I, 29:1-11
16. La sociedad alterada II, 29:12-27

VII. LAS PALABRAS DE AGUR BEN JAQUE, 30:1-14

1. La búsqueda de Dios, 30:1-6
2. Una súplica íntima, 30:7-9
3. Las señales de una generación perversa, 30:10-14

VIII. LOS PROVERBIOS NUMERICOS, 30:15-33

1. ¡Basta... ya!, 30:15-17
2. La conciencia insensible de la adúltera, 30:18-20
3. Los cuatro personajes insoportables, 30:21-23
4. Las huellas sabias en las pequeñas criaturas, 30:24-28
5. El orgullo sano, 30:29-31
6. El dominio propio sobre el habla, 30:32, 33

IX. LAS PALABRAS DE LEMUEL, 31:1-9

1. Un compromiso maternal, 31:1, 2
2. ¡Cuidado con las prostitutas y la borrachera!, 31:3-7
3. El gobierno, el hacedor de la justicia y el defensor del pobre, 31:8, 9

X. UN ELOGIO A LA MUJER VIRTUOSA, 31:10-31

1. La mujer anhelada, 31:10-12
2. La mujer creativa-industriosa, 31:13-19
3. La mujer íntegra, 31:20-27
4. La mujer querida, 31:28-31

AYUDAS SUPLEMENTARIAS

Archer, Gleason L. *Reseña Crítica de una Introducción al Antiguo Testamento.* Trad. A. Edwin Sipowicz. Chicago: Moody Bible Institute, 1981, 512-522.

Beauchamp, Paul. *Ley, Profetas, Sabios.* Trad. J. Luis Zubizarreta. Madrid: Ediciones Cristiandad, 1977, 102-133.

Bright, John. *La Historia de Israel.* Séptima edición. Trad. Marciano Villanueva. Bilbao: Desclée de Brouwer, 1970, 252-444.

Brown, Raymond E., Joseph A. Fitzmyer y Roland E. Murphy, eds. *Comentario Bíblico "San Jerónimo"*, Tomo II, Antiguo Testamento II. Trad. Alfonso de la Fuente Adanez y Jesús Valiente Malla. Madrid: Cristiandad, 1971, 391-434.

Cates, Robert L. *Introducción al Estudio del Antiguo Testamento.* Trad. Rubén O. Zorzoli. El Paso: Casa Bautista de Publicaciones, 1990, 395-398, 419-422, 437-442.

Cates, Robert L. *Teología del Antiguo Testamento.* Trad. Roberto Fricke. El Paso: Casa Bautista de Publicaciones, 1989.

Cazelles, Henri. *Introducción Crítica al Antiguo Testamento.* Barcelona: Editorial Herder, 1981, 578-631.

Chávez, Moisés. *Proverbios: Reflexión de la Vida.* El Paso: Editorial Mundo Hispano, 1976.

de Vaux, Roland. *Instituciones del Antiguo Testamento.* Trad. Alejandro Ros. Barcelona: Editorial Herder, 1964.

Eichrodt, Walther. *Teología del Antiguo Testamento.* Tomo II. Trad. Daniel Romero. Madrid: Ediciones Cristiandad, 1975, 88-99, 317-377.

Günkel, Jermann. *Introducción a Los Salmos.* Trad. Juan Miguel Díaz Rodelas. Valencia: Edicep, 1983, 395-410.

Hermann, Siegfried. *Historia de Israel.* Trad. Rafael Velasco Beteta y Manuel Olasagasti. Salamanca: Ediciones Sígueme, 1985, 226-409.

Jenni, Ernst y Claus Westermann, eds. *Diccionario Teológico Manual del Antiguo Testamento,* I. Trad. J. Antonio Mugica. Madrid: Ediciones Cristiandad, 1978.

Jenni, Ernst y Claus Westermann, eds. *Diccionario Teológico Manual del Antiguo Testamento,* II. Trad. Rufino Godoy. Madrid: Ediciones Cristiandad, 1985.

Kidner, Derek. *Proverbios.* Trad. Adam F. Sosa. Buenos Aires: Ediciones Certeza, 1975.

Packer, J. I., M. C. Tenney y William White, Jr. *La Vida Diaria en los Tiempos Bíblicos.* Trad. Francisco Liévano. Miami: Editorial Vida, 1982.

Pritchard, James B. *La Arquelogía y el Antiguo Testamento.* Trad. Guillermo Koehle. Buenos Aires: Editorial Universitaria de Buenos Aires, 1962.

Pritchard, James B. *La Sabiduría del Antiguo Oriente.* Trad. J. A. G. Larraya. Barcelona: Ediciones Garriga, S. A., 1966.

Sampey, John R. *Estudios Sobre el Antiguo Testamento.* El Paso: Casa Bautista de Publicaciones, 1981, 120-131.

Schmidt, Werner H. *Introducción al Antiguo Testamento.* Trad. Manuel Olasagasti. Salamanca: Ediciones Sígueme, 1983, 393-401.

Schokel, L. Alonso y J. Vílchez Líndez. *Proverbios.* Madrid: Ediciones Cristiandad, 1984.

Serrano, Justo J. "Proverbios." *La Sagrada Escritura,* Antiguo Testamento, IV. Madrid: Biblioteca de Autores Cristianos, 1969, 434-526.

von Rad, Gerhard. *Sabiduría en Israel.* Trad. C. Mínguez Fernández. Madrid: Ediciones Cristiandad, 1985.

Walls, A. F. "Proverbios". *Nuevo Comentario Bíblico.* Eds. D. Guthrie, J. A. Motyer, A. M. Stibbs y D. J. Wiseman. El Paso: Casa Bautista de Publicaciones, 1977, 411-427.

Wright, G. Ernest. *Arqueología Bíblica.* Trad. J. Valienta Malla. Madrid: Ediciones Cristiandad, 1975, 186-318.

PROVERBIOS

TEXTO, EXPOSICION Y AYUDAS PRACTICAS

Tema y propósito del libro

1 1 Los proverbios de Salomón hijo de David, rey de Israel:

2 para conocer sabiduría y disciplina;
para comprender los dichos de inteligencia;
3 para adquirir disciplina y enseñanza,
justicia, derecho y equidad;

I. ¿POR QUE UN LIBRO DE DICHOS SAGRADOS?

1. El título, 1:1

El título del libro se encuentra en el primer versículo: *Mishley Shelmoh* (LXX: *paroimi*; Jesús hace uso del término en Juan 10:6; 16:25, 29; también se usa en 1 Ped. 2:22). *Mishley* viene de *mashal*, como un dicho común que nació en la experiencia humana y llega a usarse en forma comparativa y normativa. Este dicho o regla de la conducta humana sirve de modelo para el creyente. La frase o regla del libro, *Mishley Shelomoh*, aparece dos veces más en el primer versículo de las colecciones 10:1—22:16 y 25:1—29:27. Estas colecciones, que se componen de verdaderos dichos o *mashal* en su sentido más estricto de una sentencia breve, forman la parte mayoritaria del libro. Se puede argumentar que las otras colecciones son agregados alrededor de estas dos colecciones, que tienen 500 de los 900 dichos del libro.

El otro uso de *mashal* o dicho se encuentra en 1:6 y 26:7, 9. En estos casos, está referido el sentido más estricto de *mashal*, sentencia breve. En 1:6 se habla de la comprensión de los proverbios como un bien, mientras 26:7 y 9 nos advierten del abuso del proverbio en los labios de los necios. ¡Ojo con lo dicho por ellos, aunque se utilicen algunos modismos populares! Pablo también advierte sobre este abuso de dichos populares en 1 Corintios 6:13 en que *el estómago* sirve como un eufemismo para "el sexo": *La comida es para el estómago, y el estómago para la comida.* Supuestamente, el que pronuncia el dicho espera justificar su inmoralidad, diciendo que el cuerpo humano está hecho para el sexo. Por eso, el elemento religioso llamado *el temor de Jehovah* es fundamental en el análisis de los dichos. Así el dicho está dentro del marco de la fe.

> **¿Qué es un proverbio?**
>
> 1. Es un dicho corto que resalta una norma para la vida.
> 2. Es un dicho corto que ofrece consejos de un sabio en un campo especial a personas que no tienen mucha experiencia en ese campo.
> 3. Es un dicho que enfatiza consejos prácticos para la salud física, emocional y espiritual.

Shelomoh o Salomón se designa por su apellido, hijo de David (Salomón ben David), para que nadie se confunda, y para que se reconozca el pacto entre Dios y David y entre la casa de David y el pueblo. Además de ser el autor de las dos colecciones mencionadas, Salomón es el gran auspiciador de la sabiduría en Israel (ver Introducción). Es dudoso que Salomón sea el autor de los caps. 1—9, pero es posible.

Un segundo agregado al nombre Salomón, *el rey de Israel*, elimina toda duda sobre su identificación. Quizá muestra un pueblo orgulloso de su rey sabio, conocido en el escenario internacional. Es interesante notar que Salomón compuso 3.000 proverbios de los cuales sólo unos 500 figuran en Proverbios (1 Rey. 4:34). De

4 para dar sagacidad a los ingenuos
y a los jóvenes conocimiento y prudencia.
5 El sabio oirá y aumentará su saber,
y el entendido adquirirá habilidades.
6 Comprenderá los proverbios y los dichos profundos,
las palabras de los sabios y sus enigmas.

---

todas maneras, la totalidad de los proverbios no excede de los 900.

2. Las metas de los proverbios de Salomón, 1:2-6

Las metas del libro, los proverbios de Salomón, son diversas y completas. En primer lugar, se espera justificar la existencia y la divulgación de los proverbios mostrando su aplicación práctica. El concepto de sabiduría se refiere a la sabiduría cotidiana, es decir la *prudencia*. Suena exageradamente pesimista lo dicho por Serrano: "El libro de Proverbios en general, tanto en su aspecto social, como en el religioso, pertenece a una época que ya pasó. Muchos de sus proverbios no tienen ya aplicación práctica." Ese comentario está lejos de la realidad. Las situaciones mencionadas en Proverbios son a menudo las mismas realidades en las ciudades de Latinoamérica hoy día. Algunas costumbres han cambiado, pero los valores y los antivalores siguen en una lucha de muerte. En 1524, Martín Lutero escribió sobre los Proverbios que "el rey Salomón emprendió la tarea del maestro, educar y guiar a la juventud, señalando cómo debe actuar ante Dios piadosamente, según el espíritu, ante el mundo sabiamente, con cuerpo y bienes".

La preposición hebrea *le*, que significa "para" o "como se refiere a" se encuentra en los vv. 2, 3, 4 y 6. Tal preposición comienza y unifica los versículos. Por lo tanto, el paralelismo que se usa en los vv. 2-6 es sinónimo, donde la segunda parte del versículo hace una repetición de la idea en la primera parte (ver Introducción). La estructura gramatical revela cuatro metas iniciales: ... *para* ***conocer***... *para* ***comprender***... *para* ***adquirir***... *para* ***dar***... Siguen las formas verbales del contenido de las metas de los proverbios: *sabiduría, disciplina, los dichos de inteligencia* como la primera agrupación; *disciplina, enseñanza, justicia, derecho, equidad* como una segunda agrupación; *sagacidad, conocimiento, prudencia* como una tercera agrupación. Se nota una enorme acumulación de palabras sinónimas en estos versículos. Algunos han sugerido que dentro de la lista de cualidades "falta la precisión terminológica de una ciencia... el autor prefiere la acumulación a la diferenciación" (Schokel). Sin duda, no es posible entender las finas diferencias entre todas las palabras. Sin embargo, se pueden observar algunas conclusiones. En primer lugar, las palabras *sabiduría* y *disciplina* abren y cierran 1:2-7: "para conocer *jakmah* 2451 (sabiduría) y *musar* 4148 (disciplina)... los insensatos desprecian la sabiduría (*jakmah*) y la disciplina (*musar*)". La raíz de la palabra para sabiduría (*jakam* 2451) se encuentra en unas 102 citas en el libro de Proverbios dentro del marco de todas las formas verbales y nominativas. Este término puede indicar una amplia gama de conceptos, desde una habilidad constructiva (Exo. 28) hasta una capacidad para dirigir (Isa. 47:10).

En Proverbios, el sentido de *jakam* es de sabiduría práctica o sea la prudencia. Habla de la capacidad de actuar en una forma apropiada en un tiempo oportuno.

Una segunda palabra en el texto, disciplina o *musar* 4148, se encuentra en 30 citas en Proverbios (ver 1:2, 3, 7, 8; 3:11; 4:1, 13; 5:12, 23; etc). La palabra indica la formación de la persona, hasta el grado de usar la obligación y el castigo como medios de disciplina (3:11 s.; 8:10, 33; 23:13, 14; 29:15). Se requiere una influencia positiva para enfrentar los engaños de las tentaciones urbanas (la violencia, la prostitución, el alcoholismo, etc.). La *disciplina* parece ser el acompañante de las otras virtudes de Proverbios: *la sabiduría* (1:2), *la enseñanza* (1:3) y *la instrucción* (1:8). Ser una influencia positiva en el mundo no debe ser una casualidad sino una forma disciplinada de la vida. Unida a la sabiduría, la disciplina se puede enfocar hacia el bien.

El v. 3 contiene una unidad de tres palabras *—justicia, derecho y equidad—* que aparece de nuevo en 2:9. En el segundo pasaje la conclusión suma las tres palabras: *todo buen camino.* Era muy importante la capacidad de evaluar una situación y después hacer lo justo. Aquí el conocimiento y la disciplina se completan por el concepto de "lo justo", sea en un nivel personal o en un nivel público y legal. La justicia es una práctica de la vida del creyente. Se debe entender justicia en su concepto amplio de rectitud e igualdad ante Dios.

En el v. 4 hay dos grupos de personas, *los ingenuos* y *los jóvenes.* Si se mantiene un paralelismo sinónimo absoluto, entonces los dos grupos pueden apuntar a un solo grupo, es decir a los jóvenes-adolescentes. *Ingenuos* traduce la palabra *peta'yim* 6612 (plural para *petiy* designando a los "abiertos"). En Proverbios se encuentra esta palabra en 15 de las 18 citas del AT (1:4, 22, 32; 7:7; 8:5; 9:16; etc.). En 7:7 se encuentran los mismos dos grupos, los ingenuos y los jóvenes, en un paralelismo sinónimo. Otra evidencia de que se trata de un solo grupo es el v. 6, que habla del "sabio" y del "entendido". Obviamente se trata de la misma persona, el joven ingenuo. Entonces, en los vv. 4 y 5 se está apuntando a dos grupos de personas y no a cuatro. El grupo apuntado para estas lecciones o proverbios son "los jóvenes ingenuos" y "los sabios o entendidos". El sabio anhela formar al primer grupo, los adolescentes, que todavía no tiene un sano criterio formado. Por eso, la palabra *petiy* es muy apropiada. Son jóvenes que no tienen la experiencia como una base para tomar decisiones. Son inexpertos en el arte de vivir.

La palabra *na'ar* 5288 puede significar "niño, joven o siervo". Aquí significa el joven en vías de la formación, quizá entre 15 y 25 años aproximadamente. Tal grupo representa el 30% de la población en América Latina. Según el dicho, el adolescente está en "la edad del pavo".

La educación proverbial espera ahorrar a los jóvenes muchos momentos de tragedia y de dolor que son productos del engaño de los diversos malvados. A través de todo el libro de Proverbios se puede sentir este espíritu de urgencia. El maestro de la sabiduría sabe que se trata de la salvación y la perdición de una vida. Se transforma en el heraldo del evangelio de la sabiduría divina, base para la vida exitosa.

La segunda clase de personas que se van a beneficiar de estos proverbios son los mismos sabios, las personas maduras y ya adultas. En la Biblia hay muchos sabios ancianos que escucharon la palabra de Dios y seguían respondiendo a ella (Moisés, Nicodemo, etc.). Se puede ver que el libro de Proverbios es un libro autoritativo para las otras fuentes de la sabiduría. El autor o sabio es maestro de maestros. Así hay una clase de perfeccionamiento para los sabios. Este hecho denota la profundidad y el valor del libro. El v. 6 también muestra que el libro es producto del esfuerzo de *los sabios* y no de una sola persona, sea

Verdades prácticas

Se debate mucho hoy en día el tema de la educación. ¿En qué consiste? ¿Cuándo y cómo educar al niño? ¿Qué es una educación adecuada?

Los gobiernos gastan millones en estudios, encuestas y programas piloto con el fin de mejorar los sistemas de educación en cada país. El autor de proverbios nos ayuda a resolver el problema. Una educación adecuada consiste en lo siguiente:

1. Es el proceso de impartir conocimientos y experiencias, v. 2.
2. Es el desarrollo de la autodisciplina bajo supervisión sabia, v. 3.
3. Es la utilización de la información adquirida del pasado en forma positiva y productiva, v. 2.
4. Es el fomento de la justicia, equidad y derecho, v. 3.
5. Es el provecho de la sagacidad, prudencia y sabiduría, v. 4.

7 El temor de Jehovah es el principio del conocimiento;
los insensatos desprecian la sabiduría y la disciplina.

Salomón u otra. Junto a *las palabras* de los sabios (22:17), se encuentran algunos géneros de la literatura sapiencial, tales como "los proverbios", "los dichos profundos" (*meliytsah* 4426), "los enigmas" (*hiydah* , Sal. 49:4; 78:2); todos apuntando a dichos difíciles y complejos, algo en que hay que meditar y reflexionar. Schokel sugiere un proceso de seis partes en estos versículos: "dotes-educación-cultivo-actitudes-actos-consecuencias" (ver Schokel).

Las metas del libro son altamente comprometedoras. Su deseo superior es formar al joven en una integridad y una madurez que le permitan desarrollar una vida recta y exitosa. Este libro es más amplio que los libros que se publican hoy en día que hablan de "cómo tener éxito en los negocios", o "cómo influir en las personas", o "cómo mejorar el sexo", entre otros temas sobre el éxito. Hay que seleccionar bien la lectura contemporánea, asegurándose que su contenido esté de acuerdo con los principios bíblicos. ¿Cuántos cristianos son guiados por la sabiduría del mundo y pierden las bendiciones de la sabiduría divina por falta del conocimiento bíblico?

Joya bíblica

El temor de Jehovah es el principio del conocimiento;
los insensatos desprecian la sabiduría y la disciplina (1:7).

3. La fuente y la consigna de la sabiduría, 1:7

El v. 7 termina la primera sección del libro. La oración expone que *el temor de Jehovah es el principio del conocimiento,* haciendo una igualdad entre las dos partes del versículo. Algunos intentan suavizar el impacto de la palabra *temor* (ver Schokel). Otro autor lo llama "un temor reverencial" (ver Forestell). Calvino creía en un temor del terror divino (*Instituciones de la Religión Cristiana*).

De hecho no se trata de un terror insano o un temor satánico. Sin embargo, hay que reconocer que hay un temor santo, un temor que advierte del peligro. Por ejemplo, un niño debe procurar tener un sano temor al enchufe eléctrico desde la niñez. Los padres tienen que disciplinar al niño para que no meta el dedo en un enchufe. El miedo debe funcionar no sólo en el campo físico, sino también en el campo moral. El *temor de Jehovah* mira toda la vida humana e inspira un sano temor hacia la persona de Dios. Aunque el concepto de temor a Dios haya nacido dentro de un contexto pagano donde hay terror al enfrentarse a un dios caprichoso, no es ese el concepto en Proverbios. Aquí, esta actitud muestra una fe viva y una conducta consecuente con la palabra de Dios. En este caso, la palabra de Dios se revela indirectamente a través del dicho humano. Esta frase se encuentra en varios y diversos escenarios de Proverbios (1:29; 2:5; 8:13; 9:10; 10:27; 14:26, 27; 15:16, 33; 16:6; 19:23; 22:4; 23:17). Eclesiastés 12:13 suma todo su libro con el refrán:...*Teme a Dios...* Además de los pasajes ya mencionados en Proverbios, hay que añadir los que hablan del "temor a Jehovah" (3:7; 14:2; 24:21). El temor de Jehovah abre la puerta a la sabiduría divina, siendo este temor la actitud apropiada ante Dios. Además se hace compromiso con la vida del creyente, aumentando sus días, su dignidad y sus bienes (10:27; 22:4), revelándose como *fuente de vida* (14:27) y el escudo que nos protege del mal (16:6). Ser creyente significa un beneficio en todos los sentidos de la vida humana: en lo espiritual, moral, físico y material. De modo que el mensaje de Proverbios es muy optimista. La palabra *principio* (*re'shiyt* 7225) significa el comienzo de algo y a la vez la parte fundamental y prin-

Advertencia contra la codicia

8 Escucha, hijo mío, la disciplina de tu padre,
y no abandones la instrucción de tu madre;

9 porque diadema de gracia serán a tu
cabeza
y collares a tu cuello.

---

cipal de algo. Por lo tanto, el temor de Jehovah llega a ser la consigna y la fuente de la sabiduría cotidiana, el arte de vivir. Sobre esta piedra se puede construir una vida.

En el lado opuesto se presenta el caso de *los insensatos* (*'eviyliym* [191]) que se encuentra en 19 citas de las 26 del AT. Son tontos porque ignoran la moralidad como si el pecado no tuviera consecuencias. Son opuestos a los sabios. Ignoran las normas morales de la vida. Esta indiferencia les lleva a despreciar, a desvalorizar la sabiduría y la disciplina, las primeras dos metas del libro de Proverbios. Si uno es insensato se puede dejar de leer las palabras del sabio en el v. 7. Aun el orden de la oración pone énfasis en la sabiduría y la disciplina frente al insensato, terminando en forma no usual con el verbo "despreciar". Su carácter se revela en el transcurso del libro. Es orgulloso (14:3), moralmente incompetente (12:15), le gusta la contienda (20:9), se burla de la culpabilidad (14:9), menosprecia la disciplina de su padre (15:5) y no mejora su estado inmoral (27:22). Este cuadro pesimista muestra algunas de las características de un insensato incapaz de valorizar la sabiduría. Es un estado de extrema pobreza moral y espiritual que dirige a uno hacia la ruina (10:8) y la esclavitud (11:29). Ya se están entregando las dos opciones, la de llegar a ser sabio o la de llegar a ser insensato. A la vez, el texto revela al joven una preparación para que no se desanime si enfrenta en su camino la presencia de algún insensato, indiferente a la instrucción y la disciplina.

II. LAS EXHORTACIONES-DISCURSOS PARA EL APRENDIZ, 1:8—9:18

1. La primera escuela: el hogar, 1:8, 9

"Escucha" es el primer mandato, el primer llamado del libro de Proverbios. Nos hace recordar Deuteronomio 6:4, 5: *Escucha, Israel: Jehovah nuestro Dios, Jehovah uno es. Y amarás a Jehovah tu Dios con todo tu corazón, con toda tu alma y con todas tus fuerzas. Escucha, Israel* es el *Shema* judío (*shema* significa "escuchar"). Jesús dijo: *El que tiene oídos, oiga* (Mat. 11:15). Prestar atención a las cosas buenas es esencial en la vida. Escuchar es el primer paso a un diálogo entre dos personas, un diálogo que el maestro-sabio anhela. El llamado va hacia el hijo. En este caso se hace aun mas íntimo o personal al decir *hijo mío.* Hay básicamente dos interpretaciones del comunicante. Puede ser el padre del hijo (dudoso) o puede ser el maestro de la sabiduría (más probable). Se nota un estilo muy formal como de un ensayo de educación, sus temas son complejos y obviamente no son la enseñanza primaria. El tema del adulterio afecta a los jóvenes que están en el camino a ser hombres; no es un tema para niños pequeños. Seguramente, la educación hogareña había comenzado antes. Se trata de una segunda y más franca etapa de la enseñanza. Esta etapa empieza por hacer recordar las instrucciones de sus padres. El maestro se siente como la extensión o el substituto para los padres, alguien que complementa lo enseñado por los padres. En nombre de ellos, está enseñando a su hijo como un *locus parentis.* La designación del alumno como *hijo mío* es frecuente en Proverbios, siendo el título mas común para el alumno (1:10, 15; 2:1; 3:1, 11, 21; 4:10, 20; 5:1, 20; 6:1, 3, 20; 7:1; 23:15, 19, 26; 24:13, 21; 27:11). Quizá algunos de los últimos proverbios en los caps. 23, 24 y 27 tienen un contexto donde la expresión *hijo mío* originalmente se refería al hijo de algún padre quien estaba educándolo. De todas maneras, ahora se usan de parte del maestro sabio para instruir a su "hijo". En otros pasajes, se presenta la expresión *hijos* (4:1; 5:7; 7:24; 8:32). Por fin, existen las palabras recordadas por Lemuel que provinieron de su madre: *¡Oh, hijo mío! ¡Oh, hijo de mi vientre! ¡Oh, hijo de mis votos!* (31:2). Se nota la fórmula *hijo mío* que figura en una forma prominente en los primeros capítulos de Proverbios. No se encuentra en las dos colecciones de Salomón (otra evidencia en contra de la autoría de Salomón de los primeros nueve capítulos).

La palabra clave que une este pasaje con 1:1-7 es *musar* 4148 traducida como *disciplina.* La estructura del versículo es sinónima. Los dos elementos son *disciplina* e *instrucción* (*torah* 8451: ley o enseñanza). El maestro asume, como buen creyente judío, que los padres van a hacer su parte para que el hijo tenga la instrucción y la disciplina que corresponden. Sin embargo, ¿qué pasa con el niño que tiene padres que no son rectos? ¿Qué pasa con el niño al que le falta uno de los padres y vive en un hogar con una situación irregular? ¿Qué pasa con el hogar de una madre soltera o el de padres separados o divorciados? El sabio asume que los padres van a actuar en forma responsable en la crianza de su hijo. Sin embargo, ¿cuántos hijos andan en las calles como si fueran abandonados? ¿Cuántos padres no asumen la responsabilidad de orientar a sus hijos acerca de las cosas que pasan en la vida? El sabio asume que los padres cumplen su labor sapiencial. Así que el hogar es la primera y más importante escuela.

Lo que se aprende allí llega a ser el fundamento sobre el cual uno construye su vida. Por eso, el llamado de "escuchar" y "no abandonar" las instrucciones de los padres. Se mencionan los padres en varios pasajes (4:3; 10:1; 15:20; 19:26; 20:20; 23:22, 25; 28:24; 30:11, 17). Se habla de los abusos del hijo hacia sus padres en que "menosprecia" a su madre (15:20; 23:25), "roba" a sus padres (19:26; 28:24) y "maldice" a sus padres (20:20; 30:11).

En Proverbios es sorprendente la presencia de la madre como educadora del hijo (4:3; 6:20; 10:1; 15:20; 17:25; 19:26; 20:20; 23:22; 29:15; 30:11, 17; 31:1). Su papel es igual al del padre, quien tiene que orientar la educación de su hijo. La madre es la primera mujer mencionada en el libro de Proverbios. Por lo tanto, las palabras de una madre se encuentran en una forma sobresaliente en el último capítulo de Proverbios (31:1-9). Además, el último elogio del libro va hacia la esposa-madre-cocinera-empresaria-creyente que recibe la alabanza de su marido, sus hijos y su Dios. Sólo dentro de este contexto, se puede entender la actitud de rechazo hacia la adúltera y la prostituta porque representan un engaño y una ilusión de fantasía para el joven inexperto. Sin embargo, no es justo rechazar el libro de Proverbios porque menosprecia a la mujer. Lo que se requiere es una interpretación amplia de algunos pasajes para que los proverbios se apliquen a la señorita y no sólo al joven varón, el alumno original del sabio.

Una encuesta muestra que casi todos piensan que los padres deben ser la influencia primaria de los jóvenes. Así contestaron el 97% de los encuestados (*Barna Research Group*, 1992). Sin embargo, los jóvenes respondieron que sólo un 30% escuchan a los padres, mientras que un 33% escuchan a los amigos. De modo que la influencia de los amigos juega un papel demasiado importante en las vidas de los jóvenes. No todos los amigos son buenos ni tienen el bienestar de los jóvenes en una alta prioridad.

Algunos eruditos identifican los vv. 8 y 9 como un ejercicio alegórico. Se identifica al padre como la persona de Dios. Por lo tanto, se identifica a la madre como la iglesia. Tal interpretación alegórica de la Edad Media no tiene un valor exegético.

La exhortación del v. 8 se justifica por el v. 9. El llamado a "escuchar" y "no abandonar" las enseñanzas paternales es una *diadema de gracia,* símbolo del entendimiento, y unos *collares,* símbolo de la voluntad. Es mejor, sin embargo, ver que

10 Hijo mío, si los pecadores te quisieran persuadir, no lo consientas.
11 Si te dicen: "Ven con nosotros; estemos al acecho para derramar sangre y embosquemos sin motivo a los inocentes;

---

las enseñanzas son los mejores adornos como modales públicos del carácter de una persona. Hay que recordar que las diademas (ver 4:9), sean turbantes o coronas, y los collares (ver 14:24) eran adornos del varón. Los adornos mostraban la dignidad y el valor de la persona y su familia. Las enseñanzas paternales, los buenos modales, se deben mostrar como lo más apreciado de la persona.

2. Una invitación a la violencia, 1:10-19

Esta sección es una unidad que entra en la primera instrucción al alumno. Se encuentra el estudio de un caso donde la violencia, el robo y las riquezas son elementos fundamentales (ver Ose. 4:1 ss.; Amós 2:6 ss.). Se presenta como el estudio de un caso ético de la vida. El sabio desea permitir que el joven sienta las tentaciones, el hecho y sus trágicas consecuencias. Se puede dividir fácilmente el pasaje (ver el cuadro al pie de esta página).

La sección utiliza las dos partes de la exhortación que se encontraba en los vv. 8 y 9. Como el v. 8 daba la exhortación y el v. 9 daba la razón, el porqué, así los vv. 10-15 dan la exhortación y los vv. 16-19 dan la razón, el porqué de ella.

El lema del sabio es instruir a los jóvenes en la prevención del engaño que se encuentra en el mundo. Tal idea se encuentra en los dichos: "Hombre prevenido vale por dos" y "más vale prevenir que curar". Evitar una desgracia como la que puede resultar como consecuencia de andar con una banda de delincuentes juveniles es mejor que sufrir, a veces por años, las consecuencias de algunos hechos malvados. ¿Cuántos jóvenes pierden su juventud mientras se encuentran encarcelados por algún delito? Por cierto, las cárceles están llenas de los jóvenes ingenuos.

El verbo para "persuadir" en el v. 10 viene de la misma raíz de la palabra ingenuo, algo así como "ingenuar". Los pecadores que son antisociales o criminales esperan atrapar a un joven ingenuo. La invitación comienza con un llamado al compañerismo, a ser uno del grupo: *"Ven con nosotros"* (v. 11). Esa es una de las tentaciones más grandes de hoy en el mundo urbano y uno de los temas más frecuentes de Proverbios (3:31, 32; 4:14-17; 16:29; 22:24, 25; 23:20, 21; 24:1, 2). La persona pierde su valor de individuo en la esperanza de ser estimado dentro del grupo.

La segunda parte de la invitación solicita al joven ingenuo a hacer violencia a la gente inocente (v. 11). La violencia opera en una forma muy perversa en algunas personas. Se siente un poder sobre los demás. Tal potencia les hace jactarse: *"los tragaremos vivos, como el Seol"* (v. 12). La palabra Seol (*she'ol*, el lugar de los muertos) hace referencia al lugar donde van todos los muertos, los justos y los pecadores.

10a	*hijo mío*	consignatario
10b	*si los pecadores*	invitación de pecadores
10c	*no lo consientas*	instrucción sabia negativa
11-14	*"Ven con nosotros"*	invitación de pecadores
15a	*hijo mío*	consignatario
15b	*no andes*	instrucción sabia negativa
15c	*aparta tu pie*	instrucción sabia afirmativa
16-18	*porque*	instrucción sabia que da la razón
19	*tales son las sendas*	instrucción sabia proverbial

12 los tragaremos vivos, como el Seol,*
enteros, como los que descienden a la fosa;

13 hallaremos riquezas de toda clase;
llenaremos nuestras casas de ganancias;*

*1:12 O sea, la morada de los muertos
*1:13 Otra trad., *botín*

Los antisociales se jactan por su capacidad de tener el mismo poder absoluto sobre sus víctimas como Seol, la misma muerte. En Proverbios, Seol se describe como "insaciable" (27:20) y que no sabe decir "basta" (30:16). La muerte es poderosa, pero Cristo es más poderoso que la muerte (Apoc. 1:18). En 1 Corintios 15: 26 dice: *El último enemigo que será destruido es la muerte.* El tema de la muerte como el tema del Seol es frecuente en Proverbios (5:5; 7:27; 9:18; 15:11, 24; 23:14; 27:20; 30:16). El tema paralelo al Seol es *la fosa;* nos hace recordar las experiencias en la fosa de José (Gén. 37:22), la fosa de Jeremías (Jer. 38:6) y la fosa de los leones de Daniel (Dan. 6:16). Las tres experiencias eran muy tristes, aunque Dios tuvo la última palabra en los tres ejemplos (Gén. 45:5-8; Jer. 38:14; Dan. 6:22).

La violencia, lit. "derramar sangre" en hebreo, opera en una forma muy perversa en algunas personas. Fácilmente un grupo de jóvenes podría lastimar a un transeúnte inocente, especialmente si la víctima es un anciano, o una mujer o un adolescente solitario. La violencia resulta en una nueva experiencia, una aventura para el ingenuo que es reclutado por la banda. Tal hecho resulta repugnante al joven equilibrado.

La tercera parte del llamado expone el motivo verdadero de la violencia, es decir el robo: *"Hallaremos riquezas de toda clase; llenaremos nuestras casas de ganancias"* (v. 13). Las palabras *riquezas, ganan-*

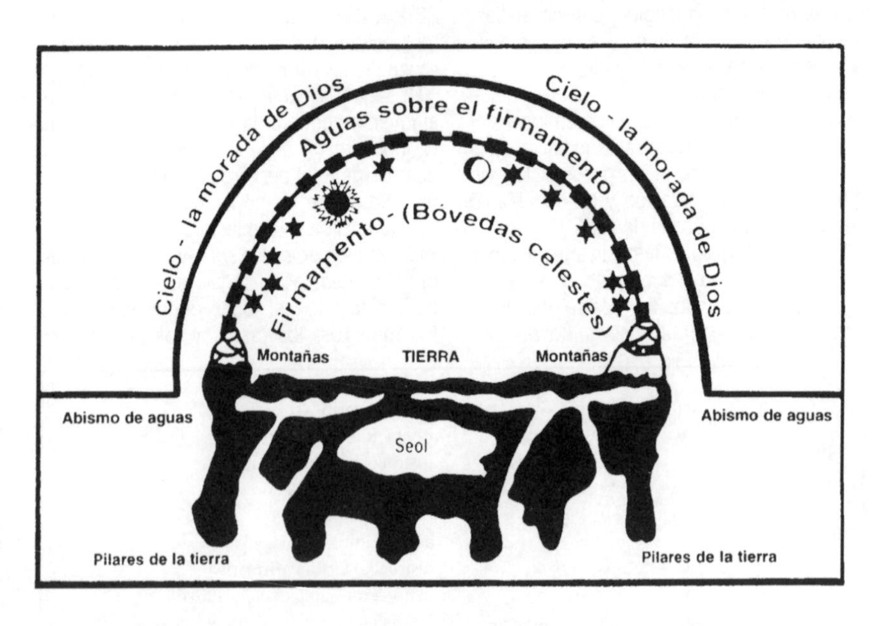

El concepto antiguo del universo

14 echa tu suerte con nosotros;
tengamos todos una sola bolsa ..."

15 Hijo mío, no andes en el camino de ellos;
aparta tu pie de sus senderos,

---

cias, bolsa y *codicia* detallan la meta perversa de los ladrones juveniles en esta instrucción. Parece ser que el robo es el principal crimen en la vida de los delincuentes juveniles. Las cárceles en América Latina se han llenado de jóvenes que han caído en la trampa de la ilusión de las riquezas fáciles. Algunos en el pasado y aún hoy en día llegan al extremo de robar a sus propios padres (19:26; 28:24).

¿Cuánto sufrimiento puede eliminarse con el cumplimiento del octavo mandamiento: *No robarás* (Exo 20:15; Deut. 5:19)? El sabio llega a la misma conclusión que está expresada en el octavo mandamiento. La perspectiva del mandamiento empieza como la voluntad de Dios (de arriba), mientras la perspectiva del dicho empieza como la observación de la vida (de abajo). Sin embargo, las dos perspectivas llegan a la misma conclusión: el robo es un engaño que no sirve. El sabio empieza con observar la vida mientras el profeta empieza con escuchar la palabra de Dios. Sin embargo, la culminación de la observación sabia es afirmar la revelación divina. La vida cotidiana se encuentra dentro del marco de un mundo con un orden moral.

La fascinación por la violencia (el eufemismo hebreo es *derramar sangre*) se puede notar hoy en día. Los medios de comunicación nunca se sacian de describir las diversas formas de asesinar a una persona. Este entretenimiento pervertido tiene un poder tremendo sobre algunas personas que son ingenuas, jóvenes sin un criterio formado. Por lo tanto, anima a las personas con problemas emocionales a actuar en una forma antisocial. Esta estimulación perversa no se necesita en el mundo de hoy. A tal grado llegó la televisión norteamericana que el Congreso hizo algunas consultas sobre el tema de "la violencia en la televisión" en 1993, obligando a los canales a restringir las imágenes de la violencia. Una encuesta dio como cifras la cantidad de 7.000 actos de violencia anual que son vistos por los adolescentes. De hecho, sólo un 7% de la población norteamericana ha estado involucrada en un acto que gira alrededor del mandamiento acerca de matar. De modo que la televisión exagera la presencia del asesinato en la sociedad y a la vez estimula a algunos pocos a actuar en una forma perversa.

En el v. 15 *derek* [1870], traducido *camino,* habla de la conducta o el estilo de vida. Son dos los caminos del hombre: *Jehovah conoce el camino de los justos, pero el camino de los impíos perecerá* (Sal. 1:16). Esta imagen del camino como la conducta humana sigue en las páginas del NT (Luc. 1:79; 20:21; Juan 14:6; 1 Cor. 12:31 2 Ped. 2:2).

Joya bíblica

Hijo mío, no andes en el camino de ellos;
aparta tu pie de sus senderos (1:15).

El v. 16 reaparece dentro de una lista de citas que han sido combinadas y puestas en la carta a los Romanos por el apóstol Pablo: *Sus pies son veloces para derramar sangre* (Rom. 3:15). Se muestra que la violencia es una de las características de la naturaleza pecaminosa del hombre. Este versículo empieza a mostrar el porqué de la exhortación. Los criminales son personas que buscan violentar a otros.

Se puede comenzar el v. 17 con la palabra "porque": *Porque en vano se tiende la red...* Se utiliza un modismo de la época en que figura "el cazador de aves". Seguramente fue una profesión muy común en el tiempo de los Proverbios (e.g. Salomón, Ezequías, etc.). Oseas usa la figura del cazador de aves para describir a Dios en su captura de Egipto, y Asiria en su apoyo a Efraín, es decir Israel en el norte (Ose.

16 porque sus pies corren al mal
y se apresuran a derramar sangre.
17 Ciertamente en vano se tiende la red
ante los ojos de toda ave.
18 Pero ellos ponen acechanzas a su propia
sangre;
a sus propias vidas ponen trampa.
19 Tales son las sendas de todo el que es
dado a la codicia,*
la cual quita la vida a los que la poseen.

*1:19 Otra trad., *ganancias deshonestas*

7:12). Algunos han sugerido que el joven no va a ser engañado por las palabras del criminal. Esta es una interpretación muy poco probable para la urgencia de la enseñanza. Está en duda la decisión del joven en todo el pasaje. Una segunda interpretación dice que las consecuencias de la violencia son obvias, y nadie va a ser engañado. Si fuese la interpretación correcta, ¿por qué algunos llegan a ser engañados?

La codicia

Si tomamos un pedazo de cera, un pedazo de carne, un poco de arena y un pedazo de barro, y los colocamos encima de una fogata, cada uno reacciona en forma diferente. La cera se derrite, la carne se cocina, la arena sofoca el fuego y el barro se endurece, como reacciones diferentes al fuego. Así las personas reaccionan en forma diferente a las verdades de la palabra de Dios. Algunos escuchan con toda atención su mensaje, otros desvían su atención a otras cosas, y otros rechazan por completo su mensaje.

El fuego es un elemento que consume y purifica. Algunos pueden utilizar el fuego en forma positiva, para su propio beneficio, pero otros dejan que el fuego sea medio de destrucción. Las personas llegan a ser atrapadas en sus propios pecados, porque la codicia tiende a consumirlos.

La interpretación más adecuada del v. 17 entiende que los pecadores son los que llegan a ser las aves atrapadas en su propia red, anticipando así el v. 18. El resultado de la actividad de violencia y robo es ser la víctima del propio pecado. La jactancia se convierte en lamento, y la burla en llanto. Se puede hasta perder la vida intentando robar al prójimo (v. 19). El sabio muestra el peligro de aceptar la invitación dada en los vv. 11-14. Un refrán común dice: "El que se acueste con perros, se levantará con pulgas." Andar con los criminales resultará en compartir las mismas consecuencias que ellos.

La palabra *codicia* (*betsa* [1214]) significa una ganancia material a través de fines injustos o violentos. El v. 19 puede traducirse con el énfasis en hebreo de la palabra *codicia* o *avaricia* que se presentan en dos palabras de la misma raíz. Por ejemplo, se puede traducir "el codicioso codicioso" o "el avaricioso avaro", así captando la idea de *el que es dado a la codicia* (el hebreo es *botse'a batsa*[1214]). Esta expresión aparece en otros pasajes del AT como *ganancias injustas* o *deshonestas* (15:27; Jer. 6:13; 8:10; Hab. 2:9). El robo era uno de los problemas más frecuentes del mundo urbano según las indicaciones de Proverbios (6:30; 21:6 s.; 28:24; 29:24; 30:9). El cristiano no debe ser ladrón, como dice 1 Pedro 4:15 : *Así que, ninguno de vosotros padezca como homicida, o ladrón, o malhechor, o por entremeterse en asuntos ajenos.* Efesios 4:28 dice: *El que robaba no robe mas, sino que trabaje esforzadamente, haciendo con sus propias manos lo que es bueno...* Por supuesto, se supone una sociedad en que hay trabajo para todos los ciudadanos. Una de las señales de una sociedad no madura es que no ha sabido utilizar las energías y las capacidades de su pueblo para un mejor desarrollo integral.

3. Un predicador callejero, 1:20-27

Esta sección puede dividirse en dos partes que muestran dos actitudes. La primera parte muestra una actitud positiva cuando la *sabiduría* extiende una invitación al joven. La invitación se extiende a los in-

Resultados de rechazar la sabiduría

20 La sabiduría llama en las calles;
da su voz en las plazas.

21 Proclama sobre las murallas,*
en las entradas de las puertas de la
ciudad pronuncia sus dichos:

*1:21 Según LXX; comp. Peshita y Targum; heb., *lo más bullicioso*

genuos-burladores-necios para cambiar su estilo de vida, empezando a vivir en una manera sabia. Sin embargo, la reacción de los invitados no es afirmativa como se ha esperado. Esta primera sección se extiende desde el v. 20 hasta el v. 27.

La segunda parte tiene una actitud negativa pero realista de parte de la sabiduría, cuando queda clausurada la invitación extendida en la parte anterior. Se declara el fin de la invitación, ya ha pasado el tiempo oportuno. Se hace referencia a un futuro cuando se acabará la paciencia de Dios y la respuesta "no" es para siempre. Hay que aprovechar las oportunidades cuando se presentan.

El orden gramatical de la oración hebrea es el verbo seguido por el substantivo o el sujeto. Al contrario, el v. 20 pone énfasis en el substantivo a través de ubicarlo en el comienzo de la oración. Así la palabra *sabiduría* recibe la prominencia. La sabiduría entra al escenario de la historia humana "gritando"; la palabra hebrea es *taronah* 7321, traducida en el texto como *llama en las calles.* La sabiduría divina no se confina a los recintos religiosos, sino que es agresiva y audaz. Nos hace pensar en el predicador evangélico que proclama las buenas nuevas de Cristo Jesús en las calles de las ciudades de América Latina (p. ej. todos los días se puede ver algún predicador evangélico en la Plaza de Armas de Santiago de Chile). Insatisfecha de quedarse tranquila en el templo salomónico o en un recinto religioso, la sabiduría sale con la seguridad de que toda la tierra es del Señor y todo recinto es sagrado. El

Semillero homilético

El clamor de la sabiduría

1:20-22

Introducción: En muchas ciudades de nuestro mundo se escuchan los clamores de los vendedores ambulantes que madrugan para ofrecer una taza de avena caliente, café, frutas, pescado, el periódico y todo otro artículo. El autor de los Proverbios utiliza esta figura para hacer impacto sobre los oyentes.

I. La sabiduría clama en todas partes.
   1. En las calles donde viven los ciudadanos.
   2. En las plazas donde ejecutan grandes negocios.
   3. En las casas de gobierno nacional y departamental.

II. La sabiduría clama a toda persona.
   1. A los insensatos, los faltos de educación.
   2. A los burladores, los criticones.
   3. A los entendidos, los que asumen responsabilidad por otros.

III. La sabiduría clama con amplias razones.
   1. El que la halla obtiene conocimientos.
   2. El que la halla adquiere prudencia.
   3. El que la halla alarga la vida.

Conclusión: La personificación de la sabiduría nos ayuda a captar la importancia de esta cualidad en nuestra vida. El dicho: "El que se arrima a lobos a aullar aprende" nos ayuda para ver que la adquisición de la sabiduría es el resultado de caminar en su presencia y aprender de todo lo que tiene para enseñarnos.

22 "¿Hasta cuándo, oh ingenuos, amaréis la ingenuidad?
¿Hasta cuándo los burladores desearán el burlarse,
y los necios aborrecerán el conocimiento?

"predicador sabiduría" está dispuesto a hacer competencia con el ruido del mundo, con las invitaciones pecaminosas del mundo como la dada por los criminales (ver 1:10 ss.; 7:14 ss.). El "predicador sabiduría" se encuentra donde están las actividades del negocio, del juicio, de la educación, etc. Ahí está la gente con sus problemas, con sus anhelos y con sus debilidades. Es un predicador callejero por necesidad de los oyentes. Ahí en la calle está el violento (1:10 ss.; 2:12 ss.). Ahí se presenta la *mujer ajena* (2:16 ss.; 5:3 ss.). La sabiduría da su llamado en medio de las muchas invitaciones que se pueden escuchar. Ella *llama,* mejor decir *grita, ... da su voz... proclama... pronuncia sus dichos...* No se calla, sino entra en *las calles... las plazas... las murallas... las entradas de las puertas de la ciudad.* Ahí está el pueblo que necesita el mensaje de vida.

En el v. 21, las *puertas de la ciudad* se nombran por la importancia del lugar como un gran mercado central para el comercio de la ciudad y como un recinto donde se trataban las disputas legales (Rut 4:1; Prov. 8:3). La palabra *murallas*, del v. 21, se encuentra en la Septuaginta, reemplazando a la palabra hebrea que es difícil de traducir dentro del contexto del versículo. El hebreo se traduce como "el bullicioso" o "lugar de mucha bulla" o "ruido". Por lo tanto, expresa bien los sonidos del lugar público y de mucha actividad, seguramente un eufemismo para hablar del lugar. Será mejor guardar la connotación del hebreo, agregando algo del sonido de la bulla a la interpretación del texto. De todos modos, esta interpretación expresa bien la mucha actividad y el movimiento de gente en la puerta de la ciudad.

En este primer discurso de sabiduría, hay un tono de gravedad y urgencia que ha sido clasificado como un "discurso profético" (Schokel). La sabiduría en un sentido personificado llega a ser la mediadora entre Dios y el hombre. Su mensaje va dirigido a *los ingenuos* (ver 1:4), a *los burladores* (que identifica a los desdeñosos o aquellos que desprecian a otros) y a *los necios* (que indica aquellas personas que teniendo la oportunidad para avanzar son indiferentes a la sabiduría).

El necio es el indiferente. En el libro de Proverbios se dan ampliamente las características del necio (1:32; 3:35; 8:5; 10:23; 12:23; 13:16, 19, 20; 14:7, 8, 16, 33; 15:7, 14, 20; 17:10, 16, 21, 24, 25; 18:2, 6; 19:10, 13, 29; 21:20; 26:1-12; 29:20). Los necios son indiferentes a la sabiduría, una tristeza para sus padres, sin honor, irresponsables, confiados en su ignorancia y peleadores.

El verbo *desearán* en el v. 22 se distingue de los otros dos verbos del versículo en que se encuentra en la forma perfecta, es decir como un hecho ya consumado. El autor, sin duda, se da cuenta que así es el burlador, y la acción aparece como algo ya hecho.

La palabra "ingenuidad" hace su única aparición aquí en todo el AT. La traducción es difícil por hallarse una sola vez, pero es mas fácil aquí por su unión con la palabra "ingenuo" de la misma raíz. Se nota el juego hebreo de repetición: *ingenuos* con *ingenuidad* y *burladores* con *burlarse* (v. 22).

Esta lista de hombres tontos, los ingenuos o simples, los burladores y los necios, recibe la invitación de sabiduría para reflexionar y arrepentirse: *¿Hasta cuándo?... ¡Volveos!* (vv. 22, 23). La palabra "volver" es el concepto veterotestamentario para el arrepentimiento (Deut. 30:2; 1 Sam. 7:3; 2 Crón. 6:24; Isa. 10:21; 44:22; Jer. 3:12; Ose. 6:1; 14:1; Mal. 3:7). Las hermosas palabras *he aquí* declaran una sorpresiva bendición que resultará

23 ¡Volveos ante mi reprensión!
¡He aquí, yo os manifestaré mi espíritu
y os haré saber mis palabras!
24 "Pero, por cuanto llamé, y os resististeis;
extendí mis manos, y no hubo quien
escuchara
25 (más bien, desechasteis todo consejo mío
y no quisisteis mi reprensión),

del arrepentimiento sincero. *He aquí* expresa algo sorpresivo o novedoso en el texto o el escenario atrás del texto (7:2; Gén 1:29; 6:12; Amós 7:1). La palabra griega *idóu* en el NT expresa la misma idea (Mat. 1:20, 23; 28:20; Mar. 1:2; Apoc. 22:7). ¿Cuándo vamos a darnos cuenta que el arrepentimiento abre la puerta a Dios y las verdaderas riquezas? Sabiduría dice: *Yo os manifestaré... os haré saber...*

Los dos regalos de sabiduría al arrepentido son la manifestación del espíritu de la sabiduría y la comprensión de las palabras de la sabiduría. Aquí la palabra "manifestar" o lit. "burbujear hacia afuera", puede traducirse "derramar" quedando "derramaré mi espíritu". Hay varios ejemplos donde el espíritu y una palabra sabia están unidos (Otoniel: Jue. 3:10; Isaías: Isa. 42:1; Ezequiel: Eze. 11:5; los fieles en el futuro: Joel 2:28 cumplido en Hech. 2:4). Así los ingenuos-burladores-necios tienen la oportunidad de ser los sabios proféticos de Dios, la oportunidad de ser el depositario o el recipiente de la palabra de Dios y de ser el mensajero de Dios. Sabiduría da al ingenuo la oportunidad para ser un profeta de la invitación divina; es una expresión sincera hacia el pobre en espíritu (Mat. 5:3).

El v. 24 habla de las primeras reacciones de los oyentes. El rechazo y la indiferencia son los rasgos de la gente ingenua-burladora-necia a pesar de la insistencia de sabiduría. La dureza del pueblo es sorprendente.

Con el v. 25 se termina el ciclo empezado en el v. 23. La palabra *reprensión* (*tokajat* [8433]) significa "censura" o "reprimenda". La gente del mundo no desea ser corregida. Está contenta de seguir el camino de la indiferencia y el autoengaño. Se nota que el llamado de sabiduría se ha extendido durante un tiempo por la idea de ***extendí*** *mis manos* que puede traducirse *extendía mis manos*. Por el otro lado, la gente en una forma persistente ha insistido en no escuchar la voz de sabiduría.

Los vv. 26 y 27 empiezan una nueva etapa en la vida de los oyentes, en verdad no-oyentes. Los dos versículos se unen a través de un paralelismo invertido. La traducción de las palabras *llegue* y *lo-que-teméis* (una sola palabra en el hebreo) puede ser: "Cuando pega o ataca lo que le da pánico o lo que le da terror." Las palabras son muy llamativas. Lo que produce el terror no es esperado, llega "sin decir, agua va", es decir, sin previo aviso. Al comienzo del v. 26, la palabra hebrea *gam* [1571](traducida

Semillero homilético

Una decisión fatal

1:23-27

Introducción: A veces las decisiones que tomamos tienen consecuencias duraderas y perjudiciales. Tal es el caso que menciona el autor de este pasaje. Su decisión fue fatal por varias razones:

I. Rechazó una invitación importante
  1. Una invitación atractiva, v. 23
  2. Una invitación tierna, v. 24

II. Demostró repudio a la oferta de Dios
  1. No escuchó con atención, v. 24b
  2. Desechó el consejo divino, v. 25a
  3. No quiso aceptar reprensión, v. 25b

III. Trajo consecuencias funestas
  1. En días de calamidad Dios se reiría, v. 26a
  2. En días de temor Dios se burlaría, v. 26b
  3. En días de tribulación y angustia Dios no respondería, v. 27

IV. Dejó pasar la oportunidad de aceptar la invitación, v. 28
  1. Clamarán, pero Dios no responderá
  2. Buscarán, pero no hallarán

Conclusión: Se considera una ofensa el no aceptar una invitación de amigos o familiares. Cuánta más es una ofensa delante de Dios el rechazar una invitación de aceptar sus ofertas.

26 yo también me reiré en vuestra calamidad.
Me burlaré cuando os llegue lo que teméis,
27 cuando llegue como destrucción lo que teméis,
cuando vuestra calamidad llegue como un torbellino
y vengan sobre vosotros tribulación y angustia.

---

también) puede traducirse "por lo tanto", pero siempre pone énfasis en subrayar el pronombre "yo" que ya ocupa un lugar favorecido en el texto. La actitud es la de decir: "Ahora me toca a mí reírme de usted." La actitud es recíproca a la reacción en los vv. 24 y 25, aunque no se menciona el aspecto de que sabiduría fue burlada por los ingenuos-burladores-necios. De todas maneras, ¿no suenan crueles estas palabras? Una idea paralela se encuentra en el Salmo 2:4, cuando Dios va a reírse de *los pueblos* y *los gobernantes* que están *contra Jehovah y su ungido.* Aquí, la risa muestra la confianza absoluta y la seguridad total de alguien que tiene razón y debe ser escuchado. No debemos exagerar el significado o la importancia de la risa ni entenderla en los términos del gesto hoy día.

La desgracia que cae sobre los que rechazan la sabiduría se encuentra en una forma triple de los substantivos: *destrucción, calamidad* y *tribulación y angustia* (v. 27). Esta triple fórmula se ha visto en el v. 22 con los *ingenuos*, con los *burladores* y con los *necios*. La palabra *torbellino* es única en el AT, y significa una tormenta devastadora. La desgracia viene como una consecuencia de las actitudes y las acciones de los tres personajes o posiblemente como algunas calamidades naturales (terremoto, sequía, inundación, etc.). La desgracia no es la obra de sabiduría, quien haya buscado venganza o haya causado algún daño. Por lo tanto, lo peor de los temores de los ingenuos-burladores-necios se ha cumplido. Tal calamidad ha producido una situación existencial de angustia. ¡Ya se encuentran en una crisis!

Calamidades que traen angustia

Cada vez que acontece una calamidad, tales como una inundación, un terremoto o un huracán, hay personas que se enojan con Dios, diciendo que pudiera haber obrado para evitar tal tragedia. Otros acusan a Dios de ser cruel en permitir la muerte de tantas personas y la pérdida de tantas posesiones materiales.

Es cierto que Dios es soberano en el universo, pero a la vez ha establecido unas leyes de la naturaleza que tienen que funcionar en forma constante para el bien de todos. Aunque las crisis afectan a muchos, el no funcionar las leyes de la naturaleza traería consecuencias aun más graves para la humanidad. Por ejemplo, la ley de la gravedad es causa de la caída de aviones en que mueren centenares de personas. Pero, ¿qué tal si no pudiéramos contar con la constancia de la ley? El efecto sería desastroso.

Las calamidades llaman la atención al hecho de que somos frágiles, y debemos confiar en Dios y vivir de tal manera que le agrademos hasta donde sea posible. Si lo hacemos, podemos saber que Dios nos brinda su amor y misericordia en cada circunstancia.

El ser humano tiene que recordar que no es todopoderoso, y no tiene capacidad de pronosticar el futuro. Por eso, debemos vivir cada día en sumisión a la voluntad divina, y en obediencia a sus mandatos. El rechazo del camino de Dios tarde o temprano traerá las consecuencias de sufrimiento.

4. El tiempo oportuno no es para siempre, 1:28-33

Los vv. 28-33 contienen la segunda parte de esta sección. Ahora en el medio de la desgracia y apresurada por la angustia, la gente no-oyente clama intensamente a sabiduría. Sin embargo, el tiempo oportuno se ha acabado. Sabiduría se encuentra silenciosa. Ya no está extendiendo la mano. El v. 29 dice que *aborrecieron el conocimiento*, repitiendo el refrán del v. 22 y la actitud de los necios, y *no escogieron el temor de Jehovah*, es decir no tenían una fe llena de la maravilla y el respeto. La actitud de los necios, entonces, ha ganado la atención de la multitud. La au-

28 "Entonces me llamarán, y no responderé;
me buscarán con diligencia y no me hallarán,
29 por cuanto aborrecieron el conocimiento
y no escogieron el temor de Jehovah.
30 No quisieron mi consejo
y menospreciaron toda reprensión mía.
31 Entonces comerán del fruto de su camino
y se saciarán de sus propios consejos.
32 Porque su descarrío matará a los ingenuos,
y su dejadez echará a perder a los necios.
33 Pero el que me escuche habitará confiadamente
y estará tranquilo, sin temor del mal."

---

sencia del *temor de Jehovah* va en contra de la consigna del libro: *El temor de Jehovah es el principio del conocimiento* (1:7). El problema de la gente no es algo superficial, sino de raíz. El dicho popular hoy en día es que "nunca es tarde" o "mejor tarde que nunca". Sin embargo, la evidencia bíblica aquí muestra que hay un tiempo oportuno y hay un tiempo inoportuno y demasiado tarde. Mejor tomar una decisión oportuna en vez de ser tarde. Aun Jesús habló a los fariseos diciendo que en aquel tiempo ellos podían buscarlo pero más tarde ellos no iban a poder encontrarlo (Juan 7:33, 34). ¡No hay que perder las oportunidades de la vida!

El v. 30 se agrega a lo dicho en el v. 29, mostrando cómo los no-oyentes habían rechazado la *reprensión,* la corrección ofrecida por sabiduría (vv. 23, 25). Se había desvalorizado lo dicho por sabiduría. *Entonces* (v. 31) da el resultado de "menospreciar la reprensión". Ahora es el tiempo de la cosecha, la cosecha de las malas obras y de sus malas opiniones. Ellos van a sentir el dolor de sus propios pecados y van a sentirse hartos de *sus propios consejos* (perversos, v. 31). Aun el pecador se cansa de escuchar sus propias mentiras y falsa sabiduría.

Los vv. 31, 32 incluyen un dicho común en el tiempo de Salomón (v. 31) y un paralelismo antitético entre los dos versículos. Años más tarde, Cristo llama a los escribas y fariseos: *¡Necios y ciegos!* (Mat. 23:17). Al considerar a los necios, Martín Lutero escribe que los necios son "toda clase de gente relajada, frívola, desconsiderada, principalmente a los que andan, actúan y hablan sin la palabra de Dios por propia razón y propósito" (*Obras de Martín Lutero*).

En el v. 32 se hace mención de dos de los tres grupos del v. 22, *los ingenuos* y *los necios.* No se presentan los burladores. En ambos casos la desgracia, *matará* o *echará a perder,* es el resultado del descarrío, la apostasía y la dejadez de parte de los ingenuos y de los necios, respectivamente. El v. 32 es una ampliación de los resultados ya descritos en el v. 31. Por el otro lado, el v. 33 asegura la confianza en el vivir, la tranquilidad de la vida y la protección contra el *mal* para aquellos que "escuchan" a la sabiduría. Todavía hay un tiempo oportuno para el lector de Proverbios. En la sabiduría de Dios está la verdadera confianza. El *temor de Jehovah,* ausente en la actitud de los necios entre otros, previene el *temor del mal.*

Joya bíblica

Entonces me llamarán, y no responderé;
me buscarán con diligencia y no me hallarán,
por cuanto aborrecieron el conocimiento
y no escogieron el temor de Jehovah
(1:28, 29).

5. La sabiduría abre una estrecha relación con Dios, 2:1-9

El cap. 2 tiene 22 líneas, la misma cantidad de letras del alfabeto hebreo. Tal sistema le sirvió al joven adolescente como una ayuda a la memoria. Por lo tanto, hay tres secciones del capítulo que empiezan con palabras que comienzan con la letra hebrea *aleph* (vv. 1, 5 y 9), mientras hay tres secciones adicionales que empiezan con la letra hebrea *lámed* (vv. 12, 16 y 20). Las secciones pueden dividirse así:

Resultados de aceptar la sabiduría

2 1 Hijo mío, si aceptas mis palabras
y atesoras mis mandamientos dentro de ti,
2 si prestas oído a la sabiduría
e inclinas tu corazón al entendimiento,
3 si invocas a la inteligencia
y al entendimiento llamas a gritos,
4 si como a la plata la buscas
y la rebuscas como a tesoros escondidos,
5 entonces entenderás el temor de Jehovah
y hallarás el conocimiento de Dios.

Vv. 1-4 *Si... si... si...* ("si" es implícita en el v. 2)
Vv. 5-8 *Entonces...*
V. 9 *Entonces...*
Vv. 10, 11 *Cuando...*
Vv. 12-15 *Para...*
Vv. 16-19 *Para...*
Vv. 20-22 *Para...*

Semillero homilético

El temor de Jehovah

2:1-5

Introducción: El temor de Jehovah es el camino que nos lleva a la felicidad, porque nos da la serenidad para vivir con propósito.

I. El temor de Jehovah se adquiere cuando aceptamos su Palabra, v. 1.
   1. La Biblia es un faro para ayudarnos a navegar sin peligro.
   2. La Biblia contiene instrucciones que nos ayudan a tener éxito.

II. El temor de Jehovah se adquiere cuando la sabiduría divina nos envuelve y posee, v. 2.
   1. El corazón tiene que inclinarse a las verdades espirituales.
   2. La persona tiene que considerar la perspectiva espiritual en los asuntos diarios.

III. El temor de Jehovah se adquiere cuando somos apasionados con la búsqueda, vv. 3, 4.
   1. El anhelo de la sabiduría es nuestro tema principal.
   2. La sabiduría es objeto de nuestra búsqueda como un tesoro escondido.

Conclusión: De vez en cuando leemos o escuchamos relatos de tesoros que han sido escondidos desde hace siglos, y de los esfuerzos incansables de personas para encontrarlos. Uno se apasiona con la posibilidad de encontrar algo de valor que ha estado escondido durante largo tiempo. Es así con el temor de Jehovah. Este tesoro es la adquisición de más valor que pudiéramos lograr.

En este discurso la sabiduría no está personificada como en 1:20 ss. Aquí habla el sabio acerca del valor de la sabiduría con todos sus beneficios (vv. 2, 6, 7 y 10). Se dirige el mensaje inspirado al joven (ver *hijo mío* en 1:8). El maestro intenta inspirar al *hijo* a querer la sabiduría.

En el cap. 2 sigue el paralelismo sinónimo. Además de manifestarse en cada versículo, hay un paralelismo sinónimo que une los vv. 1-4. Se encuentran las palabras *atesoras* (v. 1) y *tesoros* (v. 4). Una alusión a los *tesoros escondidos* (v. 4) se encontrará en las parábolas de Jesús (Mat. 13:44). En aquel pasaje, el reino de los cielos es el tesoro escondido y no la sabiduría. Y Pablo dirá en Colosenses 2:3, 4 que *en Cristo están escondidos todos los tesoros de la sabiduría y del conocimiento.* Además, Santiago dice: *Si a alguno de vosotros le falta sabiduría, pídala a Dios... pero pida con fe, no dudando nada* (Stg. 1:5, 6). El v. 6 se anticipa: *Jehovah da la sabiduría.* Un paralelismo extrabíblico de una comparación entre el tesoro escondido y la sabiduría se encuentra en Ptahhotep, 85, un escrito egipcio de 2.500 a. de J.C. El tesoro escondido aquí es la esmeralda. La plata mencionada en el v. 4 tiene valor aún 1.000 a. de J.C. y se menciona tempranamente en el AT (Gén. 13:2, donde Abraham es rico en ganado, plata y oro; Gén. 44:2 donde se menciona la copa de plata).

El maestro busca una evidencia de que el *hijo* se compromete con la sabiduría. La sabiduría debe ser "aceptada" (no rechazada) y "atesorada" (no menospreciada, v. 1). El oído atento y el corazón humillado son características de un compromiso (v. 2). Además, la utilización de la sabiduría que muestran las frases *invocas* y *llamas a gritos* es una característica de la aplicación

6 Porque Jehovah da la sabiduría,
y de su boca provienen el conocimiento
y el entendimiento.
7 El atesora eficiente sabiduría para los
rectos;
es el escudo de los que caminan en
integridad.

---

y la sabia intención de aprender y poner en práctica las enseñanzas de la sabiduría. Se nota también un compromiso profundo cuando el joven busca la sabiduría como alguien que busca plata o algún tesoro. Algunos sacrifican todo y toman años buscando la ilusión de alguna plata y algún tesoro. ¡El compromiso con la sabiduría ha de ser muy sacrificado!

Los vv. 5-8 contestan al condicional *si...* con la palabra *entonces.* En primer lugar, la verdadera sabiduría nos lleva a la fe en y al conocimiento de Dios: su carácter, sus mandamientos, sus bendiciones (v. 5). El descubrimiento de Dios viene porque él es la fuente primordial de toda la sabiduría (v. 6). Los vv. 7 y 8 muestran lo que Jehovah hace a favor del comprometido con la sabiduría. Dios "atesora" (vv. 1, 4) la mejor sabiduría para él y le protege en todo sentido. La palabra "piadosos" que aparece unas 32 veces en el AT, a veces es traducida "los fieles" o *los rectos.* El Salmo 4:1 dice: *Sabed que Jehovah ha apartado al piadoso para sí,* así mostrando una condición de más favorable o preferido. Sin embargo, un pasaje pesimista proclama: *El piadoso ha desaparecido de la tierra; no hay ni uno que sea recto entre los hombres* (Miq. 7:2). Nos hace recordar a Elías, quien sabía que era el único recto y que iba a ser el último con su muerte: *Yo solo he quedado, y me buscan para quitarme la vida* (1 Rey. 19:10). Dios respondió a Elías mostrándole su poder pero hablándole en una voz suave: *Yo he hecho que queden en Israel 7.000, todas las rodillas que no se han doblado ante Baal y todas las bocas que no lo han besado* (1 Rey. 19:18).

El es escudo de los que caminan en integridad, 2:7

8 Preserva las sendas del juicio
y guarda el camino de sus piadosos.
9 Entonces entenderás la justicia, el derecho
y la equidad: todo buen camino.

10 Cuando la sabiduría entre en tu corazón
y el conocimiento sea agradable a tu alma,
11 te guardará la sana iniciativa,
y te preservará el entendimiento.

En el v. 9 se encuentra por segunda vez la palabra hebrea *'az* [575] que significa *entonces* (v. 5). Además del gran beneficio de conocer a Dios que se encuentra en los vv. 5-8, que establece una relación vertical entre el hombre y Dios, ahora se presenta una relación horizontal entre los hombres. La sabiduría sirve para construir *todo buen camino*, es decir la vida ideal. La expresión *la justicia, el derecho y la equidad* parece ser un lema sobre la justicia como otros lemas tales como "pan y techo" o "libertad, fraternidad e igualdad". Se trata aquí de los poderes evaluativos, de discernimiento y de la igualdad o equidad para todos (ver 1:3).

La Misná, la interpretación judía de la ley, identifica la sabiduría como la ley y afirma que el estudio de la ley (el AT) dará vida en este mundo y en el mundo que vendrá.

Verdades prácticas

1. El origen de la sabiduría es Dios. Jehovah provee el conocimiento y la inteligencia que es su base, vv. 6, 7.
2. El propósito de la sabiduría es enriquecer la vida, para protegernos de peligro en el camino, vv. 8, 9.
3. El resultado de la sabiduría es ayudarnos a ser fructíferos en nuestra manera de vivir, vv. 10, 11.

6. La sabiduría desarrolla la personalidad, 2:10, 11

Los vv. 10 y 11 hablan de una aceptación de la sabiduría superior y un compromiso superficial. Al contrario, *entre en tu corazón* apunta a la penetración de la sabiduría a la voluntad y el lugar de donde se toman las decisiones de la vida. Ya la sabiduría no es algo ajeno a uno sino una parte del ser mismo.

Sea agradable apunta a gustar de la sabiduría. El Salmista experimenta algo parecido cuando escribe: *Más bien, en la ley de Jehovah está su delicia, y en ella medita de día y de noche* (Sal. 1:2). Y la obra magna del Salmista dice: *¿Con qué limpiará el joven su camino? Con guardar tu palabra... ¡Cuánto amo tu ley!... Lámpara a mis pies es tu palabra y lumbrera a mi camino... Yo me gozo en tu palabra...* (Sal. 119:9, 97, 107 y 162). Como la palabra de Dios expresa la realidad del orden moral del mundo, así el sabio ha encontrado tal orden en observar la vida real y establecer algunas conclusiones.

El v. 11 presenta la primera de cuatro consecuencias de la llegada de la sabiduría como una parte del ser del piadoso (ver vv. 12, 16 y 20). Las otras tres consecuencias son más concretas y no tan abstractas como ésta. La palabra *sana iniciativa*, del hebreo *mezimmah* [4209], se encuentra en 1:4 traducida *prudencia*, en 3:12 traducida en una relación sinónima entre *iniciativa* y *prudencia* y en 5:2 traducida *sana iniciativa. Mezimmah* habla de la habilidad para planificar algo, de idear algún plan. La sabiduría no es algo pasivo dentro de uno sino que llega a motivar al individuo a un desarrollo mayor, a un futuro mejor. La sabiduría divina no aplasta al espíritu humano, más bien participa en un desarrollo superior.

7. Una liberación de los compañeros pervertidos, 2:12-15

Esta sección trata el tema de los hombres pervertidos. La palabra *perversidades*, del hebreo *tahepukot* [8419], aparece sólo diez veces en el AT, nueve veces en Proverbios y una vez en Deuteronomio 32:20. La palabra en Proverbios se une con la idea del habla, y relacionada con el verbo *mahepekah* [4114], que significa

12 Te librará del mal camino,
de los hombres que hablan perversidades,
13 que abandonan las sendas derechas
para andar en caminos tenebrosos,
14 que se alegran haciendo el mal
y que se gozan en las perversidades del mal,
15 cuyos senderos son torcidos
y perversos sus caminos.

"echar abajo" o "derrumbar" o "derrocar". Así las perversidades habladas buscan derrumbar el discurso recto y la conducta buena (2:14; 6:14; 10:31, 32; 16:28, 30; 23:33).

La sección utiliza las palabras *camino* y *sendas* (vv. 12, 13 y 15) para unirla con el resto del capítulo (vv. 7, 8 y 9 donde aparecen las palabras *caminan, sendas* y *camino*). Por lo tanto, esta sección, que utiliza la palabra comenzando con la letra hebrea *lámed* ayuda al joven oyente a recordar las instrucciones. La segunda *lámed* empieza en el v. 16 y la última en el v. 20.

Los vv. 13-15 muestran la calidad del hombre que habla perversidades. No sólo hace el mal, mas goza del mal. Por lo tanto, *abandonan* una conducta, mostrando así un conocimiento del camino recto. Entonces, el hombre perverso no tiene una excusa, no hay pero que valga. El ha sabido lo recto, pero ha decidido "abandonarlo". Los verbos *se alegran* y *se gozan* nos hacen escuchar los sonidos de las celebraciones repugnantes que vienen después del éxito haciendo el mal, un éxito sin futuro. El hombre perverso promueve su conducta llena de antivalores. El joven ingenuo ha de ver bien a su vida porque sus "celebraciones" son falsas y su fin desastroso (1:19). La sabiduría es un faro que alumbra el camino seguro para que el joven no se destruya contra las rocas de la costa. El hombre antisocial vive sin Dios ni ley. El joven que anda con el hombre perverso llega a ser un perverso, como el refrán que dice: "Dime con quién andas y te diré quién eres."

8. Una liberación de la mujer deceptiva, 2:16-19

Los vv. 16-19 forman la siguiente sección del texto, mostrando el poder de la sabiduría para librar al joven de la trampa de la adúltera. Es la tercera consecuencia de la aceptación de la sabiduría y la segunda parte que empieza con la letra hebrea *lámed.* Como el v. 12 puede traducirse "para librar...", así el v. 16 puede traducirse en la misma manera. Por lo tanto, esta sección se une a las otras secciones del capítulo con las palabras *sendas* (v. 18) y *senderos* (v. 19). Además, aparece la forma verbal *se hunde,* que está sólo aquí en el AT.

Las características de la mujer adúltera se presentan aquí por primera vez en el libro de Proverbios. El tema de la mujer adúltera, sin embargo, es frecuente en el libro (5:3-6; 8:20; 6:24-35; 7:5-27; 11:16, 22; 12:4; 18:22; 19:14; 21:9, 19; 22:14; 23:27, 28; 25:24; 27:15, 16; 30:20; 31:3, 10-31). La primera característica de la mujer adúltera es su habilidad con las palabras. Ella es peligrosa con su boca para persuadir al ingenuo. ¡Ojo con las palabras de ella! La segunda característica es su abandono de su marido, *el compañero de su juventud.* La palabra

Verdades prácticas

Tres son las decisiones sabias que todo creyente debe tomar a la luz del cap. 2 de Proverbios:

I. Elegir la sabiduría como compañera constante en la vida, vv. 10, 11
II. Liberarse de las corrupciones, vv. 12-15
  (1) El camino malo, v. 12
  (2) Las palabras perversas
  (3) Los caminos tenebrosos, v. 13
  (4) Los que se alegran en hacer lo malo, v. 14
  (5) Las corrupciones, v. 15
III. Rechazar las mujeres engañosas, vv. 16-19
  (1) Halagan con palabras persuasivas, v. 16
  (2) Animan a dejar el compañero, v. 17
  (3) Se olvidan del pacto con Dios, v. 17
  (4) Llevan a la perdición, vv. 18, 19

16 Te librará de la mujer ajena,
de la extraña que halaga con sus palabras,
17 que abandona al compañero de su juventud
y se olvida del pacto de su Dios.*

18 Ciertamente su casa se hunde hacia la muerte, y sus sendas hacia los muertos.
19 Todos los que con ella tengan relaciones no volverán,
ni lograrán alcanzar los senderos de la vida.

*2:17 Comp. Mal. 2:14

"abandonar" se había encontrado antes en el v. 13, donde el hombre pervertido había abandonado *las sendas derechas.* La infidelidad es una marca de su vida, afectando aun su relación con Dios, porque ella se ha olvidado de su pacto con Dios (v. 17). Así la mujer pone en peligro su relación con su marido y con Dios. Esta relación obstaculizada es la tercera característica de la mujer ajena. Una cuarta característica es como ella pone en peligro toda su casa. Su vida afectará su propia familia así como la familia de él, sus hijos, sus amigos y sus vecinos. El adulterio justamente se encuentra como uno de los campos tratados por los diez mandamientos: *No cometerás adulterio* (Exo. 20:14; Deut. 5:18). El adulterio pone en peligro la vida de ambas personas ante un tribunal judío que podría dictar una sentencia de muerte. Levítico 20:10 dice: *Si un hombre comete adulterio con una mujer casada, si comete adulterio con la mujer de su prójimo, el adúltero y la adúltera morirán irremisiblemente.* Tal relación ilícita no tenía futuro pero sí podría confundir al joven y dejarlo con algunos conceptos erróneos de la mujer y del compromiso matrimonial.

El substantivo *los muertos* aparece en dos pasajes más (9:18 y 21:16). El ingenuo que cae en la trampa de la adúltera se va a encontrar entre los muertos, con una residencia eterna no muy alegre. Desafortunadamente, hay entre un 10 y un 20% de las personas que no son fieles a sus cónyuges (*Sarna Research Group,* 1992). Quizá por eso hay tantos problemas matrimoniales, tantas separaciones y tantos divorcios. La sabiduría nos hace esperar prudentemente el tiempo oportuno y apropiado para formar una relación sana y completa con la compañera o el *compañero* de nuestra juventud. Eclesiastés tiene razón: *Todo tiene su tiempo, y todo lo que se quiere debajo del cielo tiene su hora* (3:1). Es mejor esperar vivir cada etapa de la vida. No hay que saltar alguna etapa ni anticipar y destruir la maravilla de alguna etapa. El Salmo 145:9 dice: (Jehovah) *cumplirá el deseo de los que le temen.* ¡Qué promesa grande!

Corrie ten Boom

Corrie ten Boom, en su libro *El refugio secreto*, nos relata de su vida y su fe. Vivió en una época difícil durante la Segunda Guerra Mundial. Ella, su padre, hermanos y sobrinos, eran fieles cristianos, y ella vivió en su vida las promesas de Dios que encontramos en Proverbios 3:5, 6. Fue llevada presa por haber escondido en su casa a judíos. Cuando fue tomada prisionera junto con su familia, confió en su Señor, no hizo lo que aparentemente era lo "prudente", siguió confiando en su Señor a pesar de las circunstancias adversas. Ya en los campos de concentración, muchas personas llegaron a conocer al Señor Jesús por su testimonio. Ella lo reconoció a él a pesar de que no estaba en una situación nada favorable. En sus libros ella nos relata cómo, a pesar de las privaciones y los castigos físicos y morales, ella seguía fielmente reconociendo al Señor como su Dios. La historia de ella relatada en sus libros termina siempre compartiendo cómo el Señor mismo enderezó sus "veredas", arregló las situaciones de ella y de otros más durante estos años tan difíciles. Su testimonio ha inspirado a multitudes para hacer lo mismo.

9. Las decisiones sobre la conducta conllevan consecuencias, 2:20-22

Se encuentra la tercera letra *lámed* para empezar la primera palabra del v. 20 y la sección (vv. 12, 16). Otra vez las palabras

20 Hará que andes por el camino de los buenos
y guardes las sendas de los justos.
21 Porque los rectos habitarán la tierra,
y los íntegros permanecerán en ella.
22 Pero los impíos serán exterminados de la tierra,
y los traicioneros serán desarraigados de ella.

andes, camino y *sendas* en el v. 20 unen esta sección con el resto del capítulo. Como el v. 11, esta sección habla de lo positivo que la sabiduría puede producir. Se contrasta con las últimas dos secciones, que hablaban de los dos peligros que hay que evitar, es decir los hombres perversos y la mujer adúltera. La sabiduría encamina a *los rectos* y *los íntegros* a una permanencia en la tierra, mientras *los impíos*, aquellos sin fe en Dios y sin una conducta recta, y *los traicioneros* (la palabra hebrea significa "ser desleal" o "estafar" o "engañar") serán quitados de ella. A veces hay culturas que alaban al traicionero, llamándolo astuto o hábil. Sin embargo, aquella persona que haya sufrido a mano del traicionero no estará de acuerdo. La simulación, la mentira y el engaño no son actitudes aprobadas por Dios: *Los labios mentirosos son abominación* (detestable, repugnante) *a Jehovah, pero le agradan los que actúan con verdad* (12:22). *Exterminados* y *desarraigados* son palabras violentas de juicio y del castigo. La palabra desarraigar significa "arrancar", mientras la palabra exterminar significa "una destrucción total". Calvino comenta que así es el futuro de cada impío.

10. Cómo vivir bien, 3:1-4

El cap. 3 juega un papel prominente en el NT. Sin duda, varios pensamientos o dichos del capítulo estaban en las vidas morales de los judíos del primer siglo. Por lo tanto, los primeros cristianos judíos eran muy sensibles a la palabra de Dios, meditando sobre la aplicación de ella a la luz de los dichos y los hechos del Mesías, Jesús de Nazaret (Juan 5:39; Luc. 24:27; Hech. 2:14-40; 7:2-53; 8:32-35; 17:11). De verdad, la ética superior de los primeros cristianos se puede atribuir a las normas elevadas de ciertos pasajes del AT como los que se encuentran en el Pentateuco (Exo. 20 ss.; Lev.; Deut. 4 ss.) y el libro de los Proverbios. Además hay que recordar los pasajes proféticos condenando las graves faltas morales de los hebreos (Isa. 3; 5:8-23; Amós 1 s.; Miq. 1 s.). Es interesante que el sacerdote, el sabio y el profeta llegan a condenar las mismas condiciones pecaminosas. El sacerdote enseña basando el contenido sobre la ley dada por Dios (los diez mandamientos, las leyes de santidad, etc.). El sabio enseña basando el contenido sobre la experiencia humana y las normas que se han formulado. Y el profeta enseña basando el contenido sobre el estado moral concreto que se puede observar a la luz de la palabra que ha llegado viva del corazón de Dios. Su trabajo apasionante viene como una reacción al estado moral y señala ciertos pecados específicos. Así la palabra divina se presenta como **una muestra del carácter divino** (la ley), como **un reflejo de la creación** (la sabiduría que se

Dos contrastes
2:21, 22

1. Los sabios recibirán dos bendiciones especiales, v. 21.
   (1) Habitarán la tierra.
   (2) Heredarán los frutos de su preservación de los recursos.
2. Los impíos sufrirán castigos, v. 22.
   (1) Serán exterminados de la tierra, por su propio abuso de los recursos.
   (2) Los traicioneros son los que no ven la necesidad de preservar los recursos.

El destino eterno de cada uno depende de su decisión en relación con Cristo. Los que aceptan a Cristo como Salvador personal van a hereder las bendiciones de la vida eterna. Los que rechazan a Cristo van a sufrir el castigo de una condenación eterna. Cada cual tiene que tomar su propia decisión.

3 1 Hijo mío, no te olvides de mi instrucción,
y guarde tu corazón mis mandamientos;

encuentra en los libros de Proverbios, Job y Eclesiastés) y como **un encuentro con la inmoralidad del hombre** (los escritos proféticos). Un erudito contemporáneo ha dicho: "Tanto los Proverbios como la Ley nos llaman a un compromiso con Dios y su orden divino. Ambas partes del canon (el texto como se encuentra) llaman al hombre a amar la justicia y la integridad, a cuidar al pobre y al necesitado y a aceptar la vida como un regalo atesorado por Dios... Ambas unidades de la tradición hebrea se dirigen básicamente a una expresión única de la vida buena y fiel" (Brevard S. Childs).

El cap. 3 puede dividirse utilizando la frase *hijo mío,* a quien se dirigen los proverbios. Hay tres veces que aparece *hijo mío* (vv. 1, 11 y 21; para una discusión amplia de esta frase, ver el comentario sobre 1:8, 9). Una segunda manera de dividir el capítulo utilizará una estructura basada en los mandatos negativos, pero no es muy práctica ni factible. Se puede dividir 3:1-12 por los mandatos negativos (vv. 1, 3, 7 y 11). Mejor sería la frase *hijo mío,* aunque haya que subdividir las secciones porque incluyen mucho material.

Además de la audiencia impactada por los proverbios, esta sección se une al capítulo anterior por la palabra "olvidar" (v. 1 y 2:17). Por lo tanto, la sección toca el tema de la obediencia a la voluntad de Dios: sus mandamientos, su disciplina y su sabiduría.

La estructura de los vv. 1-4 forma un paralelismo entre vv. 1, 2 y 3, 4. La fórmula es la siguiente:

Recordatorios para guardar las palabras de instrucción, 3:3

2 porque abundancia de días
y años de vida y bienestar* te aumentarán.

3 No se aparten de ti la misericordia
y la verdad; átalas a tu cuello.
Escríbelas en las tablas de tu corazón,

*3:2 O: *paz*

1a un mandato negativo **3a** un mandato negativo

1b un mandato positivo **3b** un mandato positivo
3c un mandato positivo

2 el resultado positivo **4** el resultado positivo

Aún el contenido de los dos juegos forman un paralelo: los verbos y las promesas encontradas en los vv. 2 y 4.

En el hebreo, se enfatiza la palabra *mi instrucción*, el objeto directo, poniéndolo al comienzo de la oración (v. 1). La instrucción traduce la palabra hebrea *torah* [8451], que puede significar "la ley". *Mis mandamientos* está en una posición paralela con la *instrucción.* La promesa dada hace referencia a una vida prolongada (*abundancia de días*, v. 16, y *años de vida)* y a una vida mejor (bienestar o *shalom*). Así el maestro identifica cómo tener una vida larga y abundante, mejor en cantidad y en calidad (v. 2; ver 9:11; 10:27).

El v. 3 repite la fórmula del v. 1 dando énfasis a los sustantivos, en este caso las palabras *misericordia* y *verdad.* Las dos palabras se encuentran en otros pasajes del AT, mostrando el carácter de Dios (Exo. 34:6; Deut. 7:9) y la actitud que se esperaba de los que son hijos de Dios (Ose. 4:1). Así como el v. 1 habla de los mandamientos de Dios, el v. 3 habla del carácter de Dios y cómo estos atributos deben formar una parte de nuestro ser. Las dos palabras hablan de las características tiernas y puras de Dios. *Misericordia*, que traduce *jesed* [2617], significa "la bondad, la benevolencia y el compromiso de amor". La palabra *verdad* no traduce el significado amplio de *'amet* [571], su significado puede ser "fidelidad, autenticidad y lealtad". ¡Qué grande es Dios! ¡Y qué grande es nuestro desafío para madurar y ser como él!

La palabra "atar" ocurre en cuatro citas de Proverbios (6:21; 7:3; 22:15). Se encuentran dos citas que hablan de "atar las instrucciones de los padres al corazón" y "atar las instrucciones del maestro a los dedos" (6:21; 7:3; 22:15). Tal manera de recordar algo se encuentra en Deuteronomio 6:6-9, cuando Moisés compartía la ley de Dios con los hebreos a la salida de Egipto: (Estas palabras) *las atarás a tu mano como señal, y estarán como frontales entre tus ojos. Las escribirás en los postes de tu casa y en las puertas de tus ciudades* (Deut. 6:8, 9). El hecho de "atar" simboliza la necesidad de mantener una fuerte visibilidad de los mandamientos de Dios (Exo. 13:9, 16; Deut. 6:8, 9). Hay alguna evidencia arqueológica de que existían adornos para el cuello, el brazo y los pies con ciertos escritos de buena fortuna. No es extraño pensar que tales adornos existían en Israel. Por lo tanto, hay muchas culturas que muestran algún

El significado de la Biblia en nuestros días

El pastor Benjamín Weir, uno de siete rehenes en Beirut, Líbano, confesó, después de su liberación, que controló su desesperación en ese crisol por medio de la meditación en los Salmos y los Proverbios. Su compañero, Terry Anderson, testificó que estaba agradecido a Dios porque el primer libro que le permitieron tener en la cárcel era la Biblia. Los siete rehenes leyeron la Biblia y participaron diariamente en cultos, en lo que llegaron a llamar "la iglesia de la puerta cerrada". Esto nos ilustra el significado de la Biblia para nuestra vida.

La Biblia tiene palabras de ánimo para la persona que está deprimida. Tiene palabras de orientación para la persona que necesita ayuda en este sentido. La lectura diaria de unos pocos versículos puede cambiar la perspectiva de uno con relación a los problemas.

4 y hallarás gracia y buena opinión ante los ojos de Dios y de los hombres.

---

mensaje sobre las entradas de los edificios sagrados y sobre las casas particulares. Aquí las características *misericordia* y *verdad* deben encontrarse por escrito en el cuello del joven. No sería difícil escribir las palabras hebreas *jesed* y *'amet*, sólo diez letras, en alguna tablilla de arcilla y después formarla para el cuello, o escribir en algunas piedras preciosas las diez letras, quizá cada letra en una piedrita preciosa y unirlas por un hilo dorado. El peligro es, después de algún tiempo, mirar al objeto como algo mágico. Hoy en día algunos judíos ortodoxos llevan algunas cajitas en su frente y en sus muñecas. Estas cajitas contienen los versículos del *Shema* (Deut. 6:4-9; 11:13-21 y Núm. 15:37-41). Curiosamente, la palabra hebrea para poste (Deut. 6:9) llegó a tener el significado de una cajita que contenía un pergamino. Una mezuzah, una cajita con un pergamino, fue encontrada en las cuevas de Qumrán. El pequeño pergamino contenía el texto de Deuteronomio 10:12—11:21.

Joya bíblica

No se aparten de ti la misericordia y la verdad;
átalas a tu cuello. Escríbelas en las tablas de tu corazón (3:3).

Si uno escribe el mensaje de la Biblia en el corazón por medio de la memorización de versículos clave, ese tesoro está presente en todo momento y puede ser fuente de consuelo y motivación.

La última frase del v. 3 hace referencia a escribir las palabras o características de la misericordia y la verdad *en las tablas del corazón*. El concepto de escribir algo en el corazón figura prominentemente en el AT (Deut. 6:6; Sal. 37:31; Isa. 51:7; Jer. 31:33). Al llegar al corazón, las características forman una parte de la personalidad. Pablo hace alusión a las tablas de corazones humanos y afirma que el Espíritu Santo ha escrito sobre ellos, haciéndolos una carta de Cristo, leída por todos los hombres, dando así testimonio de Dios (2 Cor. 3:3).

La promesa que se encuentra en el v. 4 ha resultado del cumplimiento de los imperativos del v. 3. Al mostrar las cualidades de la misericordia y la verdad (autenticidad), el joven ganará el favor *ante los ojos de Dios y de los hombres*. Una alusión al favor ante Dios y ante los hombres se encuentra en el NT cuando se habla de Jesús (Luc. 2:52) y cuando se motiva a las buenas relaciones (Rom. 12:17; 2 Cor. 8:21). No obstante, buscar el favor de Dios ha de ser la prioridad máxima (21:2; 24:2; 24:12; 1 Sam. 16:7; 1 Crón. 28:9; Luc. 16:11; Heb. 4:13). Siempre la opinión y el favor de Dios ha de recibir la fidelidad del joven sabio. Seguidamente, el joven debe buscar tener una buena reputación en la comunidad (10:7; 11:16, 22, 27; 12:8).

11. El autoengaño en la racionalización, 3:5-10

Este pasaje es una de las joyas de Proverbios, tocando algunos elementos del orgullo humano que, a veces, son ignorados. El pecado no es sólo lo que uno hace sino lo que uno es, es decir su carácter orgulloso y soberbio.

Los vv. 5-7 se encuentran en un paralelismo invertido. Se puede diagramar así:

a. *Confía en Jehovah con todo tu corazón,* (5a)
b. *y no te apoyes en tu propia inteligencia* (5b).
c. *Reconócelo en todos tus caminos,* (6a)
c1 *y él enderezará tus sendas* (6b).
b1 *No seas sabio en tu propia opinión:* (7a)
a1 *Teme a Jehovah y apártate del mal* (7b).

"a-a1" representa el mandato positivo para depositar la confianza y la fe en Jehovah (ver 1:7). Al mismo tiempo, "b-b1" subraya el mandato negativo que nos llama a prestar cuidado a la sabiduría humana. Por ende, el individuo ha de tener

5 Confía en Jehovah con todo tu corazón,
y no te apoyes en tu propia inteligencia.
6 Reconócelo en todos tus caminos,
y él enderezará tus sendas.
7 No seas sabio en tu propia opinión:*
Teme a Jehovah y apártate del mal,

*3:7 Lit., *ante tus ojos*

sumo cuidado al basar sus decisiones en un criterio personal que ignora el consejo divino y muestra un orgullo insano. La palabra "apoyarse" viene de *sha'an* 8172, que significa "sostenerse a través de". La lección pide que uno no se sostenga exclusivamente por su propio consejo. Aún Proverbios reconoce la importancia de pedir el consejo de otros (11:14; 15:22; 24:6) y sobre todo la importancia del consejo divino (16:2). El maestro que antes guiaba al joven a buscar el favor *ante los ojos de Dios y de los hombres* (v. 4), ahora le advierte contra demasiada confianza ante sus propios ojos, la traducción literal de *tu propia opinión* (v. 7). No hay que sobrestimar la razón humana; también se encuentra influida por el pecado y con la necesidad de renovarse e imitar a Cristo en nuestra manera de pensar (Rom. 12:2; Fil. 2:5 ss.). El hombre se clasifica por la ciencia como homo sapiens (*sapiens:* sabiduría racional). Pero hay que añadir el pecado como una influencia que penetra todo el ser humano. De este modo, hay personas que utilizan sus mentes para construir un mundo mejor, y hay otras personas que utilizan sus mentes para planificar algún mal (ver 11 ss.; 2:14). Así pues, hay que concluir que la sabiduría del hombre tiene sus limitaciones (26:12; Isa. 5:21; 19:12; 44:25; Jer. 8:9; Rom. 11:25; 1 Cor. 1:19, 20, 27; 3:18). De hecho, Pablo cita el v. 7 en Rom. 11:25 y 12:16 al hacer un llamado a los creyentes romanos a una actitud humilde.

La frase *apártate del mal* puede traducirse "y te apartará de mal". En la primera traducción el joven ha de temer a Jehovah por un lado y apartarse del mal por otro lado. En la segunda traducción, al temer a Jehovah el mal se va a apartar del joven. De todos modos, el mal no tiene lugar en la vida del joven sabio.

En el v. 8, la palabra *carne* viene de la Septuaginta y la Peshita. El texto hebreo que es difícil tiene la palabra "cordón umbilical" (también encontrada en Eze. 16:4) en vez de carne. Al mismo tiempo la palabra *medicina* puede reemplazarse con la palabra "sanidad". Por lo tanto, la palabra *porque* se agrega para completar la idea, aunque implícitamente está en el texto he-

Semillero homilético

¿Cómo obtener una vida de éxito?

3:1-10

Introducción: En cualquier librería hay una exposición amplia de títulos que ofrecen las claves del éxito en la vida. Hablan de éxito en los negocios, en el matrimonio, en las inversiones, etc. El autor de los Proverbios también nos ayuda con sus recomendaciones de pasos para lograr el éxito.

I. Atendiendo a la palabra de Dios, vv. 1, 2.
   1. Recordar siempre las instrucciones de la Palabra, v. 1.
   2. Memorizar los pasajes para meditar en ellos.
   3. Atarlos al cuello, como recordatorio de verdades divinas.

II. Practicando las virtudes cristianas, vv. 3, 4.
   1. Manifestar la misericordia en las relaciones con otros, v. 3.
   2. Comunicar la verdad en toda circunstancia, v. 3.

III. Confiando en Jehovah y su dirección en la vida, vv. 5, 6
   1. Reconocer la soberanía de Dios sobre la humanidad, v. 5.
   2. Ser humilde en el uso de nuestra inteligencia.

Conclusión: Si ponemos la Biblia como nuestra brújula para orientarnos en nuestra peregrinación, si practicamos las virtudes cristianas que se enfatizan en la Biblia y si nos sometemos a la soberanía divina, habremos adquirido los secretos del éxito en la vida.

8 porque será medicina para tu carne
y refrigerio para tus huesos.
9 Honra a Jehovah con tus riquezas
y con las primicias de todos tus frutos.
10 Así tus graneros estarán llenos con abundancia,
y tus lagares rebosarán de vino nuevo.

---

breo. Entonces, el versículo puede leerse de la siguiente manera: *Sanidad será a tu cordón umbilical y refrigerio* (bebida refrescante) *a tus huesos*. Frente a tal traducción, es posible que nos enfrentamos a un modismo antiguo que ocupa las partes del cuerpo para hablar sobre el espíritu humano. En tal caso, se sana el cordón umbilical algunos días después del nacimiento. Puede que se hace referencia al hecho de que la madurez interior se logra de a poco cuando se cumple lo dicho en los vv. 5-7. Por otro lado, las enseñanzas, cuando son guardadas, mantienen la salud espiritual animada y equilibrada. Otra interpretación del v. 8 habla del poder de las enseñanzas para sanar las heridas en el espíritu y reanimar al espíritu humano. Ambas interpretaciones tienen apoyo en los diversos textos. Una interpretación poco probable habla de las dos líneas del v. 8 como la sanidad física y espiritual: la carne como un símbolo de la sanidad física y los huesos como un símbolo de la sanidad espiritual.

El contenido de los vv. 9 y 10 trata con un tema totalmente nuevo, ya que se encuentra un diálogo sobre las posesiones. Se une a los pasajes anteriores con la mención de Jehovah: *Confía en Jehovah* (v. 5), *teme a Jehovah* (v. 7) y ahora, *honra a Jehovah* (v. 9). El verbo *honra* sobresale porque recibe el énfasis del orden en la oración, siendo la primera palabra en el texto hebreo, y porque se encuentra en el modo verbal de *piel*, es decir el verbo está intensificado. Se puede leer el versículo: "Honra profundamente a Jehovah con tus riquezas..."

Verdades prácticas

Algunos atributos divinos que nos favorecen en todo momento son:

1. El temor a Jehovah, v. 7.
   (1) Nos lleva a la humildad.
   (2) Nos da medicina para el alma.
   (3) Nos brinda descanso en el camino.
2. El honor a Jehovah, v. 9.
   (1) Se manifiesta por nuestra generosidad.
   (2) Se recompensa en forma material y espiritual.
3. La disciplina de Jehovah, v. 11.
   (1) Tiene el fin de beneficiarnos.
   (2) Da garantías del amor divino.

Joya bíblica

Honra a Jehovah con tus riquezas y con las primicias de todos tus frutos (3:9).

El v. 9 entrega el desafío-mandato al joven y el v. 10 propone la promesa divina cuando se logra. La presencia de la palabra *riquezas* no debe entenderse como un dicho sólo para los ricos, pues este proverbio está dirigido a todos los jóvenes. Sin duda muchos de los jóvenes varones, recibiendo las enseñanzas del maestro del tiempo de Salomón y del tiempo de Ezequías, eran jóvenes que iban a tener la responsabilidad de manejar los bienes, o de su familia o del estado (1 Rey. 4). La palabra *primicias* puede significar "los primeros frutos" o "los mejores frutos". Las *riquezas* representa lo acumulado durante años y *las primicias de todos tus frutos* representa el esfuerzo del trabajo.

En el texto no se dice cómo honrar a Jehovah con las riquezas y las primicias. Quizá el maestro sabe que el sacerdote ya ha enseñado el porqué y el cómo de la ofrenda a Dios (Lev. 27:30; Núm. 15:21; 18:12 s.; Deut. 14:22 ss.; 18:4; 26:1 ss.; Isa. 43:23; Mal. 3:10-12).

Al cumplirse el v. 9, el joven podría esperar las bendiciones de Dios en una forma muy concreta. La escena de *gra-*

11 No deseches, hijo mío, la disciplina de
Jehovah,
ni te resientas por su reprensión;

12 porque Jehovah disciplina al que ama,
como el padre al hijo a quien quiere.

neros llenos y *lagares* rebosando pinta una imagen deseada por cualquier hebreo del tiempo de Salomón. Los graneros se llenaban de trigo y de cebada. Los lagares se llenaban del vino nuevo, recién hecho de las uvas buenas. Todavía hoy en día tantos factores de la cosecha dependen de la naturaleza y, por ende, de Dios.

12. La excelencia de la disciplina, 3:11, 12

Esta sección se une con los pasajes anteriores a través del mandato negativo, de las palabras *Jehovah* e *hijo mío*. Se subraya el tema de la disciplina de Jehovah. Hasta ahora se ha hablado de las decisiones que el joven ha de tomar. El texto empieza a mostrar cómo Dios está presente en la formación del carácter del joven. De este modo, el joven con sus decisiones y Dios con su disciplina se relacionan para lograr la madurez de un nuevo sabio.

La palabra *disciplina*, que viene de la palabra amplia *musar* 4148, se encontró tempranamente en el texto de Proverbios (1:2, 7, 8). *Musar* es un concepto hebreo muy amplio que puede significar, como el texto en Proverbios indica, *enseñanza* (4:1), *corrección* (8:33) o *disciplina* (1:2). A juzgar por la diversidad de las traducciones, el concepto *musar* incorpora toda la tarea de la educación desde la información (la enseñanza), luego la formación (la disciplina) y hasta la reformación (la corrección). Entonces, se puede traducir la palabra *musar* como "la información-formación-reformación". El verbo sería "informar-formar-reformar". El versículo puede

Y tus lagares rebosarán de vino nuevo, 3:10

13 Bienaventurado el hombre que halla sabiduría
y el que obtiene entendimiento;

14 porque su provecho es mayor que el de la plata,
y su resultado es mejor que el oro fino.

leerse: "No deseches la información-formación-reformación de Jehovah." Es un trabajo integral que busca la transformación del joven.

El verbo deseches viene de *ma'as* [3988], que combina la actitud de despreciar algo con la decisión de rechazarlo. El joven ha de rechazar tal actitud frente a la disciplina-formación de Jehovah. Por lo tanto, no debe cansarse de la participación reformadora de Jehovah en su vida.

Joya bíblica

Porque Jehovah disciplina al que ama,
como el padre al hijo a quien quiere (3:12).

El v. 12 explica la motivación de Jehovah para entrar en la vida del joven para disciplinarlo. El motivo de Jehovah nos da la oportunidad para ver el corazón de Dios. El amor divino es, de hecho, el motivo tierno y puro. ¡Alabado sea Dios! Se preocupa por sus hijos. En este mismo sentido, el texto explica que la actitud de Dios es paralela con la de un padre bueno que tenga que disciplinar a su hijo. Por supuesto, los atributos de Dios son perfectos, mientras el padre nunca es perfecto. De todos modos, el padre tiene la responsabilidad legítima de formar a su hijo aunque él no sea perfecto. Este versículo anticipa la oración de Jesús cuando los discípulos aprenden a orar: *Padre nuestro que estás en los cielos...* (Mat. 6:9). Un padre que rehúsa disciplinar a su hijo o es indiferente o es ignorante de la naturaleza humana. Aquí se encuentra un fuerte aliento para disciplinar a los hijos (13:24; 19:18; 22:15; 23:13, 14).

Los vv. 11 y 12 sirven de fundamento para el pasaje que se halla en Hebreos 12:3-13. Dentro del texto en Hebreos se citan los vv. 11 y 12 del texto griego, la Septuaginta (Heb. 12:5, 6). Además, en Hebreos 12:9 se hace la misma comparación entre la disciplina de Dios y la disciplina del padre. En este mismo sentido, Apocalipsis 3:19 declara a la iglesia en Laodicea, una iglesia que no era ni fría ni caliente: *Yo reprendo y disciplino a todos los que amo. Sé, pues, celoso y arrepiéntete.* Por fin, hay que notar el comentario de Calvino cuando se distinguía entre el castigo del pecador y la disciplina del hijo. Según Calvino, opera la ira de Dios cuando castiga al pecador, pero opera la misericordia de Dios cuando disciplina o corrige al creyente.

13. La sabiduría, el mayor de los bienes, 3:13-18

Se vuelve al tema de la sabiduría (ver 2:1 ss.) en una obra literaria que puede clasificarse como "un himno a la sabiduría". El himno incorpora los versículos de esta sección (vv. 13-18) y la próxima sección (vv. 19, 20). Las imágenes que se juntan en esta sección para mostrar el valor de la sabiduría son abundantes.

La palabra *bienaventurado* recibe prominencia en el v. 13 por ser la primera palabra en el texto hebreo y por hallarse en el modo "pual", que significa una intensificación de la acción que se recibe. *Bienaventurado* viene de la palabra que significa "dichoso o feliz". La verdadera felicidad se encuentra resumida en los pasajes con la palabra *bienaventurado* en Proverbios (3:18; 8:32, 34; 14:21; 16:20; 20:7; 28:14; 29:18; 31:28). Siempre hay que preguntar si la bienaventuranza es algo automáticamente dado cuando se cumple la condición de la palabra de Dios, o si Dios interviene a favor de uno cuando se cumple el mandato. De todos modos, cuando Dios declara que alguien es bienaventurado, hay razón para sentirse sumamente

15 Es más valiosa que las perlas;
nada de lo que desees podrá compararse con ella.
16 Abundancia de días hay en su mano derecha;
y en su izquierda, riquezas y honra.
17 Sus caminos son caminos agradables,
y en todas sus sendas hay paz.

---

bendecido. Se clausura una parte de la sección con la repetición de la palabra al fin del v. 18 en el texto hebreo. Entonces, *bienaventurado* comienza y termina la sección en el texto hebreo (vv. 13-18).

Las promesas del capítulo son varias, empezando con el v. 2 (vv. 4, 8 y 10) y llegando a los vv. 14 ss. En seguida viene una lista de bienes importantes. Son los bienes que unen esta sección con los vv. 9 y 10. La conclusión de la sección va a declarar la sabiduría superior a todos los bienes del mundo. Para hacer tal comparación se usa la palabra *tob* [2896], traducida *mayor* en el v. 14 y *mejor* en la segunda parte del v. 14 (mejor: *tob;* ver 8:11, 19; 12:9; 15:16, 17; 16:8, 16, 19, 32; 17:1; 19:1, 22; 21:9, 19; 22:1; 25:7, 24; 27:5, 10; 28:6).

La lista de bienes inferiores a la sabiduría es impresionante. Son cuatro categorías de bienes. En primer lugar está *la plata,* que se ocupa para el comercio internacional. En algunos momentos de la historia la plata tenía un valor tan alto como el oro. Más tarde en la historia, se iba a descubrir bastante plata y el oro iba a tener más valor.

El segundo bien que se menciona es el *oro.* Hay unas 13 palabras en el AT para el oro. La palabra que se encuentra en el v. 14 representa el mejor oro que había en el mundo antiguo. A pesar de su altísimo valor, la sabiduría es superior. Uno de los regalos traídos al niño Jesús fue el oro fino (Mat. 2:11).

Un tercer bien viene de la palabra hebrea que puede significar "perlas" o "corales". La palabra se repite en 8:11, 20:15 y 31:1. El coral venía de un crustáceo del mar y fue explotado para las joyas. Las perlas también venían del mar, de la ostra, y también se utilizaban en las joyas.

El cuarto bien es más ambiguo, la frase hebrea es *kal hapatseyk* [2356], y no es muy clara. Se involucra algo como "todo deseado" y deja un cheque en blanco para el joven oyente. La sabiduría es aun superior, *más valiosa* y no puede *compararse* con aun lo más deseable de los bienes, aunque sea un cheque en blanco del hombre más rico del mundo.

El v. 16 tiene un paralelismo invertido: a. *Abundancia de días,* b. *en su mano derecha,* b.1 *en su izquierda,* y a.1 *riquezas y honra. Abundancia de días* se ha repetido del v. 2. La escena que se pinta es muy llamativa. Ambas manos se hallan llenas de regalos. En la mano derecha se encuentra una vida larga (9:11; 10:27) y en la mano izquierda están la riqueza y el prestigio. Nos hace recordar el diálogo entre Salomón y Dios (1 Rey. 3:5-14). La escena es así:

Dios: *Pide lo que quieras que yo te dé* (v. 5).

Salomón: ... *Da, pues, a tu siervo un corazón que sepa escuchar, para juzgar a tu pueblo, y para discernir entre lo bueno y lo malo...* (v. 9).

Dios: ... *He aquí que yo te daré un corazón sabio y entendido... Y también te daré las cosas que no has pedido: riquezas y gloria... Y si andas en mis caminos... yo prolongaré tus días* (vv. 12-14).

La sabiduría está llena de beneficios, reflejando así la misma naturaleza de Dios. En la eternidad divina, Dios da lugar a sus hijos *en los lugares celestiales, para mostrar en las edades venideras las superabundantes riquezas de su gracia, por su bondad hacia nosotros en Cristo Jesús* (Ef. 2:6, 7).

El v. 17 vuelve al tema de los *caminos-sendas.* Aquellos de sabiduría son placenteros y tienen una calidad de *shalom.* Suena como el jardín de Edén donde existía la armonía y las buenas relaciones previo al pecado de Adán y Eva.

18 Es árbol de vida a los que de ella echan mano;
bienaventurados los que la retienen.
19 Jehovah fundó la tierra con sabiduría;
afirmó los cielos con entendimiento.
20 Con su conocimiento fueron divididos los océanos,
y los cielos destilan rocío.

Cómo alcanzar la bendición de Dios

21 Hijo mío, no se aparten estas cosas de tus ojos;
guarda la iniciativa y la prudencia,

El pensamiento del v. 17 sigue en el v. 18. Ahora la imagen es del árbol de vida que figura en varios proverbios (11:30; 13:12; 15:14; ver Gén. 2:9; 3:22, 24; Apoc. 2:7; 22:2, 14, 19). Se acaba la escena con una invitación a tomar del árbol de vida que es la sabiduría. Ha de tomar el fruto de la sabiduría del árbol. Otra vez la palabra *bienaventurado* se extiende a los que guardan la sabiduría (v. 13).

Verdades prácticas

Tesoros que todos podemos alcanzar:
1. Los tesoros de la sabiduría y la inteligencia, v. 13.
2. El tesoro de largura de vida, vv. 16, 17.
3. El tesoro de la provisión sobrenatural de nuestras necesidades, vv. 19, 20.

14. La sabiduría, el participante en la creación, 3:19, 20

Es difícil concluir si los vv. 19 y 20 forman una parte del himno a la sabiduría o se han unido por el tema común, es decir, la sabiduría. Al unir *la tierra* y *los cielos*, el maestro enseña que todo fue creado por medio de la sabiduría (Gén. 1:1). La sabiduría como el agente de la creación se desarrolla en una forma mucho más profunda en 8:22-31, un hermoso himno a la sabiduría. El hecho de que algunos eruditos antiguos identificaban la sabiduría con Cristo se explica por estos dos pasajes y por algunos pasajes neotestamentarios (1 Cor. 1:24; Juan 1:1-3; Col. 1:15-17).

El tema de la sabiduría de Dios como Creador se encuentra en el v. 20. Se da un ejemplo de la sabiduría aplicada; también de la ignorancia del hombre acerca de la naturaleza. La creencia que los cielos destilaban rocío no es cierta dado que el rocío se produce como un proceso de la condensación en el suelo. A pesar de esto, es cierto que la maravilla del rocío es que daba vida muchas veces en los lugares áridos. Hoy por hoy, la división de los océanos se ha convertido en un estudio fascinante. ¡Qué Dios tan maravilloso! ¡Qué Creador!

15. Cómo derrotar el temor, 3:21-26

Esta sección se une al capítulo a través del temario y por las palabras *hijo mío* (vv. 1 y 11). El pasaje más amplio incluirá también las próximas dos secciones, dividiendo así el pasaje en tres secciones: (1) Vv. 21-26; (2) vv. 27-31; (3) vv. 32-35.

El argumento de la sección es la confianza que resulta como consecuencia de la obediencia a los imperativos en el texto. La iniciativa y la prudencia son dos substantivos discutidos en el cap. 2 (2:7, 11). En este mismo sentido, el mandato de no creerse sabio (v. 7) se reemplaza con *la iniciativa y la prudencia* llenando los ojos de uno (v. 21).

El tema de la vida se encuentra en muchos pasajes de Proverbios (4:10, 22; 8:35; 9:11; 10:11, 16, 17; 11:19, 30; 12:28; 13:14; 14:27; 15:4, 24; 16:22; 19:23; 21:21; 22:4). Así la obediencia es vida, vida prolongada, mientras la desobediencia es quitar la vida (2:18; 11:19). *Gracia para tu cuello* indica un testimonio público favorable (1:9).

En los vv. 23-25 se presentan tres escenas cotidianas y la confianza que el creyente sabio ha de sentir. La primera escena habla de la vida cotidiana y la protección de Dios para ellos (v. 23). Uno puede vivir con confianza y no con una constante preocupación. La confianza en Dios y no el temor de la vida debe reinar en el corazón del hombre.

La segunda escena se centraliza en una

22 y serán vida para tu alma
y gracia para tu cuello.
23 Entonces andarás confiadamente por tu camino,
y tu pie no tropezará.
24 Cuando te acuestes, no tendrás temor;
más bien, te acostarás, y tu sueño será dulce.
25 No tendrás temor del espanto repentino,
ni de la ruina de los impíos, cuando llegue,
26 porque Jehovah será tu confianza
y él guardará tu pie de caer en la trampa.
27 No niegues un bien a quien es debido,*
teniendo poder para hacerlo.

*3:27 Lit., *a su dueño*

---

actividad cotidiana nocturna (v. 24). Como el v. 23 afirmaba la presencia de Dios en el día del joven sabio, de este mismo modo Dios se encuentra en la noche del sabio. El temor en el versículo no es uno sano sino un temor no saludable. En vez del temor, el joven sabio puede esperar un sueño dulce. ¡Qué gran bendición! ¿Cuántos remedios se gastan en dormir? ¿Cuántas terapias de relajación se han desarrollado para apoyar a la gente a acostarse sin las fobias? ¿Cuántas personas no pueden dormir porque están preocupadas por las cosas de la vida? Toda una industria se ha levantado para ayudarnos a dormir.

Joya bíblica

... porque Jehovah será tu confianza y él guardará tu pie de caer en la trampa (3:26).

Una tercera escena se manifiesta en los escenarios de la crisis o la desgracia. Ahora el temor se profundiza cuando se presenta el caso en que puede ocurrir un *espanto repentino*. Lit. se trata de una situación que produce el pánico o el terror. Especialmente se apunta al caso de la total destrucción del hombre que no sigue a Dios ni sus mandamientos. Tarde o temprano cada hombre come del fruto de sus acciones. Frente a la *ruina de los impíos*, el sabio fiel puede tener confianza en el Dios Protector. El v. 23 repite la imagen de los pies seguros del v. 23 y Jehovah está proclamado *tu confianza* (v. 26). El temor no ha de ser un compañero cotidiano del creyente, sino la confianza.

El texto de la Septuaginta cambia el v. 24 para incluir la frase "cuando te sientas". Pero el texto hebreo afirma el texto como está traducido en v. 24. El *espanto repentino* pone énfasis en el concepto de la naturaleza sorpresiva de la crisis aguda (6:15; Jos. 10:9; Mal. 2:17). Además en el v. 26 se encuentra la palabra *trampa*, que lit. significa "el guardará tu pie de *ser atrapado*".

16. Construyendo una relación fraternal con el prójimo, 3:27-35

Esta sección se puede analizar en dos partes. La primera nos entrega una serie de seis prohibiciones (vv. 27-31). A continuación se descubre el porqué de las prohibiciones y la actitud de Dios frente a ciertas personas (vv. 32-35).

Los vv. 27 y 28 muestran el pecado de omisión, es decir el pecado que se produce cuando no se cumple lo que Dios espera. En el v. 27, se presenta alguien que merece ser ayudado, siendo él "el dueño o con el derecho de propiedad sobre" el bien. Así se excava el verdadero sentir de la palabra hebrea *ba'al*. Se expresa que el hombre tiene el poder para entregar el bien. Están dadas todas las condiciones: (1) La persona ha de ser apoyada y (2) el bien está disponible. El cristiano encuentra esta enseñanza en Romanos 13:7 y Gálatas 6:10.

El segundo mandato negativo también es un pecado de omisión (v. 28). Se subraya la palabra *prójimo*, tan frecuente en el AT (Exo. 20: 16, 17; 21:14; 22:7, 8, 10, 25; Lev. 19:13, 17, 18; Deut. 5:20, 21; Prov. 9:21; 14:20, 21; 27:10) y tan conocida

28 No digas a tu prójimo:
"Anda y vuelve; mañana te lo daré",
cuando tienes contigo qué darle.
29 No trames mal contra tu prójimo,
estando él confiado en ti.
30 No pleitees con alguno sin razón,
si es que no te ha hecho agravio.
31 No envidies al hombre violento,
ni escojas ninguno de sus caminos;

---

en las expresiones del NT (Luc. 10 25-37; Rom. 13:8-10; Gál. 5:14). La palabra hebrea es *re'* [7453], que viene de la raíz que significa "asociarse con". Por lo tanto, se puede traducir como "vecino, compañero, amigo, colega". Aquí se nota el pecado de la indiferencia hacia al prójimo. ¡Qué devastador ser el prójimo, estar en necesidad y escuchar las palabras en el v. 28: *Anda... mañana te lo daré!* Mañana puede ser tarde si la emergencia es de una naturaleza que requiere una atención inmediata. Hay tiempos oportunos en la vida y hay que aprovecharlos. Tal como el prójimo se ha acercado a uno para ayuda en una crisis, el individuo podría verse en una emergencia y con la necesidad de solicitar el auxilio del prójimo. La actitud de indiferencia produce la tristeza del prójimo necesitado y conduce al rechazo de parte de Dios. El NT apoya ampliamente estos dos imperativos. Pablo toca el tema de ayudar cuando uno tiene cómo apoyar al hermano y subraya la importancia de una voluntad dispuesta (2 Cor. 8:12). Sin duda la palabra de Dios condena las acciones que son demasiado comprometedoras e imposibles de cumplir (Prov. 6:1; 11:15; 17:18; 20:16; 22:26, 27; 27:13).

Cinco advertencias para el que es sabio
3:27-31

1. No negarse a hacer el bien si tenemos poder de hacerlo, v. 27.
2. No postergar un servicio al necesitado, v. 28.
3. No intentar mal contra el prójimo, v. 29.
4. No entrar en pleito sin razón, v. 30.
5. No envidiar al hombre injusto, v. 31.

El tercer mandato negativo se encuentra en el v. 29. El pecado aquí es premeditado y se dirige a alguien que tiene confianza en el individuo. Nos trae a la mente el décimo mandamiento: *No codiciarás la casa de tu prójimo; no codiciarás la mujer de tu prójimo, ni su siervo, ni su sierva, ni su buey, ni su asno, ni cosa alguna que sea de tu prójimo* (Exo 20:17). Quizá el individuo desea algo que tiene su prójimo. De todas maneras, construir una relación requiere tiempo, mientras la reconstrucción de una relación donde se haya perdido la confianza requiere años, si fuera posible. Recuperar la confianza es una gran tarea que pocos logran.

Llevar a una persona ante un tribunal y acusarle de algún delito falsamente se prohíbe en el v. 30. Son varios los proverbios que hablan en contra de la persona que produce contiendas contra los inocentes (15:18; 18:18, 19; 20:3; 26:17, 20, 21; 28:2, 25; 29:9, 22). En el mismo espíritu, en este proverbio se rompe el noveno mandamiento: *No darás falso testimonio en contra de tu prójimo* (Exo. 20:16).

Como los primeros dos mandatos son parecidos (vv. 27, 28) y los siguientes dos mandatos son parecidos (vv. 29, 30), así el v. 31 contiene dos mandatos negativos, el quinto y el sexto. El hombre violento es como el hombre perverso (ver 2:12 ss.). El Salmo 37:1-9 confronta la actitud que se presenta aquí en una versión resumida. La importancia de evitar la mala compañía es un tema frecuente de Proverbios (1:10-19; 4:14-17; 16:29; 22:24, 25; 23:20, 21; 24:1, 2), siendo este el primer tema tratado en el libro en una forma amplia (1:10-19). Además de rechazar lo que es y lo que tiene el hombre violento, hay que guardarse contra algunas de sus características. Hay que recordar la escena de Lucas 8:26 ss., donde un hombre endemoniado y violento vino a Jesús y fue milagrosamente transformado por él. Nadie queda fuera del poder de Jesús si hay una disposición para seguir a Cristo.

32 porque Jehovah abomina al perverso,
pero su íntima comunión es con los rectos.
33 La maldición de Jehovah está en la casa
pero él bendice la morada de los justos.
34 Ciertamente él se burlará de los que se burlan,
pero a los humildes concederá gracia.

La preposición común *kiy* 3588, traducida *porque*, empieza la sección que incluye los vv. 32-35. La preposición *porque* expresa el concepto del "propósito o motivo". En este caso, es el resumen de los vv. 27-31. Los cuatro versículos son de la naturaleza del paralelismo antitético, dando así un contraste entre dos grupos de personas por versículo. Los contrastes se ven desde el punto de vista de Dios, quien es capaz de hacer una evaluación santa de las personas. Se pueden ver los contrastes en el siguiente diagrama:

JEHOVAH

Favorece	***Desfavorece***
los rectos	*al perverso* (v. 32)
los justos	*el impío* (v. 33)
los humildes	*los que se burlan* (v. 34)
los sabios	*los necios* (v. 35)

Así como Dios actúa a favor de la primera lista de personas, él también va en contra del bienestar de la segunda lista.

En el primero de los cuatro juegos de personajes, el lenguaje es pintoresco y franco. La palabra abomina significa "detestar o sentir un fuerte rechazo hacia". Entre el verbo "abominar" y el sustantivo "abominación" se encuentra una cantidad grande de pasajes que muestran el rechazo y la repugnancia de Dios hacia ciertas actitudes, hacia ciertos tipos de personas y hacia ciertos hechos (6:16; 8:7; 11:1, 20; 12:22; 13:19; 15:8, 9, 26; 16:5, 12; 17:15; 20:10, 13; 21:27; 24:9; 28:9; 29:27). El perverso va a sentir el rechazo y el espíritu de repugnancia hacia él, subrayando la idea de "desviado o distorsionado". Por el otro lado, existe una íntima comunión entre Dios y el recto. Como dice un himno: ¡Qué dulce comunión!

Los hogares del v. 33 quedan impactados por la maldición y la bendición de Dios según el carácter de la persona. El libro de Proverbios tiene una amplia lista de pasajes que utilizan las palabras "bendición" (5:18; 10:6, 7, 22; 11:26; 22:9; 24:25; 28:20; 30:11) y "maldición" (11:26; 17:4; 20:20; 24:24; 26:2, 20; 27:14; 28:27; 30:11). Los dos grupos reciben una atención enorme en el libro de Proverbios: *rasha'* 7563: impío o malvado (2:22; 3:25; 4:14, 19; 5:22; 9:7; 10:3, 22, 27, 29; 11:1, 20; 12:2, 22; etc.) y *tsadiyqiym* 6662: los justos o los fieles o los leales (2:20; 4:18; 9:9; 10:3, 6, 7, 11, 16, 20, 21, 24, 25, 28, 30, 31, 32; 11:8, 9, 10, 21, 23, 28, 30, 31; 12:3, 5, 7, 10; etc.)

En el v. 34 Jehovah muestra su sentido de humor que apunta a la confianza absoluta. Da dignidad a los humildes, los sencillos, los pobres (ver 14:21; 16:19). Pero él hace temblar la confianza de los burladores con su gesto de confianza (ver 1:26 sobre el concepto de la risa divina). El humilde o pobre puede alcanzar las bendiciones divinas.

El v. 34 captaba la imaginación de los primeros cristianos. Específicamente, el tema del humilde y del orgulloso se presenta llenando las páginas del NT (Mat. 23:12; Luc. 14:11; 18:14). El v. 34 se cita en el libro de Santiago utilizando la traducción griega, la Septuaginta: *Dios resiste a los soberbios, pero da gracia a los humildes* (Stg. 4:6). También se encuentra en la primera carta de Pedro, donde los jóvenes cristianos son desafiados: *revestíos todos de humildad* (1 Ped. 5:5). Don Quijote decía: "A quien se humilla, Dios le ensalza" (Don Quijote, 1.11).

El último juego contrasta el sabio, quien recibirá el prestigio de los que le rodean, con el necio (v. 35). Lit., el texto dice que

35 Los sabios poseerán honra,
pero los necios cargarán con la afrenta.

Consejos de un padre

4 1 Oíd, hijos, la enseñanza de un padre;
estad atentos para adquir entendimiento.

"los necios son cargados (por Dios) con la vergüenza". Para una discusión amplia de las características del necio, ver comentario de 1:22. La sección de los vv. 27-35 empieza con aquellos que Dios detesta y termina con la vergüenza sobre los necios.

17. La alta y constante prioridad de la sabiduría, 4:1-9

El cap. 4 puede analizarse en tres partes en base a *hijos* (v. 1) o la frase *hijo mío* (vv. 10, 20). Luego el lector se da cuenta de las frases *oíd* y *estad atentos* (v. 1), *escucha* (v. 10) y *pon atención* e *inclina tu oído* (v. 20). Estos son vocablos sinónimos que proyectan un sentido formal, como es el caso de la palabra *escucha*, de la palabra hebrea *shema* [8085], que se usa para describir la oración cotidiana que cada judío oraba todos los días (ver 1:8). Así las palabras *oíd* (v. 1) y *escucha* (v. 10) tocan al joven en lo más profundo de su ser. Por el otro lado, los vocablos imitan los refranes típicos de cada hogar en el mundo y de todos los tiempos. Siempre hay un problema para que los niños y después los adolescentes escuchen a sus mayores. El diálogo va así: "Hijo, no me estás escuchando. ¿No me oíste cuando te pedí hacer tal tarea? Hay que aprender a escuchar. ¿Por qué no me escuchas?" Así se nota el sentido informal de las palabras.

Ahora vamos a dirigirnos a la primera de las tres secciones que son divididas por las palabras *hijos* o *hijo mío:* (1) vv. 1-9; (2) vv. 10-19; (3) vv. 20-27. La primera sección se dirige a los hijos (ver 5:7; 7:28; 8:32 para los ejemplos de la palabra *hijos* en el caso vocativo que sirve para invocar o llamar y ver 8:4, 31; 13:22; 14:26; 17:6; 20:7; 30:17: hijos de águila, traducido *polluelos;* 31:28 para los otros ejemplos del vocablo *hijos;* ver 13:22 y 17:6 para hacer referencia a los hijos de los hijos, es decir, los nietos). La frase más frecuente es *hijo mío* (ver 1:8).

No es fácil identificar al que habla en la primera sección, 4:1-9. Por una parte, el maestro ha estado hablando a través de los primeros capítulos. Además, en los versículos que llevan la forma plural, siguiendo el vocativo de *hijos* del v. 1, no se dice explícitamente que el joven aprendiz es un hijo del hijo del padre mencionado en el v. 3. Así hay una evidencia ligera apuntando al hecho de que el que habla al joven en el cap. 4 es el maestro. Por otra parte, la conversación es entrañable y rompe el diálogo formal para entrar en un terreno tan íntimo que nos cuesta hoy en día creer que un educador va a abrirse tanto a sus alumnos. Así, a la luz de la escuela formal y a veces impersonal, nos indica que el que habla debe ser el padre dirigiendo sus palabras a sus hijos. A pesar del sistema moderno, Proverbios se escribe en el contexto de la educación del mundo antiguo, en el cual el alumno vivía con el maestro durante un período de tiempo. La relación era más íntima y el maestro se sentía un representante de los padres (los padres le pagaban directamente y no el estado). En todo sentido, el maestro estaba *in loco parentis* (en el lugar de los padres). Entonces, suena más natural concluir que esta sección fue una contribución del maestro sabio.

La sección tiene un cambio abrupto entre la forma plural de los primeros cuatro versículos y la forma singular de los últimos cinco versículos. El texto tiene la frase *adquiere sabiduría* en vez de "adquieren la sabiduría". De ese modo, se puede poner en singular el dicho del padre recordado por el maestro en el v. 4.

Los vv. 1-4 forman uno de los diálogos

2 No abandonéis mi instrucción,
porque yo os doy buena enseñanza.
3 Pues yo también fui hijo de mi padre,
tierno y singular delante de mi madre.
4 Y él me enseñaba y me decía:
"Retenga tu corazón mis palabras;
guarda mis mandamientos y vivirás."
5 ¡Adquiere sabiduría!
¡Adquiere entendimiento!
No te olvides ni te apartes de los dichos
de mi boca.
6 No la abandones,* y ella te guardará;
ámala, y te preservará.

*4:6 Es decir, a la sabiduría

más tiernos e íntimos del libro de Proverbios. Se palpa el espíritu paternal en su sentido más comprometido. Este espíritu paternal puede venir del padre de los hijos, o del maestro como fue sugerido anteriormente. La naturaleza del pasaje nos hace recordar 3:12 cuando el maestro enseñaba que *Jehovah disciplina* ***al que ama,*** *como el padre al hijo* ***a quien quiere***. Más tarde, los rabinos judíos iban a decir que "al dar la ley, Dios mostró su gran amor" (*Misná:* Ab. 3.15).

El maestro (o el padre) abre su corazón y comparte un recuerdo muy querido y muy influyente en su vida. Es un dicho que se guarda en el corazón de algo compartido desde hace años por el padre del maestro (o el padre del padre, es decir el abuelo de los jóvenes). Son cinco palabras hebreas, diez en la traducción:

Retenga... mis palabras tu-corazón
guarda mis-mandamientos y-vivirás.

Lo que está ligado constituye una palabra hebrea, el orden es distinto al castellano. Hay un juego de sonidos si *y vivirás* se guarda hasta una tercera línea. Tal juego de sonidos ayuda a la memoria y hace penetrar la conciencia del oyente. Así la frase *y vivirás* llega a ser el clímax final:

Retenga tu corazón mis palabras;
guarda mis mandamientos;
y vivirás.

Estas palabras dejan al descubierto todas las pasiones del maestro.

La introducción al dicho de su padre muestra la forma que fue querida por sus padres. A la vez muestra que donde están ahora los jóvenes, ahí él había estado sentado hacía algunos años. Ahora el maestro toma el lugar de su padre y los jóvenes toman su lugar. El sabe lo que significa ser "hijo de un padre". ¿Cuántos niños no tienen la ventaja de un padre bueno y sabio que les hablaría como el padre habló al maestro y como el maestro habla a los jóvenes? ¿Cuántas heridas existen por la ausencia de un padre? En el mismo sentido, el maestro ha conocido una madre que le miraba como si él fuera *tierno y singular*, de las palabras hebreas *rak* 7390, que significa "delicado o tratado como si fuese muy especial" y *yajiyd* 3054, que significa "único" (la Septuaginta sustituye la palabra *singular* con "amado" que, de hecho, capta el significado de la expresión). *Tierno y singular* suena como lo dicho a un bebé, y por ende, el hijo siempre permanece como el niño querido de su madre. El maestro ha tenido la ventaja de un padre y de una madre, ambos comprometidos con él a través del amor paternal. Al salir de un hogar tan bien formado, el maestro cumple lo prometido en 22:6: *Instruye al niño en su camino; y aun cuando sea viejo, no se apartará de él.*

En los vv. 1-4 hay un llamado a no abandonar la instrucción (*toráh*) del maestro porque es buena. Antes se ha visto cómo el hombre que habla perversidades ha abandonado una conducta recta (2:13) y cómo una mujer ha abandonado a su marido de largos años (2:17). Hay cosas tan preciosas que nunca hay que abandonarlas. El pensar correcto, la conducta recta y el matrimonio son algunas de las cosas más preciosas de la vida.

Los vv. 5-9 vuelven al tema de la sabiduría uniéndola con las lecciones enseñadas por el maestro. De cierto, no todo lo dicho por algún maestro o profesor tiene razón

7 ¡Sabiduría ante todo!
¡Adquiere sabiduría!
Y antes que toda posesión,
adquiere entendimiento.
8 Apréciala, y ella te levantará;
y cuando la hayas abrazado, te honrará.

9 Diadema de gracia dará a tu cabeza;
corona de hermosura te otorgará.

10 Escucha, hijo mío, y recibe mis dichos,
y se te multiplicarán años de vida.

---

y se apoya en la sabiduría divina. De este modo uno tiene que examinar todo lo dicho por algún profesor, aunque sea universitario o bien preparado, a la luz de la Palabra de Dios. El maestro de Proverbios enseña reconociendo que toda la sabiduría viene de Dios (2:6) y que la sabiduría humana es muy limitada e incompleta (3:7; 16:2; 26:12).

La palabra "adquirir" figura prominentemente en este pasaje (v. 5, dos veces y en el v. 7: dos veces aunque ausente en el texto de la Septuaginta). La palabra puede significar "obtener, conseguir o acumular". El v. 6 habla de la sabiduría como si fuese una mujer muy querida. Es posible desarrollar una relación estrecha y mutua con la sabiduría. El v. 9 usa la figura de la venda sacerdotal o la cinta de género llena de ciertas joyas preciosas para representar el valor de la sabiduría. Esta diadema era un símbolo de la posición, el honor y la estima de los sacerdotes (1: 9). Asimismo la *corona*, a veces una palabra sinónima con *diadema*, funciona también para cubrir las cabezas de los reyes y la nobleza hebreos. La corona era un símbolo de poder y prestigio de los sacerdotes y de los reyes (12:4; 14:18, 24; 16:31; 17:6; 27:24). La sabiduría le hace a uno más noble y más estimado que todas las coronas del mundo. "¡Sabiduría primero!" puede ser la traducción de la frase *¡Sabiduría ante todo!* y el lema de toda esta sección.

Los gritos para adquirir la sabiduría de parte del maestro suenan como el grito de algunos comerciantes. "¡Adquieran las verduras! ¡Tengo buenos plátanos! ¡Tengo ricas manzanas! ¡Venga a comprar!" Además nos hace darnos cuenta de la acumulación de las cosas como un afán de mucha gente en la vida. Los niños juntan los juguetes. Los jóvenes acumulan ropa, música, etc. Y los adultos tienen sus acumulaciones. ¡Qué mundo materialista! A veces los bienes llegan a tener más importancia que las personas. Los valores éticos se ignoran y los antivalores se elevan. Pero entra en la escena el sabio quien nos desafía a dejar la acumulación de las cosas para empezar a acumular la sabiduría y todos los beneficios de ella. La acumulación de la sabiduría es más valiosa que la de los bienes, sean los títulos de los honores (v. 9) o las posesiones (3:14, 15). Al hombre contemporáneo le falta una verdadera espiritualidad y se encuentra en un ambiente excesivamente materialista.

18. ¿La aurora o la oscuridad? 4:10-19

Esta sección se une al resto del capítulo por la frase *hijo mío.* En cuanto se ha establecido la relación entre la sabiduría y los dichos del maestro, el maestro sigue la instrucción sobre la sabiduría o dichos sapienciales. El pasaje discute las ventajas del camino recto (vv. 11, 12, 18) con el camino de los impíos, es decir, los malos (vv. 14-17, 19). Al camino recto se pueden agregar las ventajas de los dichos sapienciales (v. 10) y las ventajas de la disciplina (v. 13).

La vida prolongada como beneficio de la sabiduría y la conducta recta se presenta de nuevo en el v. 10 (3:22; 9:11). ¡Así como la sabiduría aumenta, mejora la calidad de la vida! El pecado y la conducta desordenada quitan de la vida (1:19), produciendo de esa forma la muerte prematura.

Primeramente, vamos a ver las características del camino recto. Los vv. 11 y 12 se encuentran en un paralelismo sinónimo. El v. 11 habla de la forma en que la sabi-

11 En el camino de la sabiduría te he instruido,
y por sendas de rectitud te he hecho andar.
12 Cuando camines, tus pasos no hallarán impedimento;
y si corres, no tropezarás.

13 Aférrate a la disciplina y no la sueltes;
consérvala, porque ella es tu vida.
14 No entres en el sendero de los impíos,
ni pongas tu pie en el camino de los malos.
15 Evítalo; no pases por él.
Apártate de él; pasa de largo.

---

duría da fuerza a la vida cotidiana. El v. 12, por otro lado, expresa la verdad que la sabiduría guarda al joven del "camino que se achica" y por ende, crea un peligro en el terreno de Palestina, traducido *impedimento*, y del tropiezo cuando se arriesga, *corres*. "Correr" puede indicar una persona que tiene una ambición para lograr algo positivo en la vida. Hay una ambición sana que puede glorificar a Dios (11:16). La vida se llena de obstáculos que hay que cambiar en oportunidades. Con la sabiduría se vencen los obstáculos y los desafíos que se presentan en el transcurso de la vida (v. 12).

Siguen las ventajas de la sabiduría en el v. 13 pero ahora bajo la designación de *la disciplina* (ver 3:11, 12 para una discusión amplia del concepto de disciplina, *musar* 4148). Se emplean tres verbos para describir el compromiso que hay que tener con la disciplina: aferrarse, no soltar y conservar. *Musar* se iguala a la vida del joven: *Ella es tu vida* (v. 13; el verbo se agrega para la lectura en castellano). La relación íntima refleja el espíritu del v. 6.

Sin duda que el sabio hace atractiva la sabiduría. Tal atractivo representa la realidad de la vida. El sabio mira de cerca las características y las consecuencias del camino impío (3:25; 10:24). Hay un espíritu de urgencia en el texto (v. 15: *Evítalo)*.

El v. 14 desarrolla el tema de la mala compañía, un tema muy conocido dentro de Proverbios (1:10-19; 3:31, 32; 16:29; 22:24, 25; 23:20, 21; 24:1, 2). El espíritu y hasta el contenido nos recuerdan el Salmo 1:

Bienaventurado el hombre que
no anda según el consejo de los impíos,
ni se detiene en el camino de los pecadores,
ni se sienta en la silla de los burladores.

Junto al v. 15, el maestro le ruega evitar andar con los impíos o andar como los impíos. "Más vale prevenir que curar" es un dicho importantísimo. Al entrar al estilo de la vida del impío, el joven se abre a todas las consecuencias de una vida desordenada. Entre el v. 14 y el v. 15, se muestran seis expresiones verbales señalando la importancia de eludir el camino del impío. El v. 15 utiliza los pronombres, a menudo

---

Semillero homilético

Características de un hombre sabio

4:1-17

Introducción: El autor de los Proverbios hace énfasis en lo bueno de la sabiduría. Veamos las características de un hombre sabio:

I. Reconoce a sus padres como fuentes de sabiduría, vv. 1-4.
II. Dedica todas las energías para adquirir la sabiduría, vv. 5-9.
III. Atesora lo que aprende para utilizarlo, vv. 10-13.
IV. Evita los caminos que conducen al mal, v. 14.

Conclusión: Lograr la sabiduría es un proceso largo y lento. Comienza con el respeto y la obediencia a nuestros padres. Continúa con una dedicación a la adquisición de conocimientos y experiencias que nos capacitarán para vivir con éxito. Termina con una reflexión tranquila sobre una vida dedicada al servicio del Señor.

16 Porque ellos no duermen si no han hecho mal;
pierden el sueño si no han hecho caer a alguno.
17 Pues comen pan de impiedad,
y beben vino de violencia.

18 Pero la senda de los justos es como la luz de la aurora
que va en aumento hasta que es pleno día.
19 El camino de los impíos es como la oscuridad;
no saben en qué tropiezan.

---

aludiendo a las palabras *sendero* y *camino* del v. 14.

Los vv. 16 y 17 revelan dos razones para no entrar en la senda del malo. En primer lugar, "ellos", una referencia a los impíos o malos del v. 14, están poseídos por la adicción de hacer el mal. Sus noches no son para descansar sino para cumplir su adicción. No se sienten tranquilos hasta hacer algún mal y lastimar a alguna persona. Jesús resume la verdad de este versículo: *De cierto, de cierto os digo que todo aquel que practica el pecado es esclavo del pecado* (Juan 8:34). A pesar de tal realidad, Jesús ofrece la libertad al pecador: *Si vosotros permanecéis en mi palabra, seréis verdaderamente mis discípulos; y conoceréis la verdad, y la verdad os hará libres* (Juan 8:31, 32).

Escoja usted su camino

1. Las características del camino malo incluyen la incertidumbre, la atracción carnal y la obscuridad, vv. 14-17.
2. Las atracciones del camino de luz incluyen la seguridad, la honestidad y la compañía divina, vv. 18-19.

El v. 17 expone sobre el alimento cotidiano del impío, es decir *impiedad* y *violencia.* Los elementos de pan y vino son los comestibles cotidianos de los orientales desde la antigüedad y hasta el presente en muchos países del mundo. El Predicador habla de la vida cotidiana del justo cuando escribe: *Anda, come tu pan con gozo y bebe tu vino con alegre corazón, porque tus obras ya son aceptables a Dios* (Ecl. 9:7). Por cierto, estos elementos fueron elegidos por Cristo como símbolo de su sacrificio por el pecado de los hombres (Mat. 26:26-29; Mar. 14:22-25; Luc. 22:17-20; 1 Cor. 11:23-26). Entonces, el v. 17 habla del alimento diario de los impíos, mostrando así junto al v. 16 que los impíos o malos meditan y viven tanto de día como de noche para lograr algún daño y para herir alguna persona. ¡Qué vida tan triste! ¡Qué esclavitud tan grande!

Los vv. 19 y 20 clausuran la sección con una comparación clara y resplandeciente. Por un lado, "el camino" de los impíos, su vida, su conducta, su futuro, es como la noche que presenta varias oportunidades para que ocurra algún daño. Así aquellos que son esclavos a la adicción del mal, que andan de día y aun de noche haciendo la violencia, no se dan cuenta que su vida es toda oscura. No saben cuándo ni cómo se van a caer. En 28:1 se implica que el impío siempre anda inseguro ya que la imagen es que él está huyendo aunque nadie le está persiguiendo. Las metáforas acerca de la oscuridad (tinieblas) y la luz abundan en el NT. Jesús afirma que *el que anda en tinieblas no sabe a dónde va* (Juan 12:35). También dice: *Pero si uno camina de noche, tropieza porque no hay luz en él* (Juan 11:10).

Por el otro lado, el v. 18 presenta una de las escenas más hermosas del libro de Proverbios. La palabra hebrea *nogah* [5051], que significa "lo brillante o el amanecer" (ver Isa. 60:3; 62:1) juega un papel central en el texto. Ponerse en la senda del justo es como encontrarse en la *aurora* de un nuevo día. Hay un momento cuando se ven las primicias de la luz y la noche empieza a dejar de cubrir todo. Ya llega la aurora y sigue apoderándose del ambiente. La escena sigue hasta que llega al *pleno día.* ¡Qué escena tan pintoresca! Como la luz de la aurora crece hasta llegar a la culminación de su capacidad de brillar, así el joven que aprende las enseñanzas del maestro, que hace un compromiso vital

20 Hijo mío, pon atención a mis palabras;
inclina tu oído a mis dichos.
21 No se aparten de tus ojos;
guárdalos en medio de tu corazón.
22 Porque ellos son vida a los que los
hallan,
y medicina para todo su cuerpo.
23 Sobre toda cosa guardada,
guarda tu corazón;
porque de él emana la vida.

con la sabiduría, tiene una aurora en su vida y empieza a crecer mientras agrega y aplica estos dichos a su vida. Más grande aún es la experiencia de nacer como la aurora en Cristo Jesús: *Yo soy la luz del mundo,* dijo Jesús. *El que me sigue nunca andará en tinieblas, sino que tendrá la luz de la vida* (Juan 8:12). Pedro escribe: *Pero vosotros sois linaje escogido, real sacerdocio, nación santa, pueblo adquirido, para que anunciéis las virtudes de aquel que os ha llamado de las tinieblas a su luz admirable* (1 Ped. 2:9). Y a sus discípulos, Jesús dijo: *Vosotros sois la luz del mundo... Así alumbre vuestra luz delante de los hombres, de modo que vean vuestras buenas obras y glorifiquen a vuestro Padre que está en los cielos* (Mat. 5:14, 16; ver 1 Tes. 5:4, 5).

19. Un compromiso integral de la persona, 4:20-27

Esta sección se une al resto del capítulo por la frase *hijo mío,* el joven dirigido por el maestro (ver 1:8). Además se une por la frase *mis palabras,* que es paralela con *mis dichos* en el v. 10 y *la enseñanza* en el v. 1. Por lo tanto, el imperativo *pon atención* une el cap. 4 con el cap. 5 (ver 5:1).

El contenido del pasaje revela la profundidad y la totalidad del compromiso necesario para lograr el éxito en la vida. Los vv. 20-22 hacen referencia a *mis palabras-mis dichos.* En el v. 21 se subrayan los ojos y el corazón, que simbolizan la alta visibilidad y las prioridades de uno (*ojos*) y el centro de la voluntad humana y de donde se toman las decisiones vitales (*corazón*). Las enseñanzas del sabio han de estar siempre presentes. La frase *medicina para todo su cuerpo* obviamente era un modismo conocido en el escenario internacional. En un escrito arameo, se encuentra la siguiente expresión: "No trates a la ligera la palabra de un rey: sea *curativa para tu carne*" (*Las Palabras de Ahiqar,* 7.95-110). La sabiduría afirma la vida del joven y a la vez muestra su poder para sanar el espíritu humano (v. 22b).

Los vv. 23-27 detallan cuatro partes del cuerpo: corazón, boca-labios, ojos-vista y pies. El corazón es la parte del cuerpo que es más importante, siendo el centro del entendimiento, la voluntad y el lugar de donde se toman las decisiones. Pues, el texto dice: *... de él emana la vida* (v. 23). Hay que añadir, sabiendo esto, una parte del *Shema* judío (la oración diaria) que viene de Deuteronomio 6:5: *Y amarás a*

Luz de la aurora, 4:18

24 Aparta de ti la perversidad de la boca,
y aleja de ti la falsedad de los labios.
25 Miren tus ojos lo que es recto,
y diríjase tu vista a lo que está frente a ti.
26 Considera la senda de tus pies,
y todos tus caminos sean correctos.
27 No te apartes ni a la izquierda ni a la derecha;
aparta tu pie del mal.

Jehovah tu Dios con todo tu corazón, con toda tu alma y con todas tus fuerzas (ver Mat. 22:37; Mar. 12:30; Luc. 10:27).

El v. 24 enfrenta las responsabilidades del habla. El habla está ligado al corazón en cuanto la boca llega a ser el instrumento de las decisiones que salen del corazón. Como el sabio, Jesús lo describe así: ... *lo que sale de la boca viene del corazón...* (Mat. 15:18). En el v. 24 el argumento es para distanciarse de la palabra torcida, la palabra distorsionada. Un escrito arameo lo dice así: "Más que toda vigilancia vigila tu boca, y en lo que oigas endurece tu corazón. Pues una palabra es un pájaro: una vez puesta en libertad nadie puede recobrarla... la instrucción de la boca es más ardua que la instrucción para la guerra" (*Las Palabras de Ahiqar*, 7.95-110). Jesús enseña que las cosas que contaminan al hombre salen del corazón a través de la boca (Mat. 15:18, 19). Entre la lista de los contaminantes se encuentran dos relacionados con el discurso distorsionado, "los falsos testimonios y las blasfemias". Santiago habla del poder y de los peligros de la palabra humana (Stg. 3:1-12).

Consejos prácticos para la juventud

1. Recordar las enseñanzas de la Biblia, v. 20.
2. Guardar el corazón de toda corrupción, v. 23.
3. Mantener el cuerpo físico en máximas condiciones físicas y morales, vv. 25-27.
4. Andar con buenos amigos, v. 26.
5. Atender las palabras de sabiduría de Dios y otros, 5:1, 2.

Se desafía al joven a concentrar su atención en lo correcto en el v. 25. Los ojos han de ver sólo lo recto (ver Fil. 4:8). *La lámpara del cuerpo es el ojo. Así que, si tu ojo está sano, todo tu cuerpo estará lleno de luz. Pero si tu ojo es malo, todo tu cuerpo estará en tinieblas* (Mat. 6:22, 23). Los ojos se nombran en otros pasajes de Proverbios (5:21; 15:3; 16:2; 17:24; 23:29; 27:20). Nos hace pensar en una pintura de tres monos que no pueden escuchar al mal, ni pueden ver el mal, ni pueden hablar el mal.

Los vv. 26 y 27 hacen lo mismo con los pies como lo que está hecho con la boca. Es decir, los pies no han de desviarse del camino apropiado y seguro. Hebreos 12:13 cita la versión de la Septuaginta y articula un deseo que los caminos sean hechos muy rectos y que el cojo, es decir, el necesitado, no caiga en ellos. La palabra en el v. 25 para *recto* significa "hacer plano", ayudando así el caminar, especialmente en Palestina, donde había tantos montes y un terreno a veces difícil.

En la segunda ley de la sabiduría, Don Quijote proclama la máxima de Sócrates: "Lo segundo, has de poner los ojos en quién eres, procurando conocerte a ti mismo, que es el más difícil conocimiento que puede imaginarse" (*Don Quijote*, 2.42).

En conclusión, el pasaje desafía al joven a poner atención en todos los aspectos del ser y de la vida. Pon atención en el corazón, la boca, los ojos y los pies. Hay una canción para los niños que expresa bien el pensamiento de esta sección:

Cuida tus ojos, cuida tus ojos, lo que ves.
Pues tu Padre celestial te vigila con afán,
Cuida tus ojos, cuida tus ojos, lo que ves.
(Sigue con oídos, manos, boca y pies).

La pureza del corazón, de los labios, de los ojos y de los pies depende del compromiso del joven. Al formarse bien, el aspecto de la información-enseñanza-formación de *musar*, avanzará el bienestar del

5 **1** Hijo mío, pon atención a mi sabiduría,
y a mi entendimiento inclina tu oído;
2 para que guardes la sana iniciativa,
y tus labios conserven el conocimiento.

---

joven. A la vez, eliminaría la necesidad dolorosa de la reformación, un tercer aspecto del *musar* (disciplina). "El hombre prevenido vale por dos" reza un dicho. Es mucho mas fácil guardarse contra comenzar algún vicio que intentar quitarlo más tarde. Si no lo cree, converse con algún adicto a las drogas, o algún alcohólico o alguien que fuma. Los vicios son caros de mantener, en el sentido económico, emocional y de salud, y difíciles de quitar. Sin embargo, vale la pena despojar y eliminar la impureza o la mala costumbre. El joven ha de ser rectísimo, sin apartarse *ni a la izquierda ni a la derecha* (v. 27). Jesús lo expresa de esta manera: *Pero sea vuestro hablar, "sí", "sí", y "no", "no". Porque lo que va más allá de esto, procede del mal* (Mat. 5:37). Un modismo popular entrega el mismo desafío: "Al pan, pan, y al vino, vino." Siempre es mejor decir la verdad aunque sea difícil y dolorosa en el momento. Hay un costo para formarse bien, pero el costo de reformarse es muchísimo más alto, y las heridas del pecado son profundas y dolorosas.

El corazón, la boca, los ojos y los pies son grandes dones de Dios, todos buenos en sí (Gén. 1:31). Si es escéptico pregunte al que sufre del corazón o al mudo o al ciego o al cojo lo que significa estar privado de algún bien divino. El joven ha de dedicarse incluyendo sus dones físicos, al señorío de Cristo. Sólo de esta manera todo el cuerpo puede glorificar al Creador cumpliendo su propósito original (Sal. 19:1-4; 148). Y Pablo hace recordar a los creyentes en Corinto: *Pues habéis sido comprados por precio. Por tanto glorificad a Dios en vuestro cuerpo* (1 Cor. 6:20).

20. ¡Pon atención!, 5:1, 2

Las repeticiones acerca de "escuchar" y "poner atención" se encuentran en el texto para llamar al joven a escuchar y para volver a escuchar y para seguir escuchando a la sabiduría. Es demasiado fácil subestimar el valor de algo siempre presente. Siempre lo dimos por sentado hasta que no se encuentra o no se puede recuperar. No debemos tomar por sentada la sabiduría.

Dos beneficios se repiten aquí en el v. 2. En primer lugar, la *sana iniciativa*, de *mezimmah* [4209], que se traduce en las siguientes maneras: *la prudencia* (1:4), *la sana iniciativa* (2:11; 5:2) y *la discreción* (8:12) entre varios ejemplos en Proverbios. La palabra *mezimmah*, a la vez, es utilizada en otros pasajes para hablar del engaño, una insana iniciativa (12:2; 14:17; 24:8). De modo que el concepto básico es trazar o dibujar algún plan para que se logre. En sí el proceso es algo de la razón, un don dado por Dios. Al mismo tiempo, está abierto al abuso y la degradación que vienen con la naturaleza pecaminosa del hombre. La ciencia ha identificado el lóbulo prefrontal como el área del cerebro donde están las facultades de la razón, la emoción y el juicio, por ende el proceso de *mezimmah*. Con todo el conocimiento del cuerpo humano progresando cada día, es triste ver el poco desarrollo en la calidad del espíritu humano.

El segundo concepto que se subraya en el v. 2 es el vocablo *da'at* [1847], traducido como *conocimiento*. Esta palabra es parecida al término egipcio *ma'at*, que apunta al conocimiento acerca del orden del mundo. *Da'at* viene de Dios (2:6) y llega al joven a través de su compromiso con la sabiduría (1:4; 8:9, 10, 12; 10:14).

La combinación de las palabras *mezimmah* y *da'at* se encuentra aquí y en dos pasajes más (1:4 y 8:12). La primera cita forma una parte integral a la introducción al libro: *... y a los jóvenes **da'at** y **mezimmah**...* (1:4). En este sentido la combinación forma una de las metas de *los proverbios de Salomón* (1:10) y de hecho, del libro. El ejemplo de la segunda cita pone las dos palabras en una estructura

Amonestación contra el adulterio

3 Los labios de la mujer extraña gotean miel,
y su paladar es más suave que el aceite;
4 pero su fin es amargo como el ajenjo,
agudo como una espada de dos filos.

---

gramatical hebrea con dos sustantivos en que está ausente la conjunción "y". Por eso, se traduce "el conocimiento de la discreción", aunque la traducción "el conocimiento de la sana iniciativa" puede ser más clara indicando que la sabiduría es un conocimiento acabado de la facultad racional.

Estos pasajes breves motivando al joven a recibir bien las enseñanzas son el pegamento o la adhesión para unir los distintos temas y el libro en su totalidad. Sirven de consolación ante los asuntos difíciles y de inspiración al joven todavía no muy convencido.

21. El engaño de la mujer perversa, 5:3-6

La sección más amplia sobre la mujer perversa ha de incluir todo el resto del capítulo. Por una parte, los vv. 3-14 hablan de *la mujer extraña,* su forma de ser y el daño producido por ella. Por otra parte, los vv. 15-23 hacen que el joven recuerde el plan original de Dios (Gén. 2:18-25). Tal plan es hermoso y satisface todas las necesidades del hombre. Es un plan superior al plan engañoso del mundo. Siempre el camino recto lleva al joven al éxito, mientras el camino distorsionado le lleva a la tristeza y la soledad. Los valores morales de la palabra de Dios son muy superiores a los antivalores de un mundo lleno de egoísmo y violencia.

El tema de la mujer adúltera llena las páginas de los caps. 5, 6, 7 y 9 (5:3-14; 6:20-35; 7:5-27; 9:13-18). Si agregamos a estos pasajes aquellos que son ejemplos de lo que debe existir, nos muestra aún más claramente el espacio que ocupa el tema de la mujer (5:15-20; 9:1-12). Por lo visto, la sexualidad y los temas secundarios y consecuentes no sólo ocupan la preocupación del hombre moderno, sino han estado en primer plano desde el comienzo del tiempo.

Vale la pena exponer algunos ejemplos de la preocupación sobre el tema de la sexualidad y el matrimonio que llaman la atención del estudioso de la Biblia. Un primer ejemplo se encuentra en el caso del matrimonio de Esaú con dos heteas (Gén. 26:34). Se escribe un comentario breve sobre estos matrimonios cuando dice: *Estas* (Judit y Basemat, hijas de dos heteos prominentes) *fueron amargura de espíritu para Isaac y Rebeca* (Gén. 26:35). A consecuencia de los malos matrimonios de Esaú, Rebeca convence a Isaac de mandar a Jacob a Padan-aram para buscar una mujer de entre sus primas (Gén. 27:46; 28:1-5). También se pueden ver a través de las vidas de Raquel y Lea las desventajas inherentes en la poligamia (Gén. 29:30-35; 30:1-24).

La historia de Judá y Tamar, su nuera, es un segundo ejemplo de la complejidad de la sexualidad y el matrimonio en el antiguo Medio Oriente. Al llegar a ser viuda, la posición y el futuro de Tamar se ven oscuros. El hecho es que al terminar la historia el lector sabe que Tamar está dispuesta a hacer cualquier cosa para asegurar su futuro, incluyendo llevar la vestidura de una prostituta (Gén. 38:14, 15) y que Judá no tiene ningún compromiso moral que le prohíba tener relaciones con una prostituta (Gén. 38:15-18). La sexualidad fue el campo fértil para el engaño de Tamar y mostró la degradación y bajeza moral de Judá. De hecho, esta es una historia repetida muchas veces a través de los siglos. Por un lado están los varones indisciplinados y desordenados en el campo sexual. Por el otro lado, la utilización del sexo de parte de la mujer para lograr algún bien del varón. A veces, se intercambian los papeles o hay modificaciones de tales relaciones.

Un tercer ejemplo que muestra la influencia de la sexualidad sobre el individuo, su familia y aquellas personas que están en su esfera de influencia, se encuentra en la historia de Sansón. Sansón era el hombre que Dios eligió para guiar a los hebreos en su liberación de los filisteos (Jue. 13:1-5). Sin embargo, Israel nunca se libra de manos de los filisteos porque Sansón se muestra indisciplinado en el campo de la sexualidad. Cuando Sansón veía a una mujer, no había cómo razonar con él; Sansón la quería poseer: La filistea de Timnat (Gén. 14:1-3), una prostituta en Gaza (Jue. 16:1) y una mujer de Sorec llamada Dalila (Jue. 4). La última escena de la vida de Sansón es muy llamativa. Como prisionero de los filisteos en Gaza, él fue exhibido como entretenimiento a un gran banquete al dios Dagón. Dios le volvió su fuerza y él tumbó el gran templo, matando 3.000 filisteos prominentes junto con él (Jue. 17:23, 25, 27-30). Sansón era un hombre de Dios con un llamado parcialmente realizado, frustrando de ese modo la plena voluntad divina. ¡Cuán importante es la vida sexual disciplinada!

Un cuarto ejemplo de la vida sexual indisciplinada se subraya en la persona del rey David. Con todo lo dado por Dios, incluyendo la fuerza, la belleza, el sentido común, la habilidad musical, el prestigio, los amigos, una buena esposa, el reino, la victoria (1 Sam. 16:12; 17:34, 48-51; 23:18; 24:4, 5; 5:1-5, 7, 8), a David le faltaba la disciplina sexual, un ingrediente esencial de la vida exitosa. Como a Sansón, los ojos de David también le traicionaron cuando vio a Betsabé —mujer de Urías— bañándose en su azotea en el atardecer (2 Sam. 11:2). Seguidamente, ella es tomada por él y llega a estar embarazada (2 Sam. 11:4, 5). Para cubrir el incidente, el marido es sacrificado en las primeras líneas de la batalla con los de Rabá (2 Sam. 11:16, 17). El desorden sexual después se muestra en su hijo Amnón, quien obliga a su media hermana Tamar a tener relaciones sexuales, así incitando la furia de su medio hermano Absalón, hermano por padre y madre de Tamar (2 Sam. 13:11-15, 22-29). La desgracia de Amnón nos entrega un quinto ejemplo de la destrucción del futuro por medio de la indisciplina sexual. Amnón era el primogénito de David y el heredero al trono, pero pierde todo, hasta su propia vida. Con todos los antecedentes familiares, es difícil entender cómo Salomón, con toda su sabiduría, podría caer en la trampa de la indisciplina de la mujer y el campo sexual (1 Rey. 11:4-13). A través de las mujeres, Salomón cometió el pecado de la idolatría, alejando su corazón de Dios (1 Rey. 11:4-13). Se puede ver que el campo sexual influye todo el ambiente de la vida, no se puede aislar del resto de la misma.

Aunque hay seis ejemplos ya dados sobre la influencia negativa de la sexualidad malamente realizada, no se puede ignorar un gran ejemplo moral que se encuentra en el AT. José-ben-Jacob fue vendido como esclavo a una caravana de ismaelitas quienes le vendieron en Egipto, produciendo su presencia en la casa del capitán Potifar (Gén. 37:28; 39:1). José fue un siervo hábil y fiel y llegó a ser el administrador máximo sobre todos los bienes de Potifar (Gén. 39:2-4). En medio del éxito, la mujer de Potifar intenta seducirlo en una relación sexual, molestándole día tras día (Gén. 39:7-10). José, a pesar de todo, se mantiene comprometido con la voluntad de Dios (Gén. 39:9). En este instante, se ve la grandeza moral de José y hasta el lector de la historia cambia su parecer acerca de José. José es un ejemplo moral digno de imitar tanto para los jóvenes de ayer, del tiempo cuando se escribió el libro de Proverbios, como para los jóvenes de hoy en día.

Como se ha visto, el tema de la sexualidad es muy delicado. No es un tema para los niños con la excepción de la información más básica. Las descripciones detalladas como se encuentran en los caps. 5, 6, 7 y 9 han de estudiarse por los adolescentes ya en vías de la madurez.

Vale recordar que la materia se presenta desde el punto de vista del varón, pues el autor se dirigió a los jóvenes varones bajo la autoridad del maestro. Para hacerlo más

5 Sus pies descienden a la muerte;
sus pasos se precipitan al Seol.*

6 No considera el camino de la vida;
sus sendas son inestables,
y ella no se da cuenta.*

*5:5 O sea, la morada de los muertos
*5:6 Otra trad., *Sus caminos son inestables; no los conocerás, si no consideras el camino de la vida.*

equilibrado habría que ampliar lo aprendido para incluir los casos donde es el marido adúltero el que seduce a la joven señorita en los lugares donde tal hecho puede ocurrir (el hogar, el trabajo). Sabemos que las madres y las ancianas instruían a sus hijas acerca de su comportamiento en este campo (ver Rut 3), y aun a sus hijos (ver Gén. 27:6 ss.; Prov. 31:1 ss.). Por supuesto, hay buenos consejos de los padres y hay malos consejos de ellos. Hay que evaluarlos a la luz de la palabra de Dios.

El maestro quiere hacer que los jóvenes vivan la historia del joven ya engañado por una mujer extraña. Frente a la experiencia del joven engañado, el maestro espera influir en los jóvenes para que no se repita la desgracia. Tal forma se utilizó en el primer capítulo con los ladrones o codiciosos (1:10-19). El maestro educa a los jóvenes al recontar el testimonio de uno que ha estado viviendo la ilusión y la desgracia del antivalor o el pecado.

Los vv. 3-14 tratan el tema de la *mujer extraña.* El adjetivo viene de *zar* 2114, que significa "extranjera" (Ose. 7:9; 8:7) o "mujer de otro" (Prov. 2:16; el marido se menciona en 7:19). Parece ser que el v. 3 menciona a la *extraña* como la mujer del otro, a la luz de los vv. 15-23 que hablan de la propia y legítima esposa, *tu propia cisterna* y *tu propio pozo* (v. 15). Por el otro lado, el v. 10 indica el plural *los extraños* y agrega *se sacien con tus fuerzas,* una expresión que parece indicar "las mujeres" y una expresión muy parecida con la de Oseas 7:9 y 8:7 donde, por cierto, se habla de los extranjeros. De todos modos, el texto puede indicar una adúltera, una extranjera, una extranjera adúltera o una prostituta entre varias prostitutas, como afirma Schokel tomando en serio la palabra *extraños* del v. 10. Es más probable que sea una adúltera como la mencionada en 2:16, y así este comentario sería procedente.

La fascinación con la boca y los labios se nota en el v. 3. La boca y los labios eran importantes en la imagen sexual oriental. En este mismo sentido, se puede ver en el libro de Cantares las varias referencias a tal aspecto:

¡Oh, que él me besara con los besos de su boca (1:2).
Tus labios son como hilo de grana, y tu boca es bella (4:3).
Tus labios destilan miel como panal. Oh novia mía, miel y leche hay debajo de tu lengua (4:11).
Su paladar es dulcísimo; ¡todo es deseable! (6:16).
Tu paladar es como el buen vino que corre suavemente hacia el amado y fluye por los labios de los que se duermen (7:9).

Por lo tanto, el libro de Proverbios muestra la importancia de la boca, los labios y el habla en la vida sexual. Existen las siguientes referencias:

... que halaga con sus palabras (2:16).
Te guardarán... de la suavidad de lengua de la extraña (6:24).
Se prendió de él, lo besó... Lo rindió con su mucha persuasión; lo sedujo con la suavidad de sus labios (7:13, 21).

La metáfora de la miel goteando muestra lo atractivo en la mujer. Y la metáfora del aceite de olivo muestra lo atractivo del paladar. En el v. 4 se contrasta la ilusión "dulce" del v. 3 con la realidad amarga. Los dos adjetivos *amargo* y *agudo* expresan la desventaja de una relación ilícita con la mujer extraña. Hay un juego de palabras entre los labios, del v. 3 y los dos filos de la espada del v. 4. El *ajenjo* era una planta

7 Ahora pues, hijos, oídme
y no os apartéis de los dichos de mi boca.

8 Aleja de ella tu camino
y no te acerques a la puerta de su casa,

amarga de Palestina que llegó a ser un símbolo de la amargura y la tristeza. Jeremías escribe: *Me llenó de amarguras, y me empapó con ajenjo* (Lam. 3:15), cumpliendo así lo predicho en una forma simbólica: *... así ha dicho Jehovah... he aquí que haré comer ajenjo a este pueblo...* (Jer. 9:15). Además la espada de dos filos fue un instrumento fundamental en la toma de Palestina de los cananeos (Jos. 10:11; 11:11). Su tamaño se había aumentado pero su forma básica se había guardado, manteniendo los dos filos que tienen una gran ventaja. Es agudo porque es muy destructivo y muy peligroso para su víctima.

Los vv. 5 y 6 hablan del fin de la mujer extraña. Su destino es el lugar de los muertos, Seol (ver 1:12; 7:27; 9:18; 15:11, 24; 23:14; 27:20; 30:16). ¡Qué gran cambio de estar entre las mujeres bellas de los vivos en el mundo, a estar entre los muertos del Seol! El v. 6 es muy difícil, siendo un lenguaje hebreo corrupto que vacila entre la tercera persona "ella" y la segunda persona "tú". Sin duda, algo de contraste se hace con la intención del 4:26, donde se recomiendan las sendas plenas y seguras. En el v. 6 las sendas son inestables, y ella es ignorante del peligro. Hay otras lecturas del texto, pero son menos probables, y de todas maneras nos guían a la misma interpretación básica; la muerte prematura e inesperada.

22. El peligro y la vergüenza del encuentro sexual ilícito, 5:7-14

Los vv. 7-23 se dan bajo el vocativo *hijos.* Aquí se analizan los vv. 7-14 que pueden dividirse en tres partes: (1) la admonición inicial (vv. 7, 8), (2) las cuatro pérdidas por haber caído en la relación pecaminosa (vv. 9, 10) y (3) el testimonio del desilusionado al final de la vida (vv. 11-14).

Se hace un juego de los contrastes utilizando las palabras "apartarse" y "alejarse". El joven **no** ha de apartarse de la sabiduría, pero sí ha de alejarse del camino de la mujer extraña y especialmente no encontrarse a su puerta. La descripción de la escena suena como la de la prostitución moderna.

Hay cuatro pérdidas que se subrayan en los vv. 9 y 10. Primeramente, se pierde la dignidad y el *honor.* Ya la autoestima se distorsiona. Hay vergüenza en la vida que puede manifestarse como un orgullo falso o como uno que trata de aislarse de la sociedad. De todos modos, es una pérdida de algo esencial en el desarrollo sano de la personalidad. Sin el honor, la vida se desvaloriza.

La segunda pérdida se trata de los *años.* Quizá se está haciendo referencia al tiempo dedicado a una relación inestable y sin futuro, quitando así la oportunidad para invertir en una relación más duradera y

El Sida

Una epidemia asombrosa nos está atacando a fines del siglo XX. Hay varias maneras de contagiarse, pero principalmente la enfermedad se transmite por el contacto con la sangre o el semen de una persona que tiene la enfermedad. Por eso, los adictos a las drogas, los homosexuales y los bisexuales son las personas con mayor peligro de contagiarse. Hasta ahora no hay cura, simplemente hay tratamientos para disminuir el sufrimiento.

Apelamos a toda persona para evitar las drogas. Los que usan drogas deben buscar manera de liberarse de esta adicción. Las personas deben evitar actos sexuales fuera del matrimono y abstenerse de las relaciones sexuales hasta cuando se casen. Al casarse, deben ser fieles a su cónyuge para evitar la posibilidad de contagiarse por una persona infectada. Los que reciben transfusiones de sangre deben asegurarse que la sangre haya sido examinada para asegurarse que no está contaminada

Una vez más la Biblia sentencia las consecuencias del pecado.

9 no sea que des a otros tu honor
y tus años a alguien que es cruel;
10 no sea que los extraños se sacien con tus fuerzas,
y los frutos de tu trabajo vayan a dar a la casa de un desconocido.
11 Entonces gemirás al final de tu vida,
cuando tu cuerpo y tu carne se hayan consumido.

---

realizadora. A la vez, puede referirse a una muerte prematura producida por una relación que pide y pide pero devuelve poco, incitando de ese modo la muerte prematura. Quizá hay algo de verdad en las dos interpretaciones.

Una tercera pérdida gira alrededor de la palabra *tus fuerzas* (v. 10). Parece ser que es un eufemismo para describir las energías sexuales en su sentido total (ver 31:2). Tales energías, que son fuertes y productivas en la juventud, sirven para crear la segunda generación de personas y tienen un propósito divino legítimo (ver vv. 15-23). La madurez cristiana ha de utilizarlas para la gloria de Dios en cuanto a la formación de una relación permanente entre un hombre y una mujer. El sexo puede ser algo meramente biológico, o algo utilizado para lograr lo que uno desea, un instrumento del egoísmo o algo bendecido donde la intimidad física participa en la creación de la próxima generación y la construcción de una relación matrimonial dulce y fuerte.

Los frutos de tu trabajo forma la cuarta y última pérdida en esta lista.

Seguramente hay muchísimas más cosas que se pueden perder en una relación así, no mencionadas aquí; por ejemplo, el marido puede matar al adúltero (ver 6:30-35). La sociedad judía tenía el derecho y la obligación a apedrear a ambos, el adúltero y la adúltera (ver Lev. 20:10). Se da la impresión que el caído es una persona que se esfuerza porque tiene frutos de su trabajo. Obviamente, la mujer es astuta y está recibiendo los bienes de él. En vez de edificar una casa propia está perdiendo el valor de su trabajo, aumentando los bienes de un hogar no propio (29:3). Finalmente, las pérdidas son irrecuperables: la dignidad, los años, la energía sexual y los bienes.

La descripción de la mujer adúltera es alarmante. Ella no lamenta la pérdida del honor; el texto guarda silencio. Es cruel (ver 11:17; 12:10; 17:11). No tiene vergüenza en utilizar sus energías y sus bienes. Aunque parece que ella tiene más experiencia en la vida, nunca explica al joven las desventajas de una relación con ella.

Los vv. 11-14 revelan el lamento de un hombre que sufre por su pasado. Ya lo atractivo encontrado en el v. 3 se ha convertido en una pesadilla, cumpliendo de hecho la profecía del v. 4: *Pero su fin es amargo como ajenjo...* También se expresa en la palabra *gemirás*, que viene de la palabra hebrea que puede significar "gruñir" (28:15: *león rugiente*) o "gemir-quejarse en voz alta". Luego en el texto, hay dos interpretaciones para la palabra *final*. El texto ha dado la interpretación más probable, es decir el final de la vida, la última etapa. Sin embargo, hay una segunda interpretación, aunque poco probable, es decir el final de la relación. La descripción del cuerpo consumido entrega la imagen de un hombre enfermo y cansado, quizá amargado.

Los vv. 12 y 13 exponen dos juegos del paralelismo sinónimo. El desilusionado-engañado recuerda como él odiaba el

Una vejez alegre

La medicina preventiva está de moda. Hemos descubierto que podemos vivir los últimos años con una salud mejor y con una más alta calidad de vida si durante los primeros años hemos observado algunas reglas fundamentales para protegernos. La obediencia a unas leyes fundamentales con relación a la alimentación, el ejercicio físico, y la abstención del alcohol, tabaco y drogas puede añadir años a nuestra vida, y darnos muchas más oportunidades para servir al Señor.

12 Y dirás: "¡Cómo aborrecí la disciplina,
y mi corazón menospreció la reprensión!
13 No escuché la voz de mis maestros,
y a los que me enseñaban no incliné mi
oído.
14 Casi en todo mal he estado,
en medio de la sociedad y de la
congregación."

---

musar 4148, la información-formación-reformación que fue una parte de la educación juvenil (ver 3:11, 12), traducida aquí como *la disciplina.* El sinónimo paralelo revela cómo la voluntad del hombre miraba en menos *la reprensión*, de la palabra hebrea *tokajat* 8433, que aparece desde el llamado de la sabiduría para recibir su reprensión (1:23) hasta el versículo mucho más tarde que enseña que es *mejor la reprensión manifiesta que el amor oculto* (27:5). La palabra combina las dos ideas de "empujar a reformarse" y "ser reprendido". En vista de los dos significados, no debe sorprendernos que se encuentran las dos palabras unidas en una cantidad de pasajes, empezando con 3:11, pero también en los siguientes versículos: 10:17; 12:1; 13:18; 15:5, 10, 32. Finalmente se subrayan las reprensiones que construyen la sabiduría en 6:23, revelando así una combinación distinta que las anteriores. Se puede imaginar al joven, ahora anciano y desilusionado, aburrido e indiferente a la instrucción por la sabiduría y a la reprensión.

El v. 13 lamenta el hecho de no haber escuchado las palabras verdaderas y realistas de sus maestros. Ellos tenían razón. El es un testimonio al hecho de ser necio en referencia a la sabiduría. El deja al final el testimonio y el ruego, para que los otros jóvenes escuchen a sus maestros.

En el v. 14, *mal* y *sociedad* son palabras clave. Un erudito considera las dos palabras como una señal que la sociedad está castigando al pecador (Schokel). Otro erudito sugiere una interpretación donde hay "una esclavitud del culpable" en que el hombre está sin bienes y en una situación de deshonra y desgracia (Serrano). Quizás el hombre enfrenta la pena de muerte (ver Lev. 20:10; Deut. 22:22). En este momento del texto, está con una carga de conciencia muy grande. Mirando atrás puede ver desde su presente soledad todo lo que ha perdido en la vida. Ya es demasiado tarde para cambiar el pasado y ya no tiene tiempo para construir un futuro distinto. Todo lo que tiene es el presente, pero sí puede dejar su testimonio como un faro para señalar los peligros en la vida. Lo que empezó como una bella ilusión termina en una pesadilla insoportable.

23. El auténtico placer sexual, 5:15-20

Las metáforas abundan en esta hermosa sección. Sólo los pasajes de Cantares son superiores en la manera de exaltar el amor legítimo entre un marido y su mujer. Los vv. 15-18 acentúan la metáfora del agua.

El pozo, tesoro guardado

El legítimo placer conyugal

15 Bebe el agua de tu propia cisterna
y de los raudales de tu propio pozo.
16 ¿Se han de derramar afuera tus
manantiales,
tus corrientes de aguas por las calles?
17 ¡Que sean para ti solo
y no para los extraños contigo!
18 Sea bendito tu manantial,
y alégrate con la mujer de tu juventud,
19 como una preciosa cierva o una graciosa
gacela.
Sus pechos te satisfagan en todo tiempo,
y en su amor recréate siempre.

En el árido Medio Oriente es un símbolo de la vida, siendo importante para la sobrevivencia. Como elemento vital el agua es muy apropiada como metáfora. Además *la cisterna* y *el pozo* son símbolos de lo esencial, pero también los objetos de algunas discusiones fuertes y hasta confrontaciones bélicas (ver Gén. 21:25; 26:15, 18-22, 25, 32; 29:1-8). Como elemento vital y como elemento de una explosión violenta potencial es comparable con la naturaleza vital y explosiva de la sexualidad. Cantares apoya esta idea: *Un jardín cerrado es mi hermana y novia, un jardín cerrado, un manantial sellado* (4:12).

La cisterna y *el pozo* representan la sexualidad de la mujer o esposa. El imperativo de beber de su *propia cisterna* y de *los raudales de tu propio pozo* es una invitación a gozarse en la sexualidad del matrimonio. No hay porqué tomarlo por sentado. Es un don de Dios con algunos propósitos maravillosos. El v. 15, por lo tanto, advierte en una forma implícita contra el beber de la cisterna de un hombre ajeno, es decir la mujer de otro hombre.

Los vv. 16-18 cambian las metáforas de la sexualidad de la mujer encontradas en el v. 15 a algunas metáforas que representan la sexualidad del joven varón. En *derramar afuera* y *por las calles* se encuentra una relación paralela o sinónima. Se había usado la imagen urbana cuando los ladrones salían a robar y están invitando al joven a unirse a ellos (1:11 s.). También el predicador sabiduría había salido a las calles para proclamar las buenas nuevas de la vida íntegra (1:20). La imagen de los vv. 16, 17 parece venir de las calles donde se encuentran las prostitutas. Aunque la ley prohibía la práctica de la prostitución (Lev. 21:7-15; Deut. 23:17 y 18), parece que siempre había prostitutas en las ciudades de Israel (ver Jue. 11:1; 16:1; 1 Rey. 3:16; 22:38; Prov. 6:26; 7:10; 23:27; 29:3). Aún en el NT se encuentran las mujeres prostitutas, llamadas *pecadoras* (Luc. 7:39). La actitud de Jesús era ofrecerles el regalo de la vida eterna, proclamando siempre el reino de los cielos a todas las personas (Luc. 5:30-32; 15:7, 10). Además de las prostitutas de las calles están las puertas de las mujeres de otros hombres, también una trampa fatal.

El v. 17 expresa la verdad que la sexualidad es algo precioso, no para los que están afuera ni para los extraños. Y el v. 18 declara la sexualidad "guardada" como "bendita", de la palabra hebrea tan conocida, *baruk* [1288]. La *baruk* de Dios espera cumplir dos propósitos: (1) Mostrar su aceptación o rechazo de alguna actitud, o alguna conducta o algún pensamiento; y (2) recibir el favor divino en alguna forma que eleva el bienestar de la persona bendecida. Hay ejemplos de personas bendecidas en la Biblia (ver Abraham: Gén. 12:2; 13:2; Jacob: Gén. 30:27-30; José: Gén. 39:2, 3; etc.). Hay una lista amplia de pasajes que hablan de las bendiciones en Proverbios (3:33; 10:6, 7, 22; 11:26; 22:9; 24:25; 28:20; 30:11). Un cuidadoso examen de estos pasajes mostrará la voluntad de Dios y las actitudes o conductas que reciben su favor *(shalom)*.

La frase *la mujer de tu juventud* refleja dos conceptos. En primer lugar, el maestro está diciendo que el joven debe mantenerse fiel a su esposa, tomando el tiempo para gozarse con ella. Pablo habla de la situación conyugal cuando escribe: *No os neguéis el uno al otro, a menos que sea de*

20 ¿Por qué, hijo mío, andarás apasionado
por una mujer ajena
y abrazarás el seno de una extraña?

21 Los caminos del hombre están ante los
ojos de Jehovah,
y él considera todas sus sendas.

---

acuerdo mutuo por algún tiempo, para que os dediquéis a la oración y volváis a uniros en uno, para que no os tiente Satanás a causa de vuestra incontinencia (1 Cor. 7:5; la discusión más grande es 1 Cor. 6:12-20; 7:1-16). Por el otro lado, la frase refleja la tradición del mundo antiguo, cuando las personas se casaron muy jóvenes para garantizar la sobrevivencia de la familia o el clan. El pueblo hebreo apreciaba el nuevo matrimonio y deseaba garantizar su éxito. Para lograr tal fin, se cumplía la siguiente ley divina: *Si un hombre ha tomado recientemente esposa, no irá al ejército, ni se le impondrá ninguna obligación. Estará libre en su casa durante un año, para alegrar a su mujer que tomó* (Deut. 24:5). La sociedad hebrea se alegraba por un nuevo matrimonio y construía una sociedad favorable hacia el matrimonio.

El v. 19 ocupa dos metáforas para hablar de la belleza de la esposa. Ella es *preciosa* como la *cierva* y tiene la gracia del movimiento y la belleza del *ya'alah* [365], traducida *gacela*, apoyada por un número de traducciones y eruditos (ver Schokel; Serrano; Nueva Biblia Española; Nácar-Colunga). Por otra parte, hay una evidencia de peso que la palabra hace referencia al cabro salvaje que tiene una gracia especial con los ojos negritos y las patas delicadas (ver Keil-Delitzch; Crawford H. Toy). Sea gacela o sea un cabro salvaje gracioso, la metáfora se entiende y el joven es llamado a realizarse sexualmente con su esposa. Se pone énfasis en los pechos como el punto del encuentro. El libro de Cantares une las dos ideas de los pechos y la gacela: *Tus dos pechos son como dos venaditos, mellizos de gacela* (4:5 y 7:3 están lit. iguales). La palabra "amor" se encuentra en otros pasajes de Proverbios, probablemente como un amor de amistad y compromiso del prójimo (8:17, 36; 10:12; 15:17; 17:9: *amistad*: 27:5), pero también en algunos pocos pasajes con la connotación sexual (7:18). El v. 19 sugiere que el joven se intoxica con su amor frente a su esposa. Otra vez la idea de *siempre*, sinónimo de

Semillero homilético

Fidelidad en el matrimonio

5:15-23

Introducción: Los altos índices del divorcio en nuestro medio dan testimonio de que algo anda mal en la sociedad. La infidelidad en el matrimonio es un síntoma de la desintegración de la institución del hogar.

I. La importancia de mantener relaciones exclusivas.
   1. Es privilegio y deber mutuos.
   2. Es fuente para suplir necesidades personales.

II. El privilegio de dar y recibir el amor.
   1. Cada persona anhela la relación íntima que ofrece el matrimonio.
   2. El compartir las intimidades de la vida nos hace más completos y da sentido de tranquilidad.

III. La satisfacción sexual en el matrimonio tiene la bendición de Dios.
   1. Nos da alegría, v. 18.
   2. Nos recrea, v. 19.

Conclusión: Hoy en día el sexo se ha degradado porque hay mucha comercialización del tema. Dios creó al hombre de tal manera que puede y debe gozar de la expresión sexual de sus necesidades dentro del matrimonio. Así el impulso sexual enriquece la vida.

22 Sus propias maldades apresarán al impío,
y será atrapado en las cuerdas de su propio pecado.
23 El morirá por falta de disciplina.
y a causa de su gran insensatez se echará a perder.

Consejos sobre la fianza imprudente

6 **1** Hijo mío, si diste fianza por tu prójimo
y estrechaste* la mano con un extraño,
2 te has enredado con tus palabras,
y has quedado atrapado con los dichos de tu boca.

*6:1 Lit., *golpeaste las palmas*

en todo tiempo, llama al joven a nunca salir afuera de su hogar para satisfacerse en este campo.

Finalmente, el v. 20 hace una pregunta retórica. Tan importante es el fin de la discusión sobre este tema tan delicado que el maestro usa el vocativo *hijo mío.* La pregunta muestra la incredulidad del maestro en porqué alguna persona iría a una prostituta o a una casada no suya cuando había una *cierva-gacela* en el hogar que es suficiente para satisfacer hasta la más grande intoxicación amorosa. Algunos eruditos distinguen entre "la mujer ajena", diciendo que ella se identifica como "la ramera", mientras ellos identifican a "la mujer extraña" del mismo v. 20 como "la casada no suya". Otros no distinguen dejando el texto en su ambigüedad, que, de hecho, es la mejor interpretación.

Cómo tener éxito en las finanzas

1. Evite el dar fianza para el prójimo o un extraño, v. 1.
2. Evite el hacer promesas verbales que lo comprometan, v. 2.
3. Busque liberarse de negocios dañinos, vv. 3-5.

24. El trastorno del pecado, 5:21-23

Estos versículos son los que unen dos campos concretos con el pegamento de un llamado a escuchar, a darse cuenta del valor de la sabiduría. El v. 21 muestra la soberanía de Dios y su autoridad real como juez (ver 16:1-3, 9). Además se nota la omnipresencia de Dios. Ciertamente su poder es ilimitado. El engaño y el lugar oculto no tienen peso con él.

El v. 22 trata del impío atrapado por su propio pecado. Pablo expone sobre el tema entregando la siguiente información: *No os engañéis; Dios no puede ser burlado. Todo lo que el hombre siembre, eso mismo cosechará. Porque el que siembra para su carne, de la carne cosechará corrupción; pero el que siembra para el Espíritu, del Espíritu cosechará vida eterna. No nos cansemos, pues, de hacer el bien; porque a su tiempo cosecharemos, si no desmayamos* (Gál. 6:7-9). El impío, dice el v. 22, siente estrés por su pecado y está esclavizado por el mismo.

La sección, y el capítulo, termina hablando de la ausencia de la sabiduría de la vida del impío. Este proceso educativo de informar-formar-reformar nunca llegó a ser una parte importante en su vida. Al contrario, la insensatez fue su compañera. Ahora le queda la muerte y la falta de toda esperanza (11:7). La profecía de la muerte y la ruina se cumple en la vida del impío, dando así triste testimonio a la autenticidad de las enseñanzas del maestro.

25. Liberándose de una fianza inoportuna, 6:1-5

El cap. 6 trata más temas diversos que los otros capítulos del 1 al 9. Se une al resto del libro por el vocativo *hijo mío* (ver 1:8 para la discusión sobre el tema del hijo). Los temas del cap. 6 son los siguientes:

I. Dos peligros en el campo económico.
   1. El hombre como aval.
   2. El hombre flojo.
II. Dos listas de características del hombre depravado.
   1. Siete características del hombre

inicuo.
2. Siete características aborrecidas por Jehovah.

III. El inmenso peligro de una relación con la casada.
1. La antorcha de las enseñanzas paternales.
2. El peligro de la mala mujer.
(1) La admonición acerca de la mujer mala.
(2) El peligro del marido celoso.

Primeramente vamos a ver los peligros del campo económico. El primer peligro subraya el daño hecho cuando uno llega a ser el aval para su prójimo (vv. 1-5). En segundo lugar, se acentúa el peligro de la flojera (vv. 6-11). En ambos casos, la advertencia es no llegar a ser uno de ellos. Mejor nunca ser el aval. Mejor nunca flojear en la vida; hay que esforzarse en la vida para lograr la seguridad y el futuro económico porque el trabajo es el plan de Dios (Gén. 2:15; Exo. 20:9; 2 Tes. 3:6-12). Sin embargo, hay que enfrentar el problema del desempleo y del subempleo.

Los vv. 1-5 se dividen en dos partes. Por una parte, se habla de un asunto financiero como el aval (vv. 1 y 2; ver *fiador:* Gén. 43:9 y *empeñado:* Neh. 5:3, 4). Por otra parte, se presenta el plan para salir del compromiso imprudente y una inspiración para hacerlo (vv. 3-5). Dentro del libro de Proverbios, hay cinco pasajes adicionales que hablan en contra de la fianza (11:15; 17:18; 20:16; 22:26 y 27; 27:13; también Ben Sira 29:14-20).

Los vv. 1 y 2 muestran cómo se tomaba un compromiso financiero en el mundo antiguo. A simple vista parece que hay sólo dos personas en el compromiso financiero, el fiador aval y el prójimo que a la vez es el extraño. Así se ha identificado prójimo con el *zar* 2114 (de la raíz *zur*), la misma palabra que se ocupaba para "la extraña" (2:16; 5:3, 10, 17). Esta primera interpretación sencilla parece ser improbable. Una segunda interpretación del versículo separa el *prójimo,* de la palabra hebrea *ra'ah* 7453 que tiene el significado básico de "alguien con quien se asocia", es decir "un vecino, un compañero, un colega, un amigo, etc.", del vocablo *un extraño,* que implica a una persona desconocida, es decir el opuesto del prójimo. Por lo tanto, esta interpretación tendría al fiador comprometiéndose como fiador a su prójimo (aquella persona conocida por él) pero "golpeando o pegando la mano" como un gesto de compromiso con el extraño (aquella persona que haya prestado el dinero). Así el fiador tiene un compromiso con las dos personas, el prójimo y el que haya prestado al prójimo. Este sentido es muy probable, aunque la estructura del versículo pone al prójimo y al extraño en una postura paralela o sinónima en adición a la forma del compromiso.

El v. 2 muestra cómo la boca del fiador le haya atrapado. Los verbos señalan la desgracia de los animales atrapados. Con sus propios labios el hombre se ha perjudicado. El dicho por Don Quijote es sabio: "En boca cerrada no entran moscas." Parecido es el proverbio sumerio: "¡En boca abierta entrará la mosca!" (ANET, 425). Además un dicho arameo afirma: "Más que toda vigilancia vigila tu boca... Pues una palabra es un pájaro: una vez puesta en libertad nadie puede recobrarla" (*Las Palabras de Ahiqar,* 7.95-110). En el texto hebreo hay un juego de palabras repetidas, exagerando y subrayando la desgracia. Lit. el v. 2 se expresa así: "Si estás atrapado por las palabras de tu boca, agarrado por las palabras de tu boca..." El fiador se autoatrapa como los ladrones en su codicia (1:17-19), los que no escuchan la sabiduría y se autoatrapan en su opinión y

Refranes

Estos versículos se dirigen a jóvenes ricos y acomodados que por falta de experiencia se prestan fácilmente a dar fianzas para otros. El extranjero o el vecino quieren aprovecharse de él; y lo podemos comparar con el pasaje en Eclesiastés 8:13-29. Hay un refrán que dice "quien fía o promete en deuda se mete" y otro que dice "quien dinero quiere cobrar muchas vueltas ha de dar".

3 Ahora pues, haz esto, hijo mío, para
quedar libre,
ya que has caído en las manos de tu
prójimo:
Anda, humíllate, importuna a tu prójimo;
4 no des sueño a tus ojos
ni dejes dormitar tus párpados.
5 Escapa como el venado de mano del
cazador,
como ave de mano del que tiende la red.

---

conducta (1:31) y el hombre malo, quien se autoatrapa en su propio pecado (5:22).

Los vv. 3-5 exponen la manera de salir del compromiso imprudente. Se nota el vocativo repetido para la segunda vez en esta discusión *hijo mío* (vv. 1 y 3), llamando así de nuevo la atención del hijo y poniendo énfasis en la enseñanza que está por venir. Seguramente, todos los jóvenes van a tener que enfrentar una situación semejante en sus vidas. La descripción del v. 3 es parecida a una esclavitud. El garante no está libre ya que tiene un compromiso económico. Y está en el poder de su prójimo; así se entiende la metáfora de estar *en las manos de* su prójimo.

Los tres verbos siguen en el texto en el v. 3. Se unen a un verbo muy conocido como es el vocablo *anda,* de la palabra *halak* 6213, "ir", que aparece más que 1.500 veces en el AT, con dos verbos poco frecuentes. Las palabras hebreas son *rapas* 7511, que significa "estampar" o "patear", y *rahab* 7292, que significa "atormentar" o "alarmar". Parece ser que la primera palabra habla de humillarse con fuerza hacia abajo mientras la segunda palabra habla de molestarse cualquier sea la situación del prójimo. Por lo tanto, el texto que dice *anda, humíllate, importuna a tu prójimo* no capta toda la determinación y la energía que han de expresarse en el reencuentro con el prójimo. El prójimo va a ver que el aval está actuando en una forma nerviosa e insistente. Especialmente, la palabra *importuna* (*rahab* 7292) tiene tal sentido de intranquilidad (ver Sal. 138:3, que traduce *infundiste mucho valor;* Cant. 6:5 traduce *doblegan;* Isa. 3:5 traduce *insolente*). Sin duda, el prójimo va a darse cuenta de una situación anormal y, por supuesto, va a sospechar que está involucrado el compromiso financiero. El elemento de molestar al prójimo y de implorarle se encuentra en estos dos versos: molestar, del verbo *rahab* 7292 e implorar, del verbo *rapas* 7511.

El maestro muestra la importancia de librarse de la decisión económica imprudente cuando manda que no se duerma hasta que lo arregle (v. 4). Vale la pena perder hasta el sueño, aunque esté con mucho sueño, para quitar la esclavitud de la fianza de encima. En otras ocasiones, el sueño se subraya cuando el hombre impío no duerme porque no se ha logrado algún mal (4:16) y cuando el flojo ruega a los demás el tener un poco más de dormir (6:10). Por otra parte, se eleva el sueño del sabio que se acuesta sin temor y tiene un sueño *dulce* (3:24). Por fin, el v. 5 vuelve a la imagen de la caza y pide que el joven escape como el venado, y como el ave (7:23; 27:8). Estos luchan para su sobrevivencia, como el fiador lucha por su libertad y sobrevivencia económica. Una mala decisión, un sobrecompromiso puede empobrecer la familia durante años.

La aparición de varios vocablos semejantes en el pasaje le dan más cohesión: las palabras que hablan de la caza (vv. 2 y 6), el vocativo *hijo mío* (vv. 1 y 3) y la expresión *mano de* para hablar del "poder sobre" (vv 1 y 5). El texto hebreo no tiene las palabras *del cazador* en el v. 5, pero parece ser el sentido más probable.

26. La flojera, una causa del hambre, 6:6-11

Esta sección es el segundo proverbio extendido sobre el campo económico (ver la fianza en 6:1-5). Se une a la sección anterior por la palabra *vé,* la misma palabra que fue traducida *anda* en el v. 3. Asimismo, se puede decir ahora: "Anda a la hor-

Amonestación contra la pereza

6 Vé a la hormiga, oh perezoso;
observa sus caminos y sé sabio.
7 Ella no tiene jefe,
ni comisario, ni gobernador;
8 pero prepara su comida en el verano,
y guarda su sustento en el tiempo de la siega.

---

miga", no *vé* (en el sentido de mirar) *a la hormiga* como popularmente se escucha.

Hay dos novedades del pasaje. Primeramente se encuentra el primero de los dichos utilizando la naturaleza, específicamente el reino animal, para enseñar a los jóvenes algunas lecciones de la vida. Sin embargo, no son muchos aquellos pasajes en Proverbios (30:15, 18, 19, 24-28, 29-31). 1 Reyes 4:33 recuerda la forma en que Salomón *disertó acerca de las plantas... Asimismo disertó sobre los cuadrúpedos, las aves, los reptiles y los peces.* Ahora bien, hay pocos pasajes que exponen sobre las virtudes de los animales, pero, es cierto a la vez, que hay muchas metáforas utilizando características animales para subrayar alguna virtud o peligro. Por ejemplo, se ha comparado la esposa a una cierva (5:19), el león rugiente al rey indignado (20:2), etc. Así la presencia de los dichos incorporando al reino animal es más grande que lo pensado a primera vista.

En segundo lugar, es el primer pasaje para tratar el tema de la negligencia en el trabajo por causa de la flojera. La preocupación del maestro se puede ver en el libro (ver 10:4, 5, 26; 12:11, 24, 27; 13:4; 15:19; 18:9; 19:15, 24; 20:4, 13; 21:25, 26; 22:13; 24:30-34; 26:13-16; 28:19). Los vv. 10, 11 se encuentran en 24:33, 34, obviamente un dicho muy ampliamente conocido. Por lo tanto, hay dos

Hormiga, 6:6

9 Perezoso: ¿Hasta cuándo has de estar acostado?
¿Cuándo te levantarás de tu sueño?
10 Un poco de dormir, un poco de dormitar
y un poco de cruzar las manos para reposar.
11 Así vendrá tu pobreza como un vagabundo,*
y tu escasez como un hombre armado.

*6:11 O: *caminante*

versículos repetidos en su totalidad en otros versículos (19:24 = 26:15; 22:13 = 26:13). Parece ser que había una imagen fija sostenida ya por estos proverbios acerca del perezoso.

La hormiga es un maestro muy humilde que hace su trabajo y nunca va a jactarse de su sabiduría. La hormiga es una criatura muy vieja en la tierra, ya que hay fósiles que se fechan unos cien millones de años en que aparecen unas hormigas. Se estima, basado en la información disponible, que existen unas 5.000 especies de hormigas, y por ende un millón de hormigas por cada cinco personas. Así que no hay una falta de hormigas en el planeta. Buscar una hormiga para observarla no es difícil. Es uno de los insectos más flexibles en la historia del mundo. La palabra hebrea para la hormiga es *nemalah* [5244], que viene de un sonido muy suave, casi silencioso que emite el insecto (ver 30:25). Se sabe que es la hormiga cosechadora que habita con más frecuencia en los lugares áridos de la Palestina, viviendo como indica el nombre a través de una intensa labor recolectando semillas.

El imperativo se dirige al *perezoso*, para que vaya a la hormiga para observarla. Es la primera vez que se ha dirigido la palabra a alguien que no sea el *hijo mío* o *los hijos*. Seguramente, la palabra está dirigida en una forma retórica y no se encuentra ante el maestro algún perezoso; al menos los jóvenes todavía no son flojos aunque siempre existe el potencial. La palabra hebrea para el *perezoso* es *'atsel* [6102], que viene de la raíz que significa el movimiento lento y con una conciencia de ser despertado muy reducida, como a paso de tortuga. La palabra es exclusiva de Proverbios (6:9; 10:26; 13:4; 15:19; 19:24; 20:4; 21:25; 22:13; 24:30; 26:13-16). A través de la información se puede conocer muy de cerca la naturaleza del haragán. Es tan flojo que no está dispuesto a levantar la mano del plato para comer (19:24; 26:15). Está autoengañado pensando que es más sabio que siete hombres hábiles (26:16). Por lo general no trabaja, pero si fuera necesario, él siempre tiene una excusa para no trabajar, aunque sea absurda (22:16; 26:13). Tiene un campo pero está muy descuidado, con los cardos y las ortigas creciendo (24:31). Siempre se olvida de la estación del año pues no está interesado en esforzarse para producir (6:8, 9; 20:4). Sorprendentemente, el perezoso tiene un deseo para lograr algo, pero no se cumple porque no hay un esfuerzo para hacerlo. Por fin, se observa el campo, la viña y el cerco de piedras del haragán (24:30-34), todo descuidado y abandonado. Ya las ortigas y los cardos están tomando la propiedad. El flojo no hace una contribución a la sociedad, y deja su familia necesitada.

Las palabras *observa, caminos* y *sabio* son todas muy frecuentes en Proverbios. De todas las formas de la raíz *ra'ah* [7200], hay más de 1.300 veces que aparecen en el AT y significa "ver" o "mirar". En el mismo sentido la palabra "camino", de la palabra hebrea común *derek* [1870], se encuentra más de 700 veces en el AT y unas 75 veces en Proverbios. El sentido literal de la palabra es un camino que traza una senda en el desierto o en las montañas o cerca de la costa. Pero aquí en 6:6 y en la mayoría de los pasajes de Proverbios el sentido metafórico es del comportamiento, la conducta y el estilo de vida del individuo.

La última palabra del v. 6 es *sabio, jakam* [2449], que tiene un significado desde la habilidad hasta la prudencia. La hormiga como ejemplo para aquel que desea ser sabio se encuentra referida por el sabio de 1:7, por el alumno avanzado, por los sabios responsables para dos secciones del libro (22:17—24:22; 24:23-34) y por los sabios como Salomón (1:1; 10:1; 25:1), Agur (30:1), Lemuel (31:1) y los hombres de Ezequías (25:1). La hormiga, sin duda, es el sabio más pequeño y más indiferente a las necesidades del joven.

La grandeza de la hormiga está en que cumple su tarea por el instinto, glorificando así a Dios. La hormiga realiza su propósito en la creación. Y esta es la grandeza de la criatura que se siente bien realizando sus tareas sencillas con todo empeño. El v. 7 lit. dice: "Sin tener alguien que decide ni alguien que organiza ni alguien que tiene la autoridad sobre." Intentar organizar las tres palabras alrededor de las instituciones modernas como el sistema jurídico, el legislativo y el ejecutivo parece ser un esfuerzo mal puesto. Los tres títulos son sinónimos y no complementarios, siendo la idea central la ausencia de estos jefes entre las hormigas. Por cierto los antiguos no saben lo que nosotros sabemos hoy acerca de la hormiga. Ya sabemos que tiene un sistema de comunicación muy complejo. La comunicación de gusto para alguna comida se realiza a través de la entrega del alimento de la boca de una hormiga a la boca de otra hormiga. Por lo tanto, las hormigas comunican las expresiones del peligro, las sendas más fáciles y el lugar donde se puede encontrar una fuente nueva de alimentación a través de una sustancia química que tiene un fuerte olor para las demás hormigas.

El v. 8 va al grano de la característica positiva de la hormiga. Prepara su alimentación a tiempo sin que haya un líder obligándola. Sin reloj mecánico, la hormiga deja que su reloj interno señale los pasos que ha de tomar. Ver la hormiga trabajando es entender la majestad de Dios en crear todas las criaturas del mundo. De cierto, todo lo hizo bien. ¿Por qué el hombre no cumple el plan de Dios para su vida en la misma manera inmediata como la hormiga? Seguramente el libre albedrío del hombre le da una fuerte opción para no cumplir el plan divino. Sin embargo, la naturaleza cuenta la gloria de Dios y llega a ser nuestro maestro sabio.

El v. 8 habla de dos tiempos, un tiempo de verano para encontrar y preparar la comida y un tiempo para cosechar, o juntar la cosecha. Son dos oportunidades para trabajar, dos tiempos preciosos ya perdidos por el perezoso. En Palestina, durante los meses de verano se cosecha el fruto y la cosecha de la cebada llega aproximadamente en marzo y las uvas en septiembre.

Los vv. 9-11 llaman de nuevo al perezoso para hacerle la pregunta retórica y cínica: ¿Hasta cuándo? Nos hace recordar la pregunta del predicador sabiduría: *¿Hasta cuándo, oh ingenuos, amaréis la ingenuidad?* (1:22.) Siempre es sorprendente la actitud de alguien que es indiferente o ignorante de algo cuando ya todo el mundo se da cuenta. Las preguntas llegan en la forma más ordenada desde cuánto tiempo más va a estar acostado hasta cuándo se piensa levantar.

El v. 10 se forma alrededor de la palabra un poco (*me'at* [4592]) dando un tono poético o burlador. Parece que es el maestro el que todavía está hablando por el tono del v. 10 y por la relación con el v. 11. En el

Lecciones de una hormiga
6:6-11

Benjamín Franklin, sabio de los días de infancia de las colonias americanas y los Estados Unidos, dijo: "La pereza camina tan despacio que la pobreza la alcanza muy pronto."

1. La hormiga tiene la capacidad de anticipar el futuro, v. 6.
2. La hormiga tiene la capacidad de tomar iniciativa sin ser supervisada o dirigida, vv. 7 y 9.
3. La hormiga tiene la capacidad de hacer planes de largo alcance, v. 8.
4. La hormiga tiene la capacidad de prepararse para la adversidad, vv. 9-11.

Características del hombre inicuo

12 El hombre depravado, el hombre inicuo,
anda en la perversidad de boca,

13 guiña los ojos,
hace señas con sus pies
e indica con sus dedos.

---

v. 11 se habla del estado de necesidad extrema, la pobreza. Se encuentra aquí por primera vez la palabra hebrea *re'sh* o *ri'sh* 7389 (10:15; 13:18; 24:34; 28:19; 30:8; 31:7), y es la palabra más neutral para la pobreza como estado opuesto a ser rico (14:20; 18:23). La segunda palabra, *escasez*, viene de *majesor* 4270, que significa "faltar alguna cosa o ser carente". Se encuentra unido en una relación con *re'sh* 7389 (11:24; 14:23; 21:5; 22:16; 24:34; 28:27). Las imágenes del *vagabundo* y del *hombre armado* son difíciles de interpretar. ¿Es el vagabundo alguien que no ha cuidado su propio hogar y pierde todo en la pobreza, es decir, un vagabundo? O, ¿es el vagabundo alguien que está en el camino esperando a alguna víctima para tomar sus bienes y lastimarlo, es decir, un ladrón en el camino? Ambas interpretaciones son posibles. Como ladrón en la calle se hace una relación más sinónima con el hombre armado. Por otra parte, si se interpreta como un vagabundo la traducción es más lit. fiel al texto.

La Septuaginta agrega un ejemplo sobre la abeja. No se encuentra en el texto hebreo y algunos otros textos antiguos.

Finalmente, hay que ver que la figura del ladrón, como algo inesperado, es un símbolo muy antiguo y muy documentado (ver Luc. 12:39 s.; 1 Tes. 5:2, 4; 2 Ped. 3:10; Apoc. 3:3; 16:15). Aun la flojera no es para siempre. La pobreza podía resultar en la esclavitud o la servidumbre en los tiempos antiguos (ver Gén. 44:32 s.; Neh. 5:5; Amós 2:6 s.).

Ambos individuos, el fiador (vv. 1-5) y el flojo (vv. 6-11), se encuentran en el texto en situaciones muy precarias. El fiador ha perdido su libertad y tranquilidad económica por haberse comprometido imprudentemente. En el mismo sentido, el perezoso ha perdido su libertad porque le faltaba el compromiso con el trabajo. El fin de la flojera es la pobreza, quizá la esclavitud. En ambos casos, la sabiduría sugiere cómo salir del paso, cómo arreglar las situaciones. Ahora queda en las manos del fiador y en las manos del haragán tomar las decisiones necesarias para "levantarse e ir al prójimo para quedarse libre del compromiso económico" y "levantarse e ir al campo para trabajar", respectivamente. Nadie puede tomar las decisiones por ellos. El maestro ha sido claro en sus enseñanzas, entonces no hay excusa, ya "no hay pero que valga".

27. Los siete rasgos del hombre vicioso, 6:12-15

Esta sección señala las características del *hombre depravado* o *inicuo*. Las dos palabras vienen del hebreo *beliya'al* 1100, que significa "sin valor" o "inútil", y *'aven* 205, que significa "el causante de problemas" o "problemático". La primera palabra *beliya'al* se encuentra en 16:27 traducida *el hombre indigno* y en 19:28 traducida como *el testigo perverso*. Por otra parte, la palabra *'aven* se encuentra en 10:29 traducida *los que obran maldad* y en 21:15 traducida *los que practican la iniquidad*. Hay que agregar que la palabra *depravado, beliya'al*, también ha sido traducida como un nombre propio de parte de algunos eruditos (ver Guthrie, *Nuevo Comentario Bíblico*). En efecto, se traduciría la palabra como "Belial", un nombre para hacer referencia a Satanás. Sin embargo, esta interpretación es poco probable.

Ahora vamos a detallar las características del hombre no ideal, de hecho el lado totalmente opuesto al ideal. Hay que recordar que los hebreos creían que cada parte del cuerpo humano tenía alguna función síquica.

14 Perversidades hay en su corazón;
en todo tiempo anda pensando el mal,
provocando discordia.

15 Por eso, su calamidad vendrá de repente;
súbitamente será quebrantado,
y no habrá remedio.

Se hace mención, en primer lugar, de la *boca*. No es sorprendente que la boca fue el primer aspecto del cuerpo femenino mencionado por el maestro en 5:3. La palabra *perversidad* viene de la idea de torcido o alterado. La importancia del habla recta se repite vez tras vez en el libro de Proverbios (ver 4:24 para la misma frase *la perversidad de boca*). No se muestra ninguna disciplina en el campo del discurso. Las palabras y sus significados son torcidos y paralelos con la frase *la lengua mentirosa* en 6:17, aunque *la perversidad de boca* es un término más amplio.

La segunda parte del cuerpo humano son *los ojos*, llamados la *lámpara del cuerpo* por Jesús (Mat. 6:22). Figura en el lugar siguiente a los labios en 5:25. La expresión aquí es un gesto muy conocido, es decir *guiña los ojos* (lit. "dar un pellizcón al ojo"). Otro proverbio afirma que *el que guiña el ojo causa tristeza, pero el que abiertamente reprende hace la paz* (10:10). En este pasaje el proverbio está en una posición antitética con el verbo reprender. Por eso, es mejor traducirlo como ignorar la falla o el pecado. En América Latina hay un dicho muy parecido que dice "hacer la vista gorda". No es bueno rehusar la reprensión por ocultarlo y pretender no ver la falta. Hay que saber enfrentar una situación aunque sea difícil y vencerla. Como se dice "más vale ponerse una vez colorado y no cien amarillo".

Los *pies* son el tercer aspecto del cuerpo que se acentúa. Otra vez, este pasaje sigue el orden en 5:24-27: boca, ojos y pies. Lit. se habla de "raspar" o "frotar" los pies. Desafortunadamente no se sabe cómo es el gesto claramente, aunque sabemos que es un gesto engañoso o feo. El joven ha de rechazar la utilización de los gestos depravados y aprender a hablar en una manera digna de uno que es sabio. Hay que recordar que los *pies* habían servido como un eufemismo. En el caso de cubrir los pies está la idea de "hacer sus necesidades" (Jue. 3:24; 1 Sam. 24:3). ¿Puede tener una idea de un gesto parecido y no muy saludable?

El cuarto aspecto del cuerpo son los *dedos*. Por el uso del verbo "indicar" parecen ser los dedos de la mano. Sin embargo, hay pasajes donde se ocupa la misma palabra hebrea, *'etseba'* 676, haciendo referencia a los dedos de los pies (ver 2 Sam. 21:20; 2 Crón. 20:6). Pero, apuntar con el dedo es la interpretación más fácil de la frase. Otra vez, es un gesto que puede simbolizar la depravación del hombre en decir algo feo, o puede ser una señal para tomar ventaja de una situación a través del engaño. El maestro enseña al joven que tal gesto no corresponde para el joven muy bien formado. Si apuntar el dedo es algo feo puede ser que es una manera de reírse del prójimo. Pero si apuntar el dedo es algo engañoso puede significar una señal para hacer algo, en que el dedo con frecuencia en el AT mostraba poder (ver Exo. 8:19; 29:20; 31:18; 2 Crón. 10:10; Sal. 8:3; Prov. 30:32).

El quinto aspecto del cuerpo humano que se expone es el *corazón*, de hecho la parte esencial de la vida humana. Se puede perder un dedo y seguir viviendo, como también perder un ojo o un pie, etc. Sin embargo, una falla del corazón, particularmente en el mundo antiguo, significaba un hecho fatal. Sabiendo esto, no es sorprendente cuando los antiguos creían que el asiento de la voluntad estaba en el corazón junto a todos los procesos de la razón, y el asiento para tomar las decisiones importantes de la vida. Hoy en día sabemos que estos procesos se realizan dentro de la cabeza, y especialmente los lóbulos del cerebro.

Anda pensando el mal es la sexta característica del hombre. En 4:16 se detalla la desesperación de aquel que anda pensando en lograr algún mal. Se recuerda la actitud de los ladrones del primer capítulo que ya tenían el plan formado para aterrorizar a la víctima y desposeerla de sus bienes (1:11-14). Sin embargo, *Dios condenará al hombre que urde males* (12:2), *los pensamientos del malo son una abominación a Jehovah* (15:26) y *engaño hay en el corazón de los que traman el mal, pero en el corazón de los que aconsejan paz hay alegría* (12:20). Los que traman el mal, en realidad, están quitando sus propias vidas (1:19) y andan *como la obscuridad; no saben en qué tropiezan* (4:19).

La última característica del hombre depravado se explica con la frase *provocando discordia.* Algunos eruditos unen algunas de las características, hablando de cinco o seis en vez de siete. Tal unión es muy posible, quizás probable. De todos modos, son varias las características que se manifiestan juntas, y por eso, se encuentran en una forma unida en los pasajes de la Biblia (p. ej. corazón y labio: 16:1; 14:1, 2; Mat. 15:18). Así pues, la frase *provocando discordia* puede ser uno de los muchos resultados de aquella persona que anda pensando el mal. La palabra *discordia,* que viene de *madon* [4090], quizá de la raíz para "juzgar", significa algo del juicio insano o una evaluación alterada que provoca una discordia. Es una palabra importante de Proverbios, pues se encuentra 19 veces de la totalidad de 22 citas del AT. El hombre de discordia se encuentra en 26:21: *El carbón es para las brasas, la leña para el fuego, y el hombre rencilloso para provocar peleas.* También no escapa la mujer: *Mejor es vivir en un rincón de la azotea que compartir una casa con una mujer rencillosa* (21:9; 25:24); *gotera continua en un día de lluvia y mujer rencillosa son semejantes* (27:15); *mejor es vivir en una tierra desierta que con una mujer rencillosa e iracunda* (21:19). El verbo "provoca", por otra parte, significa "mandar" o metafóricamente "dejar en libertad" o "mandar libre". Por lo tanto, el hombre depravado abusa la libertad para sembrar o provocar la discordia (la riña, la pelea, etc.).

En conclusión, se tiene un dibujo del hombre depravado. El tiene una boca y un corazón no derechos, alternados y perversos. Tiene tres gestos feos de engaño: los ojos guiñando, los pies raspando en el suelo y los dedos apuntando. Además sus energías mentales se ocupan en el mal. Y finalmente hay un resultado dado, es decir, la discordia dondequiera que ande. Enteramente, el hombre está dado al mal: la voluntad, las palabras de su boca, la comunicación no verbal o los gestos, la mente y hasta el resultado de su presencia. Anda con una sombra de peligro, una sombra formada por su carácter. Con razón, no hay paz, *shalom,* donde él esté (12:20).

El fin del hombre depravado no debe sorprendernos, aunque el maestro dijo a los jóvenes que el joven sabio no ha de temer *el espanto repentino, ni la ruina de los impíos cuando llegue, porque Jehovah será tu confianza...* (3:25, 26). Ahora en el v. 11 se repite la experiencia de la ruina de los no oyentes de la sabiduría (1:27) y del flojo (6:11) cuando llegue sin aviso previo. Por lo tanto, de repente será quebrado (¿su cuerpo?, ¿su espíritu?, quizá ambas cosas). La palabra *peta* [6621], que significa "al instante", une la dos ideas aunque se haya traducido en dos maneras. Los hebreos favorecían la repetición de los sonidos y por ende las palabras por su valor de sonido y su ayuda a la memoria. Siguiendo el v. 15 se agrega *y no habrá remedio.* Ya el hombre depravado llegará a un momento cuando su futuro está clausurado y la esperanza ha desaparecido (ver 1:28 ss.). El tiempo oportuno ha pasado y la vida que le queda y la vida eterna son las consecuencias de los pecados pasados. Ya la sombra es eterna y el dicho "nunca es tarde" es una mentira. Así es el fin del hombre depravado, como el hombre que recibe las palabras del médico: "Siento decírselo, pero usted tiene... y no hay un remedio." El NT dice que hay que buscar *las cosas de arriba, donde Cristo está sentado* (mostrando su poder y su gloria) *a la diestra de Dios... Por lo tanto,*

16 Seis cosas aborrece Jehovah,
y aun siete abomina su alma:
17 Los ojos altivos,
la lengua mentirosa,
las manos que derraman sangre
inocente,

haced morir lo terrenal en vuestros miembros: fornicación, impureza, bajas pasiones, malos deseos y la avaricia, que es idolatría. A causa de estas cosas viene la ira de Dios sobre los rebeldes (Col. 3:1, 5, 6).

28. Los siete hechos condenados por Dios, 6:16-19

En esta sección se encuentra la primera de seis lecciones numéricas de Proverbios (sin contar 31:1-31 que puede leerse como el alfabeto o la totalidad de los números del 1 al 10 y de 10 hasta 100 y de 100 hasta 400). Las otras cinco lecciones se encuentran en una forma unida en el cap. 30 (vv. 15, 16; vv. 18, 19; vv. 21-23; vv. 24-28 y vv. 29-31). Los proverbios del cap. 30 están desarrollados en base al número 4, mientras el proverbio numérico de esta sección está basado en el número 7. Las seis secciones siguen la misma fórmula. Se da un número y después se agrega uno más, intensificando así el momento y dejando tiempo para que se escuche bien la lista (hay una excepción que es 30:24, que dice desde el comienzo que son cuatro cosas).

Las palabras "aborrecer" y "abominar" son clave en el v. 16. Así se muestra la actitud de Jehovah, del ser entero (alma) hacia las siete características. Dicho de paso, el contenido de esta sección es paralelo de la sección anterior y forma el enlace para las dos secciones. Están repetidos los ojos, la lengua-boca, el corazón, los pies y el provocar discordia. Así este proverbio resume lo enseñado anteriormente, aunque las modificaciones son significativas.

La palabra "aborrecer" se deriva de *sane'* 8130, que muestra el odio que Dios siente hacia las características que están por nombrarse. Como la palabra opuesta a la palabra "amar", del hebreo *'hb* 157, la palabra "aborrecer" u "odiar" es una actitud que causa la distancia de una persona de la otra (14:20 donde *aprecian* es de la palabra hebrea *'hb*). Tal emoción puede señalar el abandono de la persona de aquel que es odioso. El concepto puede decir que Dios va a abandonar al hombre con las siete características de los vv. 16-19. La palabra se encuentra 23 veces en Proverbios, mientras el AT tiene 164 casos de la raíz (1:22, 29; 5:12; 8:13, 36; 9:8; 11:15; 14:17, 20; 15:10, 27; 19:7; 25:17, 21; 27:6; 28:16; 29:10, 24; 30:23).

En este mismo sentido veamos la palabra "abominación". Existe el sustantivo en el texto aunque se traduce como el verbo "abominar". No hay un cambio de sentido sino un deseo de hacer la forma sinónima más acabada. Las dos palabras en el texto bíblico son *ta'ab* 8130 para "abominar" y *totebah* 8441 para "abominación", ambas de la misma raíz. Hay que entender el concepto ritual de la raíz para captar el espíritu de la raíz. Ciertos animales y ciertos sacrificios eran "abominables" al Señor, y así impuros y prohibidos en la asamblea de los hebreos (Deut. 14:3; 17:1). Aun entre los otros pueblos del mundo antiguo había un concepto de cosas abominables (Gén. 46:34). Hay varios pasajes con la palabra "abominar" (3:32; 6:16; 8:7) y aún más con la palabra "abominación" (11:1, 20; 12:22; 13:19; 15:8, 9, 26; 16:5, 12; 17:15; 20:10, 23; 21:27; 24:9; 26:25; 29:27). Quizá 29:27 muestra el significado más claro que sea no ritual: *Abominación es a los justos el hombre inicuo, y el de caminos rectos es abominación al impío.* Aquí la definición de un erudito para abominar es mejor, es decir "detestar" (Jenni). El justo y el impío mutuamente se detestan y no desean estar juntos porque sus valores son distintos. Por lo tanto, la palabra "abominación" se acerca al significado de "aborrecer", llegando así a ser una palabra sinónima (ver Amós 5:10; 6:8; Sal. 5:6, 7; 119:163 para la combinación de las dos palabras). Finalmente, podemos exponer sobre la actitud de Jehovah hacia las siete características como una actitud que rechaza como impuras las características y desea distanciarse de ellas por ser detestables y odiosas.

La oración del v. 16 puede leerse de la siguiente manera: "Seis (cosas) hay que odió Jehovah y siete una abominación a él." La palabra "odió" expresa la naturaleza del verbo como una acción acabada. En este sentido, la actitud de Jehovah es eterna; siempre va a rechazar el pecado. Además, el tiempo perfecto en esta oración expresa un hecho ya acabado pero con influencia sobre el tiempo presente. En otras palabras, la actitud de Dios es influyente ahora (y va a ser importante para la eternidad). Vale que el creyente aprenda lo que Dios ama y lo que Dios odia porque la actitud de Dios es eterna. El no va a cambiar su parecer como lo haría la naturaleza del hombre. El maestro desea fomentar en el joven el rechazo de estas características que le van a perjudicar con Dios y con los hombres.

La primera característica apunta a un gesto de *los ojos* que muestra la actitud del hombre (ver 30:13). El adjetivo "altivo" viene de *rum* 7311, que significa "estar en un lugar alto, ser exaltado o levantar". Por lo tanto, parece que el gesto de levantar los ojos, quizá las cejas, era una forma de mostrarse superior al prójimo y un gesto para menospreciar al otro. Aquí se muestra un orgullo insano y destructivo. La palabra de Dios es final, y su palabra es: ¡Abominable! ¡Rechazado!

La segunda característica involucra *la lengua mentirosa* (v. 17). Ya hemos compartido la relación estrecha entre la boca y el corazón como fue establecida por Jesús (ver 4:24 y 6:12). De hecho, la voluntad del hombre es dueña de todos los otros miembros del cuerpo. En Proverbios, la lengua mentirosa o los labios mentirosos es un tema frecuente (12:19; 22; 21:6; 26:28). El engaño y la falsedad son sus valores. ¡Cuán grande es el daño hecho por alguna mentira! ¡Cuántas relaciones se han destruido! Otra vez se escucha la palabra de Dios. ¡Abominable! ¡Rechazado!

Las manos reciben la atención en la tercera característica. "La mano", en el mundo antiguo, significaba tener poder o tomar la autoridad sobre algo. Estar bajo la mano de alguien significaba estar sometido a su voluntad (ver Exo. 3:8; Jue. 2:16; Luc. 24:7). Así los que derraman sangre buscan tener el poder sobre otros. "Derramar sangre" es un eufemismo para hacer violencia o asesinar a otro (1:11, 16). Dos mandamientos pueden ser desobedecidos: *No cometerás homicidio* (Exo 20:13; Deut. 5:17) y *no robarás* (Exo. 20:15; Deut. 5:19). Desde el tiempo de la primera familia con el asesinato de Abel por Caín, el juicio de Dios ha sido claro. Hoy por hoy existe demasiada violencia entre los miembros de la familia y entre los amigos sobre algunos hechos de pasión. Esto se aumenta agregando la violencia por el robo y los asesinatos. En Apocalipsis, Dios dice que los que no entran al cielo son: ... *los cobardes e incrédulos... los abominables y homicidas... su herencia será el lago que arde con fuego y azufre, que es la muerte segunda* (Apoc. 21:8). ¡Abominable! ¡Rechazado!

Después de mencionar el orgullo, la mentira y el asesinato, el texto apunta al *corazón* como la cuarta característica aborrecida. El corazón es el símbolo de donde están asentados la voluntad, el conocimiento, las facultades para tomar decisiones, etc. (ver 4:29; 6:14). En este texto, se precisa un aspecto del corazón, la capacidad para trazar un plan de acción. Esta bendición tan grande de Dios se ha pervertido. Ahora el hombre malgasta la habilidad mental para dibujar algún plan malicioso o pecaminoso. Este dicho es parecido con el v. 14, donde el corazón *en todo tiempo anda pensando el mal.* ¿Cómo puede alguien que tiene su mente funcionando solo en hacer mal esperar tener éxito en la vida? ¡Qué manera de perder lo mejor de la vida! Otra vez se escucha la palabra final de

18 el corazón que maquina pensamientos
inicuos,
los pies que se apresuran a correr al mal,

19 el testigo falso que habla mentiras
y el que provoca discordia entre los
hermanos.

Dios: *Bienaventurados los de limpio corazón porque ellos verán a Dios* (Mat. 5:8). Pero a los de corazones duros y sucios la palabra final es: ¡Abominable! ¡Rechazado!

Los pies se subrayan como la quinta característica del malo. Vale recordar que el v. 13 hablaba de un gesto de raspar los pies como una señal fea y engañosa. Aquí en el v. 18 los pies muestran una desesperación. Están apresurados para correr al mal. Hay un deseo de no estar ausente del lugar del mal. O quizá están apresurados para crear un lugar donde se puede hacer el mal. No cabe duda dónde se puede encontrar el malvado. Búsquelo donde se hacen las cosas ilegales e inmorales. De no estar ahí se pone desesperado. Nunca va a entender el concepto del *shalom.* Pero sí, va a escuchar la palabra final de Dios. ¡Abominable! ¡Rechazado!

La sexta característica del hombre pecaminoso es su capacidad fácil para mentir. El v. 19 le llama un *testigo falso,* tan condenado por los hebreos como se ve en el siguiente pasaje: *Cuando se levante un testigo falso contra alguien, para acusarle de transgresión, entonces los dos hombres que están en litigio se presentarán delante de Jehovah, ante los sacerdotes y los jueces que haya en aquellos días. Los jueces investigarán bien, y si aquel testigo resulta ser falso, por haber testificado falsamente contra su hermano, le haréis a él lo que él pensó hacer a su hermano. Así quitarás el mal de en medio de ti. Los que quedan lo oirán y temerán, y no volverán a hacer semejante maldad en medio de ti* (Deut. 19:16-20). Israel supo el daño que puede hacer la mentira. De hecho están afectadas todas las instituciones. Desde el comercio hasta las situaciones legales, sin mencionar las relaciones interpersonales, están alterados por la presencia del testigo falso. El v. 18 agrega que este testigo falso "respira" falsedad, la traducción literal del verbo hebreo *puj* 6315 (ver 14:5, 25; 19: 19:5, 9). Decir una mentira es tan natural como la respiración. Jesús enseñaba a sus discípulos diciendo: *Pero sea vuestro hablar, "sí", "sí", y "no", "no". Porque lo que va más allá de esto, procede del mal* (Mat. 5:37). Luego, Jesús iba a sentir las consecuencias del testigo falso: *Los principales sacerdotes, los ancianos y todo el Sanedrín buscaban falso testimonio contra Jesús, para que le entregaran a muerte. Pero no lo hallaron, a pesar de que se presentaron muchos testigos falsos. Por fin, se presentaron dos...* (Mat. 26:59, 60). Y el pasaje de Apocalipsis agrega que todos los mentirosos junto a otros malvados tendrán *su herencia... en el lago que arde con fuego...* (Apoc. 20:8). Es muy difícil mantener la palabra fiel hoy en día. En una encuesta hecha en 1992 en los Estados Unidos de América, sólo 48% contestaron que guardaron el mandamiento *no darás falso testimonio contra tu prójimo* (*The Barna*

> Semillero homilético
>
> **¿Quién agrada a Dios?**
>
> 6:17-19
>
> *Introducción*: Cada cual tiene interés en agradar a Dios. El autor de los Proverbios nos da siete ilustraciones de las personas, o las cualidades, que agradan a Dios.
>
> I. El que deja el orgullo, v. 17a.
> II. El que deja la mentira, v. 17b.
> III. El que deja el maltrato físico, v. 18a.
> IV. El que deja la maquinación de lo malo, v. 18b.
> V. El que deja que el pie no corra al mal, v. 18b.
> VI. El que deja el testimonio falso en los tribunales, v. 19a.
> VII. El que deja de fomentar disputas, v. 19b.
>
> *Conclusión*: El número siete en la Biblia significa algo completo o perfecto. Así el autor está diciendo que uno que guarda estos siete principios será una persona completa o madura.

Report). El único mandamiento quebrado en una forma más frecuente fue el mandamiento sobre guardar el día del Señor con un 25% guardándolo plenamente. El 82% afirma guardar el mandamiento sobre no cometer el adulterio, mientras 77% afirma guardar el mandamiento sobre honrar a los padres. La última palabra de Dios es terminante. ¡Abominable! ¡Rechazado!

"Provocar discordia" es una séptima y muy maliciosa característica del hombre malo. Con el concepto de "dejar en libertad un juicio alterado o una evaluación distorsionada", sembrar *discordia entre los hermanos* es una ofensa que puede producir hasta conflictos bélicos (ver 6:14 para la frase "provocar discordia"; ver Jer. 15:10 para entender a un inocente que es *hombre de contienda*). El hombre que siembra discordia deja un juicio errado o una palabra distorsionada que pone a uno contra el otro. Así empiezan las contiendas y los resultados son hasta peleas (ver 26:21). En 17:14 se dice que el que comienza la contienda es quien suelta las aguas; desiste, pues, antes que estalle el pleito. El hombre malo, por su presencia, puede crear un ambiente tenso y peligroso. Aún peor es cuando pone la contienda entre los hermanos, es decir, los fieles en el sentido de los hebreos como hermanos. El Salmista proclama y canta: *He aquí, cuán bueno y cuán agradable es que los hermanos habiten juntos en armonía... porque allá enviará Jehovah bendición y vida eterna* (Sal. 133:1, 3). La última palabra a los que provocan discordia iguala lo que ha dicho antes: ¡Abominable! ¡Rechazado!

El número siete del v. 16 es un número que simboliza la perfección. En siete días se hizo el mundo y se tomó un día de descanso, por eso la vida del hombre se ha establecido así, por lo menos la vida del judío (Gén. 2:1-4; Exo. 20:8-11). Por lo tanto, las páginas de la Biblia se llenan del número siete: Jacob trabajó siete años para Raquel (Gén. 29:20), el sueño del Faraón de las siete vacas gordas y las siete vacas flacas (Gén. 41:2 ss.), el duelo para José fue de siete días (Gén. 50:10), siete días comiendo pan sin levadura (Exo. 12:15), etc. Aun en el NT hay evidencias de la importancia del número siete, especialmente en el libro de Apocalipsis: las siete iglesias (1:4), los siete espíritus (1:4), siete candeleros (1:12), siete estrellas (1:20), siete lámparas (4:5), siete sellos (5:1), siete cuernos del Cordero (5:6), siete ángeles (8:2), siete trompetas (8:2), etc. Aquí en este pasaje el número siete también significa la perfección pero en un sentido

La importancia de lo insignificante

En una época que impresiona con el volumen de las cosas, las estadísticas y lo masivo, vale la pena volver a considerar la importancia de las cosas pequeñas e insignificantes. Por ejemplo, una capa de tinta que se mide en fracciones de milímetros de grueso produce la página impresa, que representa una fuerza más poderosa que los ejércitos de las grandes naciones mundiales. Revoluciones han surgido como consecuencia de escritos tales como las Noventa y Cinco Tesis de Martín Lutero.

Por la ubicación errónea de una coma en un documento que tenía que ver con tarifas, una nación perdió 50 millones de dólares durante un período de 17 años antes de que fuera descubierto el error.

Con las 28 letras del alfabeto se puede escribir todos los libros, revistas y periódicos que se han publicado en el curso de la historia.

La música tiene apenas siete notas básicas, pero con estas notas y las varias claves se ha compuesto una variedad de música que inspira toda clase de emoción de que es capaz el ser humano.

Hay sólo diez números, pero con estos números se producen miles de páginas de estadísticas para informar de la condición económica de una empresa, o para presentar la cotización de un presupuesto que abarca millones. Todo esto nos ayuda para respetar el poder existente en las cosas pequeñas.

Los ojos y la lengua son órganos pequeños, pero poderosos. Los ojos pueden captar detalles pequeños y la boca pronuncia palabras cortas, pero pueden tener efectos duraderos.

Acerca de las mujeres disolutas

20 Guarda, hijo mío, el mandamiento de tu padre,
y no abandones la instrucción de tu madre.
21 Atalos siempre a tu corazón,
y enlázalos en tu cuello.
22 Te guiarán cuando camines;
te guardarán cuando te acuestes,
y hablarán contigo cuando te despiertes.

opuesto. El hombre con estas siete características es un hombre perfectamente abominable o aborrecible. El es orgulloso, mentiroso, violento hasta ser sangriento, mal pensado y pensante, desesperado para estar donde se hacen los hechos vergonzosos, lleno de falsedad y respira mentiras y está siempre buscando sembrar alguna contienda entre los hermanos. Una persona así es un peligro para sí mismo, para su familia y para la comunidad.

En comparación con la sección anterior, en los vv. 16-19 no hay una conclusión que expone el fin de las personas que tengan estas características. Quizás la respuesta cae en las palabras "aborrece" y "abomina", porque inherente en las palabras está el pensar de Dios y el fin de aquellos practicantes. Dios tiene la última palabra y nunca se puede engañar. Las palabras que suenan y hacen eco por los montes de Israel durante el tiempo de los jóvenes y el maestro son las mismas palabras de juicio de hoy: ¡Abominables!

29. Las enseñanzas paternales como luminarias, 6:20-23

La sección se une al capítulo y al resto de los capítulos a través de la palabra *hijo mío* (ver 1:8). Aquí el maestro vuelve a recordar a los jóvenes el compromiso merecido a las enseñanzas de sus padres. Otra vez se repite textualmente la frase *torah de tu madre* (ver 1:8). La palabra *guarda* tiene la idea de "preservar" y "obedecer". Es la primera vez que aparece como el comienzo de una sección de enseñanza, reemplazando las palabras *escucha* (1:8), *oíd* (4:1), *escucha* (4:10) y *pon atención* (4:20; 5:1). Básicamente la misma idea se ha expresado de "escuchar". Ahora, el maestro va a la aplicación, mientras *guarda* también mantiene la idea de escuchar. *Guarda* está puesto en un paralelismo antitético con la palabra *no abandones.* Seguramente el maestro ha visto a sus alumnos rebelándose contra los padres y contra sus enseñanzas. A la vez, él ha visto su sufrimiento y su fin. El tema de los padres, sus enseñanzas y la disciplina de los hijos es muy necesario hoy en día. Quizás nos sorprendería la cantidad de pasajes que tratan el tema en el libro de Proverbios (1:8, 9; 4:1-4; 19:18, 29; 23:13 s.; 26:3) y en algunos pasajes clave del resto de la Biblia (ver Gén. 18:19; Exo. 20:12; Deut. 5:16; 6:7; 8:5; 11:19). Parece que había problemas con la juventud en el pasado, lo que se muestra en 30:14: *Hay generación que maldice a su padre y no bendice a su madre. Hay generación limpia en su propia opinión...* Que una generación sea mejor o peor que la generación anterior se basa en cómo se han comportado los adolescentes o jóvenes. Por eso, las enseñanzas de los sabios a la juventud son un aspecto esencial de la cultura y el futuro.

Algunos tomaron muy en serio la admonición para atar las enseñanzas a su corazón y al cuello como se indica en el v. 21 (ver 3:3; 7:3; 22:15). Se hacían cajitas y guardaban pequeños pergaminos en ellas, colgando después las cajitas sobre el corazón y alrededor del cuello (ver 3:3).

El v. 22 repite la idea de 3:23 y 24 en que hay seguridad y sabiduría para el día y durante la noche. El joven sabio puede esperar un dulce sueño (3:24). Por lo tanto, las enseñanzas paternales y el consejo sabio estarán listos para comunicar o dialogar cuando el joven se despierta en la mañana. ¡Qué bueno es empezar el día con una palabra sabia!

El v. 23 utiliza la triple fórmula como el v. 22. Se vuelven a repetir lit. las mismas

23 Porque el mandamiento es antorcha,
y la instrucción es luz.
Y las reprensiones de la disciplina son
camino de vida.

24 Te guardarán de la mala mujer,
de la suavidad de lengua de la extraña.
25 En tu corazón no codicies su hermosura,
ni te prenda ella con sus ojos;

---

palabras *mandamiento* e *instrucción* del v. 20, que representaban las enseñanzas paternales. El mandamiento del padre es como *ner* 5216, la lámpara que usaba el aceite de olivo. La lámpara se hacía de arcilla y tenía la forma de un pequeño plato hondo. Especialmente se ocupaba en la noche (31:18). Tiene el significado figurativo del favor o beneplácito (ver 13:9; 20:20, 27; 24:20; 31:18). Por otra parte, la instrucción de la madre es como *'or* 216, que es "la luz", normalmente la luz del sol y la luna (4:18), pero también puede significar "el favor de" (16:15). Como la luz natural es de día, completando así la idea de la enseñanza que le ayuda como la misma luz natural. La combinación de lámpara y luz juntas se encuentra también en 13:9. Quizás la lámpara, *antorcha* en el texto traducido, y la *luz* natural significan que la luz de día y de noche están siempre presentes, siempre vitales. La imagen de la luz es como la imagen del agua en 3:15 y 16, para mostrar elementos vitales.

Cómo evitar el escándalo sexual

1. Recordar las normas bíblicas, vv. 20-23.
2. Evitar el codiciar a la mujer ajena, vv. 24-26.
3. Evitar dar lugar a la tentación, vv. 27, 28.
4. Pensar en los resultados desastrosos de una caída, vv. 30-35.

Después de haber visto las características del hombre depravado y las características abominables ante Dios en las últimas secciones, esta sección ha sido de bendición y esperanza. Fue como una visita a casa para besar a los padres y compartir, escuchando de nuevo sus voces y sus consejos. La frase *camino de vida* suena como un aire fresco contra los vientos de la violencia y la maldad de las secciones anteriores. ¡Qué bendición tener un hogar donde están las lámparas y las luces de la sabiduría divina! ¿Cuántos hijos no pueden recordar a las lámparas y las luces porque no estaba la presencia de Cristo en sus hogares? Los jóvenes están llamados a recordar a sus hogares y sus enseñanzas paternales, pero a la vez motivados a construir una casa de luz y lámpara en el futuro.

30. El peligro y la locura del adulterio, 6:24-35

Esta nueva sección es, en realidad, una continuación de los vv. 20-23. Los vv. 24-26 forman el segundo beneficio de las enseñanzas paternales, siendo el primero los vv. 22 y 23 que comenzaban con las palabras *te guiarán...* Este segundo beneficio acentúa las palabras *te guardarán...* del v. 24.

En los vv. 24-26 se trata de nuevo el tema de la mala mujer, específicamente la mujer adúltera. Es la tercera vez ya que el maestro ha enseñado a los jóvenes sobre esta materia tan delicada pero esencial (ver 2:16-19; 5:3-14, 20). Sin duda, la mujer y el matrimonio son un tema importantísimo en el mundo antiguo. En este mismo sentido, hay que ser honesto sobre la abundancia de información disponible hoy en día, pero no tanta relacionada con la Palabra de Dios. El maestro, inspirado por la sabiduría y apoyado por la palabra revelada (los diez mandamientos, el código de santidad, etc.), muestra coraje en analizar al fondo el tema y ver los resultados de una decisión errada.

La discusión gira sobre la identidad de la mujer, o las mujeres, en torno a las palabras *la extraña* (v. 24), *prostituta* (v. 26) y *la mujer ajena* (v. 26). El deseo de parte de una cantidad impresionante de autores es encontrar dos clases de mujer (ver

26 porque por una prostituta el hombre es
reducido a un bocado de pan,
y la mujer ajena caza una vida valiosa.
27 ¿Tomará el hombre fuego en su seno
sin que se quemen sus vestidos?
28 ¿Andará el hombre sobre las brasas
sin que se le quemen los pies?
29 Así sucede con el que se enreda con la
mujer de su prójimo;
no quedará impune ninguno que la toque.

Serrano; Forestell). La conclusión de estos comentaristas es mostrar cómo la prostituta busca los bienes del hombre, pero la adúltera pone en peligro la misma vida del hombre, mientras busca satisfacer sus pasiones en una forma ilícita.

Hay una segunda interpretación más probable a la identificación de las mujeres en los vv. 24-26 como una sola mujer, una adúltera. La primera palabra *la extraña* se ha visto en 2:16 y 5:3 como la adúltera. Por lo tanto, la palabra *mala mujer* del mismo v. 24 es un término muy ambiguo. En el v. 26 se encuentra la palabra *zonah* 2181, traducida prostituta (7:10; 23:27; 29:3). El AT muestra cómo la palabra *zonah* se traduce como "una prostituta" (29:3) o como "una que actúa como una prostituta" (ver Gén. 38:24; Deut. 22:21). Este comentario adopta la definición "una que actúa como una prostituta". Por lo tanto, no se puede subestimar el interés de parte de la adúltera de adquirir los bienes del hombre, pensando que sólo la prostituta "profesional" se interesa por el dinero. Desafortunadamente, hay mujeres casadas que suplementan sus ingresos o bienes (ropa, joyas, etc.) a través de "prostituirse" en una relación adúltera. Así es el caso de la mujer adúltera en 5:3-14, quien recibe los frutos del trabajo del hombre insensato (5:10).

La *mujer ajena* en el v. 26 repite la discusión en 2:16-19, ella también es nombrada la "mujer ajena o del otro". La expresión *caza una vida valiosa* fue descrita en el cap. 3 mostrando cómo el engaño dirigió al hombre hacia la muerte. También se describirá en los vv. 32-35, agregando una amplia discusión sobre la reacción del marido de la adúltera. Así el vocablo *la mujer ajena* apoya la idea que la mujer sea la adúltera. En conclusión, las cuatro palabras pueden apuntar a la adúltera y no a dos mujeres distintas. La adúltera, entonces, tendría las siguientes características: tener un carácter malo, ser del otro y ser como una prostituta.

El v. 24 muestra cómo la lengua con su suavidad atrae al joven. Tal prominencia de los labios es muy frecuente en el mundo antiguo, y por ende en el libro de Proverbios (ver 5:3 para la "fascinación con los labios"; 2:16; 7:13, 21; Cant. 1:2; 4:3, 11; 6:16; 7:9).

Los vv. 25 y 26 cambian la estructura gramatical de la sección. Por un lado, el v. 24 seguía la forma de la sección anterior y era una consecuencia de las enseñanzas paternales (vv. 20, 23). Por otra parte, el v. 25 entrega dos imperativos: *No codicies,* la palabra hebrea es "desear que" en forma neutral y fue utilizada en Exodo 20:17; *ni te prenda ella...* El uso de la palabra hebrea para el negativo de deseo *'al* 408 (v. 25), en vez del negativo del juicio sobre un hecho, *lo'* 3808 (Exo. 20:17), muestra cómo el maestro está intentando persuadir a los jóvenes a seguir el camino que más les conviene. La impureza de la voluntad humana se nota con la idea del "corazón que codicia" (v. 25). La hermosura recibe una evaluación negativa en Proverbios (v. 25 y 31:30 que dice *vana es la hermosura*). Pero la hermosura puede ser una gran bendición y señal de la presencia divina, como en el caso de José (Gén. 39:6), de Saúl el rey (1 Sam. 9:2), de David (1 Sam. 16:12), de Ester (Est. 2:7; 4:14) entre otros. La belleza ha de unirse a la palabra divina porque ésta es la característica esencial de la belleza verdadera. Muchas veces la belleza fue la caída de algún hombre (Gén. 12:14, 15; Jue. 14:2; 2 Sam. 11:2). El atractivo, por lo tanto, se aumenta *con sus ojos,* es decir lit. "los párpados", quizá "las pestañas" incluidas con algo de coloración (4:25;

30 ¿Acaso no desprecian al ladrón,
aunque robe para saciar su apetito
cuando tiene hambre,
31 y si es sorprendido, pagará siete veces
y entregará todo lo que posee en su casa?
32 Así también el que comete adulterio con
una mujer es falto de entendimiento;
el que hace tal cosa se destruye a sí
mismo.*
33 Heridas e ignominia encontrará,
y su afrenta no será borrada;
34 porque los celos del hombre son su furor,
y él no perdonará en el día de la venganza.
35 No aceptará ninguna restitución;
ni consentirá, aunque sea grande tu
soborno.

* Lit., *a su alma*

6:4; 30:13). Ahora se nota que es la mujer que desea ser codiciada utilizando los ojos o las pestañas como una señal para atraerlo. Pero, el joven puede decir "¡No!"

El v. 26 da la razón para no codiciar ni dejarse atrapar. Primero, la razón está dada así: "Porque por una prostituta a un bocado de pan." Como se puede ver, el texto es difícil de interpretar. La Septuaginta da el valor de una prostituta como de *un bocado de pan,* es decir, vale poco. Una segunda interpretación diría que la mujer adúltera puede manejar al hombre como uno puede masticar un bocado de pan, es decir, fácilmente. Y una tercera interpretación (más probable) dice que el hombre no queda con nada después de haber estado con alguien que actúa como prostituta: *El hombre que ama la sabiduría alegra a su padre, pero el que se junta con prostitutas malgasta sus bienes* (29:3).

Asimismo, la mujer casada anda afuera para "cazar al acecho" a algún insensato. Se admite el valor de cada persona, aun el necio: *una vida valiosa* (v. 26).

Verdades en cuanto al adulterio en el Antiguo Testamento

1. El adulterio es prohibido en los diez mandamientos.
2. El adulterio es pecado y se castiga con la pena de muerte.
3. El adulterio es violación de otra persona y de otro hogar.
4. El faraón de Egipto y Abimelec reconocieron los males del adulterio y respetaron a Sarai cuando se dieron cuenta que era esposa de Abraham.
5. Israel es acusado de adulterio espiritual varias veces por los profetas.

Enseguida el texto ilustra el peligro de la mujer adúltera a través de dos parábolas pequeñas, tan útiles en las enseñanzas de Jesús (ver Luc. 15; 16:1-15; 18:1-8, etc.). Su forma es de la pregunta retórica que espera la respuesta "no". Se compara a "la relación adúltera" o "la mujer adúltera" con el *fuego* (v. 27) y *las brasas* (v. 28). ¿Puede un hombre llevar fuego en el pecho o en un vestido sobre el pecho? Por supuesto que no. ¿Puede el hombre caminar sobre las brasas sin quemarse los pies? Por supuesto que no. El v. 29 completa las interrogativas en una forma de un dicho de observación, no es un imperativo. Aquella persona en la trampa de la adúltera está intentando llevar fuego o caminar sobre el fuego y se va a quemar. La palabra *prójimo* hace recordar al atrapado que él tiene una responsabilidad dentro de la comunidad de actuar bien frente al prójimo. El v. 29 también apunta al hecho de haber "tocado" a la mujer del prójimo. ¿Es tocar un eufemismo para el sexo? Quizá. De todas maneras, el individuo no quedará impune, es decir no va a ser declarado inocente sin evitar el castigo (11:21; 16:5; 17:5; 19:5, 9; 28:20). Algunos aspectos del castigo se acentúan en los vv. 33-35.

Los vv. 30-35 forman una subsección como los vv. 27-29 con una pregunta retórica, aquí la respuesta esperada es afirmativa (vv. 30 y 31) y hay una descripción de los resultados, más amplios que los dados en el v. 29. Se subraya la metáfora del ladrón y se pone énfasis en el ladrón que roba porque está hambriento. A pesar

7 1 Hijo mío, guarda mis palabras
y atesora mis mandamientos dentro de ti.
2 Guarda mis mandamientos y vivirás;
guarda mi enseñanza como a la niña de tus ojos.
3 Atalos a tus dedos;
escríbelos en la tabla de tu corazón.
4 Di a la sabiduría: "Tú eres mi hermana",
y a la inteligencia llama: "Mi pariente."
5 Te guardará de la mujer ajena,
de la extraña que halaga con sus palabras.

---

del motivo del robo, la palabra siete muestra que el ladrón necesitado, si se pilla, va a pagar completamente como si fuese cualquier ladrón. Su fin es peor que su comienzo porque no sólo no adquiere el bien codiciado sino pierde todo de su casa. La pregunta es fácil de contestar: *¿Acaso no desprecian al ladrón...?* Claro que sí.

Joya bíblica
Guarda mis mandamientos y vivirás (7:2).

Los vv. 32-35 completan la metáfora del ladrón sorprendido. El adúltero es como él. Ser falto de entendimiento muestra que el problema es moral o espiritual y el resultado de no haber guardado la sabiduría. Se agrega la pérdida de su *nepesh'* 5315, palabra hebrea que tiene un significado amplio desde el asiento de las pasiones o los hechos mentales hasta el ser entero o la persona entera. El adúltero ignorante primeramente se autoengaña y en segundo lugar, se autodestruye (ver 1:19; 5:22).

Las otras consecuencias del adulterio giran alrededor de la furia del marido quien puede pedir la muerte para el hombre sin entendimiento y su esposa (Lev. 20:10; Deut. 22:22). ¿Está el marido justificado en sus celos? Por supuesto que sí; los celos muestran la relación exclusiva e íntima que ha de existir para desarrollar la calidad de amistad necesaria en un matrimonio. Aun Dios es celoso en el sentido más puro y alto, mereciendo la fidelidad y toda la adoración (Exo. 20:5; 34:14; Deut. 4:24). Por otra parte, el marido tenía el derecho a vengarse sin saber la voluntad de la comunidad al escuchar a ambos cónyuges. Los vv. 33, 34 hablan de las heridas, la vergüenza y el castigo. De hecho el marido va a perseguirlo hasta lo máximo aunque le ofrezca todo; en el caso de un adúltero rico puede ser muchos bienes. En 18:19 se habla del hombre ofendido que resiste más que una ciudad fortificada.

31. Estrechando lazos profundos con la sabiduría, 7:1-5

Esta sección vuelve a cimentar las varias enseñanzas de los caps. 1—9. Los dos temas son las enseñanzas paternales (1:8, 9; 6:20-23) y las enseñanzas del maestro (2:1-4 ss.; 3:1-4; 4:1-4; 4:10 ss., 20-22; 5:1, 2, 7). Hay que aprender bien las lecciones y hay que aplicarlas a la vida cotidiana manteniéndolas muy visibles. Normalmente, se han tomado los pasajes explicados para introducir la siguiente materia. Pero, a la vez, estos pasajes hacen la transición de la sección anterior y unen las secciones en una unidad dentro de los caps. 1—9.

La unidad entre esta sección y los caps. 1—9 proviene de la palabra *hijo mío* (ver 1:8 acerca del *hijo mío*) y la palabra "guardar", *shamar* 8104, que significa "preservar-guardar". La palabra se encuentra en 6:24 y ahora en los vv. 1 y 2. La palabra *mandamientos* une los vv. 1 y 2. Las palabras *mandamiento* y *enseñanza* representan lo entregado por el maestro, como representaban lo entregado por los padres en 6:20, 23.

La niña de tus ojos traduce *'ayshon* 380 (7:2, 9; 20:20; Deut. 32:10; Sal. 17:8). Lit. se trata de la "pupila del ojo" y puede tener el significado metafórico de "en medio de" (7:9; 20:20). Los antiguos sabían que la parte más oscura del ojo daba la vista y había que tener mucho cuidado.

El v. 3 repite la idea de mantener siempre presentes las enseñanzas del sabio (ver 3:3; 6:21). En 1:9 se habla de la diadema

Las artimañas de la mujer adúltera

6 Mirando yo por la ventana de mi casa,
por entre mi celosía,
7 vi entre los ingenuos
y observé entre los jóvenes
a uno falto de entendimiento.
8 El pasaba por la plaza, cerca de la esquina,
y caminaba en dirección a la casa de ella.

---

y collares, cabeza y cuello, mientras 3:9 habla de tablas del corazón (reiterado por segunda vez en 7:3), y 6:21 habla del corazón y cuello. El v. 3 de esta sección se hace eco de Deuteronomio 6:6, ilustrando con los dedos y el corazón. Los dedos sirven para mostrar la presencia de la sabiduría en vez de un gesto feo y perverso (ver 6:13). Además, el corazón lo tiene presente como si fuese una tabla de sabiduría que da vida en vez de tener presente los pensamientos inicuos que se maquinan (ver 6:14, 16).

El v. 4 reitera el concepto de un compromiso estrecho con la sabiduría o inteligencia. "Decir a" y "llamar" significan "aceptar a" como si fuese *hermana* y *pariente.* Además de los afectos apropiados, había responsabilidades asociadas con la hermana (Gén. 27:41-46; 28:1-5; 38:8-10; Deut. 38:8-10) y con el "pariente", de la palabra hebrea *moda'* 4129. El libro de Rut muestra la responsabilidad de redimir el terreno familiar del marido fallecido de Rut, el *go'el* 1350 (Rut 2:1, 20; 3:9, 12; 4:1, 3, 6, 8, 14). Por lo tanto el *go'el* podía pedir representar al familiar ante la corte, o "comprar" la redención del familiar de la servidumbre o la esclavitud o tener la responsabilidad de los hijos de los familiares en el caso de fallecer. Así, al decir a las enseñanzas *hermana* y *pariente,* se acentúa una relación de amor fraternal y de responsabilidad mutua. Las relaciones familiares cumplían las responsabilidades del estado moderno en el sentido de los programas sociales y la ayuda económica. Finalmente, el v. 5 vuelve a repetir la palabra "preservar-guardar" de los vv. 1 y 2, mostrando cómo las enseñanzas protegen a uno de la mujer adúltera y toda la dulzura de sus palabras.

> Semillero homilético
>
> **Consejos sabios**
>
> 7:1-5
>
> *Introducción*: El autor nos da consejos que son dignos de ser escuchados y también de ser puestos por obra en nuestras vidas. Al hacerlo, podremos ver los resultados.
>
> I. Debemos atesorar los buenos consejos, vv. 1-3.
> 1. Guardando y cuidando los mandamientos, v. 2.
> 2. Practicando y meditando sobre los mandamientos, v. 3.
>
> II. Debemos asegurar los buenos consejos, v. 4.
> 1. Relacionándonos con los sabios, v. 4a.
> 2. Relacionándonos con los inteligentes, v. 4b.
>
> III. Debemos apropiarnos de los buenos consejos, v. 5.
> 1. Esto evita que caigamos en pecado, v. 5a.
> 2. Esto nos señala el camino a seguir, v. 5b.
>
> *Conclusión*: Si leemos la Biblia todos los días y seguimos los consejos que encontramos en ella, eso nos ayudará para vivir en armonía con Dios y el prójimo.

32. Andando en la calle, 7:6-9

Ahora el tema central de la adúltera se detalla en tres escenas. La primera muestra al joven ingenuo andando hacia la casa de la adúltera (vv. 6-9). La segunda escena subraya la búsqueda que ella hace de él y la invitación que le extiende (vv. 10-20). Finalmente, una tercera escena se acentúa cuando él cae en la trampa de ella (vv. 21-23). Así se llegan a algunas conclusiones expresadas en los vv. 24-27, como una reflexión seria después del hecho del adulterio para volver a insistir en el daño irreparable que hace el adulterio. Esta sección, por lo tanto, va a concluir la cuarta agrupación de pasajes sobre "el adulterio" mirándolo desde el punto de vista del

9 Era al anochecer; ya oscurecía.
Sucedió en medio de la noche y en la oscuridad.
10 Y he aquí que una mujer le salió al encuentro
con vestido de prostituta y astuta de corazón.
11 Ella es alborotadora y obstinada;
sus pies no pueden estar en casa.
12 Unas veces está afuera;
otras veces por las plazas,
acechando por todas las esquinas.
13 Se prendió de él, lo besó
y descaradamente le dijo:

---

joven involucrándose en la vida de la casada adúltera (2:16-19; 5:2-14; 6:20-29).

La primera escena se desarrolla desde la perspectiva de alguien *mirando... por la ventana.* ¿Es un chismoso? ¿Es alguien mirando el pasar de la gente para distraerse? Los vv. 1 y 2 se encuentran en primera persona, *yo* y *mi*, mientras los vv. 3-23 están contados en la tercera persona, *él* y *ella*, como la forma de una historia y en este caso una narración. La primera persona vuelve en el v. 24, cuando el sabio instruye a los jóvenes: *Ahora pues, hijos, oídme.* El problema llega a presentarse cuando la historia, desde el v. 13, se presenta en la tercera persona. Además la palabra *he aquí,* que apunta a lo inesperado o algún estado de alerta, hablaría en contra de la teoría que la perspectiva total del pasaje es desde el punto de vista de la adúltera. ¿No va ella a decir que el joven tiene culpa y que ella es inocente o por lo menos no es la persona más culpable?

La persona que narra la historia mira desde su casa particular por la *celosía* de la ventana, el enrejado de listoncillos de madera para que las personas puedan ver hacia afuera sin ser vistas (ver Jue. 5:28 el único ejemplo fuera de aquí). El narrador describe una agrupación de jóvenes ingenuos (ver 1:4), es decir los adolescentes o jóvenes sin un criterio formado, "abiertos" a todo engaño. Se refuerza este concepto con la frase *falto de entendimiento* (ver 6:32 "el adúltero").

El v. 8 describe el movimiento de uno de los jóvenes en calles que tienen mucha actividad, subrayando la palabra *shuq* [7784] (ver 7:8; Ecl. 12:4 y 5; Cant. 3:2; *shuq* es de la palabra para "pierna" o "muslo"). En el texto, la palabra se ha traducido *plaza* y la palabra hebrea *pinnah* [6438] (*esquina* o "balcón o mirador"). Puede ser que el joven pasaba cerca del balcón de la casa de la mujer, y por ende la primera parte del versículo es sinónima con la segunda parte. El joven va hacia la casa de la adúltera.

El v. 9 establece el tiempo de la búsqueda del joven. Ya era muy tarde. Al llegar la oscuridad, él se encontraba casi ahí. Es una escena demasiado común en los pueblos del mundo. En las tardes, ya terminado el día, los hombres buscan a las prostitutas. El joven va hacia la etapa de ser hombre, y uno falto de entendimiento. El joven ingenuo empieza a formar una mala costumbre que le va a costar cara. "Hombre prevenido vale por dos", como dice un refrán conocido.

33. Un encuentro nocturno, 7:10-20

Esta sección continúa la historia del joven y la adúltera, subrayando la segunda escena de este drama tan trágico. Ya la adúltera ha salido de su casa en busca del joven. Así ella es tan culpable como él. Cada uno está buscando al otro, desesperados por un encuentro nocturno, seguramente un encuentro hecho anteriormente. La frase *he aquí* viene del narrador, que muestra sorpresa en ver aparecer a la mujer con *vestido de prostituta* (Sal. 73:6). Nos hace recordar el engaño de Tamar hacia su suegro Judá, cuando ella quiso tener un hijo de los parientes de su marido fallecido para tener un lugar seguro entre el pueblo. Ella se vistió de prostituta para atrapar a Judá, llegar a estar embarazada y tener un hijo (Gén. 38:14, 15). En el caso de Tamar había un velo, un manto, un lugar y una manera de sentarse, identificándose como prostituta. En la misma manera, la mujer casada se ha adornado con lo que le hará parecer como una mujer callejera. Y

14 "Sacrificios de paz había prometido,
y hoy he pagado mis votos.

15 Por eso he salido a tu encuentro,
a buscarte,* y te he encontrado.

*7:15 Lit., *a buscar tu cara*

---

por eso el narrador pudo identificar el vestido de la prostituta. La segunda descripción la identifica como alguien muy guardada, es decir no comparte sus intenciones. Ella, entonces, es astuta y peligrosa.

Los vv. 11 y 12 detallan aún más la naturaleza de su carácter pecaminoso. Ella es como "el rugido" o "el estruendo", posibles significados para la palabra *hamah* 1993. Y ella es *sarar* 5137, que significa "porfiada" y "rebelde", no cumpliendo sus promesas.

El v. 11b y el v. 12 van unidos, el v. 12 explicando la característica de no "permanecer en su hogar". Por supuesto, la mujer del mundo antiguo podía salir fuera para los fines legítimos, como se puede ver en el ejemplo de la mujer virtuosa de Proverbios 31:10-31. Ella está fuera de casa, comprando los comestibles (31:14), comprando un terreno y plantando una viña (31:16), ayudando al pobre (31:20) y vendiendo sus telas (31:24). Hay razones legítimas para salir del hogar. Sin embargo, la mujer casada sale en la noche cuando ya hay poca actividad legítima, cuando el peligro se ha aumentado y busca el mal. Ella es como los impíos de 4:16 que no pueden dormir sin hacer el mal. Otra vez, los pies se utilizan no para glorificar a Dios sino para hacer el mal. Los pies como el instrumento del pecado se han subrayado antes cuando se dijo que ellos *corren al mal... se apresuran para derramar sangre* (1:16; 6:18) y *hacen señas* (raspar) *con los pies* (6:13). El v. 12 refuerza las salidas de la mujer adúltera. La palabra *pa'am* 6470, traducida como *unas veces... otras veces...* pareciera ser el sonido de alguien tocando un tambor. ¡*Pa'am* 6470! Está en la calle. ¡*Pa'am*! Está en el mercado. Ella se encuentra en cualquier esquina, porque conoce y va a todas las esquinas. Y en la esquina, ella espera para... En 23:27, 28 se describe a la prostituta que espera como el *asaltante*. También se usa la palabra "esperar" en este sentido en 1:11, donde los ladrones que invitan al joven in-

---

Semillero homilético

Guardando la santidad del matrimonio

7:10-25

Introducción: Vivimos en un día cuando el matrimonio es amenazado por enemigos acérrimos. ¿Cómo podemos guardar la santidad del matrimonio si no sabemos cuáles son los enemigos que atentan contra él? Aquí tenemos el caso de una mujer adúltera, que es enemiga del matrimonio.

I. Declarando el matrimonio como una institución divina (Gen. 2:18-25).
   1. El hombre está hecho para compañerismo, v. 18.
   2. El hombre y la mujer forman una unión perfecta, v. 24.

II. Reconociendo los enemigos del matrimonio, vv. 10-15.
   1. La mujer que se viste para seducir, v. 10.
   2. La mujer que utiliza palabras zalameras, v. 15.
   3. La mujer que es atrevida y descarada, v. 13.
   4. La mujer que siempre busca incautos.

III. Apropiando de los mandamientos de Dios, vv. 24-27.
   1. Guardándolos con fidelidad.
   2. Atesorándolos en nuestro corazón.

Conclusión: La mejor forma de vencer la tentación es evitar los lugares y las ocasiones que podrían ofrecerla.

16 He preparado mi cama con colchas;
la he tendido con lino de Egipto.
17 He perfumado mi cama
con mirra, áloe y canela.
18 Ven, saciémonos de caricias hasta la mañana;
deleitémonos en amores.

---

genuo se jactan de "esperar" y "emboscar" a los inocentes.

El narrador termina su descripción de la mujer adúltera y prostituída. Ahora él sigue dando detalles sobre los eventos que están ocurriendo (vv. 13-20). El v. 13 muestra cómo ella agarra al joven y lo besa. El tiempo pasado de besar en el v. 13 muestra que fue un hecho acabado. Nos hace recordar el beso de Judas en la traición de Jesús (Mat. 26:49). El beso no representó lo que estaba en el corazón de Judas. Tampoco el beso de la adúltera es genuino. Alguien que está dispuesto a traicionar a su marido (o a su esposa) no va a ser fiel a otra persona.

Los vv. 14-20 son una cita directa de la mujer adúltera, como un esfuerzo verbal para persuadirlo a acompañarla a su hogar. Al final ella va a estar en su hogar, pero por un propósito ilícito. Ahora podemos escuchar los labios mientras *gotean miel* (5:3) y *la suavidad de lengua* (6:24).

Las palabras de la mujer adúltera son difíciles de traducir. Son tres palabras en el v. 16 que no aparecen en ningún otro pasaje del AT: (1) *He preparado* o *he tendido* (una palabra hebrea obscura, repetida en la traducción para completar la oración); (2) *lino;* (3) la palabra hebrea *jasubot* [2405], que se define como lino obscuro de varios colores, no traducida de forma independiente, pero sí ayudó agregar *de Egipto*, pues de allí venía el lino. Por lo tanto, la palabra *colchas* tiene sólo una cita además del v. 16 y está traducida *tapices* (31:22). En el v. 17, se encuentran las palabras *áloe* que aparece sólo 4 veces en el AT (Núm. 24:6; Sal. 45:9; Cant. 4:14) y *canela* que aparece sólo 3 veces en el AT (Exo. 30:23; Cant. 4:14). En el v. 18, "deleitarse" aparece en una de sólo dos veces que se presenta en el AT. La palabra *luna llena* en el v. 20 aparece sólo una vez más en el AT, donde se subraya como un día de fiesta (Sal. 81:3). Quizás aquí el marido volverá para estar presente en alguna fiesta prominente, como la de la luna llena (v. 20).

La manera del habla de la mujer es descarada, *'azaz*, que se define como "fuerte, bravo, audaz" (ver 21:29). Ella no tiene vergüenza y habla las palabras suaves llenas de veneno. Da tres seguridades al joven para que esté dispuesto a acompañarla a su casa. En primer lugar, el v. 14 muestra que el aspecto religioso se ha cumplido, entonces no hay que esperar una consecuencia divina contra el hecho pecaminoso. Algunos eruditos ven en este versículo la identificación de una mujer rica y extranjera que ha ofrecido un sacrificio a un dios pagano y ha hecho un voto que incluye el acto sexual y ahora busca cumplirlo (ver Schökel; Serrano). Otra interpretación, más probable, hace referencia al sacrificio como la parte de la carne recibida de vuelta del sacerdote para el uso del individuo (ver Lev. 7:11-18; Guthrie). Sólo una parte se ofrecía en este tipo de sacrificio para el templo. Una interpretación menos probable hace una mezcla, declarándola una hebrea pero en la adoración de

Ayudas prácticas

Un viejo adagio dice: La ociosidad es la madre de todos los vicios. Los consejos aquí son:

1. Evitar las tentaciones.
   (1) Evitando el peligro.
   (2) Teniendo actitudes sanas.
2. Evitar a los faltos de entendimiento.
   (1) En su soberbia.
   (2) En su egoísmo.
   (3) En su injusticia.
   (4) En sus consejos equivocados.
3. Evitar la vagancia.
   (1) Estudiando temas sanos.
   (2) Practicando deportes.
   (3) Trabajando con diligencia.

19 Porque el marido no está en casa;
partió para un largo viaje.
20 Llevó consigo una bolsa de dinero;
el día de la luna llena volverá a su casa."
21 Lo rindió con su mucha persuasión;
lo sedujo con la suavidad de sus labios.
22 En seguida se va tras ella,
como va el buey al matadero,
como un cordero al que lo ata;
va como un venado,
23 hasta que una flecha le atraviesa el
hígado;
como el ave que se apresura a la red,
y no sabe que le costará la vida.*

*7:23 Vv. 22 y 23 reformulados según LXX y Vulgata; heb., de significado oscuro

Jehovah y los demás dioses paganos (ver 1 Rey. 11:4 ss.). Son hechos así que iban a ser nombrados "abominables" de parte de Dios: *Aborrezco, rechazo vuestras festividades, y no me huelen bien vuestras asambleas festivas. Aunque me ofrezcáis vuestros holocaustos y ofrendas vegetales, no los aceptaré, ni miraré vuestros sacrificios de paz de animales engordados* (Amós 5:21, 22). La mujer puede convencer al joven, pero nunca a Dios; su palabra es fiel y eterna. El espíritu del v. 15 llega como una consecuencia del sacrificio, el voto, etc. del v. 14. La primera interpretación arriba acerca de la mujer como rica y con una expresión pagana, diría que la urgencia del v. 15 resulta del deseo de cumplir el voto de un hecho sexual pagano. La segunda interpretación que ve a la mujer como una hebrea que ha ofrecido un sacrificio de acción de gracias, recibiendo de ese modo una porción para la casa, entiende la urgencia como una pasión para buscar a un acompañante en la gran comida y después está toda la noche (v. 18).

Una segunda seguridad se encuentra en los vv. 16 y 17. Hay una lista de preparativos que se han cumplido en la casa. Sin embargo, no se menciona la mesa ni los diversos aspectos de la casa. Al contrario, los versículos apuntan sólo a la cama, utilizando dos palabras distintas. La Septuaginta distingue entre las dos palabras, utilizando *cama* en el v. 16 y "sofá o canapé" en el v. 17. La segunda palabra, del vocablo *mishkah* 4904, significa "lugar para acostarse" o "el acto sexual" (Lev. 18:22; 20:13). Esta doble connotación, sin duda, fue captada por el joven. Seguramente hay otras palabras de doble connotación que escapan a la atención y el conocimiento del autor moderno. La mujer describe la cama, las colchas, el lino, los perfumes. Las colchas y el lino son finos, todos importados de Egipto. Los perfumes también han sido traídos de lejos. La mirra viene del área que hoy en día ocupan los países de Arabia y Somalia, siendo un arbolito con espinas que tiene una savia amarilla y amarga, con el nombre latino de *commiphora myrrha.* Y el áloe viene de una variedad de plantas de la familia liria, siendo en latín *aquilaria agalloche*, que se traía del sudeste de Asia a través del comercio en Babilonia. La canela era una especia o un perfume si fuese la forma del líquido o de los tallos de la corteza. Así, la cama de la mujer tenía un olor fragante, símbolo de la riqueza y el bienestar personal.

La tercera seguridad gira alrededor de la información de que el marido se encuentra en un viaje comercial lejos y no volverá hasta cerca de la fiesta, que seguramente era un día fijo en el calendario judío. Hay, entonces, seguridad que no va a cumplir con lo que se ha manifestado en 6:33-35. Sin embargo, el hombre falto de entendimiento en 6:33-35 había sido sorprendido (6:31).

De este modo, las tres seguridades son fuertes razones para no temer. Sin embargo, la voluntad divina no acepta tal acción. El ejemplo de José es un modelo positivo para el joven (Gén. 39:9). Y los ejemplos de Judá (Gen. 38) y David (2 Sam. 11) son modelos también para mostrar la tristeza y el dolor que vienen cuando se comete el adulterio. Dios tiene una palabra final: ¡Abominable! ¡Rechazado! (Exo. 20:14; Amós 5:21-27; Isa. 1:10-20).

24 Ahora pues, hijos, oídme;
prestad atención a los dichos de mi boca.
25 No se aparte tu corazón tras sus* caminos,
ni te descarríes por sus sendas.
26 Porque a muchos ha hecho caer muertos;
los que ella ha matado son innumerables.
27 Su casa está en los caminos del Seol*
que descienden a las cámaras de la muerte.

*7:25 Es decir, de la mujer adúltera
*7:27 O sea, la morada de los muertos

34. Una decisión ignorante del costo, 7:21-23

Esta sección vuelve a la narración y muestra la aceptación de la invitación venenosa (ver 7:1, 2). El joven está rendido a la voluntad de la mujer. Va a la casa de ella sin ninguna objeción. En el v. 22 hay tres metáforas que se presentan. El texto ha seguido la Septuaginta para aclarar los vv. 22 y 23 que son difíciles en el texto hebreo. Primeramente veamos al texto dado, y en seguida vamos a reconstruir el texto hebreo y tratar de entenderlo. Las tres metáforas del texto griego de la Septuaginta, y en menor grado de la Vulgata, son: (1) El buey que va al matadero sin darse cuenta de nada y sin luchar por su vida; (2) el cordero que se ata sin intentar librarse; (3) el ciervo que... (aquí continuará el v. 23).

El texto hebreo del v. 22 contiene la palabra "disciplina" (heb. *musar*; ver 3:11, 12), y puede traducirse así: "El la sigue de inmediato como va el buey al matadero, y como un brazalete castigador para los tobillos para disciplinar al insensato..." Parece que la idea es que el insensato está tan acostumbrado a los brazaletes castigadores que permite que se los pongan sin que él diga algo. La palabra hebrea se puede traducir "brazalete para los tobillos" y sólo aparece aquí y en Isaías 3:18.

El v. 23 vuelve a seguir el texto hebreo con pequeñas modificaciones. Si se acepta el texto hebreo para el v. 22, entonces la idea del v. 23 es que el insensato ha de morir y todavía no ha aprendido nada. Quizá predice los resultados de los vv. 26 y 27. Por otra parte, según el texto dado basado en la Septuaginta, es el venado que recibe la flecha del v. 23 . El último ejemplo se encuentra en ambos textos, el hebreo masoreta y el griego de la Septuaginta, es decir un ave que va a la trampa y que come lo que está allí. Así el joven es como el insensato del texto hebreo que ve el sufrimiento sin entender todo lo que significa el peligro.

Pasos hacia la destrucción (cap. 7)

1. No entender los peligros, v. 7.
2. Circular en lugares de peligro, v. 8.
3. Prestarse para ser tentado, v. 10.
4. Ceder a las iniciativas de otros, vv. 13-20.
5. Entregarse por completo a la tentación, vv. 21-27.
6. Descender a cámaras de muerte, v. 27.

35. El alto costo del adulterio, 7:24-27

Esta sección completará la sección más amplia sobre el joven y la adúltera que empezó en el v. 6. Se une esta sección a los caps. 1-9 con el vocativo *hijos* (ver 1:8; 4:1). Ahora viene la enseñanza, la reflexión sobre el joven que va a la casa de la mujer (así ha terminado el relato en el v. 23). Las palabras repetidas de "escuchar" (ver 1:8) y "poner atención" (ver 4:20; 5:1) se subrayan en la invitación de valorizar las palabras del maestro.

El v. 25 presenta los imperativos del maestro para evitar el camino de la adúltera. La razón se presenta en el v. 26. Este joven ingenuo no es el primer hombre que ha caído en su trampa, por ende son "muchos" o *innumerables*, lo que puede significar que ella ni recuerda a todos ellos y menos sus nombres. En consecuencia, este joven no significa nada para la mujer. Por el otro lado, ella representa una de las casas donde se encuentra el camino a la muerte

La excelencia de la sabiduría

8 1 ¿Acaso no llama la sabiduría,
y alza su voz el entendimiento?
2 Sobre los lugares prominentes junto al camino,
en las encrucijadas de las rutas se pone de pie.
3 Junto a las puertas, ante la ciudad,*
en el acceso a las entradas da voces:
4 "¡Oh hombres, a vosotros llamo!
Mi voz se dirige a los hijos del hombre.

*8:3 Según prop. Stutt.; comp. 1:20 ss.; TM, *según la ciudad*

---

prematura (ver 1:18; 2:18; 4:19 y 5:23 acerca de la muerte prematura; ver 1:12; 5:5; 9:18; 15:11, 24; 23:14; 27:20; 30:16 para la palabra Seol). Aun la sabiduría egipcia se dio cuenta del peligro de la mujer adúltera: "...y se alcanza la muerte por haberla conocido... No lo hagas es en verdad una abominación" (ver *La Sabiduría del Visir Ptah-Hotep*).

La respuesta de Jesús al adulterio se puede ver en sus propias palabras (Mat. 5:27-32). El desea eliminar "la mirada pecaminosa" (Mat. 5:28). Sin embargo, Jesús reconoció el daño y la realidad del adulterio y del divorcio como una consecuencia (Mat. 5:31 y 32). La actitud de Jesús es rechazar el adulterio por ser un pecado tan dañino: *Porque del corazón salen los malos pensamientos, los homicidios, los* ***adulterios***... (Mat. 15:19). A la adúltera y a la prostituta Jesús les predicaba la gracia y la salvación divinas, estrechándoles la mano y sentándose a la mesa con ellas (ver Luc. 8:2 y 3; 15:1 ss.; Juan 8:11). No hay duda que la conversión o transformación es posible. Pablo, inspirado por el Espíritu, escribió: *En cuanto a vosotros, estabais muertos en vuestros delitos y pecados... Pero Dios, quien es rico en misericordia... nos dio vida juntamente con Cristo. ¡Por gracia sois salvos!* (1 Cor. 2:1, 4, 5).

Las equivocaciones ayudan

Cierto día, los periodistas informaron de una entrevista con un anciano que se había enriquecido por sus negocios.

—¿Cuál es el secreto de su éxito?

—El haber tomado las decisiones sabias, respondió el anciano.

—¿Y cómo sabía si la decisión era la correcta o no?

—Porque tomé muchas decisiones equivocadas, respondió el anciano.

Así es. Por medio de las equivocaciones en las decisiones adquirimos la sabiduría para tomar las decisiones correctas. La teoría es de mucho valor pero la experiencia nos ayuda para adquirir sabiduría verdadera.

36. La sabiduría del predicador, dice la verdad, 8:1-11

Este capítulo es uno de los pasajes más hermosos del AT y sin duda el pasaje más bello de Proverbios. Los caps. 1—9 están llegando a un clímax en el cap. 8. Luego el cap. 9 hará una distinción final entre ser necio y ser sabio, clausurando así los caps. 1—9. El capítulo se divide fácilmente entre una narración introductoria que ocupa los vv. 1-3, el discurso-proclamación de sabiduría que se encuentra en la parte gruesa del capítulo (en los vv. 4-31) y finalmente los pensamientos reflexivos y finales que el maestro entrega sobre el discurso majestuoso recién terminado (vv. 32-36). El v. 32 une el cap. 8 con los caps. 1—9 con el vocativo *hijos* y el imperativo *oíd* (ver 1:8 para *shema*).

La personificación de la sabiduría se repite en este capítulo y la introducción en los vv. 1-3 establece el trasfondo del discurso (ver 1:20 para la primera cita en que se personifica la sabiduría). Aunque algunos eruditos ven en el capítulo entero la comunicación de la sabiduría, es más probable que el sabio está hablando en los vv. 1-3 y 32-36. En consecuencia, la sabiduría habla en los vv. 4-31.

El v.1 pone la interrogación en el negativo y de esta forma da mas énfasis a la pregunta. La forma intenta llamar la atención

5 Entended, ingenuos, la sagacidad;
y vosotros, necios, disponed* el corazón.
6 Escuchad, porque hablaré cosas
excelentes,
y abriré mis labios para decir cosas rectas.
7 Porque mi boca hablará la verdad,
y mis labios abominan la impiedad.
8 Justas son todas las palabras de mi boca;
no hay en ellas cosa torcida ni perversa.

*8:5 Según LXX; heb., *entended*

de los jóvenes que escuchan todas las voces del mundo menos la voz de la sabiduría, como si ésta no estuviera entregando su voz. ¿Acaso no hace una proclamación (sentido formal) o llamado (sentido más formal)? La palabra "llamar" viene de la palabra *qara* 7121, que puede tener un sentido informal, así como se encuentra en el texto traducido, o un sentido formal para "dar una proclamación o para citar" (ver Jer. 36:8, 10; Est. 3:12; 4:11). La palabra sabiduría viene de la palabra común *jakemah* 2454 o *jakmah*, que significa o una habilidad (ver Isa. 10:13), o una obra de la artesanía (ver 1 Crón. 28:21), o una capacidad administrativa (ver 2 Sam. 14:20), o una astucia (ver 2 Sam. 20:22) o una enseñanza religiosa y moral (ver Deut. 4:6; Jer. 8:9). Aquí la sabiduría subraya el aspecto religioso o moral, que está personificado (ver 1:20 ss; 9:1 ss.). En una forma sinónima el "entendimiento", de la palabra hebrea *tebunah* 8394, es muy amplio, como se define por el hecho de entender, el proceso para llegar a entender y por lo entendido. Aquí se encuentra la única cita donde se personifica la palabra y es sinónima con el término *entendido* en 1:5, que viene de *biyn* 995. En 1:5 la palabra *biyn*, *entendido*, es un sinónimo con *jakam*, sabio, como la palabra *tebunah*, entendimiento, es sinónima con la palabra *jakmah*, sabiduría. El verbo unido a *entendido* es "dar" (*natan* 5411), traducido "levantar", que es familiar con el substantivo "voz", pero pierde un tanto la idea de "poner en (competencia)" su enseñanza. Los vv. 2, 3 repiten la idea de 1:20, 21 donde la sabiduría va a la calle, al lugar público, al lugar donde está el comercio, la corte, la vida social comunitaria, etc. La sabiduría no se confina a los lu-

Semillero homilético

La voz de la sabiduría

8:1-6

Introducción: En estos versículos la sabiduría es personificada para hacer impacto en los oyentes. Tiene mucho que decirnos.

I. ¿De dónde clama la sabiduría?
   1. Desde lugares altos: importantes para la adoración, v. 1.
   2. En las encrucijadas de las rutas, donde se divide el camino, v. 2.
   3. En las puertas de la ciudad, donde se establece la justicia, v. 3.

II. ¿A quiénes se dirige la voz de la sabiduría?
   1. A los hombres, quienes representan autoridad en la sociedad, v. 4.
   2. A los ingenuos y los necios, v. 5.

III. ¿Qué mensaje comunica la voz de la sabiduría?
   1. Cosas excelentes, v. 6.
   2. Cosas rectas, v. 6.

IV. ¿Por qué habla la voz de la sabiduría?
   1. Para comunicar la verdad, v. 7.
   2. Para prevenir la impiedad, v. 7.

Conclusión: La sabiduría es una virtud que facilita el gobierno de una sociedad en una forma benéfica para todos. Cada gobernador la necesita para poder satisfacer las necesidades de todos.

9 Todas ellas son correctas al que entiende,
y rectas a los que han hallado el
conocimiento.
10 Recibid mi corrección antes que la plata,
y el conocimiento antes que el oro
escogido.
11 Porque la sabiduría es mejor que las perlas;
nada de lo que desees podrá compararse
con ella.
12 "Yo, la sabiduría, habito con la sagacidad,
y me hallo con el conocimiento de la
discreción.

gares "sagrados" como el templo, etc. porque la sabiduría entiende que toda la creación es de Dios y por ende todo lugar es sagrado y necesita el mensaje divino porque está bajo el orden cósmico divino (vv. 27-29). La frase *ante la ciudad* viene de la LXX porque el hebreo es un poco difícil. Sin embargo, la frase *lepiy* 3940 *qaret* 7176 puede traducirse "a la boca de la ciudad", la preposición "le" denotando una ubicación. Así, la sabiduría tiene un mensaje para entregar y ha ido donde está el pueblo en su vida cotidiana para compartirlo en un sentido formal, es decir "dar una proclamación". No es justo decir que los vv. 4-31 presentan un mensaje casual o informal.

Cómo ser sabio (cap. 8)

1. Ejerciendo la discreción, la sensatez, y la diplomacia, v. 5.
2. Obrando en forma correcta: hablando la verdad, aborreciendo la impiedad, y siguiendo las sendas rectas, v. 6.
3. Sirviendo a los demás con amor: dando buenos consejos, ofreciendo instrucciones valiosas y comunicando la comprensión, v. 12.

El v. 4 empieza el discurso de parte de sabiduría. Se repiten las palabras "llamar" y "voz" del v. 1. La palabra "llamar" (*qara'* 7121) tiene un sentido formal de entregar una citación, y así se apunta aquí (ver Est. 3:12; 4:11; Jer. 36:8, 10). La audiencia de sabiduría es aquella citada por los profetas, todos los hombres, *hijos del hombre,* siendo una forma distinta para decir *hombres* (ver Eze. 11:15; 12:2, 3). Además del sentido profético, el v. 5 vuelve a la designación sapiencial para aquella audiencia, es decir los *ingenuos* "abiertos a cualquier influencia" (ver 1:4, 22) y los *necios* "indiferentes a la moralidad y orgullosos en su ignorancia" (ver 1:22). Por lo tanto, la palabra *disponed* en el v. 5 viene de la palabra griega en la Septuaginta, mientras la palabra en el texto hebreo es "entended". Esto hace difícil la interpretación de la frase completa "entended el corazón": ¿Corazón del oyente? o ¿corazón de la sabiduría? El texto, como se encuentra el texto traducido, ha perdido el sentido sinónimo con la palabra *la sagacidad* (v. 5). El sentido hebreo puede recuperar el espíritu sinónimo del versículo, si el corazón se interpreta como la inteligencia o la comprensión (de la sabiduría).

El v. 6 reitera la idea hebrea del *shema,* la declaración formal para orar que viene de la palabra para escuchar: *Escuchad* (ver 1:8; 4:1). El contenido del mensaje son cosas "nobles y rectas". El v. 7 repite el v. 6 en una forma antitética en vez de sinónima. Se anteponen las palabras verdad (autenticidad) e impiedad (o maldad), siendo la impiedad o maldad abominable porque la distancia de sabiduría aparece como algo detestable (ver 6:16). El v. 8 sigue la forma antitética declarando todo dicho justo y ninguno con el mínimo aspecto engañador. La palabra *todas* en los vv. 8 y 9 subraya el hecho de la perfección. Nos recuerda el ejemplo moral de Natanael cuando Jesús le dijo: *¡He aquí un verdadero israelita, en quien no hay engaño!* (Juan 1:47).

Los vv. 10 y 11 repiten la idea de 3:11 y 12 dando a la sabiduría más valor que la plata, el oro fino, las perlas (quizás corales) y "lo más deseable que la imaginación es capaz de crear". La idea de superioridad se encuentra en la frase *recibid... antes que...* y la frase *es mejor que.*

13 El temor de Jehovah es aborrecer el mal.
Aborrezco la soberbia, la arrogancia, el
mal camino y la boca perversa.

14 Míos* son el consejo y la eficiente
sabiduría;*
mía* es la inteligencia, y mía la valentía.

*8:14a, c Según vers. antiguas; heb., *yo soy*
*8:14b Otra trad., *Míos son el plan y la iniciativa*

37. El sano juicio de la sabiduría, 8:12-16

Esta sección es la continuación de la sección anterior. Específicamente, sigue el discurso de sabiduría que empezó en el v. 4. El v. 12 asume el tono de una declaración de fe como de una carta abierta dando la identidad de la persona. *Yo, la sabiduría* es semejante en alguna manera a la forma de las cartas paulinas: *Pablo, siervo de Cristo Jesús* (Rom. 1:1); *Pablo, apóstol* (Gál. 1:1). Y por ende las cartas neotestamentarias que reflejaban la forma epistolar del medio ambiente: *Santiago, siervo de Dios* (Stg. 1:1); *Pedro, apóstol de Jesucristo* (1 Ped. 1:1). En todos los casos busca identificarse en una manera que ayuda a que pueda apreciarse el diálogo que sigue.

El verbo *shacan* 7931 significa "habitar, o permanecer o avecinar", es decir, "ser vecino a". El verbo se encuentra en el tiempo perfecto, lo que representa un hecho o una relación acabada, estrechando así la relación en una forma permanente e inalterable entre el verbo y el sustantivo "sabiduría". Entonces la traducción puede variar entre: (1) "Yo, sabiduría, habito con sagacidad..." y (2) "Yo, sabiduría soy el vecino de sagacidad y... el conocimiento..." En la segunda traducción están personificados los "vecinos" de sabiduría. De todos modos, se establece una estrecha relación entre sabiduría y las características, o personificaciones, de la prudencia (sentido común), el conocimiento y *mezimmah* 4209, que significa "la habilidad para proponer algo en forma discreta" (ver 1:4; 2:11; 3:21; 5:2 para *mezimmah* en el sentido positivo como virtud, con las traducciones "sana iniciativa" etc.; ver 12:2; 14:17; 24:8 para *mezimmah* en el sentido negativo como vicio, con las traducciones "urde males" etc.). Sabiduría se encuentra con buena compañía, de hecho los mejores compañeros. Mejor andar con estos compañeros que con los ladrones-asesinos (1:10 ss.; 6:12 ss.; 6:16 ss.); con los hombres perversos (2:12 ss.; 6:12 ss.; 6:16 ss.); con las mujeres adúlteras-prostitutas (2:16 ss.; 5:3 ss.; 6:24 ss.; 7:6 ss.; 9:13 ss.), con los endeudados (6:1 ss.) con los perezosos (6:9-11).

El v. 13 vuelve al fundamento y al comienzo de la sabiduría, es decir *el temor de Jehovah* (ver 1:7). Esta fe apropiada de la criatura hacia el Creador (reverencia y maravilla) produce el rechazo total, el odio santo, contra el mal (ver 6:16 para "aborrecer"). Enseguida la forma sintética ilus-

Semillero homilético

Habla la sabiduría

8:13-21

Introducción: En la antigüedad, una forma muy popular del drama era el monólogo. Aquí el autor utiliza esta forma para dar lecciones sobre la sabiduría.

I. Te prevengo, hombre insensato, v. 13.
  1. Sobre el temor de Jehovah.
  2. Sobre lo que hace daño.
  3. Sobre las fuentes del peligro.
II. Te informo, hombre sensato, vv. 14, 19.
  1. Sobre las amistades a cultivar, v. 14.
  2. Sobre el poder que posee el creyente, vv. 15, 16.
  3. Sobre las riquezas disponibles al que es fiel, vv. 17-19.
III. Te ofrezco, hombre creyente, vv. 20, 21.
  1. Una guía para tu vida.
  2. Una vida de justicia.
  3. Una vida abundante.

Conclusión: La sabiduría es la respuesta a las necesidades físicas y espirituales de la humanidad.

15 Por mí reinan los reyes,
y los magistrados administran* justicia.

16 Por mí gobiernan los gobernantes,
y los nobles juzgan* la tierra.*

*8:15 O *Decretan*
*8:16a Según LXX y Vulgata; heb. *todos los jueces de*
*8:16 b Según muchos mss. y LXX; TM, *justicia*

tra cuatro características "aborrecidas" por sabiduría que tienen una relación estrechísima con Dios (vv. 22, 30). Las cuatro características se han nombrado antes en los capítulos anteriores apuntando a las características de *soberbia* y *arrogancia*, ambas palabras de la expresión "exaltarse" (falsamente), *el mal camino*, como una forma de conducirse cotidianamente, un estilo de vida malvado, y finalmente *la boca perversa*, que es una forma de hablar que es pervertida y engañosa (ver 6:12). Por otra parte, sabiduría tiene cuatro beneficios superiores que reemplazan las cuatro características negativas del v. 13. Los cuatro bienes son el *consejo* (para una situación específica), la *iniciativa* (exitosa), el proceso total de la inteligencia (desde pensar en una forma inteligente hasta actuar en una forma inteligente, incluyendo el proceso evaluativo inteligente) y el *coraje* o *valentía*. Los pronombres *míos* y *mía* otra vez subrayan la relación estrecha entre las características divinas del orden cósmico moral y la sabiduría.

Los vv. 15 y 16 muestran la influencia de sabiduría. Por ella se establece el orden político-legal del gobierno del hombre. Básicamente, el pedido de Salomón apuntaba a la administración de la justicia: *Da, pues, a tu siervo un corazón que sepa escuchar, para juzgar a tu pueblo, y para discernir entre lo bueno y lo malo. Porque, ¿quién podrá gobernar a este tu pueblo tan grande?* (1 Rey. 3:9). Y Salomón mostraba su habilidad para administrar el gobierno (1 Rey 4:7 ss.; 6:1 ss.; 7:1 ss.; 9:15 ss.). No es posible la identificación de cada puesto: *Reyes... magistrados... gobernantes... nobles*. Parecen ser los nombres de las autoridades máximas, es decir, los líderes reales. De todos modos, la justicia es administrada a través de ellos pero viene de sabiduría. El texto ha seguido la Septuaginta entre otros textos, mientras el texto hebreo puede traducirse así: "Por mí reinan los reyes y los dirigentes decretan *'tsedeq* 6664 (importante término legal o ritual para la justicia y la rectitud), lo justo o recto. Por mí gobiernan los príncipes, los nobles, todos los gobernantes o jueces de *tsedeq* (lo justo)" (vv. 15, 16). Se unen los dos versículos a través de las frases *por mí* y *tsedeq*, siendo *tsedeq* la meta de ser gobernante.

El concepto que la autoridad del estado (los gobernantes) se deriva del poder divino está muy documentado a través de la Biblia (ver Dan. 4:17; Rom. 13:1 ss.; 1 Tim. 2:1 s.). En vista de estos y otros pasajes, Juan Calvino concluyó que Dios reina a través de las autoridades humanas, utilizando la providencia y la ordenanza. Sin duda, Dios ha creado la institución del gobierno. Sin embargo, el mismo libro de Proverbios admite la presencia de los reyes injustos e impíos, anticipando un fin prematuro y triste para ellos (16:12; 29:4, 14; 31:3, 4).

Semillero homilético

Elementos de progreso

8:15-17

Introducción: Leemos mucho acerca de la administración con éxito. El autor de Proverbios nos da cuatro sugerencias para lograr el éxito. En ellas vemos que el uso de la sabiduría es la clave.

I. El consejo: que da planes de acción.
II. La iniciativa: eficiente sabiduría.
III. La capacidad de pensar y actuar positivamente: inteligencia.
IV. El coraje para actuar.

Conclusión : La decisión de cada uno es probar estos elementos en la vida personal.

17 Yo amo a los que me* aman,
y me hallan los que con diligencia me buscan.
18 Conmigo están las riquezas y la honra,
los bienes duraderos y la justicia.
19 Mejor es mi fruto que el oro, que el oro fino;
mis resultados son mejores que la plata escogida.
20 Camino por la senda de la justicia,
por los senderos del derecho;
21 para hacer que los que me aman hereden un patrimonio,
y para que yo colme sus tesoros.

*8:17 Según *Qere* y vers. antiguas; *Ketiv*, *la*

38. Los tesoros de la sabiduría, 8:17-21

Esta sección continúa el discurso majestuoso de sabiduría que empezó en el v. 4. Empieza con el pronombre hebreo *aniy* 577 (yo), que había empezado la sección que incluía los vv. 12-16. Obviamente, algunos rabinos estaban preocupados con el tono de la primera parte del v. 17 e introducían en el margen del texto la posibilidad de que la palabra *me* fuera reemplazada con el pronombre "la" para representar "la sabiduría", que básicamente dice lo mismo. Sin embargo no hay porqué hacer cambios en el texto. La palabra "el amor" o "amar" (heb. *'ahev* 157) se encuentra en varios pasajes y connota una relación sumamente íntima y exclusiva entre un hombre y una mujer (5:19; 7:18; 7:18; 8:36; 10:12; 15:17; 17:9; 27:5). *Diligencia* muestra cómo una relación así requiere un gran compromiso y un esfuerzo especial.

Los beneficios de la sabiduría son múltiples. El v. 18 tiene cuatro bendiciones importantes. Las primeras dos bendiciones forman una palabra hebrea compuesta que parece haber tenido una relación gemela entre las dos ideas: "riquezas-y-honra" (ver 3:16). Las otras dos bendiciones son los bienes sobreabundantes y la justicia (o el fruto de la justicia, es decir la prosperidad). Por lo tanto, los resultados de una vida sabia sobrepasan (*mejor*, de la palabra hebrea común *tob*) el oro finísimo (tan buscado por muchos) y la *plata escogida* (ver 11:22; 17:3; 25:11; 27:21). La palabra "caminar" se encuentra en la forma de *piel*, lo que intensifica la acción del verbo, como si fuera "recamino" por las sendas de justicia y rectitud. Se subraya el consejo del maestro cuando dijo: *Considera la senda de tus pies, y todos tus caminos sean correctos. No te apartes ni a la izquierda ni a la derecha; aparta tu pie del mal* (4:26, 27). Sabiduría es un ejemplo perfecto del cumplimiento de este consejo.

El v. 21 clausura la sección uniéndola por la palabra "amar". En la sabiduría hay una herencia y a la vez él llenará los almacenes o bodegas o depósitos hasta que estén rebosando (ver Neh. 10:39: *cámaras;* Dan. 1:2: *tesoro*).

39. La sabiduría, un consejero antiguo, 8:22-31

Esta sección continúa el discurso magnífico de sabiduría que empezó en el v. 4. El contenido de la sección anterior subrayaba los beneficios de la sabiduría. Ahora se afirma la relación estrecha entre la sabiduría y Jehovah.

Semillero homilético

Una vida con significado

8:18-21

Introducción: Cuando muere una persona, se habla de lo que ha logrado en la vida y de la herencia moral, espiritual y material que deja. Veamos algunos aspectos en este pasaje.

I. Elementos de una vida bien vivida, v. 18.
1. Riquezas.
2. Honra.
3. Bienes sobreabundantes y duraderos.
4. Justicia.

II. Valor de una vida bien vivida.
1. Más que el oro y la plata, v. 19.
2. Buena reputación en el pueblo, v. 20.
3. Tiene algo para pasar a los hijos, v. 21.

Conclusión: ¿Qué está aportando usted para otros en la vida y qué va a dejar para la humanidad?

22 "Jehovah me creó como su obra maestra,*
antes que sus hechos más antiguos.
23 Desde la eternidad tuve el principado,
desde el principio, antes que la tierra.
24 Nací antes que existieran los océanos,
antes que existiesen los manantiales
cargados* de agua.
25 Nací antes que los montes fuesen
asentados,
antes que las colinas.
26 No había hecho aún la tierra ni los
campos,
ni la totalidad del polvo del mundo.

*8:22 Lit., *principio de sus caminos* (o de su actividad)
*8:24 Según prop. Stutt.; TM, *honrados*

El v. 22 ha sido un versículo de controversia desde los años tempranos de la iglesia cristiana y la lucha para determinar la naturaleza de Cristo. El conflicto se centra en la palabra hebrea *re'shiyt* 7225, que fue traducida al griego como *arcén* 746. Hay dos posibles interpretaciones de la palabra. En primer lugar, *re'shiyt* puede significar el *principio* cronológicamente hablando. Por otra parte, la palabra puede definirse como el más "prominente", haciendo una referencia al valor y no al tiempo. ¿Es, entonces, la sabiduría, la primera obra de Dios o la obra principal de Dios sin referencia al tiempo?

Joya bíblica

Jehovah me creó como su obra maestra (8:22).

La controversia gira alrededor de la identificación de la sabiduría como agente de la creación y Jesucristo como el mismo agente de la creación, siendo él el Logos, "el verbo" o "la palabra" (Juan 1:1-5; 1 Cor. 1:18-31; Col. 1:15-23). Así, la identificación de Jesús con la sabiduría en Proverbios 8:22 ss. hace importante la interpretación del v. 22 y las palabras *obra maestra*.

Una interpretación aceptaba el significado cronológico para *re'shiyt* 7225, diciendo así que la sabiduría fue creada y no existe eternamente con Dios. Así escribió Arrio, un sacerdote en Alejandría cerca de 336 d. de J. C., en referencia a Proverbios 8:22 y 23: "Antes que él (Cristo) fue concebido o creado u ordenado o establecido, él no existió" (*Carta a Eusebio*). Para Arrio, había un tiempo con Dios solo, sin Cristo ni el Espíritu Santo (algunos eruditos del primer y segundo siglos d. de J.C., nombraban al Espíritu Santo como la sabiduría personificada en vez de Cristo). Jerónimo (Vulgata) intentó cambiar *creó* a "poseyó", pero esto no se encuentra en el texto.

La segunda interpretación se opone totalmente a la herejía de Arrio. Seguramente la idea expuesta mostraba una distinción entre las tres personas de la Trinidad, y eso era lo nuevo de la sabiduría presente hablando en una forma independiente de Dios. Por lo tanto, la sabiduría no fue creada en el sentido de Génesis 1, sino fue distinguida de Dios. Usando por primera vez Juan 1:18, se mostró que Cristo no fue creado como hijo unigénito en aquel entonces, sino que había existido antes, pero ahora tenía una existencia distinta y nueva (así habría que entender la sabiduría de Proverbios 8:22 ss.).

La realidad de Proverbios 8:22 ss. no trata de Cristo ni del Espíritu Santo sino del orden cósmico de la moralidad divina. Así hay que entender el pasaje, en su sentido veterotestamentario. Las preocupaciones de la teología no deben tener la última palabra sobre el texto de la Biblia, sino el texto mismo. El lenguaje del v. 22 es el de traer a la existencia; otros dirían que era traerlo a la luz porque ya estaba pero como una parte de Dios (¡sin duda!). Se trata de la personificación de Dios mismo. El es sabio y de él nace la sabiduría (ver 2:6; 3:19). Aquí la idea central acentúa el hecho que nada ha sido creado sin la plenitud de la sabiduría y su vigencia. No hay

27 Cuando formó los cielos, allí estaba yo;
cuando trazó el horizonte sobre la faz
del océano,
28 cuando afirmó las nubes arriba,
cuando reforzó las fuentes del océano,
29 cuando dio al mar sus límites
y a las aguas ordenó que no traspasasen
su mandato.
Cuando establecía los cimientos de la
tierra,
30 con él estaba yo, como un artífice maestro.
Yo era su delicia todos los días
y me regocijaba en su presencia en todo
tiempo.
31 Yo me recreo en su tierra habitada,
y tengo mi delicia con los hijos del hombre.

---

un desorden en la creación, no hay algo imperfecto ni caótico. La sabiduría precede todas las obras en el mundo. Finalmente, hay dos interpretaciones más que valen la pena. Calvino pensó que la sabiduría era la palabra de Dios y en su sentido más completo, la palabra viva, Cristo Jesús. Por otra parte, los rabinos identificaron a la sabiduría como "la ley".

Seguidamente, sabiduría dice que es más antigua que la tierra, el océano, los montes asentados, las colinas, los campos y la totalidad del polvo (vv. 23-26). Por lo tanto, la sabiduría estaba presente cuando se formaban los cielos, el horizonte, las nubes, las fuentes del océano (el verbo "reforzó" no es necesario según el texto hebreo en que no es necesario "rehacer la creación"), el mar y sus aguas y los cimientos de la tierra (vv. 27-29). La palabra *tierra* abre y cierra la sección sobre la presencia de la sabiduría en la creación de los cielos y la tierra. Se da un recuento muy completo de la creación de los cielos y la tierra. Nos hace recordar las preguntas de Dios a un Job necio: *¿Dónde estabas tú cuando yo fundaba la tierra?... ¿Quién determinó sus medidas?... ¿Sobre qué están afirmados sus cimientos?... ¿Alguna vez en tu vida diste órdenes a la mañana?...* (Job 38:4, 5, 6, 12). El hombre no estaba cuando Dios creó el mundo pero sabiduría estaba a su lado.

Los vv. 30, 31 presentan la actitud de Jehovah y sabiduría juntos. La designación *artífice maestro* viene de *'amon* y parece ocupar el puesto como arquitecto que tiene Jehovah en los versículos anteriores. Por eso, muchos eruditos cambian un poco la forma de la palabra a *'amun* [527], que significa "hijo" o "niño cuidado" (ver Lam. 4:5) y "niño criado por una nodriza" (ver Schökel). Primeramente, sabiduría era el arquitecto y la delicia de Dios (v. 30). Mientras, sabiduría se *regocijaba* (verbo en *piel* para intensificar la acción) en la presencia de Dios y a la vez en la tierra y con los hombres (ver 8:4 para *hijos del hombre*). *Me regocijaba* (v. 30) y *me recreo* (v. 31) son el mismo verbo y junto a la palabra *delicia* (vv. 30, 31) unen los dos versículos.

Las maravillas del mar (8:27-29)

1. Tiene una extensión enorme, cubre las tres cuartas partes del globo.
2. Está vestido de misterio. Es misterioso el efecto que tiene la luna sobre la marea, los huracanes, las nubes, los vientos y las calmas.
3. Está domado por el poder divino. Dios no previene las tempestades, pero manifiesta su poder por medio de ellas y nos enseña muchas lecciones, incluyendo el respeto por el poder de la naturaleza.

Sabiduría termina el discurso o proclamación de sus maravillas. Es fantástico hablar con ella, que estaba en la creación de todas las cosas. Hay que intentar dar gloria a Dios por sus maravillas y la presencia de sabiduría. Por otra parte, hay que tener cuidado en identificar a sabiduría y todos los aspectos ya compartidos con Jesús o con el Espíritu Santo o aún con María. En el mismo sentido literario, el libro *El progreso del peregrino* utiliza algunas personas como personificaciones de ciertas características cristianas. En este libro nos encontramos con Sabiduría, Sagacidad, Conocimiento y Discreción, y todos son muy buenos amigos.

32 "Ahora pues, hijos, oídme:
Bienaventurados los que guardan mis caminos.
33 Escuchad la corrección y sed sabios;
no la menospreciéis.
34 Bienaventurado el hombre que me escucha
velando ante mis entradas cada día,
guardando los postes de mis puertas.
35 Porque el que me halla, halla la vida
y obtiene el favor de Jehovah.
36 Pero el que me pierde se hace daño a sí mismo;*
todos los que me aborrecen aman la muerte."

*8:36 Lit., *a su alma*

40. ¡Qué dicha los que escuchan!, 8:32-36

Sabiduría terminó su discurso o proclamación en la sección anterior (aunque varios autores creen que el discurso sigue aquí). El vocativo, *hijos*, y la palabra *shema* 8095, "oíd", unen esta sección con todos los caps. 1—9. Por lo tanto, sólo el maestro ha utilizado esta forma. Por otra parte, los pronombres que hablan de *mis caminos... mis entradas... mis puertas...* parecen apuntar a la sabiduría. Quizá la mejor interpretación tendría ahora al maestro sustituido por la sabiduría, en vez de los padres. Aquí él habla como si fuese la sabiduría. La palabra *bienaventurados* (ver 14:21; 16:20; 20:7; 28:14; 29:18) en los vv. 32 y 34 llama la atención al favor divino (de la sabiduría: compañera de Dios) para aquellos que tienen un estilo de vida comparable a la sabiduría (v. 32) y que tienen un espíritu de velar (una vigilia en el palacio o en el templo donde se espera una petición especial), mostrando una actitud expectante y confiada.

Joya bíblica

**Bienaventurados los que guardan mis caminos.
Escuchad la corrección y sed sabios; no la menospreciéis (8:32, 33).**

Los vv. 35 y 36 contraponen los que obtienen favor a través de la sabiduría, un mediador, y aquellos que mueren prematuramente porque aborrecen (ver 6:16) la sabiduría y sin darse cuenta ellos *aman la muerte*, es decir, tienen una relación estrecha e íntima con la muerte prematura (ver 1:19; 2:16; 7:26, 27).

El v. 33 no se encuentra en la Septuaginta. La palabra *corrección* viene de *musar* 4148 (ver 3:11, 12). *Sed sabios* es la palabra común *jakam* 2449 (ver 1:5). No hay porqué dudar de su valor y de hecho se encuentra en el texto hebreo en una posición clave.

La personificación de la sabiduría dio el motivo a algunos sabios más tarde para seguir en la búsqueda de la sabiduría. Hay dos ejemplos de libros que recuerdan el valor de la sabiduría. El primer libro, llamado *Ben Sirá* (Eclesiástico), fue escrito por un sabio hebreo en el segundo siglo antes de Jesús y tiene paralelos con los conceptos de Proverbios: Ben Sirá 1:1-21 con Proverbios 8 y Ben Sirá 4:11-19 con Proverbios 8:1-11. El segundo libro viene del primer siglo antes de Cristo, escrito por un judío en Alejandría: *Sabiduría de Salomón* (por supuesto no es del Salomón bíblico). Sabiduría 6:1-11 tiene relación con Proverbios 8:15 y 16. La Iglesia Católica Romana acepta estos libros como deuterocanónicos. Son excluidos por parte de los rabinos judíos y las iglesias protestantes.

41. La sabiduría, un buen dueño de casa, 9:1-6

El cap. 9 se une al resto de los caps. 1—8 con la palabra *sabiduría* y el contenido que habla de "los ingenuos" (vv. 4, 16; ver 1:4 para representar a los que no tienen criterio formado y abiertos a todas las influencias, identificados con los adolescentes o jóvenes), de *los faltos de entendimiento* (vv. 4, 16; ver 6:32; 7:7), del *burlador* que desprecia a otros (vv. 7, 12;

El llamado de la sabiduría

9 **1** La sabiduría* edifica su casa, labra sus siete columnas,
2 mata sus animales, mezcla su vino
y pone su mesa.
3 Envía a sus criadas,
y llama desde lo más alto de la ciudad:
4 "¡Si alguno es ingenuo, que venga acá!"
Y a los faltos de entendimiento dice:
5 "Venid, comed mi pan
y bebed mi vino que yo he mezclado.
6 Dejad la ingenuidad y vivid;
poned vuestros pies en el camino de la inteligencia."

*9:1 Otra trad., *la mujer Sabiduría*; comp. v. 13

---

ver 1:22), del *impío* o malvado (v. 7; ver 2:22), del *sabio* (vv. 8, 9, 12; ver 1:5; 8:33) y del *justo* o recto (v. 9; ver 2:20). Además están los elementos comunes del pan y vino (vv. 2, 5, 17) y el temor de Jehovah (ver 1:7).

Para el autor de los caps. 1—9 se presenta una confrontación entre sabiduría (vv. 1-6) y necedad (vv. 13-18), dos mujeres con dos perspectivas distintas del mundo, con distintos llamados y con distintos futuros. Esta sección inmediata tratará de la actitud de sabiduría. Las otras secciones subrayan los siguientes temas: el prejuicio hacia el maestro por haber intentado instruir a los no-oyentes (vv. 7-9), la suma de la sabiduría (vv. 10-12) y finalmente, la actitud y el llamado de necedad (vv. 13-18).

El hogar debe ser uno de los lugares más sagrados de la sociedad. Es aquí donde se forma la próxima generación y de donde verdaderamente se proyecta la sociedad. El templo y el palacio, son ayudas en la sociedad para complementar el hogar. En los caps. 1—8 muchos no han sabido edificar un hogar. Los ladrones o asesinos han querido llenar sus casas con cosas robadas (1:13). La mujer ajena actúa de tal forma que *su casa se hunde hacia la muerte* (2:18). La mujer con "vestido de prostituta" utiliza su casa como un lugar de pecado, pues *su casa está en caminos del Seol* (7:27). Por otra parte, sabiduría levanta una voz profética mostrando que se puede tener una casa perfecta, es decir, con siete columnas. Ella tiene todo preparado —carne (asado), vino especial, una linda mesa puesta— todo lo que significa un gran banquete. El texto muestra que sabiduría es una mujer riquísima con carne en la mesa, criadas o siervas para hacer su voluntad, etc. La vida de sabiduría es un próspero estilo de vida.

El mensaje de las criadas refleja el llamamiento de 1:22. Sentarse en la mesa simbolizaba "una comunión de hermandad", una amistad. Otra vez, el llamado se hace donde están los ingenuos o faltos de entendimiento. Sabiduría no espera que ellos vengan sino que va a buscarlos por medio de las criadas. El pan y el vino significan comida (4:17; Ecl. 9:7). Para completar el cuadro habría que ver la necedad (vv. 13-18).

Siete columnas de la sabiduría (9:1-9)

1. Ama la belleza de la creación humana, v. 1.
2. Hace preparativos como anfitrión generoso, v. 2.
3. Administra con eficacia, v. 3.
4. Ejerce compasión hacia los desafortunados, vv. 4, 5.
5. Aconseja al fracasado, v. 6.
6. Evita ser avergonzado, v. 7.
7. Favorece al sabio, vv. 8, 9.

42. La inutilidad de corregir al cínico, 9:7-9

Esta sección interrumpe el tema de sabiduría y necedad, como si fuese un evento concreto que se presenta en el medio de la enseñanza a los jóvenes. Son tres dichos independientes unidos por dos identificaciones: el *burlador* une los vv. 7 y

7 El que corrige al burlador se acarrea vergüenza,
y el que reprende al impío se acarrea afrenta.
8 No reprendas al burlador, porque te aborrecerá;
corrige al sabio, y te amará.
9 Da al sabio, y será más sabio;
enseña al justo, y aumentará su saber.
10 El comienzo de la sabiduría es el temor de Jehovah,
y el conocimiento del Santísimo es la inteligencia.
11 Porque por mí se aumentarán tus días,
y años de vida te serán añadidos.
12 Si eres sabio, para ti lo serás;
pero si eres burlador, sufrirás tú solo.

8, y el *sabio* une los vv. 8 y 9.

Se siente la frustración del maestro de "echar agua en el mar" en estos versículos. Los burladores, que abiertamente muestran su desprecio a los demás, y los impíos, que son completamente malvados, no pueden ser instruidos. A la vez, el maestro, *el que corrige... el que reprende...*, queda perjudicado, quedando mal frente a la sociedad. Mientras el v. 7 tenía un paralelismo sinónimo, el v. 8 tiene un paralelismo antitético contraponiendo los dos individuos, el burlador y el sabio. Las actitudes de las dos personas, por lo tanto, son distintas aunque ambas son corregidas por el maestro (ver 6:16 para "aborrecer"; ver 3:12 para "amar"). Otra vez el v. 9 vuelve a un paralelismo sinónimo, uniendo *sabio* y *justo, da* y *enseña, será más sabio* y *aumentará su saber.* Mientras los sabios (ver 1:5) y los justos (ver 3:33) han aprendido a aprovechar la sabiduría y están dispuestos a ser corregidos, el burlador y el impío no han sabido aprovechar la sabiduría y rechazan la corrección. Un dicho dice que "más vale ponerse una vez colorado y no cien amarillo". ¿Cuántas situaciones o consecuencias dañinas les van a llegar en el futuro porque ellos no escucharon? Como dijo el caído en 5:12-14: *¡Cómo aborrecí la disciplina, y mi corazón menospreció la reprensión! No escuché la voz de mis maestros... Casi en todo mal he estado, en medio de la sociedad y de la congregación.*

43. La proyección del sabio y el fin brusco del cínico, 9:10-12

El v. 10 trata el tema de la fe apropiada desde la criatura al creador, una reverencia santa y sana, *temor de Jehovah* (ver 1:7). En una relación sinónima se acentúa la posibilidad o probabilidad de conocer al *Santísimo* a través de una vida sabia (recta). El resultado del v. 10 se encuentra en el siguiente versículo, refiriéndose a una vida prolongada (ver 3:2, 16). Como los vicios quitan la vida, al producir una muerte prematura, la sabiduría aumenta la vida en cantidad y en calidad (ver 3:17; 4:18; 8:21). El v. 12 tiene un juego de palabras basado en la palabra *sabio:* Si tú eres sabio, para ti eres sabio; si tú eres burlador, tú solo vas a llevarlo. El sabio gana pero el burlador pierde basado en su actitud. Así es el libre albedrío del hombre. El puede decir cuál es el camino que desea tomar.

> **Joya bíblica**
> **El comienzo de la sabiduría es el temor de Jehovah,**
> **y el conocimiento del Santísimo es la inteligencia (9:10).**

Al concluir esta sección se termina con los pasajes conectivos que unen los pasajes más sustanciales y concretos. Hemos podido saber lo que piensa el maestro y escuchar los momentos cuando intentó motivar a los jóvenes a tomar buenas decisiones, integrando de esa manera la sabiduría en su vida.

44. El grito mortal de la callejera, 9:13-18

Esta sección completa lo opuesto acerca de sabiduría (vv. 1-6). Aquí se trata de la mujer necia, necedad, y se escucha su lla-

El llamado de la necedad

13 La mujer necia* es alborotadora;
es libertina y no conoce la vergüenza.*
14 Ella se sienta en una silla a la puerta de su casa,
en lo alto de la ciudad,
15 para llamar a los que pasan por el camino,
a los que van directo por sus sendas:
16 "¡Si alguno es ingenuo, que venga acá!"
Y a los faltos de entendimiento dice:
17 "Las aguas hurtadas son dulces,
y el pan comido en oculto es delicioso."
18 No saben ellos que allí están los muertos
que sus invitados están en lo profundo del Seol.*

*9:13a Otra trad., *la mujer Necedad*; comp. v. 1
*9:13b Según vers. antiguas; heb., *y no conoce nada*
*9:18 O sea, la morada de los muertos

mado a los que pasan por su puerta. Asimismo, los caps. 1—9 empezaron con el llamado de los ladrones o asesinos (1:10-19). Ahora, se clausuran los caps. 1—9 con el llamado de necedad.

El v. 13 se complica porque el texto hebreo termina con el refrán "y no conoce nada" en vez de *y no conoce la vergüenza.* Además la palabra *libertina* viene de una palabra hebrea que aparece una sola vez en el AT, *petayyut* [6615], que tiene la raíz de "simple" o "necio". Así la palabra puede definirse como "la que actúa en una forma necia". Hay un paralelismo entre sabiduría (vv. 1-6) y necedad, en que sabiduría es más rica y sus frutos mejores:

Sabiduría	**Necedad**
(1) *edifica su casa* (v. 1)	(1) *se sienta* (vv. 13 y 14)
(2) banquete: carne, vino, pan (vv. 2, 5)	(2) *aguas* y *pan* (v. 17)
(3) criadas enviadas (v. 3)	(3) va ella misma (vv. 14 y 15)
(4) mensaje (vv. 4-6)	(4) mensaje (vv. 16 y 17)
(5) destino: vida (v. 6)	(5) destino: muerte (v. 18)

Las características de la mujer necedad son muy parecidas a la mujer adúltera o prostituta de 7:6-23. Como la mujer del cap. 7, ella es alborotadora, se escucha a lo lejos (7:11) y no puede estar en casa, siempre está en la calle, llamando a los que pasan por su casa (7:10, 13). En una forma de modismo, en realidad un eufemismo popular para el acto sexual, ella habla de *aguas hurtadas* y *pan... oculto.* Ella dice que son "dulces y deliciosos" (ver 7:14-19). Este engaño no va a tener futuro. Sus "invitados" estarán con los muertos (2:18; 21:16) y en el Seol (1:12; 5:5; 7:27; 15:11, 24; 23:14; 27:20; 30:16), hablando ambas expresiones del lugar de los muertos.

Semillero homilético

Cómo Satanás nos hace caer en la trampa

9:13-18

Introducción: En la estrategia militar se pasa mucho tiempo tratando de analizar y entender las tácticas del enemigo. En la vida cristiana nos conviene hacer lo mismo, para poder resistir la tentación de Satanás.

I. Satanás primero atrae la atención, vv. 13, 14.
1. Toma la iniciativa, v. 13.
2. Llama con insistencia, v. 14.

II. Satanás engaña a los inexpertos, vv. 16, 17.
1. Utiliza la mentira.
2. Emplea la ignorancia.

III. Satanás lleva a la destrucción, v. 18.
1. Por el camino de las tinieblas.
2. Por el camino de la muerte.

Conclusión: El autor habla específicamente de la mujer prostituta, pero la enseñanza puede ser más amplia para abarcar toda forma de tentación. Sabemos que Satanás es como un león rugiente, andando en busca de alguien a quien pueda devorar.

III. LOS PROVERBIOS DE SALOMON, 10:1—22:16

La estructura del libro cambia, empezando con 10:1. En vez de los discursos más grandes y tan frecuentes en los caps. 1—

Proverbios de Salomón

10 1 Proverbios de Salomón:
El hijo sabio alegra a su padre,
pero el hijo necio es tristeza de su madre.

2 Los tesoros de impiedad no son de provecho,
3 Jehovah no deja padecer hambre al justo,*
pero impide que se sacie el apetito de los impíos.

*10:3 Lit., *el alma del justo*

9, ahora se encuentran los aforismos de un solo versículo (quizá dos versículos). El aforismo de una sola oración de dos frases independientes (quizá tres) está en una relación de paralelismo sinónimo, antitético o sintético. El aforismo es el *mashal* hebreo más común (ver Introducción). De modo que el título de esta sección habla de los *mashal* de Salomón (1:1; 25:1). La Septuaginta ha omitido el título porque suena redundante con la presencia del mismo título en 1:1 y no hay una interrupción de autoría.

Esta sección amplia tiene unos 375 *mashal* o aforismos. Al sumar el valor numérico de las consonantes de Salomón se logran los siguientes resultados: *Shelomoh* (Salomón): (sh) =300, (l) = 30, (m) = 40, (h) = 5... así se suman 375. Los valores numéricos eran ayudas a la memoria para la educación del joven. Al recitar los proverbios, el joven podría contar, mientras recitaba el *mashal*: (1) *El hijo sabio alegra a su padre, pero el hijo necio es tristeza de su madre.* (2)... (3)... (374) *La insensatez está ligada al corazón del joven, pero la vara de la disciplina la hará alejarse de él.* (375) *El que para enriquecerse explota al pobre o da al rico, ciertamente vendrá a pobreza.* Seguramente con paciencia el joven fue instruido en cada *mashal*, mientras el maestro lo motivaba y explicaba el *mashal*.

Dentro de los aproximados 375 *mashal*, hay dos subdivisiones. Desde 10:1 hasta 15:33, se encuentran más de 180 *mashal* con la forma preferencial del paralelismo antitético. Por otra parte se presentan en la subsección sólo unos 20 versículos que son sinónimos o sintéticos. En este mismo sentido, la segunda división que va desde 16:1 hasta 22:16 no muestra una preferencia tan grande, pero sí favorece en menor grado el proverbio sinónimo.

Algunos eruditos han intentado mostrar que los proverbios más cortos son más antiguos, mientras los más religiosos (que usan los términos *temor de Jehovah, el sacrificio,* etc.) son más recientes y agregados. Sin embargo, los escritos babilónicos y egipcios antiguos muestran que tal distinción es muy arbitraria. Aquellos escritos muestran discursos extensos muy antiguos y a la vez, la presencia de los dichos religiosos o sagrados al lado de los demás dichos sin referencia al tiempo. Hay que recordar la enorme integración de la vida en el tiempo de los antiguos. El hombre justo era el hombre recto. El hombre de fe era el mejor miembro de la sociedad. Así, la fe era un elemento muy positivo en la vida de la persona, no un "saludo a la bandera".

Los aforismos o proverbios de esta sección se unen por cuatro técnicas. Ya se ha mencionado la primera técnica que es el valor numérico del nombre de Salomón. De la misma manera se ha mencionado la segunda técnica que es la forma, el aforismo o proverbio *mashal* de dos frases o refranes en una relación paralela. La tercera técnica es el contenido donde se juntan dos o más modismos porque hablan del mismo tema. Puede ser el tema de la justicia o la pobreza o cualquier tema importante para la vida. Finalmente, una cuarta técnica subraya la unión entre dos *mashal* inmediatamente juntos en el texto a través de una palabra clave que se encuentra en ambos versículos. Son muchísimos los ejemplos como *pan* en 12:9-11, *pobre-rico* en 13:7, 8, *corazón* en 15:13-15, y otros.

4 La mano negligente empobrece,
pero la mano de los diligentes enriquece.
5 El que recoge en el verano es un hijo
sensato;
pero el que duerme en el tiempo de la
siega es un hijo que avergüenza.

---

1. El esfuerzo premiado por Dios, 10:1-5

El paralelismo entre las dos (o tres) partes de la oración puede acentuarse en los sustantivos, los adjetivos, los verbos, los adverbios o los predicativos-objetos directos. En el caso del paralelismo antitético tan frecuente en los primeros 200 *mashal* de esta sección, habría que ver las palabras antónimas u opuestas en los dos refranes para comprender la idea central.

El primero de los 375 proverbios apunta a la primera y más importante escuela del joven, el hogar. Se encuentran nombrados *el hijo... el padre* y la *madre* en el v. 1, las mismas personas de 1:8. Se subraya el impacto del hogar sobre la vida de un hijo, y el impacto del hijo y su conducta sobre los padres. El proverbio presupone un hogar que tiene un padre y una madre comprometidos a la Palabra de Dios y al hijo cuando era muy joven. La palabra *necio* en el v. 1 no significa que el hijo no haya tenido instrucción sino que es indiferente a la instrucción, irresponsable frente a la vida y orgulloso de sí mismo (ver 1:22). Hay ejemplos en la Biblia de algunos hijos que trajeron tristeza a sus padres: Caín a Adán y Eva (Gén. 4:15), Esaú a Rebeca (Gén. 27:34 s.), el hijo pródigo a su padre, sin duda a la madre también (Luc. 15:20, 23, 24). El carácter de un hijo afecta los sentimientos y el bienestar emocional de los padres. ¡Sea sabio y traiga alegría a los padres! (ver 15:20; 29:3).

El v. 2 nos hace recordar la invitación de los ladrones (violentos) de 1:10 ss. al joven con su promesa de "riquezas". El *mashal*, sin embargo, descubre la mentira de los violentos y declara tal ganancia como sin *provecho*. Por otra parte, la justicia o rectitud es un bien que precede a la muerte prematura. Es implícito que los caminos pecaminosos llevan al malo a la muerte prematura (ver 1:19; 3:16; 11:4).

Un tercer *mashal* entrega una promesa divina a aquella persona que es justa. El justo se define como aquel que es "fiel a la comunidad" o es "saludable". La palabra *tsadiyq* 6663, es común en Proverbios, ocurriendo 94 veces en el libro en todas sus formas, de un total de 523 veces en el AT. La palabra significa ser justo, religioso y recto; es el hombre íntegro. Su relación con Dios es buena y su relación con su prójimo es ejemplar. Así, la promesa divina de no "morir de hambre" llega al justo. Por otra parte, el impío, el que llena sus pensamientos y hechos con maldades, recibe una palabra de maldición divina: jamás va a sentirse satisfecho, el apetito estará incumplido (ver 11:4).

El cuarto proverbio apunta a la pereza, un tema frecuente en Proverbios (ver 6:6-11; 10:5; 12:11, 24, 27; 13:4; 15:19; 19:15, 24; 20:4, 13; 24:30-34; 26:13-16; 28:19). La palabra *mano* representa la persona y su esfuerzo físico dado por Dios. La mano negligente llega a la pobreza, mientras el esfuerzo invertido pro-

Semillero homilético

Cómo alcanzar la prosperidad

10:4, 5

Introducción: Toda persona anhela la prosperidad. Algunos logran su meta, y otros muchos pasan la vida luchando, pero sin alcanzar sus metas. El autor nos da la clave.

I. Ser diligentes en nuestras labores, v. 4.
   1. La diligencia es el camino para enriquecernos.
   2. La diligencia es acompañada por la honradez.
   3. La diligencia expulsa la pobreza.

II. Ser prudentes en nuestros negocios, v. 5.
   1. Nos ayuda a aprovechar cada ocasión.
   2. Nos ayuda a obrar con sagacidad.

Conclusión: La diligencia y la prudencia son dos ingredientes de mucha importancia para lograr el éxito en nuestros negocios.

6 Bendiciones vendrán sobre la cabeza del justo,
pero la boca de los impíos encubre la violencia.
7 La memoria del justo será bendita,
pero el nombre de los impíos se pudrirá.
8 El sabio de corazón aceptará los mandamientos,
pero el de labios insensatos será arruinado.

---

duce la riqueza. Por supuesto, el dicho no trata el tema del desempleo ni el subempleo, presuponiendo la disponibilidad del trabajo, como también lo hace el mandamiento: *Seis días trabajarás y harás toda tu obra...* (Exo. 20:9). El dicho "a quien madruga, Dios le ayuda" hace eco de este proverbio. Este proverbio muestra los medios legítimos para lograr el bienestar material, dando un camino más excelente que *los tesoros de impiedad* (1:2).

Una continuación de la idea del v. 4 se repite en un refrán muy común en el tiempo antiguo, cuando la vida agrícola era la del 90 al 95% de la población. "Recoger" significa esfuerzo, trabajo, mientras "dormir" significa la falta del esfuerzo (hay un tiempo legítimo para dormir). Los resultados del esfuerzo se extienden a la percepción de la comunidad acerca de ellos dos (ver 14:35; 19:26; 29:15). El hijo "vergüenza" pierde el tiempo oportuno para trabajar (ver 6:8; 20:4). "Tiempo que se va no vuelve" es un dicho que afirma esta enseñanza.

Los vv. 1-5 muestran el compromiso de Dios con los justos que se esfuerzan en la vida. También muestran el rechazo de Dios hacia "las riquezas robadas" (*no robarás*, en Exo. 20:15) y el perezoso que haya perdido la oportunidad. Estos proverbios han construido una teología amplia sobre el hombre y los bienes materiales.

2. El testimonio perpetuo del justo y del malvado, 10:6-10

El v. 6 continúa la entrega de los *mashal* de observación. Como se puede ver, ninguno de los proverbios se encuentra en la forma del imperativo sino en afirmaciones basadas en las experiencias repetidas de la vida (von Rad). El verbo *vendrán* no se encuentra en el texto hebreo y ha sido agregado para aclarar el significado. Sin embargo, el versículo puede estar diciendo que dos cosas aparecen muy naturales: bendiciones sobre la cabeza del justo y mentiras (la boca) sobre la violencia (para esconder el hecho). Se puede hacer un diagrama así:

El justo	**Los impíos**
bendiciones	*mentiras* (boca del impío)
cabeza del justo	*la violencia* (el hecho malvado)

¿Qué es mejor en la vida? ¿Recibir la bendición divina o gastar el tiempo cubriendo el pecado violento con las mentiras? La bendición muestra el favor de Dios impactando al individuo o la comunidad que anda rectamente ante el Señor. Tal favor indica la participación divina en el éxito de la persona dichosa (ver 3:33 para "bendición"; 5:18; 10:7, 22; 1:26; 22:9; 24:25; 28:2O; 30:11).

El v. 7 se une al versículo anterior a través de la palabra "bendición-bendecir". La palabra *memoria* viene del hebreo *zeker* [2143]; se define como "un testamento perpetuo o un memorial" (ver Exo. 3:15, Dios da su nombre Jehovah como un *zeker;* Exo. 18:4, el nombre de Amalec se borra para no tener un *zeker*, siendo totalmente olvidado). El v. 7 enseña que el justo y su testamento (o informalmente será cuando se recuerda) son una bendición. Según Exodo 20:6, la *misericordia* (de Dios se muestra) *por mil generaciones a los que* (le) *aman y guardan* (sus) *mandamientos.* Por otra parte, al recordar al impío-malvado se llega a ser como "la destrucción causada por los gusanos cuando están comiendo" (*raqeb* [7538]; ver. 12:4; 14:30, la traducción es "carcoma").

El v. 8 repite un tema frecuente sobre la manera en que la forma insensata de

9 El que camina en integridad anda confiado,
pero el que pervierte sus caminos será descubierto.

10 El que guiña el ojo causa tristeza,
pero el que abiertamente reprende hace la paz.*

*10:10 Según LXX; comp. Peshita; heb., *el de labios insensatos será arruinado* (comp. v. 8)

hablar de algunos les arruina en la vida (ver 6:12, 17; 7:5). Por otra parte, el sabio (*jakam* 2450), mostrando ser "hábil" o "prudente" de corazón, e incluye la voluntad, la inteligencia y desde donde se toman las decisiones, escucha y sigue las enseñanzas sapienciales. Así ser *sabio de corazón* no significa poner las emociones en orden sino ordenar la manera de pensar, la voluntad y la facultad para tomar decisiones.

En el v. 9 la *integridad* y "la confianza" son compañeras en el camino del hombre bueno. La palabra *tom* 8537 significa "ser íntegro y completo, realizado y maduro" (ver 11:3; 13:6; 20:7). La madurez que viene por guardar las enseñanzas le da confianza. Por otra parte, la persona con una vida "torcida", del hebreo *'aqash* 6141, que se define como "desviar, distorsionar o torcer", va a ser conocida en la arena pública. Al ser descubierto, el hombre perverso está expuesto a la vergüenza y el castigo público (ver 6:30-35 para el caso del adúltero descubierto). Nos hace recordar el ejemplo de Acán quien codició un manto babilónico, dos kilos de plata y medio kilo de oro durante la caída de Jericó y los tomó (Jos. 7:1, 21, 24-26). El hombre perverso se pone a sí mismo y a los demás, especialmente a los de su familia, en peligro (ver Jos. 7:25), como también las acciones de una persona justa pueden beneficiar a su familia (ver Gén. 6:8 ss. para el caso de Noé; Jos. 6:25 para el caso de Rajab).

"Guiñar el ojo" se subraya en el proverbio del v. 10. La expresión, parecida al dicho popular "hacer la vista gorda", es una manera segura de dar dolor. Ignorar confrontar el pecado tiene varias consecuencias dañinas. Se puede analizar el caso de Amnón, un hijo de David, quien violó a Tamar, su media hermana. Aunque David se enojó, Amnón no fue castigado (2 Sam. 13:21, 22). Sin embargo, Absalón, hermano de Tamar, la media hermana violada, mató a Amnón dos años más tarde a través de un plan muy elaborado (2 Sam. 13:23 ss.). Tal "guiñar el ojo" de parte de David fue confuso para los de su alrededor. ¿Está David aprobando el hecho? ¿Está David haciendo una excepción al futuro rey de Israel cuando debe ponerlo como un modelo positivo? Un pecado no enfrentado puede crear un ambiente donde tal hecho llega a ser la norma, aunque provoca dificultades en la sociedad.

Por todo lo dicho, la segunda parte del v. 10 tiene razón. Aquí hay que reconstruir el texto en que el hebreo repite lo dicho en el v. 8b: *Pero el de labios insensatos será arruinado.* Aceptar el texto hebreo subrayaría el proverbio como un *mashal* con un paralelismo sinónimo, aunque está rodeado por modismos con un paralelismo antitético. Aunque con modificaciones menores, la Septuaginta, con apoyo de la Peshita, favorece el texto como se presenta. Tiene la ventaja de colocar el v. 10 en un paralelismo antitético. Además, el contenido hace un paralelismo absoluto con la primera parte. Por lo tanto, el texto griego ocupa algunos términos sumamente hebraicos como *la paz* (por supuesto la Septuaginta viene de las manos de un grupo de judíos helenistas).

El v. 10b enseña un mensaje claro: es mejor corregir. La palabra *reprende* viene de la palabra griega *élenjos* 1650, utilizada en 2 Timoteo 3:16, 17: *Toda la Escritura es inspirada por Dios y es útil para la enseñanza, para la* ***reprensión****, para la corrección, para la instrucción en justicia a*

11 Fuente de vida es la boca del justo,
pero la boca de los impíos encubre la violencia.
12 El odio despierta contiendas,
pero el amor cubre todas las faltas.
13 En los labios del entendido se halla sabiduría,
pero la vara es para las espaldas del falto de entendimiento.
14 Los sabios atesoran el conocimiento,
pero la boca del insensato es calamidad cercana.

---

fin de que el hombre de Dios sea perfecto, enteramente capacitado para toda buena obra. El que reprende se identifica con aquella persona que *hace la paz. Paz* es un vocablo clave en el hebreo, y habla del bienestar, la armonía, estar contento. La frase *hace la paz*, del griego *eirenopoiós* [1518], se encuentra de nuevo en Mateo 5:9 cuando Jesús afirma: *Bienaventurados* ***los que hacen la paz****, porque ellos serán llamados hijos de Dios.* Por lo tanto, Pablo ocupa una palabra de la misma raíz: (Jesús) *es el primogénito de entre los muertos... por medio de él reconciliar consigo mismo todas las cosas...* ***habiendo hecho la paz*** *mediante la sangre de su cruz* (Col. 1:18, 20). De modo que Cristo es el hacedor de la paz y el que abiertamente reprende, reflejando una característica paralela. No hay que esconder la cabeza como avestruz; es mejor enfrentar la situación.

3. El uso y el abuso del habla, 10:11-21

De los 11 proverbios en esta sección, ocho hacen referencia a la forma de hablar. Solo tres *mashal* subrayan otros temas, los vv. 15-17. Sigue la forma del paralelismo antitético. En el v. 15 se puede reemplazar la conjunción *y* con la conjunción "pero" para mantener el elemento de contraste. Todos los versículos entregan observaciones de la vida, sin entregar imperativos.

El v. 11 utiliza la frase *fuente de vida* para mostrar el valor de las palabras que fluyen de la boca del justo (ver 10:3 para el *justo*). La *fuente de vida* es una vertiente de la que se puede beber y prolongar así la vida. Hubo algunos conquistadores de las Américas que buscaban la fuente de vida, creyendo que había tal lugar. Aquí las palabras del hombre justo animan y apoyan de tal forma que es *una fuente de vida* (ver 13:14; 14:27; 16:22 para *fuente de vida;* ver 3:18; 11:30; 13:12; 15:4 para *árbol de vida*). La segunda parte del v. 11 repite lo escrito en el v. 6b, mostrando cómo los impíos o malvados (ver 10:3) ocupan sus palabras en cubrir o negar sus hechos malos. Ellos "arrojan la piedra y esconden la mano". Desafortunadamente, el dicho "la mentira tienen patas cortas" muestra que ni las palabras del impío pueden ocultar su maldad-violencia (ver 10:6; 13:2; 26:6; Miq. 6:12 para *jamam* [2555], que significa el tratamiento severo de la violencia). Habacuc subraya el ambiente de su día con la palabra *jamam: ¿Hasta cuándo, oh Jehovah, clamaré, y no oirás? ¿Hasta cuándo daré voces a ti diciendo: "¡Violencia!", sin que tú libres? ¿Por qué me muestras la iniquidad y me haces ver la aflicción?* (Hab. 1:2, 3).

El v. 12 pone un contraste entre los sentimientos del odio, de la palabra hebrea *sane'* [8135], que significa "rechazar y distanciarse de algo", y el amor, de la palabra *'ahabah* [160], que significa "una relación íntima y comprometedora". Mientras el odio produce *madon* [4090], contiendas entre las personas (ver 6:19), el amor sabe perdonar las rebeliones y las ofensas (*pesha'*, que significa "rebelar"). Este *mashal* fue citado en 1 Pedro: *Sobre todo, tened entre vosotros un ferviente amor, porque el amor cubre una multitud de pecados* (4:8), inspirando a los cristianos a perdonar y mantener un amor ferviente. En 1 Corintios 13:7 también se expresa la misma actitud: (El amor) *todo lo sufre, todo lo cree, todo lo espera, todo lo soporta,* subrayando así la palabra *todas* en el v. 12. Además, la frase *cubrirá una multitud de pecados* se encuentra en

15 Las riquezas del rico son su ciudad fortificada,
y la calamidad de los necesitados es su pobreza.
16 La obra del justo es para vida,
pero el logro del impío es para pecado.
17 El que guarda la disciplina está en el camino de la vida,
pero el que descuida la reprensión hace errar.
18 El que aplaca el odio es de labios justos,*
pero el que suscita la calumnia es necio.

* 10:18 Según LXX; heb. *El que encubre el odio es de labios mentirosos*

Santiago 5:20 porque Santiago quiere motivar a los cristianos a recuperar a los alejados de la fe y conducta cristianas. Tal afirmación del amor entre los cristianos venía de los labios de Cristo (ver Juan 13:34) y refleja el mandamiento del AT (ver Lev. 19:18). El perdón es uno de los frutos del amor más hermosos.

En el v. 13 se pone un contraste entre *jakemah* 2451, "sobre los labios del inteligente" y *shebet* 7626, "sobre las espaldas del ignorante" (ver 6:32; 7:7). *Jakemah* hace referencia a "alguna habilidad" o "una prudencia en el campo religioso o moral"; la segunda interpretación es la apropiada aquí, con una traducción como "la habilidad del arte de vivir". Asimismo, *shebet* habla de un palo utilizado en el castigo físico. La Escritura afirma el uso del castigo físico en una forma moderada para una situación de extrema urgencia moral (13:24; 18:6; 19:29; 22:15; 23:13, 14; 26:3; 29:15). En la mentalidad hebrea, era mejor sufrir la vergüenza de un castigo físico y público que seguir una vida indisciplinada y que perjudicaba a toda la comunidad (la mentira del testigo falso, el violento, el ladrón). Por supuesto, la vara no era el primer recurso sino el último para corregir al culpable.

El v. 14 es muy sencillo, mostrando cómo el sabio o prudente (ver 1:5; 10:1) está depositando el conocimiento en su banco. Por otra parte, las palabras del insensato o indiferente (ver 1:7) producen un ambiente donde la tragedia está siempre a la mano. ¡Ojalá que no sea tarde para el insensato, pero no hay seguridad! (ver 1:26-33).

Se unen los dos vv. 14 y 15 con la palabra *mejitat* 4288, *calamidad.* Como las palabras del insensato anticipan la calamidad potencial, así la situación de la pobreza prevé la misma posibilidad de la calamidad (la pérdida del hogar, el hambre, la servidumbre, la vergüenza pública). El pobre aquí se designa por la palabra *dal* 1800, que hace referencia a algo humilde, débil, flaco, sin esperanza (ver Lev. 14:21; Rut 3:10; Prov. 22:16; 28:11; Job 20:10, 19; 34:28). Por otra parte, el rico tiene su seguridad en sus riquezas (ver 18:11). Como se dice: "Poderoso caballero es Don Dinero." Sin embargo, las riquezas no pueden asegurar todo, porque Dios tiene la última palabra y se basa en el carácter y la vida del individuo (11:28; Luc. 12:16-21 para la parábola del rico insensato).

El modismo hebreo del v. 16 apunta a las ganancias o los resultados del justo y del impío. Por un lado, se gana la vida, vida mejor y prolongada (ver 3:16). Por otra parte, la ganancia del impío es el pecado, que aquí significa los frutos del pecado y todas sus consecuencias.

El v. 17 apunta a la importancia de ser corregible. Por un lado, *disciplina,* es decir el proceso de la "información-formación-reformación" (ver 3:11, 12), garantiza el camino de vida, la seguridad para vivir de día y descansar de noche (ver 3:23 y 24). Por otra parte, la corrección o reprensión que se encuentra muchas veces en relación con la palabra disciplina (ver 3:11; 5:12; 12:1; 13:18; 15:5, 10, 32), está abandonada, y se abre la puerta para que el individuo tenga muchos problemas morales. ¡Sea corregible!: "Mas vale ponerse una vez colorado y no cien amarillo."

El texto hebreo del v. 18 varía de la traducción que está dada aquí. En vez de decir: *El que aplaca el odio es de labios*

19 En las muchas palabras no falta pecado,
pero el que refrena sus labios es prudente.
20 Plata escogida es la lengua del justo,
pero el corazón de los impíos no vale nada.

21 Los labios del justo apacientan a muchos,
pero los insensatos mueren por falta
de entendimiento.

---

justos, un refrán de la Septuaginta que hace un paralelismo antitético con la segunda parte, el hebreo se traduciría así: "El que encubre el odio (así guardando la palabra odio) es de labios mentirosos" (ver 6:17). El texto hebreo subraya un paralelismo sinónimo donde las dos personas son parecidas en vez de contrastar. La palabra común en el primer refrán de cada uno es *odio.* Quizá los traductores de la Septuaginta vieron el paralelismo sinónimo y han intentado decir lo mismo pero en una forma del paralelismo antitético frecuente en esta sección. De todos modos, ambos textos son correctos a la luz de Proverbios. "Encubrir el odio" nos recuerda a Absalón, quien esperó durante dos años antes de vengarse de Amnón (2 Sam. 13:23 ss.). Para el hebreo se ha de poner la conjunción como "y" en vez de *pero.* La segunda parte habla de que es el *necio* (ver 1:22) quien suscita el "cuchicheo o chisme", aquí *calumnia* (ver 25:10).

Cómo hablar
10:19-21

1. Hable con prudencia, v. 19.
2. Hable con justicia, v. 20.
3. Hable con templanza, v. 21.

El v. 19 subraya la presencia de una multitud de palabras. Desafortunadamente, entre las muchas pero poco pensadas palabras, estará por salir una mentirita, un pecado. La palabra entregada en una forma pensante muestra la prudencia. "En boca cerrada no entran moscas" y "por la boca muere el pez" son dos refranes que recomiendan la prudencia en la conversación.

Las dos palabras *lengua* y *corazón* se han visto unidas a lo largo de Proverbios y en las enseñanzas de Jesús (ver 10:8; Mat. 15:18 y 19). Mientras la conversación del justo o recto (ver 10:3) es *plata escogida* de sumo valor (ver 2:4; 3:14; 8:10, 19), *el corazón de los impíos,* es decir el conocimiento-la voluntad-la facultad para tomar decisiones (ver 10:8) vale "poquísimo", casi nada.

El v. 21 muestra la influencia positiva de las personas. Por un lado, las palabras del hombre justo o recto (ver 10:3) son capaces de animar-alentar-inspirar-sostener-cuidar a muchos, mientras el insensato es indiferente (ver 1:7), es ignorante por su propia voluntad, no puede salvarse a sí mismo y menos apoyar a otros. Su valor de amigo y colega está ausente, es nulo.

Una de las características de un hombre maduro es la capacidad de unir la conversación con las características del *amor* (v. 12), la *sabiduría* (v. 13), el *conocimiento* (v. 14) y la *disciplina* (v. 17). Por lo tanto, puede sentirse seguro y apoyar a los demás, hasta poder calmar las situaciones tensas (vv. 16, 17, 18, 21).

4. Un "deporte" necio, 10:22-26

El v. 22 apunta al valor que no se reemplaza, la bendición de Jehovah. La presencia y el favor de Dios en la vida del individuo le entregan una riqueza íntegra desde el aspecto prudente y el moral hasta el material (ver 3:33; 5:18; 10:6). Por lo tanto, no hay consecuencias dañinas. Por supuesto el proverbio sintético no está diciendo que el hombre no debe esforzarse en su trabajo (ver 6:6-11), sino que dentro del concepto total del éxito hay que sentir la presencia y la bendición divinas. El trabajo dado por Dios como una forma de realización puede cumplir sólo lo que fue la intención original de Dios (ver Gén. 2:15-17; Exo. 20:9).

El v. 23, como el v. 15, es una observación de la vida real. Aquí hay dos grupos de personas y cada uno tiene su manera de ser y su manera de ocupar el tiempo. Por un lado, el necio e indiferente (ver 1:22)

22 La bendición de Jehovah es la que enriquece
y no añade tristeza con ella.
23 El hacer perversidades es un deporte para el necio,
pero para el hombre de entendimiento lo es la sabiduría.
24 Lo que el impío teme, eso le vendrá;
pero a los justos les será dado lo que desean.

---

se divierte a través de ser un hacedor de *perversidades* (ver 2:12; 3:32; 6:12, 14), utilizando así sus labios, su mente, sus pies, para andar en una forma torcida y no recta. Por otro lado, el inteligente ocupa el tiempo en *la sabiduría* ("alguna habilidad" o la prudencia religiosa o ética; ver 10:13). La palabra *sejoq* 7814 puede traducirse como "la risa, la mofa, la broma", mostrando la actitud del necio frente a la maldad y el mundo.

En el v. 24 se encuentran dos sentimientos bien guardados en dos individuos muy distintos. Por un lado, está el temor del impío o malvado y por otra parte está el deseo del justo (ver 10:3). Ambos sentimientos se van a cumplir. ¡Qué triste vivir la vida lleno de temor! ¡Qué bendición escuchar a Dios diciendo: *Pide lo que quieras que yo te dé* (1 Rey. 3:5). Nos hace recordar la promesa de Cristo: *Pedid, y se os dará. Buscad y hallaréis* (Mat. 7:7). Mejor vivir con la confianza de una vida justa que siempre tener que estar mirando hacia atrás.

El *mashal* en el v. 25 tiene dos posibles interpretaciones. Por un lado, se encuentra la lectura que sigue los textos arameos antiguos, la Vulgata, y traduce la preposición *ke* 3588 en la oración hebrea como una comparación (la misma traducción de *ke* se encuentra en el v. 26). En este sentido, el impío o malvado (ver 10:3) es como la tempestad que viene rápidamente, produce su destrucción y también rápidamente se va. Pero el justo (ver 10:3) tiene *fundamentos eternos,* no sólo permanece por ahora sino que nunca desaparece de la presencia de Dios. La segunda interpretación, por otra parte, sigue el significado de *ke* como "el temporal", eliminando *como* del texto, dejando la palabra "cuando". Esta traducción esta apoyada en la Septuaginta y por algunos eruditos (Keil-Delitzsch). El texto debería leerse: "Cuando pasa la tempestad, el impío no permanece pero el justo tiene fundamentos eternos." El texto hebreo no tiene la palabra *así* de la primera parte del refrán. Aquí la tempestad simboliza alguna desgracia como la sequía, la inundación o el hambre, que confronta el justo tanto como el impío. Como consecuencia, el impío no sobrevive, pero el que es justo no sólo sobrevive sino que permanece para siempre. Jesús enseñó esto en la ilustración de los dos cimientos (ver Mat. 7:24-27). Las dos interpretaciones están de acuerdo con las enseñanzas de Proverbios.

En el v. 26, *el perezoso* ha encontrado un trabajo y es el empleado de otras personas (ver 6:6-11 para *perezoso*). Sin embargo, se cumplen las características de su naturaleza y llega a ser *como es el vinagre a los dientes,* "amargo" y como *humo a los ojos,* "los hace llorosos e irritables" (ver 10:26). El perezoso es una gran molestia en la vida laboral, especialmente para sus superiores. Es mejorno contratarlo. La enseñanza al joven es: ¡No sea flojo en el trabajo; cumpla bien!

5. Los dos futuros, 10:27-32

En el v. 27 aparece nuevamente el tema de la verdadera fe en Dios de la criatura hacia el Creador, un temor sano y reverencial (ver 1:7; 8:13; 9:10; 14:26, 27; 15:33; 19:23; 22:4). Una fe verdadera y pura prolonga la vida en calidad como en cantidad de años (ver 3:16-18). Sin embargo, *los impíos* (ver 10:3) no van a cumplir los años apropiados de una vida, sino que van a tener una muerte prematura. *Acortados* expresa una acción drástica y de repente (ver 1:19; 2:22; 7:26, 27).

En el v. 28 hay una proyección hacia el futuro. Ambas personas, el justo y el impío, tienen una *expectativa* o *esperanza*

25 Como cuando pasa la tempestad, así
el impío no permanece;
pero el justo tiene fundamentos eternos.
26 Como es el vinagre a los dientes y el
humo a los ojos,
así es el perezoso a los que lo envían.
27 El temor de Jehovah aumentará los días,
pero los años de los impíos serán
acortados.
28 La expectativa de los justos es alegría,
pero la esperanza de los impíos perecerá.

(dos palabras hebreas sinónimas). Sin embargo, aquí termina el paralelismo. El futuro del justo resulta en una escena de alegría (al cumplirse su esperanza), mientras la esperanza muere cuando llega el futuro y no se cumple. Hay un dicho que dice: "Soñar no cuesta nada." A veces es verdad, pero en el contexto de una falsa esperanza del no creyente, es mejor andar en el camino del Señor y saber que hay un futuro con él. Hay un himno que afirma que "sin Cristo no tengo nada", y es verdad. Creer que uno tiene un futuro glorioso sin Dios es como "echar agua al mar".

En el v. 29 se subraya la palabra *fortaleza*. Se identifica a *Jehovah* como la fortaleza para aquel que tiene una vida (camino) completa-realizada-íntegra (ver 2:7; 10:9; 13:6). La palabra *ma'oz* 4583 para *fortaleza* acentúa un lugar seguro en el que uno puede protegerse. Nahúm lo dice así: *¡Bueno es Jehovah! Es una fortaleza en la angustia, y conoce a los que en él se refugian* (Nah. 1:7). Por otra parte, Jehovah es el terror o la ruina de los hacedores de maldad. Nahúm sigue diciendo: *Pero arrasa con impetuosa inundación al que se levanta contra él. ¡Aún en las tinieblas perseguirá a sus enemigos!* (Nah. 1:8.)

El v. 30 contrasta el destino del justo y el del impío (ver 10:3, 25). La palabra *'olam* 5769 se traduce *jamás* y refleja la misma palabra traducida *eternos* del v. 25. Por otra parte, los impíos no tienen futuro en la tierra, menos en la eternidad: sus años *serán acortados* (v. 27).

El v. 31 subraya que las palabras del justo extraen la sabiduría-habilidad-prudencia (ver 1:20; 8:1; 10:13). Por otra parte, es mejor que la lengua perversa-

Semillero homilético

El camino de doble vía

10:25-32

Introducción: Cada nación tiene sus reglamentos con relación al tráfico. En Inglaterra se maneja en el lado opuesto a la costumbre en otros países. En todos los países hay calles de una sola vía y hay otras de doble vía. Uno tiene que prestar atención a las señales de tránsito para evitar una multa. En la vida espiritual también nos toca andar con cuidado y en obediencia a las leyes de Dios.

I. El andar en el camino en forma correcta, vv. 27-31.
1. Nos aumenta los días de vida, v. 27.
2. Nos trae alegría por medio de la justicia, v. 28.
3. Nos fortalece en el camino, v. 29.
4. Nos recompensa con su permanencia, v. 30.
5. Nos agrada con sus palabras, v. 31.

II. El andar en el camino equivocado, vv. 27-31.
1. Nos acorta la vida, v. 27.
2. Nos quita la esperanza, v. 28.
3. Nos llena de temor, v. 29.
4. Nos expulsa de la tierra, v, 30.
5. Nos tapa la boca, vv. 30, 31.

Conclusión: La técnica literaria del autor nos impresiona por su manera de recalcar las enseñanzas con sus proverbios que hacen contraste entre la primera y la segunda línea.

29 Jehovah es la fortaleza del íntegro
de camino,
pero es espanto para los que obran maldad.
30 El justo no será removido jamás,
pero los impíos no habitarán la tierra.
31 La boca del justo producirá sabiduría,
pero la lengua perversa será cortada.
32 Los labios del justo saben hablar* lo
que agrada,
pero la boca de los impíos habla
perversidades.

11 **1** La balanza falsa es una abominación
a Jehovah,
pero la pesa exacta le agrada.
2 Cuando viene la soberbia, viene también
la deshonra;
pero con los humildes está la sabiduría.

*10:32 Según prop. Stutt.; comp. 15:2, 28; TM, *conocerán*

torcida-mentirosa (ver 2:12; 6:12, 17) sea cortada, de modo que el daño se elimine. Nos hace recordar las palabras de Jesús a sus discípulos: *Por tanto, si tu ojo derecho... si tu mano derecha... te es ocasión de caer, sácalo... échala de ti. Porque es mejor para ti que se pierda uno de tus miembros, y no que todo tu cuerpo sea echado al infierno* (Mat. 5:29, 30).

Otra vez se trata el tema de las palabras en el v. 32. Mientras las palabras del justo (ver 10:3) son agradables o edificantes, las palabras de los impíos son distorsionadas y lejos de la realidad. El justo sabe hablar mientras el impío busca problemas (ver 3:32).

Hay varias palabras clave que unifican esta sección como: los labios, el justo y el impío, la perversidad, etc. La palabra *agrada* une el v. 32 con 11:1.

Joya bíblica

El temor de Jehovah aumentará los días,
pero los años de los impíos serán acortados (10:27).

6. La integridad es superior a las riquezas, 11:1-7

El v. 1 subraya la corrupción que había en el comercio. Específicamente, se trata de cómo se venderán las cosas según el peso. La ley era muy clara en Levítico 19:35 y 36: *No haréis injusticia en el juicio, ni la medida de longitud, ni en la de peso, ni en la de capacidad. Tendréis balanzas justas, pesas justas, un efa justo y un hin justo. Yo, Jehovah, vuestro Dios os saqué de la tierra de Egipto.* Por lo tanto, Deuteronomio 25:13-16 afirma: *No tendrás en tu bolsa pesa grande y pesa chica. No tendrás en tu casa medida grande y medida chica. Pesa exacta y justa tendrás; medida exacta y justa tendrás, para que tus días se prolonguen en la tierra que Jehovah tu Dios te da. Porque cualquiera que hace estas cosas, cualquiera que hace injusticia, es una abominación a Jehovah tu Dios.* La palabra *pesa* de Deuteronomio 25:13 y 15 y del v. 1 viene de *'eben* [68], que significa "piedra" y que se ocupaba en tener la medida del peso. Junto a la palabra que significa "total" o "completo", *pesa* muestra que "la pesa completa o perfecta" agrada a Jehovah. La medida engañosa es una abominación, algo rechazado e impuro (ver 6:32). El tema de las medidas falsas y las pesas falsas es frecuente en Proverbios y en los profetas, siendo una práctica muy común (16:11; 20:10, 23; Ose. 12:7, 8; Amós 8:5; Miq. 6:10-12).

El v. 2 tiene una aliteración interesante entre *soberbia* y *deshonra: zadon* [2087] - *qalon* [7036]. *Zadon* significa la insolencia o la presunción (ver 21:24) mientras *qalon* significa la desgracia o la vergüenza (ver 3:35; 6:33; 9:7; 12:16; 13:18; 18:3; 22:10). Obviamente se trata de un orgullo negativo y una consecuencia automática: "Viene la presunción... viene la vergüenza." El hombre insolente no es prudente y llega a la desgracia que se ve en público.

El v. 3 habla de dos características del hombre, la *integridad* y la *perversidad*. La

3 Su integridad guiará a los rectos,
pero la perversidad arruinará a los
t raicioneros.
4 Las riquezas no aprovecharán en el día
de la ira,
pero la justicia librará de la muerte.
5 La justicia del íntegro enderezará su
camino,
pero el impío caerá por su impiedad.
6 Su justicia librará a los rectos,
pero los traicioneros quedarán atrapados
por su codicia.
7 Cuando muere el hombre impío, perece
su esperanza,
y su expectativa de las riquezas perecerá.

---

integridad es la característica de ser maduro y realizado que da seguridad al recto. Por otra parte, la perversidad (ver 10:23) va a destruir al traicionero. Así los hombres se proyectan o se destruyen basados en su propio carácter. Hay un carácter que da seguridad y hay otro que no tiene futuro.

Las riquezas se mencionan de nuevo en el v. 4 (ver 10:15). Ante el *yom* 3117 *'ebrah* 5678 (figurativo para la furia divina que trae la calamidad; Job 21:30), las riquezas no sirven. Mientras tanto, la justicia o rectitud libra a la persona de la muerte prematura (ver 10:2; 11:6).

En el v. 5 la justicia o rectitud (ver 10:2) del "maduro" hace derechísimo (el uso del modo verbal *piel* intensifica la acción) su camino, su vida. Por otra parte, la repetición de la raíz impiedad o maldad muestra cómo el mismo carácter malo perjudica al impío.

El v. 6 muestra cómo la justicia protege contra las consecuencias de la maldad (ver 10:2). En el sentido opuesto la *codicia*, de *hauah* 1942, que significa "el deseo" en un sentido neutro, atrapa a los traicioneros que la poseen (ver 11:3). Por lo tanto, otra vez el carácter del hombre traza su destino.

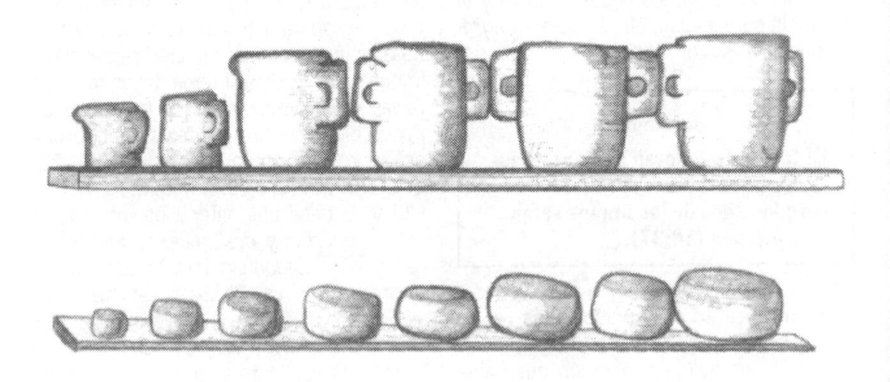

Balanzas y piedras para pesar, 11:1

8 El justo es librado de la desgracia,
pero el impío llega al lugar que le
corresponde.
9 El hipócrita con su boca daña a su prójimo,
pero los justos son librados por el
conocimiento.
10 La ciudad se regocija por el bien de los
justos,
y cuando perecen los impíos, hay grito de
alegría.

El texto hebreo para el v. 7 es difícil. Se puede leer la segunda parte del versículo y notar que el problema gira alrededor de la palabra *'oniym*, que viene de la raíz ambigua *'aven* 205, que puede significar "la maldad" o "el vigor" o "la tristeza (dificultad)". En el texto se ha aceptado la definición de la fuerza y se ha considerado que "la fuerza" del impío es su esperanza en *las riquezas* (10:28; 11:4). También puede traducirse así: "... y la expectativa de la maldad (que se iba a realizar) perecerá." El verbo "perecer" está en el tiempo perfecto para mostrar que es algo tan seguro como algo ya hecho. En este sentido, la expectativa ya no existe. La Septuaginta, por el otro lado, modifica el texto hebreo y construye un proverbio sinónimo: "Cuando muere el justo, su esperanza no perecerá, pero la jactancia del impío perecerá." Este texto griego no es probable. De todos modos, la muerte es un momento decisivo donde el impío pierde todo, hasta la esperanza (ver 10:28; 11:7; 13:12).

Semillero homilético

Se busca un ministro de justicia

11:1-8

Introducción: Hoy en día hay una necesidad grande de ministros que actúen con justicia en sus relaciones con los demás.

I. Debe ser honrado, vv. 1, 2.
 1. Ser honrado es agradar a Dios, v. 1.
 2. Agradar a Dios es ser humilde, v. 2.
 3. Ser humilde es ser sabio, v. 2.

II. Debe ser íntegro, vv. 3-8.
 1. Ser íntegro es guiarse por el bien, v. 3a, 5a.
 2. Guiarse por el bien es librarse de la ira de Dios, vv. 4b, 6a.
 3. Librarse de la ira de Dios es vivir con esperanza, v. 7.

Conclusión: El autor presenta el hecho que hay progreso en nuestro desarrollo de la honradez y la integridad: Avanzan, para abarcar todas las relaciones en nuestra vida.

7. Los modales que enriquecen y empobrecen a la ciudad, 11:8-19

El v. 8 repite la liberación o protección del justo de la desgracia o angustia, mientras el impío llega al lugar de donde el justo fue librado. Es decir, el impío se encuentra en la desgracia.

La palabra *hipócrita* en el v. 9 intenta captar la palabra hebrea *janep* 2611, que se define como "el hombre que se olvida del pacto con Dios o el hombre profano que desconoce a Dios". Job 8:13 traduce la palabra como *los que se olvidan de Dios.* Aquellos-que-actuan-sin-Dios intentan perjudicar o lastimar al prójimo, que debe sentirse seguro con él (ver 3:28, 29). De ese modo, tal persona traiciona al prójimo que espera una relación mutua de confianza y apoyo. De todos modos, el intento de perjudicar fracasa cuando el prójimo es una persona justa y sabia.

El v. 10 señala dos momentos cuando una ciudad tiene mucho gozo. Por un lado, hay alegría cuando todo va bien con los justos. Por otra parte, hay alegría cuando el impío o malvado perece. La palabra utilizada aquí, *rinnah* 7440, el sonido hebreo de alegría cuando perece el impío, significa un sonido o grito resonante. En el Salmo 126:2 y 2 Crónicas 20:22 se acentúa el concepto del verbo con canto y alabanza. Por lo tanto, suena que hay más alegría con la muerte del impío que con el bienestar del justo. Se puede pensar en la alegría de Israel cuando murió Acab (1 Rey. 22:31 ss.) o cuando murió Herodes (el Grande; Mat. 2:19 ss.) entre otros. Sin duda, una tierra descansa después de la muerte de algún líder impío.

Otra vez se trata el tema de la ciudad en el v. 11, pero ahora desde el punto de

11 Por la bendición de los rectos será
enaltecida la ciudad,
pero por la boca de los impíos será
destruida.
12 El que carece de entendimiento
desprecia a su prójimo,
pero el hombre prudente calla.
13 El que anda con chismes revela el
secreto,
pero el de espíritu fiel cubre el asunto.

---

vista de su bienestar. La bendición del recto que muestra el favor y la presencia divina en su vida influye la ciudad, levantándola, enalteciéndola (ver 3:33) para bendición. Por la otra parte, las palabras mentirosas de los impíos (en el sistema legal) derriban la ciudad, es decir, la hacen caer. Así están muchas ciudades en el mundo, en un estado de estarse cayendo por causa de la impiedad.

En el v. 12 se subraya una actitud inapropiada sin dar una evaluación moral de ella. *Carece de entendimiento* interpreta un modismo hebreo para el que "carece de corazón". "Corazón" significa "la inteligencia-la voluntad-el asiento de donde se toman las decisiones" (ver 10:8 para *corazón;* ver 6:32; 7:7; 9:4, 16; 10:13, 21 para "el carente del corazón" o "falto del entendimiento"). Tal persona desprecia al prójimo (vecino, amigo, asociado; 3:28, 29). Por otra parte, el hombre inteligente no dice nada (aunque se presenta una oportunidad para despreciarlo). "Por la boca muere el pez" es un dicho muy verdadero; hay que ser prudente en hablar. Aquí se muestra el autodominio de la persona, una virtud importante en Proverbios y el NT (ver 12:16, 23; 13:3; 14:29; 17:27, 28; 29:11, 20; Mar. 14:61 ss.; Hech. 24:25; 2 Tim. 1:7; 2 Ped. 1:6).

El v. 13 es paralelo con el mandamiento de Levítico 19:16: *No andarás calumniando en medio de tu pueblo.* Por lo tanto, el profeta Jeremías escuchó a Dios cuando explicaba la naturaleza pecaminosa del pueblo: *¡Cuídese cada uno de su prójimo! En ningún hermano tenga confianza; porque todo hermano suplanta, y todo prójimo anda calumniando* (Jer. 9:4). En este mismo sentido, Ezequiel compartió la palabra de Dios: *En ti hay calumniadores listos para derramar sangre...* (Eze. 22:9). Entonces, se puede ver el peligro del que anda con chismes en el pueblo (20:19). Al compartir lo que fue dicho en confianza, él produce daño a la persona y a la comunidad. Por otra parte, el que es fiel de espíritu designa en este caso el ánimo del individuo, sabe ser discreto y guarda la confianza del otro. La idea central gira alrededor del dominio propio (ver 20:19).

El v. 14 trata el tema del pueblo. Por un lado, la ausencia de *tajebulah* 8458 (ver 1:5; 12:5; 20:18; 24:6) que significa "el consejo" es la razón por la cual el pueblo está cayendo. Por otra parte, la palabra *teshu'ah* 8668 es un término amplio que puede indicar "salvación, liberación, victoria o seguridad". La multitud o abundancia de consejeros da ¡Seguridad! (ver 15:22; 20:18; 24:6; 29:18). "De la discusión nace la luz" es un dicho popular que inspira el diálogo antes de la decisión final.

La fianza se subraya en el v. 15, donde se analiza el puesto de fiador. Aquí se trata de un fiador del extraño, del desconocido (ver 6:1; 20:16; 27:13 para *zur* 2114, el "desconocido" o "forastero"). Por un lado, el fiador del desconocido va a lastimarse. Por otra parte, el que odia y pone distancia entre él y la acción opuesta de la fianza puede sentirse confiado (ver 10:9). Hay un consejo sabio que dice: "No metas las manos en el fuego por nadie", especialmente el desconocido. Hay que tener cuidado de no hacer alguna promesa no bien pensada. Si fuese así, hay un buen consejo en 6:1-5.

El v. 16 es difícil en la interpretación del pasaje. ¿Es el versículo una observación como 10:15 o una palabra animando al oyente a ser agraciado y audaz? Las palabras del versículo se definen así: (1) *hen* 2580 como honor agraciado es neutro, a veces positivo (ver 13:15) y otras veces

14 Cuando falta dirección, el pueblo caerá;
pero en los muchos consejeros está la victoria.

15 Ciertamente será afligido el que sale fiador por el extraño,
pero el que odia las fianzas* vivirá confiado.

*11:15 Lit., *odia chocar la mano*, indicando el ponerse de acuerdo

negativo (ver 31:30); (2) *kabod* 3519 como el honor o la gloria (Exo. 33:18, 22 para la gloria de Dios; Gén. 45:13 para José); (3) *'ariyts* 6184 como *el tirano* (Isa. 29:20) o *el adalid* (Jer. 20:11). Entonces, hay tres posibilidades. Primero, la mujer agraciada y los audaces son figuras positivas y han de imitarse. Se esfuerzan y logran lo propuesto, una a través de la gracia y la otra la valentía. Una segunda interpretación observa en las dos personas un dicho honesto: "La mujer agraciada (sentido negativo) y los hombres tiranos parecen tener éxito en la vida." Una tercera interpretación subraya el ejemplo positivo de la mujer agraciada, pero ve un contraste con los hombres tiranos de la segunda parte, un mal ejemplo. Parece que la segunda interpretación espera mejor el sentido literal del versículo, mirándolo como una observación de la vida sin evaluarla.

En el v. 17 se contrastan dos hombres, un hombre que muestra *jesed* 2617, una característica divina que manifiesta la bondad y la amabilidad (ver Sal. 100:5; 106:1; 107:1; 108:1), y el hombre que muestra *'akezariy* 393, que es crueldad o ser venenoso (ver 5:9; 12:10; 17:11). Por un lado, el hombre bondadoso se beneficia a sí mismo, mientras el hombre cruel se lastima. Es interesante que hay una ironía entre las metas de cada uno y los resultados. El hombre bondadoso espera ser de beneficio para otros y resulta que se beneficia a sí mismo. Por el contrario, el hombre cruel desea lastimar a otro, pero él se lastima a sí mismo. Sus intenciones hacia otros se cumplen en él mismo.

Semillero homilético

Cómo ser de provecho para su ciudad

11:9-14

Introducción: En el transcurrir de la historia encontramos hombres que dejaron su legado positivo a países o ciudades. Tal es el caso de Bolívar para Venezuela y los países bolivarianos, San Martín para los países del Cono Sur y Jorge Washington para los Estados Unidos. Pero otros en lugar de legar cosas o principios provechosos han destruido su reputación, su pueblo y su estabilidad. Veamos cómo podemos ser de provecho para nuestra ciudad o país.

I. Hay que mostrar una conducta intachable, v. 10.
   1. Consecuente con un justo, v. 10a (Fil. 2:15).
   2. Que produce lo bueno.
   3. Que produce alegría por motivos correctos.

II. Hay que ejercer una influencia positiva, v. 11.
   1. Para influir en el medio (Dan. 6:25-28).
   2. Para rechazar lo negativo o lo malo del medio (Dan. 1:8; 3:18; 6:10).
   3. Para producir prosperidad.
      (1) En ti (1 Rey. 4:29-34; Dan. 3:30; 6:28).
      (2) En los que te rodean (2 Crón. 34:35).

III. Hay que ser un buen consejero, v. 14.
   1. Hay que ser sabio (Dan. 2:14-18).
   2. Hay que estar dispuesto a recibir y buscar ayuda de colegas.
   3. Hay que infundir seguridad.

Conclusión: El autor del proverbio invita a los líderes a tomar en serio su responsabilidad de dar buen ejemplo y ser buenos consejeros para los necesitados.

16 La mujer agraciada obtendrá honra,
y los audaces obtendrán riquezas.
17 El hombre misericordioso hace bien
a su propia alma,
pero el cruel se perjudica a sí mismo.*
18 El impío logra salario falso,
pero el que siembra justicia tendrá
verdadera recompensa.
19 Como la justicia es para vida,
así el que sigue el mal lo hace para
su muerte.

*11:17 Lit., *a su propia carne*

En el v. 18 las palabras *shaqer* 8267 ("engañador") y *seqer* 7940 ("recompensa") forman un juego de sonidos parecidos. Por un lado, el impío o malvado (ver 10:3) recibe una recompensa "engañosa", mientras el "sembrador de justicia" (ver 10:2 "rectitud") recibirá una recompensa, que se define como fiel o verdadera. El impío es un ladrón, porque toma un salario no merecido. Pablo exhortaba a los tesalonicenses diciendo: *... les ordenamos y les exhortamos en el Señor Jesucristo que trabajando sosegadamente coman su propio pan* (2 Tes. 3:12). Además él afirma que nunca fue *gravoso a ninguno* y que no había *comido de balde el pan de nadie* (2 Tes. 3:7, 8). El que engaña en el lugar de trabajo es una carga para los demás.

> Semillero homilético
>
> **Tres pasos hacia al éxito**
>
> 11:17-23
>
> *Introducción*: La Palabra de Dios es la simiente viva y eficaz; una vez plantada produce mucho fruto y trae bendiciones a nuestra vida. Conozcamos lo que trae bendición:
>
> I. La comprensión, vv. 17-22.
> 1. Trae bien a sí mismo (Mat. 5:7).
> 2. Conduce a otros al bien, 11:19-22.
>
> II. La justicia, vv. 18b-23.
> 1. Trae recompensa efectiva.
> 2. Conduce a una vida plena.
>
> III. La buena conducta, v. 20.
> 1. Trae beneficios y agrado (Stg. 3:13; Prov. 20:11).
> 2. Conduce a un buen ejemplo (1 Tim. 4:11).
>
> *Conclusión*: El hombre comprensivo, justo y de una conducta intachable tendrá una vida próspera. En todo será bendecido, porque según Miqueas 6:8 esto es lo que quiere Dios de nosotros.

La primera palabra del v. 19 no aparece en el texto hebreo, es decir *como.* Al contrario, aparece la palabra para lo recto, lo honesto, haciendo una redundancia con la palabra *justicia,* tan infrecuente hoy en día pero muy frecuente en el ambiente oral de los hebreos. Por lo tanto, se puede traducir el texto de la siguiente manera: "La verdadera justicia va a vivir, mientras el que persigue intensamente (modo *piel,* intensificando la acción) el mal lo hace para la (su) muerte." Así el que anda cazando el mal, va a encontrar la muerte (ver 11:4).

8. El criterio divino, 11:20-23

El v. 20 señala "el perverso o torcido de corazón" (ver 6:14; 10:8 para corazón como el centro de la voluntad) como la *abominación,* algo detestable e impuro o inútil ante el Señor (ver 3:32 para "abominar"). Por otra parte, los maduros o realizados son agradables y aceptados ante el Señor.

En el v. 21 se encuentra una gran promesa divina. Por un lado, se garantiza (hebreo dice "mano a mano" o "mano sobre mano") que el hombre malo no será declarado inocente o "limpio" (ver 6:29; 16:5; 17:5; 19:5, 9; 28:20). No hay que envidiar al hombre malo aunque a veces gritamos con Habacuc: *¿Hasta cuándo...? ... la destrucción y la violencia están delante de mí. La ley pierde su poder, y el derecho no prevalece...* (Hab. 1:2-4). Por otra parte, el *zera'* 2220, de la palabra que significa "la descendencia", u otra manera para decir "los justos sin referencia a la descendencia" (hay que recordar el ejemplo de *hombres* e *hijos de los hombres* que son iguales), asegura la salvación o la

20 Abominación le son a Jehovah los
perversos de corazón,
pero los íntegros de camino le son
agradables.
21 De ninguna manera* quedará impune
el malo,
pero la descendencia de los justos
escapará.
22 Zarcillo de oro en el hocico de un cerdo
es la mujer hermosa que carece de
discreción.
23 El deseo de los justos es solamente para
el bien,
pero la esperanza de los impíos es para ira.

*11:21 Lit., *mano a mano* (como en garantía)

declaración de inocencia. El verbo "escapar" se encuentra en el tiempo perfecto, indicando un hecho acabado. Además se nota la ley de la retribución según los hechos (Lev. 24:20).

El v. 22 apunta a un fenómeno raro: Un *cerdo* tiene un *zarcillo de oro* en el *hocico.* En el AT se encuentran algunos pendientes para el hombre y la mujer: un regalo a Rebeca (Gén. 24:22), un regalo a Job (Job 42:11). La mujer bella que no tiene *sa'am* 2940, que significa "el sabor" en el sentido literal y "el juicio" en el sentido figurativo, es como un cerdo con un pendiente. Como saborear era una manera de aprobar la comida, así la mujer (como el hombre) tiene que tener un criterio para evaluar las situaciones de la vida. Parece ser que la mujer *que carece de discreción,* aunque sea bella, no tiene un criterio bien formado y maduro, le falta esta capacidad de juzgar. Hay un dicho que dice: "La mona, aunque se vista de seda, mona queda." Así es el cerdo, y también la mujer falta de sabiduría.

El v. 23 muestra que los justos tienen un deseo exclusivo, es decir para lo bueno o *el bien.* Por otra parte, el impío (ver 10:3) ha de esperar la ira divina (ver 11:4 para "ira"). Una segunda y menos probable interpretación contrapone el deseo del justo para el bien con el deseo del impío para el mal. Asimismo, la ira debe verse en el sentido del mal que el impío desea producir.

9. La generosidad audaz, 11:24-31

El v. 24 motiva la generosidad apropiada. Lit. puede escribirse: "Un hombre esparce libremente y llega a ser añadido; otro retiene lo que debe entregarse y llega a sufrir necesidad." Se podría guardar lo indebido por no dejar los frutos caídos en las viñas y en las tierras (ver Lev. 19:9, 10; Rut 2:3 ss.), que eran para los pobres y los extranjeros, los refugiados o extraños. Ser generosos se une a la idea de la prudencia y el favor divino (13:4; 14:21, 31; 15:30; 19:17; 21:13; 28:27; 31:20). Pablo afirma a los cristianos más tarde: *El que siembra escasamente cosechará escasamente, y el que siembra con generosidad también con generosidad cosechará* (2 Cor. 9:6). Hay una promesa

Zarcillos de oro, 11:22

24 Hay quienes reparten, y les es añadido
más;
y hay quienes retienen indebidamente,
sólo para acabar en escasez.
25 El alma generosa será prosperada,
y el que sacia a otros también será saciado.
26 Al que acapara el grano, el pueblo
lo maldecirá;
pero la bendición caerá sobre la cabeza
del que distribuye.

irónica: el que no extiende la mano al necesitado llega a ser aquel que extiende la mano porque va a padecer escasez.

El tema que sigue en el v. 25 es el de un hombre que liberalmente da al prójimo. *Será prosperada* traduce la palabra *dashen* [1878], que significa "ser gordo" (ver 13:4; 15:30; 28:25), una referencia a la prosperidad. En este mismo sentido, se completa el paralelismo sinónimo con una metáfora que viene de una tierra árida donde los derechos al pozo o la vertiente determinaban la sobrevivencia, y por ende el éxito (ver Gén. 26:18-22 para una escena de lucha sobre algunos pozos de agua; Gén. 29:2 para un pozo "público"). Así "dar agua" era uno de los gestos máximos de generosidad en el Medio Oriente. En este mismo sentido, las palabras *sacia* y *será saciado* interpretan el espíritu del texto literal: "Y el que da agua o riega, él mismo será regado o saciado con agua." Entonces, el concepto del versículo es mostrar que el hombre generoso puede tener la seguridad de que su generosidad no va a perjudicarlo. Al contrario, la generosidad apropiada aumenta el valor de sus bienes. La mujer ideal de Proverbios es generosa y a la vez próspera, siendo un ejemplo de este versículo (31:20). La madre de Lemuel espera que su hijo, el rey, sea un ejemplo también de la generosidad del derecho hacia el pobre (y seguramente la generosidad material; 31:8, 9).

El v. 26 vuelve a mostrar la actitud del pueblo frente a dos hechos específicos (ver 11:10). Por un lado, está el que guarda el grano (trigo o cebada) para acapararlo y recibir una ganancia fuera de lo adecuado (ver Neh. 5:10, 11; Amós 8:4-6). En ciertas circunstancias, es sabio guardar el grano en depósitos, porque siempre es bueno prepararse para la necesidad (ver Gen. 41:17 ss.). Así el motivo es importante en el texto, y tal motivo de ganancias recibe la "maldición" del pueblo (ver 3:33 para la palabra "maldición"). Por otra parte, el favor del pueblo sería dado al que compartía (ver 3:33 y 5:18 para "bendecir"; 10:6 para "bendición sobre la cabeza": concepto de ungir con aceite). Aún los griegos más tarde hablan de la actitud incorrecta del hombre de ser "deficiente en dar y excesivo en tomar algo" (Aristóteles, *Ethica Nicomachea*).

Joya bíblica

Al que acapara el grano, el pueblo lo maldecirá;
pero la bendición caerá sobre la cabeza del que distribuye (11:26).

El v. 27 subraya la recompensa de dos actitudes. Por un lado, una actitud busca el bien y, quizá sin darse cuenta, está buscando intensamente (del modo *piel)* el favor o la aceptación (del pueblo). Nos recuerda los ejemplos de Rut entre los hebreos (ver Rut 4:11 s.), José entre los egipcios (Gén. 39:2 s.; 41:37 ss.; 45:16 ss.), Daniel entre los babilonios (ver Dan. 1:19, 20; 2:46 ss.; 6:25 ss.) y otros. Por otra parte, existe la actitud de buscar el mal. Nos recuerda 4:14-17 donde los malos ni pueden dormir sin hacer el mal. Por lo tanto, su estilo de vida, su vida cotidiana gira alrededor de alguna maldad (ver Gén. 6:5; 18:32; 19:4 ss.; Hab. 1:2 ss.). Sin embargo, esta actitud malvada no se cumple en la persona ajena sino en el que la tenga (ver 11:17). En conclusión, la actitud de buscar el bien produce el favor, mientras la actitud de buscar el mal produce prejuicio al malo.

El v. 28 muestra las limitaciones de las

27 El que se esmera por el bien conseguirá favor;
pero al que busca el mal, éste le vendrá.
28 El que confía en sus riquezas caerá,
pero los justos reverdecerán como follaje.
29 El que perturba su casa heredará viento,
y el insensato será esclavo del sabio de corazón.

---

riquezas y la superioridad de la justicia, la actitud del justo (ver 10:2, 3). De hecho, depositar toda la confianza en las riquezas es mostrar la necedad como Jesús enseñó (ver Mat. 6:19, 20; Luc. 12:16 ss.) y el libro de Proverbios ha afirmado (ver 11:4). ¡Confíe en Dios!, grita el libro (ver 28:25). Por otro lado, los justos o rectos no van a caer sino "echar nuevas hojas", tener una nueva y prolongada vida bajo la bendición divina.

El v. 29 subraya dos características dañinas para uno mismo. Entregadas en un paralelismo sinónimo, las dos actitudes predicen cómo se rebaja el valor de las personas tontas. Por un lado, el que trae problemas a su casa o que crea problemas dentro de la casa (ver 15:27), va a recibir una herencia miserable, es decir el *viento;* ver Job 7:7; Ecl. 1:14). El viento simboliza algo que no es tangible, un bien de la ilusión. En este mismo sentido, el insensato-indiferente (ver 1:7) llegará a ser un *esclavo* (Gén. 39:17; Prov. 22:7) del prudente en su manera de pensar y tomar decisiones (ver 16:21). Así tal *esclavo* pierde su libertad y su casa independiente, quedando bajo la autoridad del otro.

El v. 30 se complica en la segunda parte con un refrán difícil de interpretar. El problema exegético se concentra en dos palabras muy ambiguas. La primera se ha traducido *gana* y viene del hebreo *laqat* 3948, que significa "tomar" o "recibir". *Laqat* es un término bien amplio, y puede significar "quitar" como en 1:19, o "tomar la posesión de algo" como en 6:25, donde la mujer adúltera utiliza sus párpados (quizá las pestañas) para "tomar posesión de", "captar" al ingenuo, o tener la responsabilidad de "conducir"' como en Génesis 48:1. Asimismo, la segunda palabra ambigua del texto hebreo se traduce *almas,* que viene del vocablo *nepesh* 5315, que puede significar todo del ser humano, desde "la pasión o el deseo" de la persona (31:6 *ánimo*) hasta la persona entera (Lam. 3:24; Prov. 28:17). Al ver estas palabras ambiguas, las tres interpretaciones mejores son: (1) La segunda parte del versículo es favorable, entonces el sabio está "tomando o ganando" a las personas; (2) la segunda parte del versículo es desfavorable, entonces el sabio "quita" las vidas (del malhechor); (3) la segunda parte del versículo es neutral, expresando que es sabio aquel que "conduce" o "toma posesión" de las personas; (4) la segunda parte del versículo debe leerse "el violento quita las vidas" (Serrano; William McKane). La primera interpretación se apoya en el hecho de unir el versículo anterior con este versículo, y hacer un paralelismo (ver Keil-Delitzsch). La segunda interpretación se apoya en el concepto de guardar enteramente el texto, agregando una característica del malo al

Semillero homilético

La medida de la generosidad

11:24-26

Introducción: Entre las cualidades de una persona espiritual está la generosidad en ofrecerse para relacionarse con otros. El autor de los proverbios nos explica acerca de esta generosidad. ¿Cómo es la persona generosa?

I. Reparte con justicia, v. 24.
   1. La repartición justa trae bendición, v. 24a.
   2. La repartición injusta trae miseria v. 24b.

II. Da con alegría (v. 25); la generosidad...
   1. Trae prosperidad, v. 25.
   2. Trae abundancia, v. 25b.

III. No retiene, v. 26.
   1. El acaparador trae escasez, v. 26.
   2. El acaparador trae maldición, v. 26.

Conclusión: El cristiano tiene el desafío para reconocer que Dios le ha bendecido con el fin de que sea bendición para otros.

30 El fruto del justo es árbol de vida,
y el que gana almas es sabio.*
31 Ciertamente el justo será recompensado
en la tierra;
¡cuánto más el impío y el pecador!

12 **1** El que ama la corrección ama el
conocimiento,
pero el que aborrece la reprensión
se embrutece.
2 El bueno alcanzará el favor de Jehovah,
pero Dios condenará al hombre que
urde males.

*11:30 LXX tiene *pero la vida del transgresor es quitada.*

final; esta interpretación es poco probable. La tercera interpretación, favorecida por este comentario, toma en serio el texto hebreo, viendo cómo el sabio, en muchos momentos, tiene la responsabilidad de guiar a los demás, por eso sus vidas están en su posesión (ver Gén. 48:1). Entonces, el texto podría leerse: "El fruto del justo es árbol de vida (ver 3:18; 13:12; 15:4; Apoc. 2:7; 22:14), el sabio tendría la responsabilidad de las personas." Finalmente la cuarta interpretación se apoya en los escritos griegos (Septuaginta) y modifica la palabra hebrea para "sabio", a la palabra hebrea que significa "la violencia", mostrando que es el violento que quita las vidas y no el sabio. Parece que la primera o la tercera interpretación mantiene el texto hebreo más fielmente, y es preferible la tercera interpretación. En conclusión, se puede ver que el hombre justo es una fuente para descubrir el camino de vida y construir una vida exitosa.

El v. 31 afirma el juicio en la tierra para el justo, el impío y el pecador (ver 10:3). El justo va a recibir su premio o recompensa, del vocablo hebreo *shalem* [7999]. *Cuanto más* pone énfasis en la urgencia y la seguridad de la "recompensa justa" al impío. Hay una gran advertencia para el joven que es instruido por el maestro sobre estos *mashal.* El v. 31 se encuentra citado en 1 Pedro 4:18 para dar una fuerte advertencia contra aquellos que *no obedecen el evangelio de Dios* (v. 17). El mismo concepto de la recompensa según las obras se encuentra en otros pasajes de Proverbios (24:12).

Semillero homilético

Dos hombres dedicados y diferentes a la vez

11:27-31

Introducción: Las actividades humanas son múltiples y variadas, simples y complejas; lo que se hace en servicio a Dios siempre es lo mejor.

I. El primer hombre se dedicó sólo a aspectos de esta vida.
1. Buscó el mal, v. 27.
2. Confió en riquezas, v. 28.
3. Recibió recompensa negativa, v. 31.

II. El segundo hombre integró lo espiritual con lo material
1. Buscó el bien y sus favores, v. 27.
2. Rescató almas de la perdición, v. 30.
3. Recibió recompensa adecuada en esta vida y la futura, v. 31.

Conclusión: Estos versículos enseñan que la dedicación seria a la tarea no es suficiente; hay que dedicarse a la actividad correcta.

10. Una proyección sólida, 12:1-7

La combinación de las palabras *corrección* y *reprensión* es frecuente en el texto de Proverbios (ver 10:17). Son sinónimas cuando se subraya el aspecto de la reforma. La palabra "amar" muestra una relación íntima y comprometida (ver 8:17), y es el verbo elegido por Jesús para hablar de la relación que debe existir entre sus discípulos (Juan 15:12). El verbo "aborrecer" significa la afección desfavorable, el deseo de abandonar lo aborrecido (ver 6:6). Así, la verdad que se enseña muestra que el amante de la reforma que señala la "disciplina" es a la vez amante del conocimiento-verdad (ver 1:4). Al contrario, el que no es corregible es un hombre bruto, que identifica una persona "ton-

3 El hombre no se establecerá por medio de la impiedad,
pero la raíz de los justos es inconmovible.
4 La mujer virtuosa es corona de su marido,
pero la mala es como carcoma en sus huesos.
5 Los pensamientos de los justos son rectitud,
pero las artimañas de los impíos son engaño.

---

ta, no receptiva a los consejos y poco oyente".

En el v. 2 Dios evalúa la situación de dos personajes en contraste. Por un lado, Dios favorece o muestra un compromiso con *el bueno.* Al contrario, él condena al *hombre que urde males* (*mezimmah* [4209]), que significa "la habilidad para proponer algo y llevarlo a cabo" (ver 8:12; 14:17; 24:8). Aquí se utiliza esta habilidad para hacer el mal.

El v. 3 afirma el medio por el cual un hombre puede establecerse. Por un lado, la impiedad no es una forma útil para afirmarse, es un engaño. Al contrario, *la raíz* (como del árbol) de los rectos (ver 10:3) jamás será movida, tiene *fundamentos eternos* (10:25).

El enfoque del v. 4 es la mujer y su carácter. El tema de la esposa es frecuente en Proverbios (ver 2:16-19; 5:32; 6:20-35; 7:5-27; 9:1-6, 13-18; 18:22; 19:13, 14; 21:9, 19; 25:24; 27:15, 16; 31:10-31). Junto a los pasajes sobre la madre (ver 1:8; 4:3; 6:20; 10:1; 15:20; 19:26; 20:20; 23:22, 25; 28:24; 29:15; 30:11, 17; 31:1, 28), los pasajes sobre la esposa terminan el cuadro del papel fundamental de la mujer en el tiempo de Salomón-Ezequías (un período de más que 200 años). Hay dos contrastes: la mujer adúltera y la esposa infiel; la mujer rencillosa y la que es corona de su marido. La mujer del v. 4 es *jayit* [2428], que tiene como idea básica "la fuerza" o "la eficiencia". La mujer (o el hombre) que es moralmente fuerte, es por ende *virtuosa* (ver 31:10; Rut 3:11). La mujer virtuosa es *corona* o "el honor" en el sentido figurativo (ver 4:9; 14:24; 16:31; 17:6) de su marido. Ella es un gran valor en la familia, una compañera ideal. Al contrario, la mujer *bosh* [954] trae "la vergüenza" (ver 10:5; 14:35; 17:2; 19:2; 29:15), y entonces, es como *carcoma* (la comida de gusanos; ver 10:7; 14:30) al marido (lit. "a los huesos" para mostrar la pudrición de algo vital). El marido de la mujer vergonzosa es perjudicado, mientras el de la mujer virtuosa es favorecido. Mientras una se puede mostrar en público como una *corona,* la otra da vergüenza. Un escrito egipcio aconseja: "Si eres hombre de nota, debes fundar tu hogar y amar a tu mujer en él como conviene. Llena su vientre; viste su espalda. Ungüento es lo prescrito para su cuerpo. Alegra su corazón mientras vivas. Es campo provechoso para su señor (eufemis-

Semillero homilético

¿Cómo conocer al creyente?

12: 1-12

Introducción: A los creyentes del primer siglo la gente les quiso dar un nombre que los identificara, y vieron que los términos "cristiano" o "del camino" les describían de la mejor manera. Estos términos les comprometieron a reflejar a Cristo y dejar en una posición digna estos nombres, además que practicaban ciertas cosas que iban con estos nombres. Les conocían entonces por sus nombres y por sus prácticas, como vemos en este pasaje.

I. Por sus nombres.
1. Bueno y no malo, v. 2.
2. Justo y no impío, vv. 5, 7, 10, 12.
3. Recto y no impío, v. 6.

II. Por sus prácticas.
1. Atento para oír, v. 1.
2. Firme, vv. 3, 12.
3. Virtuoso, v. 4.
4. Laborioso, v. 11.

Conclusión: La Biblia nos enseña que como creyentes tenemos una "gran nube de testigos a nuestro alrededor" y por esta causa, al igual que los creyentes de siempre, debemos vivir acorde a lo que predicamos y somos.

6 Las palabras de los impíos son para
acechar la sangre,
pero la boca de los rectos les librará.

7 Al ser trastornados los impíos, dejarán
de ser;
pero la casa de los justos permanecerá.

mo para "ella le puede dar hijos"). No debes disputar con ella ante la ley e impide que gane dominio... su ojo es un torbellino. Que su corazón se apacigüe mediante lo que te aumente; eso significa tenerla largo tiempo en tu casa" (*La Sabiduría del Visir Ptah-Hotep*). Y Don Quijote cita este proverbio cuando habla de la mujer del pobre: "El pobre honrado... tiene prenda en tener mujer hermosa, que cuando se la quitan, le quitan la honra y se la matan. La mujer hermosa y honrada cuyo marido es pobre merece ser coronado con laureles y palmas de vencimiento y triunfo. La hermosura, por sí sola, atrae las voluntades de cuantos la miran y conocen... y la que está a tantos encuentros firme bien merece llamarse corona de su marido."

El v. 5 muestra la inversión de la energía mental de parte de justo y del impío (ver 10:3). Por un lado, los pensamientos del recto son apropiados y rectos. Por otra parte, los "consejos" (vocablo hebreo es neutral para "consejo": 1:5; 11:14; 20:18; 24:6) de los impíos son "engañosos" o "traicioneros" (ver 11:1; 14:8; 26:24). Así uno puede ver cómo funciona la mentalidad de cada uno, imitando al justo y protegiéndose del impío.

Cultivando la tierra, 12:11

El v. 6 antepone el propósito y el poder de *las palabras* (quizá el testimonio en la corte). Por un lado, la palabra *'arab* 694, traducida *acechar*, muestra la acción de estar tranquilamente esperando *sangre* o "hacer violencia" (ver 1:11 para ladrones acechando; 7:12 para la adúltera acechando; 1:18 "acechando sangre"). En este caso, al hablar de *acechar*, seguramente indica una mentira en el comercio o en la corte que espera mover la comunidad en contra del justo. Sin embargo, el poder de la persuasión (y la vida conocida) del justo es lo suficiente para "librarlo" (ver hacerlo "escapar" en 6:3; 11:4, 6; 19:19; 23:14). Jesús dijo a sus discípulos: *Cuando os llevan para entregaros, no os preocupéis por lo que hayáis de decir. Más bien, hablad lo que os sea dado en aquella hora; porque no sois vosotros los que habláis, sino el Espíritu Santo* (Mar. 13:11). El creyente no ha de vivir paralizado por el temor de lo que otros puedan decir, sino vivir una vida recta y confiar en el poder del Espíritu Santo para las situaciones difíciles.

En el v. 7 se repite el destino del impío y el del justo. Como Sodoma fue trastornada (ver Gén. 19:21, 25, 29 traducidos *destruiré, trastornó* y *trastornar)* y Amón fue trastornado (ver 2 Sam. 10:3 traducido *destruirla*), aquí el impío o malvado será destruido. Se agrega la palabra hebrea *ayin* 369, que es terminante: ¡No-existente! (Substantivo.) Al contrario, *la casa* (o el hogar) del justo permanecerá y permanecerá (ver 3:25; 10:25). Se cita este

8 El hombre es alabado según su discernimiento,
pero el perverso de corazón será menospreciado.
9 Mejor es el menospreciado que tiene quien le sirva
que el vanaglorioso que carece de pan.
10 El justo se preocupa por la vida de sus animales,
pero los sentimientos* de los impíos son crueles.
11 El que cultiva su tierra se saciará de pan,
pero el que persigue cosas vanas es falto de entendimiento.
12 El impío codicia la fortaleza de los malos,
pero la raíz de los justos es estable.

*12:10 Lit., *las entrañas*

proverbio en la parábola de Jesús acerca de las dos casas, una construida sobre la peña y otra sobre la arena (ampliando así la segunda parte del v. 7; Mat. 7:24-27; Luc. 6:48, 49).

11. El pan adquirido, una señal del carácter, 12:8-12

El v. 8 muestra la reacción de la sociedad (la comunidad judía creyente) hacia el hombre que tiene discernimiento (del hebreo *sakal* 7922, que significa "prudencia, comprensión y el poder para discernir") y el perverso o torcido de corazón (ver 6:14; 10:8). Por un lado, el que sabe discernir es muy *alabado* (la forma *pual* intensifica el verbo "ser alabado"). Al contrario, el perverso es mirado en menos, menospreciado (Gén. 38:23 traducido *objeto de* ***burla*** *para menosprecio;* ver Job 31:34).

Otra vez se hace una comparación con la palabra *tob* 2896 ("bueno") para decir *mejor* ("superior"). Son dos las interpretaciones posibles. Ambas colocan el hombre de "poca estima o poca cosa" en la comunidad, por sobre el grandioso, que carece de los alimentos más básicos y padece de hambre. La primera parte tiene dos posibles interpretaciones que giran alrededor de la palabra "esclavo". El texto hebreo se lee así: "Superior es el hombre de poca estima (en la comunidad) y esclavo para sí que..." Algunos indican que el hombre tenía un esclavo y así era mucho mejor en lo económico que "el grande de la ilusión" (Toy; Keil-Delitzsch). Por otro lado, una segunda interpretación muestra como el hombre, aunque sea muy humilde, no es esclavo de nadie. El grandioso ha de evaluar bien su situación, ver la necesidad de su hogar y poner una base económica para que no haya tanta necesidad extrema (ver 6:6-11, especialmente v. 11).

El v. 10 subraya dos formas de ser y cómo afecta la vida hasta del animal del hogar. Por un lado, la actitud del justo incluye la preocupación por su animal (vaca, buey, un animal grande seguramente utilizado en la producción de la tierra; ver v. 11). Por el otro lado, todos sufren en el hogar del impío porque sus *rajamiym* 7356 son crueles, es decir "el vientre" o "el sentimiento, especialmente fraternal o maternal". ¡Qué triste encontrar un hogar con

Semillero homilético

La grandeza de la obediencia

12:8-15

Introducción: La obediencia es el resultado del amor y la atención de parte de los padres hacia los hijos desde el momento de nacer. Por ello los padres se regocijan cuando crían a hijos obedientes.

I. Se basa en la justicia.
  1. Que viene de Dios, quien es el ejemplo en la justicia.
  2. Que se implementa en las leyes que rigen el país.

II. Se caracteriza por bondad y misericordia.
  1. Con sencillez.
  2. Con prontitud.

III. Se manifiesta en una sana sabiduría.
  1. En actitudes para con sus hermanos.
  2. En actitudes para con la sociedad.

Conclusión: La sociedad que tiene ciudadanos que respetan las leyes y actúan en obediencia tiene la base para una nación fuerte.

13 En la transgresión de los labios hay una
trampa fatal,
pero el justo saldrá bien de la tribulación.
14 El hombre será saciado con el bien del
fruto de su boca,
y también le vendrá la recompensa de
sus manos.
15 En la opinión* del insensato su camino
es derecho,
pero el que obedece el consejo es sabio.
16 El insensato al instante* da a conocer
su ira,
pero el que disimula la afrenta es prudente.
17 El que habla verdad* declara justicia,
pero el testigo mentiroso hace engaño.
18 Hay quienes hablan como dando estocadas
de espada,
pero la lengua de los sabios es medicina.

*12:15 Lit., *En sus ojos*
*12:16 Lit., *en el día*
*12:17 Otra trad., *fidelidad*

alguien así como dueño (los animales sufren con sus dueños; ver Jos. 6:21; 7:24; Jon. 3:7, 8)!

La palabra *pan* une el v. 10 con el v. 11. El paralelismo antitético habla de la abundancia del pan (ver *el que carece de pan* del v. 9) para aquel que trabaja su tierra. Al contrario, el que persigue o se esfuerza para conseguir (un verbo de acción y esfuerzo) cosas vanas o vacías, es ignorante (ver 6:32; 10:21 para "carece de corazón"). Es evidente que ambos personajes se esfuerzan. Sin embargo, el hombre ignorante invierte mal sus esfuerzos, "sembrando en el mar". Se repite el versículo en 28:19.

El v. 12 muestra que el deseo (negativo) de los impíos es codiciar, que tiene dos significados distintos: Codician "la fortaleza o la seguridad" de los malos o codician "las herramientas para cazar de los malos. La primera traducción pone el versículo en una relación antitética más completa, tratándose de la seguridad de los malos y la seguridad o permanencia del justo. La segunda traducción, por otra parte, diría que los impíos codician las herramientas (verbo "dar") de los demás malos, pero aun los justos están bien puestos (verbo "dar") y no tienen que tener temor de las trampas codiciadas (ver 12:3, 6). La segunda traducción es más probable.

12. La buena palabra confronta la mentira, 12:13-25

El v. 13 vuelve al tema frecuentísimo del habla. Repitiendo el tema de 12:6, se puede ver cómo las palabras de la "transgresión o rebeldía" llegan a ser una trampa (como del cazador); sin embargo, el justo se escapa de ella.

En un paralelismo sinónimo el v. 14 muestra el valor de las palabras bien dichas y del trabajo bien invertido. *Del fruto,* resultado del habla, el hombre va a rebosar más que lo necesario (hasta excesivo), en lo bueno; y del trabajo, se devuelve el fruto en una forma multiplicada (ver 13:2; Ecl. 12:13, 14; Rom. 2:6).

El v. 15 acentúa la diferencia entre el justo y el insensato. Por un lado, el insensato-no-oyente (ver 1:7) se cree "derechísimo". ¡Grave error! Por otra parte, el sabio (ver 1:5; 10:1) escucha-medita-obedece un consejo (del otro). Siempre el justo está dispuesto a escuchar a otros.

El v. 16 subraya el tema tan delicado del dominio propio (ver 11:12, 13; 12:23; 13:3; 14:29; 17:27, 28; 25:28; 29:11, 20). Se muestra la gran diferencia entre el insensato o indiferente a la sabiduría (ver 1:7) y el prudente (en el arte de vivir). Por un lado, el insensato *da a conocer* (públicamente o donde se encuentra cuando siente la emoción) *su ira* y/o "la causa de la ira" (el enemigo). Se subraya en el texto la palabra *bayyaom* [3117], "en el día", públicamente y al mismo día. Al contrario, el prudente intenta "cubrir", no hacer pública, la "deshonra" o *la afrenta* (no merecida, como del maestro del alumno impío en 9:7). La *afrenta* es merecida por los

19 El labio veraz permanecerá para siempre;
pero la lengua mentirosa, sólo por un momento.
20 Engaño hay en el corazón de los que traman el mal,
pero en el corazón de los que aconsejan paz hay alegría.
21 Ninguna adversidad le acontecerá al justo,
pero los impíos estarán llenos de males.
22 Los labios mentirosos son abominación a Jehovah,
pero le agradan los que actúan con verdad.*
23 El hombre sagaz encubre su conocimiento,
pero el corazón de los necios proclama la insensatez.
24 La mano de los diligentes gobernará,
pero la de los negligentes será tributaria.*
25 La congoja abate el corazón del hombre,
pero la buena palabra lo alegra.

*12:22 Otra trad., *fidelidad*
*12:24 Otra trad., *sometido a tributo laboral*

necios (3:35), el adúltero (6:33), el burlador (22:10), entre otros (11:2; 13:18; 18:3).

El v. 17 llama la atención al sistema legal que se basa en la verdad establecida. En el versículo hay dos figuras: (1) El que produce o causa (del verbo en la forma *hiphil*, que apunta al causante), "que habla fidelidad o verdad" (ver 28:20); (2) el testigo mentiroso. Por un lado, "el que causa que hable (que "respire") la verdad" hace "conspicuo" o "revela" (del verbo hebreo *nagad* 5046, que significa "ser conspicuo" o "declarar aquello que permite conocer algo desconocido hasta entonces") la justicia (ver 10:2). Por otra parte, el testigo mentiroso (ver 6:19; 14:5, 25; 19:5, 9, 28; 21:28; 24:28, 29; 25:18; 29:24; Lev. 19:16-21) "engaña" (ver 11:1; 12:5, 20; 14:8, 25; 26:24).

El v. 18 contrapone las palabras del que "habla sin pensar en una forma poco considerada" con las palabras del sabio (ver 1:5; 10:1). Los resultados son muy distintos. El que habla sin pensar es (como) "la penetración de la espada". Al contrario, la lengua del sabio es (como) remedio o sanidad (del vocablo *marepe'* 4832). En este mismo sentido, la lengua del sabio sanador es como las enseñanzas del maestro (4:22) y el enviado fiel (13:17).

El dicho "la mentira tiene patas cortas" se expresa en el v. 19. Aquí se compara la lengua mentirosa o distorsionada (ver 6:17) con "un centelleo" o "un parpadeo" (ver Job 20:5, *sólo por un momento*). Por otra parte, los labios "fieles o veraces" (ver 12:17, 22), o "firmes o establecidos", permanecen para siempre en la "perpetuidad".

El v. 20 apunta a dos estados de ánimo o de la voluntad (ver 6:18; 10:8 para *corazón*). Por un lado, al abrirse *los que traman (de 'jarash* 2796, que significa lit. "cortar hacia adentro": arar una tierra" o "grabar en piedra" y figurativamente como "idear" o "tramar"; ver 3:29; 14:22 para "idear"; 20:4 para "arar") *el mal* se puede ver "el engaño o la traición". La palabra *engaño* recibe el énfasis del versículo por estar al principio. Al contrario, cuando se abre el corazón de los que tienen planes como para "conseguir" la paz (de *shalom* 7965, que significa "la paz", "el bienestar" o "la armonía de las cosas"), hay "regocijo" o *alegría* (ver 29:6). Abra el corazón del malo: ¡Engaño! Abra el corazón del bueno: ¡Alegría (paz)! Jesús comentaba de Natanael: *¡He aquí un verdadero israelita, en quien no hay engaño!* (Juan 1:47). Hoy en día, a veces lo que ellos llaman astucia es nada menos que *engaño.* Jesús admira a un creyente en que no existe esta astucia.

La verdad del v. 21 es una gran promesa para el justo (ver 10:3). El verbo perfecto "llenar" muestra un hecho como ya acabado. Por un lado, los impíos o malvados (ver 10:3) estarán llenos de problemas maléficos. Por otra parte, la promesa a los justos suena irreal: *Ninguna adversidad* va a "encontrar una oportunidad (para desarrollarse)", del vocablo *anah* 576, "en (la vida) del justo". Se conoce el ejemplo de José y las adversidades en su vida: vendido por sus hermanos (ver Gén. 37:28), echado en una cárcel egipcia (ver Gén. 39:20), etc. Entonces, ¿cómo puede darse por sentado una promesa tan grande? En ambos casos la adversidad no tuvo la oportunidad para desarrollarse completamente. Pero Dios intervino con la bendición sobre José y cambió la situación del mal. Romanos 8:28 llega a ser importante: *Y sabemos que Dios hace que todas las cosas ayuden para bien a los que le aman, esto es, a los que son llamados conforme a su propósito.*

Abominación, proclama el comienzo del v. 22 en el texto hebreo (ver 6:16 para abominar: detestable, impuro, el opuesto de sagrado y no aceptable en la presencia del Señor). Así se puede ver la actitud de rechazo de Dios hacia los labios mentirosos (ver 6:12, 17, 19; 12:19). Por otro lado, los que actúan (verbo de actividad) con verdad o fidelidad (ver 12:17) son "agradables" (substantivo: el hombre agradable o favorable), y mejor traducido *le agradan* o "son favorecidos" (ver 8:35; 11:1, 20; 12:2, 22; 15:8; 18:22 para una gran lista de todos que agradan Dios). Un dicho egipcio es paralelo al texto: "No hables en falso a un hombre: Es abominación para el dios" (*La Sabiduría de Amen-em-opet*).

El v. 23 antepone las características sapienciales de dos individuos: el prudente, que significa ser "astuto" o "tener el sentido común" (13:16; nos hace recordar la admonición de Jesús: *Sed, pues, astutos como serpientes...*, Mat. 10:16), y el necio o indiferente (ver 1:22). Por un lado, el necio proclama, tal como la sabiduría al hacer su proclamación en 8:1 ss. (se ocupa el mismo verbo, traducido "llama" en el texto de 8:1) aunque el tema es *la insensatez*, basado en los antivalores en vez de los valores de la sabiduría. Por otro lado, el hombre astuto y de sentido común "mantiene callado" (su) "conocimiento" (ver 1:4 para la meta de los proverbios sapienciales; 1:22 para algo rechazado por los necios). Un dicho egipcio es paralelo al versículo: "Mejor es un hombre cuya charla (permanece) en su vientre que el que la profiere de manera injuriosa" (*La Sabiduría de Amen-em-opet*).

El v. 24 habla de la proyección de los diligentes y los negligentes (ver 10:4). Por un lado, el diligente será dirigente (sobre otros). Por otro lado, el negligente o no esforzado llega a ser un siervo (el vocablo que significa "un cuerpo de obreros obligados a servir, por ser o esclavos o pueblos conquistados, o alguien con otra desgracia"; ver Exo. 1:11; Deut. 20:11; Jos. 16:10; 1 Rey. 4:6; 5:27; 9:21 y muy usual durante el tiempo de Salomón). Así el diligente llega a ser dirigente de la gente, mientras el negligente se convierte en dirigido y es forzado a trabajar bajo la autoridad de otra persona.

El v. 25 subraya dos factores que influyen el ánimo del individuo. Por un lado, el temor o ansiedad (el vocablo hebreo se traduce *temor* en Jos. 22:24, *ansiedad* en Jer. 49:23 y *angustia* en Eze. 4:16;

Semillero homilético

El éxito en la vida del ser humano

12:24-28

Introducción: Cada día alguien sale con una nueva fórmula para el éxito. Hay personas que ganan millones con sus conferencias que enfocan las claves para el éxito. Los proverbios también nos hablan de la manera de lograr el éxito.

I. Depende del dominio de sí mismo.
1. El que se esfuerza recibirá recompensa, vv. 24 y 27.
2. El que no se esfuerza se enfrenta con el fracaso.

II. Depende de la relación con su prójimo.
1. Actúa para su propia vida, vv. 26 y 28.
2. Se equivoca y hace tropezar a los demás.

III. Depende de la relación con Dios, v. 25.
1. Quien resuelve problemas del hombre.
2. Quien nos ha mandado a Jesús como Salvador.

Conclusión: La confianza en uno mismo, la buena relación con el prójimo y una sana relación con Dios, nos encaminan al éxito en la vida.

26 El justo sirve de guía a su prójimo,
pero la conducta de los impíos los hace errar.
27 El negligente no alcanza presa,*
pero el hombre diligente obtendrá preciosa riqueza.
28 En el camino de la justicia está la vida,
y en su senda no hay muerte.

*12:27 Comp. vers. antiguas

12:18, 19) hace "postrar" al individuo. Al contrario, *la buena palabra* como "la buena nueva" lo-hace-muy-alegre (en su *corazón*; se agrega el adverbio "muy" por la forma *piel* que intensifica la acción del verbo). Así, *la buena palabra* produce la alegría profunda (ver 10:28; Sal. 106:5), mientras la "angustia" humilla al hombre (ver Mat. 6:25 ss.).

13. Los alcances de la persona diligente, 12:26-28

El v. 26 es muy difícil en el texto hebreo porque la primera parte dice: "El justo hace espiar e investigar a su amigo o compañero" (el verbo *tur* [8446] significa "buscar, explorar o espiar" y aquí se encuentra en la forma *hiphil*, que hace que el sujeto sea la causa o la fuerza detrás de la acción del verbo). Quizá nos ayuda a comprender la segunda parte del versículo. Asimismo, la conducta de los impíos los hace errar o salir del buen camino, imitando el mal camino de los impíos. Parece que la palabra *prójimo* es mejor y que el mensaje del texto gira alrededor del concepto de "analizar bien con quién anda". Así hace el justo, pero no con aquellos que yerran siguiendo a los impíos.

El texto hebreo no es muy claro en el v. 27. La palabra *alcanza* es la interpretación del verbo hebreo *jarak* [2742], que aparece sólo aquí en todo el AT, y significa "poner en movimiento, empezar o emprender". La palabra *alcanza*, entonces, no viene del verbo, sino de los textos antiguos (LXX, Siriaco-Peshita, targúmes arameos) que tienen "obtener" o "captar". Otra interpretación entiende la frase como "el perezoso" o "negligente" que no persigue su presa (Keil-Delitzsch). La segunda parte puede leerse: "Pero el hombre diligente persigue preciosa o valiosa riqueza." El verbo no está en la segunda parte del texto sino viene de la primera parte. Entonces, el dicho enseña que el negligente ni siquiera busca la alimentación necesaria, mientras el diligente aun tiene en exceso. De modo que se trata del tema de la flojera (ver 6:6-11; 10:4; 12:24).

El v. 28 presenta el tema de *la vida* como consecuencia del camino de la justicia o rectitud (ver 10:2). La segunda parte, por lo tanto, puede hablar en un sentido antitético cambiando *no* a "para", así quedaría "para la muerte" en vez de "no (hay) muerte". Por lo tanto, se interpreta el

Cómo ser trabajadores eficientes
6:6-11; 12:24-27; 13:4

En un país que tiene altos índices de desempleo una vez un señor le dijo a su pastor: "Aquí dicen que no hay trabajo. Pero lo que hace falta es iniciativa. Hay mucho trabajo, pero uno tiene que tomar la iniciativa para ofrecerse y probar que es capaz."

He aquí la receta para ser un trabajador eficiente.

1. Dejar la pereza, 13:4a.
   (1) La pereza hace a la persona conformista, 6:6.
   (2) La pereza somete al tributo laboral para siempre, 12:24b.
   (3) La pereza empobrece, 13:4; 6:11; 10:4.
2. Practicar la diligencia, 13:4b.
   (1) La diligencia hace previsión, 6:8.
   (2) La diligencia escala posiciones, 12:24.
   (3) La diligencia enriquece, 10:4.
   (4) La diligencia trae honra, 12:27.

Hay mucha diferencia entre la pereza y la diligencia. Los que practican la diligencia toman los pasos necesarios para evitar el encontrarse en las crisis que caracterizan a los perezosos.

13 1 El hijo sabio acepta la disciplina de su padre,
pero el burlador no escucha la corrección.
2 Del fruto de su boca el hombre comerá el bien,
pero el alma de los traicioneros hallará el mal.
3 El que guarda su boca guarda su vida,
pero al que mucho abre sus labios le vendrá ruina.
4 El alma del perezoso desea y nada alcanza,
pero el alma de los diligentes será prosperada.
5 El justo aborrece la palabra de mentira
pero el impío se hace odioso y trae deshonra.
6 La justicia guarda al íntegro de camino,
pero la impiedad arruina al pecador.

---

concepto de *senda* como la senda del malo. Tal traducción, con las modificaciones textuales, recibe apoyo de la Septuaginta. Sin embargo, el texto muestra *no* y la palabra neutral *senda* sin referencia. Entonces, es mejor decir que el camino de la justicia garantiza la vida y no la muerte prematura (ver 11:19).

14. Los no sabios, 13:1-6

El v. 1 repite el tema del hijo sabio (ver 10:1). La primera parte del versículo no tiene un verbo, aumentando de ese modo la relación íntima: *El hijo sabio — la disciplina del padre* (está ausente *la madre* como en 1:8; 6:20; 10:1, aunque toda la segunda parte es un poco distinta que las otras segundas partes antitéticas). Al contrario, el burlador, el que desprecia a los demás (ver 1:22), no escucha *la corrección* o "advertencia" (ver 13:8 *amenazas;* 17:10 *reprensión*). Entonces, el hijo sabio se relaciona íntimamente con la disciplina paternal, mientras el burlador que desprecia a otros no escucha la advertencia (pone distancia entre él y la reprensión).

Varas de disciplina en tiempos antiguos (13:1)

El v. 2 contrapone los caracteres del hombre de buenas palabras y del traicionero. Por un lado, el hombre de buenas palabras *comerá* (un juego con las buenas palabras) o "aprovechará" su habla, resultando en el bien. Por otra parte, el traicionero (ver 2:22; 22:12) trae violencia. Poner la segunda parte en una relación antitética significaría agregar un verbo para mostrar que "la violencia" es la consecuencia del traicionero, y no la actitud (ver 11:23). Sin embargo, mejor decir que "el apetito" del traicionero es la violencia (pues la busca). La primera parte del versículo ha repetido la primera parte de 12:14.

El v. 3 repite el tema del dominio propio en el campo del habla (ver 11:12, 13; 12:16, 23; 14:29; 17:27, 28; 25:28; 29:11, 20; 2 Tim. 1:7; 2 Ped. 1:6). En el texto hebreo hay una aliteración de consonantes y sonidos en el versículo. Los dichos "por la boca muere el pez" y "en boca cerrada no entran moscas" son apropiados. Por un lado, el hombre que habla poco, piensa y vive; y por el otro lado, el que habla mucho, sin pensar está buscando su propia destrucción. Una palabra mal dicha puede causar un daño irreparable.

7 Hay quienes pretenden ser ricos,
pero no tienen nada;
y hay quienes pretenden ser pobres,
pero tienen muchas riquezas.

8 Las riquezas del hombre pueden ser el
rescate de su vida,
pero el pobre ni oye las amenazas.

En el v. 4 sigue la unión entre los versículos por la palabra *nepesh* [5315] (*alma* en el v. 2; *vida* en el v. 3; *alma* en el v. 4). Por un lado, se ve el "deseo" del perezoso (ver 6:6-11) y ¡Nada! (la palabra *alcanza* se agrega para completar el versículo). Al contrario, el diligente llegará a la gordura, es decir, tener en exceso. Por lo tanto, el verbo está en la forma *pual* que intensifica la acción, así el diligente llegará a la "suma" gordura (la inmensa prosperidad).

El v. 5 subraya las cosas "odiosas" del justo y del impío (ver 10:3). Por un lado, el justo odia la palabra mentirosa (ver 6:12, 17, 19), Por otro lado, el impío o malvado causa (la forma *hiphil* del verbo indica la responsabilidad de las acciones) lit. que "huela mal" y que "dé vergüenza", aspectos odiosos.

El v. 6 muestra cómo la justicia "vigila o guarda" al "íntegro o maduro del camino" (ver 10:29). Y por otra parte, la maldad o el pecado (vocablo hebreo para "pervertir", "torcer" o "trastornar" en 16:3; 19:3; 21:12) *arruina al pecador*. Por ello, la justicia es la "protectora" para el hombre maduro o íntegro, mientras la maldad es "enemiga" (trastornadora) del pecador.

15. Las pretensiones, 13:7-14

En el v. 7, se da cuenta de que la apariencia no es todo. Por un lado, se da el ejemplo de aquel hombre que "se está enriqueciendo" (o así se ve), pero no tiene absolutamente nada. Por otro lado, se da el ejemplo de aquel hombre que "se está empobreciendo" (así se ve), pero tiene muchísima riqueza. Hay que tener cuidado cuando se considera el actuar del hombre. Hay algunos que "tienen la pura facha de algo", pero no lo son. (Una ironía del pobre y del rico aparece espiritualizada en 2 Cor. 6:10 y Stg. 2:5).

El v. 8 muestra el valor de los bienes

Semillero homilético

El camino de la verdadera riqueza

13:7-12

Introducción: En Atenas, cuando se cometía algún crimen cuyo autor no pudiese ser descubierto, la ley ordenaba que se considerara culpable, sin otra prueba, al más ocioso de todos los ciudadanos y que se le castigara en consecuencia. Puede que este procedimiento diera resultados hoy en día también.

¿Por qué hoy en día los ricos tienen tanto miedo, y andan inseguros? ¿Acaso no lo tienen todo? Miremos entonces lo que nos trae el camino de la verdadera riqueza.

I. La verdadera riqueza conlleva abundancia, v. 7b.
   1. Nada falta (Ef. 2:7).
   2. Todo lo tiene (Fil. 4:19).

II. La verdadera riqueza conlleva seguridad, v. 8b.
   1. Para el presente (2 Cor. 8:9c).
   2. Para el futuro (Ef. 1:18).

III. La verdadera riqueza conlleva tranquilidad, v. 11b.
   1. Al alcanzar toda la riqueza (Col. 2:2).
   2. Al poder gozar de esta riqueza (Ecl. 5:19).

Conclusión: Un refrán popular dice: "Al que en un año quiere ser rico, al medio le ahorcan." Sólo Dios nos da la verdadera riqueza, sólo él nos ofrece abundancia, seguridad y tranquilidad. En un mundo como el de hoy, aquel que posee la riqueza falsa está viviendo momentos de angustia e inseguridad.

9 La luz de los justos brilla con alegría,
pero la lámpara de los impíos se apagará.
10 Ciertamente la soberbia producirá contienda,
pero con los que admiten consejo* está la sabiduría.
11 Las riquezas apresuradas* disminuirán,
pero el que junta poco a poco* irá en aumento.
12 La esperanza que se demora es tormento del corazón,
pero el deseo cumplido es árbol de vida.
13 El que menosprecia la palabra se arruinará,
pero el que teme el mandamiento será recompensado.
14 La instrucción del sabio es fuente de vida,
para apartarse de las trampas de la muerte.

*13:10 Otra trad., *humildes* (comp. 11:2)
*13:11 Según LXX y Vulgata; heb., *de vanidad*
*13:11 Lit., *a puñados*

materiales. Por un lado, el rico puede "pagar para rescatar" (Exo. 21:30; Job 33:24; Prov. 6:35), Por otra parte, *el pobre* o "necesitado" (ver 10:4; 13:23) no *oye* (el verbo está en el tiempo perfecto simbolizando una acción acabada por ser tan segura) las amenazas (*corrección* en 13:1 y *reprensión* en 17:10). Parece ser una burla hacia el pobre. Por un lado, el rico puede pagar y salir de una situación legal sobre su persona, mientras el pobre ni tiene el dinero para "escuchar" (que no cuesta nada). Otra interpretación dice que el pobre no tiene oportunidad de escuchar una advertencia, pero tal interpretación no es probable. Un dicho burlón reza que es tan pobre que "no tiene donde caerse muerto".

Joya bíblica

**El que menosprecia la palabra se arruinará,
pero el que teme el mandamiento será recompensado (13:13).**

El v. 9 entrega una metáfora sin aclararla bien. Por un lado *la luz* de los justos brillará: tendrá alegría (el vocablo hebreo incluye los dos significados de brillar y regocijar). Por otra parte, la *lámpara* (ver 20:20, 27; 24:20; 31:18) *de los impíos* (malvados) *se apagará* (ver 10:3). ¿Qué significa *la luz... la lámpara*? Quizá la vida; si es así, se repite el tema de la vida prolongada del justo y la vida del impío cortada prematuramente (ver 24:20).

El v. 10 describe dos actitudes que atraen otras dos actitudes. En primer lugar, *la soberbia* o presunción (ver 11:2; 21:24) atrae la *contienda.* En segundo lugar, los que aceptan un *consejo* encuentran la *sabiduría* o prudencia (ver 1:7; 8:1).

El v. 11 muestra que el esfuerzo produce más que la riqueza que sale luego, la riqueza del "soplo" (o *apresuradas).* De hecho, aquel que junta "mano por mano" aumentará. Por otra parte, la riqueza ganada en una forma vana disminuirá. Tales riquezas de hoy pueden ser la ganancia en los juegos de azar, los robos o la corrupción en el trabajo.

En el v. 12 hay dos actitudes que impactan al hombre. Por un lado, *la esperanza* (ver 10:28; 11:7) que *demora* muchísimo causa la enfermedad *del corazón.* Por otro lado, el *deseo cumplido* (de la voluntad) *es árbol de vida* (ver 3:18; 11:30; 15:4). Se puede ver el ánimo del hombre y cómo algo puede afectarlo. ¿Un corazón enfermo o un ánimo vital?

El v. 13 muestra dos actitudes hacia la palabra de Dios. Por un lado, *el que menosprecia la palabra* se destruye a sí mismo. Al contrario, el que teme, él tendrá *shalom* [7999]: bienestar o prosperidad.

En el v. 14 se encuentra un paralelismo sintético donde la segunda línea aumenta el conocimiento de la primera, dando un resultado de la primera enseñanza. En primer lugar, la *torah* [8451] o "instrucción-

15 El buen entendimiento da gracia,
pero el camino de los traicioneros es duro.
16 Todo hombre sagaz actúa con
conocimiento,
pero el necio despliega insensatez.
17 El mensajero impío caerá en el mal,
pero el enviado fiel es como medicina.
18 Pobreza y vergüenza tendrá el que
desprecia la disciplina,
pero el que acepta* la reprensión
logrará honra.
19 El deseo cumplido endulza al alma,
pero el apartarse del mal es
abominación a los necios.

*13:18 O: *guarda*

enseñanzas" (ver 1:8 para *la instrucción de tu madre*; 4:2 para "instrucción del maestro") del sabio o prudente (ver 1:5; 10:1) es fuente de vida (ver 10:11; 14:27; 16:22). En segundo lugar, esta *torah* sirve para que uno evite las trampas (para la caza como 12:13; 14:27) de la muerte (como hechas por la mujer adúltera en 7:21-27 o por el hombre depravado en 6:12-15).

16. El contraste abismal entre el necio y el justo, 13:15-19

El v. 15 contrapone lo que puede lograr "la buena prudencia" con lo que logra "la traición" (ver 2:22). Por un lado, la prudencia da *gracia* o favor (ver 22:1). Por otro lado, el camino del traicionero *es duro* o "duradero", es decir, parece que el camino traicionero nunca termina, sigue produciendo dolor (ver Septuaginta; Peshita).

El v. 16 modifica 12:23, enseñando casi la misma verdad. Se utiliza la misma identificación el *hombre sagaz*, que viene del mismo vocablo hebreo. En todo (no en 12:23) el hombre astuto actúa (12:23 tiene *encubre* o "no declara públicamente") *con conocimiento.* Al contrario, *el necio* "disemina o demuestra la insensatez" (ver 1:22).

El v. 17 contrasta el mensajero fiel con el mensajero malvado. Por un lado, el mensajero infiel o malvado cae en la destrucción (ver 12:20). Por otro lado, el enviado fiel experimenta sanidad (ver 4:22; 12:18; 16:24). Entonces, mandar al mensajero fiel va a mejorar una situación (hay una seguridad en él), mientras mandar al enviado infiel o malvado va a producir una oportunidad en que el mal va a ocurrir, porque siempre cae en algún mal. Finalmente, el señor o rey no va a querer mandar al enviado malvado porque es un riesgo muy grande.

Joya bíblica

Pobreza y vergüenza tendrá el que desprecia la disciplina, pero el que acepta la reprensión logrará honra (13:18).

El v. 18 subraya los resultados que se basan en la actitud del hombre hacia *la reprensión* (ver 3:11; 5:12; 10:17; 12:1; 15:5, 10, 32). Por un lado, *pobreza* (económica) *y vergüenza* pública para aquél que "salta" (del vocablo hebreo *para'* 6544, que significa "dejar lo suelto o saltar" y figurativamente se opone a la idea de "guardar") la reprensión. Por otra parte, el que "vigila" o "guarda" la reprensión o corrección será muy honrado ("muy" viene de la forma verbal en *pual* para intensificar la acción del verbo). El dicho enseña el valor de ser corregible. Aristóteles dijo que los jóvenes han de tener vergüenza cuando no logran cumplir las virtudes (*Ethica Nicomachea*). Un dicho declara que "de los arrepentidos es el reino de los cielos", eliminando así a los que no guardan la disciplina.

La expresión *el deseo cumplido* se encontró en el v. 12 y ahora en el v. 19. Tal deseo cumplido "es placentero". Al contrario, el desviarse del pecado *es abominación* o "algo detestable" (ver 3:32; 6:16) para el necio (ver 1:22). El necio tiene sus valores distorsionados.

20 El que anda con los sabios se hará sabio,
pero el que se junta con los necios
sufrirá daño.
21 El mal perseguirá a los pecadores,
pero el bien recompensará a los justos.
22 El bueno dejará herencia a los hijos de
sus hijos,
pero lo que posee el pecador está guardado
para los justos.
23 En el campo arado de los pobres hay
abundancia de comida,
pero es arrasada cuando no hay derecho.
24 El que detiene el castigo* aborrece a
su hijo,
pero el que lo ama se esmera en corregirlo.
25 El justo come hasta saciar su alma,
pero el estómago de los impíos sufrirá
necesidad.

*13:24 Lit., *la vara*

17. El peligro de los compadres corruptos, 13:20-25

El v. 20 muestra cómo las amistades afectan a una persona. Por un lado, la consecuencia de andar con los sabios es llegar a ser sabio o prudente (ver 1:5; 10:1). Por otro lado, el que anda como "amigo" o "prójimo" del necio (ver 1:22) sufrirá con ellos cuando llega la desgracia. Hay un juego de palabras y sonidos. Hay un dicho contemporáneo que expresa esta verdad: "El que se acuesta con perros, se levantará con pulgas."

Otra vez, el v. 21 habla del mal (ver 11:15) que persigue intensamente (la forma del *piel*, intensifica la acción del verbo) *a los pecadores*. Por otro lado, el bien recompensa generosamente (la forma *piel)* a los justos o rectos (ver 10:1 para justo).

Joya bíblica

El mal perseguirá a los pecadores, pero el bien recompensará a los justos (13:21).

Se une el versículo anterior y este versículo por la palabra *tob* 2897. Se habla de los bienes del hombre bueno y del hombre pecador, es decir los que yerran al blanco (de Dios). Por un lado, los bienes del bueno llegan a heredarse por los nietos del hombre bueno, quien es responsable de entregarlos a ellos (así es el sentido de *hiphil*, que es causante). Por otra parte, la riqueza del pecador está reservada para los justos (ver 10:3). Sobre la herencia ver: 11:29; 17:2; 19:14; 20:21.

Semillero homilético

Un buen padre

13:19-25

Introducción: Hoy se habla mucho de la responsabilidad de los padres y hay un rechazo de los padres que abandonan el hogar y dejan a sus hijos para que otros los críen. En contraste, el buen padre tiene cualidades y comportamientos que se pueden destacar.

I. Corrige amorosamente a sus hijos, v. 24.
 1. No detiene el castigo.
 2. Corrige desde temprana edad (Heb. 12:5-11; Job 5:17).

II. Provee de buen ejemplo a sus hijos, vv. 9-20.
 1. Se aparta del mal.
 2. Adquiere sabiduría.

III. Administra sabiamente sus bienes para sus hijos, vv. 22, 23.
 1. Su buena administración favorece hasta a sus nietos.
 2. Su pobreza no le impide la prosperidad y la extensión de los beneficios de sus bienes.

Conclusión: Cada padre de familia espera ofrecer a sus hijos algo mejor que lo que ha recibido de su propio padre. Pero hay cualidades que no se miden en moneda legal; son las cualidades de un buen carácter, y si el hijo recibe esto, verdaderamente ha heredado riquezas.

14 1 La mujer sabia edifica su casa, pero la insensata con sus propias manos la destruye.
2 El que camina en rectitud teme a Jehovah, pero el de caminos perversos lo menosprecia.
3 En la boca del insensato hay una vara para su espalda,*
pero a los sabios los protegen sus labios.
4 Donde no hay bueyes el granero está vacío, pero por la fuerza del buey hay producción.

*14:3 Comp. 10:13; Stutt. propone *orgullo*.

El v. 23 subraya la injusticia hecha hacia el pobre. En primer lugar, se muestra el potencial en la tierra no trabajada del pobre (es tierra ***de** los pobres*). *Abundancia de comida* expresa esta idea. En seguida se muestra que está *arrasada* por medio de la "falta de justicia" (vocablo hebreo que significa el juicio legal, la sentencia, el fallo). Esto está en contra de que la pobreza es siempre la consecuencia de la flojera (ver 6:6-11). La opresión es un segundo factor que está presente en la Biblia, en un sentido frecuentemente formal.

El v. 24 muestra la gran importancia de formar y de reformar a los hijos, apoyando así la disciplina paternal (ver 5:16; 6:7, 20; 8:5; 11:19; 29:15; Gén. 18:19; Exo. 20:12; Ef. 6:1). El proverbio antitético afirma que al retener "la vara" (del hebreo que significa un castigo físico muy severo; Exo. 21:20; Miq. 5:1; Isa. 10:15; Prov. 19:29; 23:13, 14; 26:3) él "detesta" (ver 3:32; 6:16 para "abominar") a su hijo. Por otro lado, quien ama (ver 8:17 para "amar") es "diligente" (lit. "empezar temprano") y "busca en una forma diligente" (ver 11:27) el "informar-formar-reformar" (ver 3:11, 12; 13:1). Es importante notar que, en la mayoría de los casos, se usan con los hijos la persuasión y la razón. El castigo físico se usaba en el caso extremo en que el joven, por su actitud, está totalmente cerrado a escuchar. Entonces, es mejor castigar físicamente que dejar al niño formándose mal y perjudicándose a sí mismo y a los demás. El amor verdadero busca el bien del niño a largo plazo, que sea un valor para sí mismo y para la comunidad.

El v. 25 muestra que la impiedad es otro factor del hambre. Por un lado, el justo o recto (ver 10:3) satisface su "apetito". Por otro lado, *el estómago* del impío (ver 10:3) padecerá *necesidad* (tener hambre). Por lo tanto, se ha visto que la flojera del individuo (ver 6:6-11), la corrupción e injusticia hacia el pobre (ver 13:23) y ahora la impiedad y la maldad son diversos factores para el hambre.

18. Los que destruyen, los que construyen, 14:1-8

El v. 1 es un poco irregular, pero la interpretación es clara. Por un lado, las mujeres (ver 1:8; 10:1) sabias o prudentes (ver 1:5; 10:1) construyen (el verbo es perfecto subrayando el hecho de que es tan cierto como ya acabado) *su casa* (ver 24:3). Por otra parte, la insensata (ver 1:7) con sus propias manos o "esfuerzos", es decir, "ella misma", la derrumba. El carácter de la mujer hace la distinción. Hay mujeres insensatas en Proverbios (ver 2:16 ss.; 5:3 ss.; 6:25 ss.; 7:5 ss.; 11:22; 12:4; 21:9, 19; 30:20: desde la adúltera hasta la rencillosa).

El v. 2 muestra la actitud del recto y del perverso hacia Jehovah. Por un lado, el que camina "derechísimo" en su conducta *teme* (ver 1:7 para una fe-admiración-respeto) *a Jehovah*. Nos hace recordar las palabras del 4:27: *No te apartes ni a la*

Seis pasos hacia la prosperidad
14:1-6

1. Edificar su casa, v. 1.
2. Cuidar su relación con Dios, v. 2.
3. Desarrollar su personalidad, v. 3.
4. Administrar sus bienes, v. 4.
5. Atender a su prójimo necesitado, v. 5.
6. Heredar la vida eterna, v. 6.

5 El testigo veraz no miente,
pero el testigo falso respira mentiras.
6 El burlador busca la sabiduría y no la halla,
pero al entendido le es de fácil acceso.
7 Apártate del hombre necio,
porque en él no encontrarás los labios
del saber.
8 La sabiduría del sagaz discierne su camino,
pero la insensatez de los necios es
un engaño.

---

izquierda ni a la derecha. Por otro lado, el perverso (ver 2:15 para "torcer" o "engañar") mira en menos o *menosprecia* a Jehovah.

Semillero homilético

Cómo evitar ser un necio

14:7-10

Introducción: Cervantes dijo: "Quien necio es en su villa, necio es en Castilla" *(Coloquio de los perros).* El necio se define como persona ignorante o falta de razón, y como persona terca. En contraste, el sabio es la persona que combina la información con el buen juicio para tomar las decisiones después de escuchar consejos de otros.

I. Utilizar siempre palabras sabias, v. 7.
 1. Palabras que agradan, 10:11.
 2. Palabras que apacientan, 10:21.
 3. Palabras que curan, 12:18.
 4. Palabras que alegran, 12:25.

II. Practicar la prudencia, v. 8.
 1. Al tomar decisiones.
 2. Al mostrar actitudes.
 3. Al expresar sentimientos.

III. Reconocer siempre la gravedad del pecado, v. 9.
 1. Por no ser un juego o diversión, 10:23.
 2. Por respetar los efectos del pecado.
  (1) En forma personal.
   a. Los pecados atrapan, 11:6.
   b. Los pecados destruyen, 11:3.
   c. Los pecados llevan a la muerte, 11:19.
  (2) En la familia: su casa será asolada, 14:11.
  (3) En la sociedad: es afrenta a las naciones, 14:34.

Conclusión: El autor de los proverbios presenta las enseñanzas en una forma directa y sencilla, y experimentaba un mundo casi siempre con sólo dos alternativas, sin lugar para la relatividad. Hoy las personas insisten en que muchas veces no hay alternativa entre un paso bueno y otro paso negativo en sentido absoluto; quieren el camino medio.

El v. 3 es difícil de interpretar. El texto dice: "La boca del insensato-no-oyente (ver 1:7): una vara (o una ramita) del orgullo, pero los labios de los sabios prudentes (ver 1:5; 10:1) los protegerán." Algunos han mirado los textos de 10:13 y 26:3 y han cambiado la palabra "orgullo" por la palabra *espalda* (el texto hebreo y el texto griego están de acuerdo con "orgullo"). Con *espalda* el significado es igual a 10:13. Al contrario, se puede guardar el texto hebreo y decir que "las palabras del insensato son como una ramita de orgullo (su hablar mostrando su orgullo), pero las palabras del sabio lo protegerán" (así hace mucho más que demostrar un egoísmo). Por lo tanto, el habla del insensato alcanza para mostrar su orgullo (nos hace recordar las palabras de Jesús en Mat. 6:1 ss.) mientras el habla del sabio le sirve como "un vigilante para protegerlo".

En el v. 4 se habla de la importancia de cuidar los medios para trabajar o producir. Un palabra clave para la interpretación es *granero*, que es un significado secundario en que el texto hebreo tiene "pesebre". Otros han reemplazado la palabra "pesebre" con la palabra "grano", pero hay poco apoyo. La primera interpretación que utiliza "pesebre" muestra la triste realidad que no hay absolutamente nada en el granero, ni siquiera para un buey, mientras la presencia del buey (con algo en el pesebre) significa "la capacidad para producir". La segunda interpretación toma en serio una palabra parecida en el hebreo (ya mencionada) y aclara el paralelismo antitético. Esta interpretación iguala la primera interpretación.

El v. 5 repite el tema de la lengua mentirosa (ver 6:17, 19; 12:17, 19, 22). Por un lado, el testigo fiel o veraz *no miente* ni decepciona "jamás" (la palabra "jamás"

9 Los insensatos se mofan de la culpabilidad,
pero entre los rectos hay buena voluntad.
10 El corazón conoce la amargura de su alma,
y el extraño no se entremeterá en su
alegría.
11 La casa de los impíos será desolada,
pero la morada de los rectos florecerá.
12 Hay un camino que al hombre le parece
derecho,
pero que al final es camino de muerte.
13 Aun en la risa tendrá dolor el corazón,
y el final de la alegría es tristeza.

---

expresa la intensificación del *piel* del verbo mentir o engañar). Al contrario, el testigo mentiroso respira (tan natural es hablar una mentira) mentiras y falsedades.

El v. 6 muestra el esfuerzo de dos personas por conocer la sabiduría. El *burlador* (que menosprecia, ver 1:22; 13:20) buscó intensamente (el verbo es *piel* perfecto, para intensificar una acción acabada o acabada en la mente del que habla, como si fuese tan seguro que ya está acabada la acción) la sabiduría, y ¡nada! Pero *al entendido* (ver 1:5) el conocimiento le era fácil. ¿Está el burlador buscando los frutos de la sabiduría y por eso la sabiduría? Hay que recordar que *el temor de Jehovah es el principio del conocimiento,* de modo que la fe y la actitud apropiada son esenciales para aprender la sabiduría.

El v. 7 advierte en contra de ser el amigo o compañero del necio (ver 1:22) como ha advertido 13:20; hay otros compañeros perjudiciales (ver 7:25;13:20; 18:24; 22:24; 23:20; 24:1). La segunda parte se entrega en la forma verbal del perfecto, que muestra una seguridad del hecho de no encontrar *los labios del saber.* El dicho toma la forma de un imperativo en vez de una observación de hecho.

La palabra *engaño* es la clave del v. 8 (ver 11:1; 12:5, 17, 20; 14:25; 26:24 para "engaño o traición"). Mientras la sabiduría del hombre astuto (ver 12:23; 13:16) discierne su camino (conducta), la insensatez de los necios (ver 12:23; 13:16) traiciona a los propios necios (y otros que la escuchan). Se nota la unión entre "el astuto" y *la insensatez de los necios* en tres pasajes: 12:23; 13:16 y 14:8.

19. La culpabilidad y la amargura, 14:9-13

En el v. 9 el texto hebreo es difícil. Lit. "la culpabilidad o la ofrenda (recompensa) para algún pecado" (ver Lev. 5:1—6:7; 19:20-22; Núm. 6:12) se burla; es decir, se habla en forma indirecta y despectiva a los insensatos o no-oyentes de la sabiduría (ver 1:7). Otros han dado vuelta a la primera frase haciendo el sujeto *los insensatos* (LXX, Peshita). Sin embargo, el texto se aclara cuando está puesto en el contexto de la ofrenda por la culpa (Lev. 5:1—6:7). Por un lado, la culpabilidad o la necesidad de recompensar por alguna culpa se mofa de los insensatos (ver 9:12; 10:32; 11:27). Por otra parte, "en medio de" (para designar "el espacio entre..." o "el tiempo entre..." o "en medio de...") los rectos está el favor (o buena voluntad; ver 10:32; 11:27).

La palabra hebrea *yadá* [3045], del v. 10, significa "saber" o "conocer" y puede hasta indicar "el conocimiento por la experiencia", es decir "experimentar" (ver Jos. 23:14; Ose. 13:4 donde "conocer" se traduce *reconocer*). Así, el corazón "reconoce" *la amargura de su alma (nepesh* [5315], "apetito", "pasiones", "el individuo", o "estado de ánimo"). Nos recuerda a Job, quien dijo: *Mi alma está hastiada de mi vida. Daré rienda suelta a mi queja; hablaré en la amargura de mi alma... Yo también podría hablar como vosotros, Si vuestra alma estuviera en lugar de mi alma, yo también podría componer discursos contra vosotros...* (Job 10:1; 16:4). Sólo el hombre con *la amargura* puede entenderla por medio de la triste experiencia. En este mismo sentido, la alegría es algo difícil (porque falta entender el contexto de parte del extraño) para compartir.

El v. 11 antepone dos hogares, el de los rectos y el de los impíos (ver 10:25; 12:7). Por un lado, *la casa* (algunos muestran cómo el impío tiene casa mientras el

14 El descarriado de corazón se hartará de sus caminos,
pero el hombre de bien estará satisfecho con el suyo.

15 El ingenuo todo lo cree,
pero el sagaz considera sus pasos.

16 El sabio teme y se aparta del mal,
pero el necio es entremetido y confiado.

---

justo tiene una tienda, algo de menos valor; sin embargo, parece no tener importancia, siendo meros sinónimos) *de los impíos* (el verbo significa "exterminar" o "aniquilar" como en Deut. 6:15; Amós 9:8). Por el otro lado, *la morada de los rectos* será florecida como una planta con nuevas hojas y nuevo crecimiento.

La presencia de la palabra hebrea *yesh* 3426 en el v. 12 pone énfasis en la afirmación que está por venir. *Hay un camino que al hombre le parece derecho,* pero su "última etapa" o *final* son los caminos que llevan a la muerte (7:27). La evaluación del hombre no es perfecta, por eso se necesita la Palabra de Dios para "alumbrar nuestro camino" (ver 12:15; Sal. 119:105). Se repite el texto en 16:25.

El v. 13 es un proverbio de observación donde la *risa... alegría* no refleja el sentir interior del hombre. Al contrario, aun mientras se está riendo, hay un dolor hacia adentro. Y cuando se termina la alegría queda la tristeza como un compañero que no se va. Así es la realidad de la vida cuando el hombre tiene que ser discreto sobre sus sentimientos. El pasaje refleja una actitud conocida por Job y el predicador de Eclesiastés, además del sabio (9:7, 8).

Semillero homilético

Características del hombre justo

14:15-21

Introducción: A veces las personas hablan de un ciudadano ejemplar en la comunidad, y dicen: "Ese es hombre justo." Su apreciación se basa en los criterios que tenemos para juzgar. Pero, ¿de dónde vienen esos criterios? Nuestra única norma para medir es la Palabra de Dios.

I. Es sabio: *Teme* a Jehovah, v. 16.
   1. Adquiriendo la humildad.
   2. Obedeciendo la verdad.
   3. Santificándose.
   4. Honrando y reverenciando a Dios.

II. Es avisado: *Se aparta del mal,* v. 16.
   1. A la luz del tiempo pasado, presente y futuro.
   2. A la luz de conductas diferentes.
   3. A la luz de la Palabra de Dios.

III. Es prudente: Rechaza el camino de los pecadores, vv. 17-22.
   1. Siendo misericordioso, v. 21.
   2. Sirviendo al prójimo, v. 21.

Conclusión: Nos llama la atención que el ser humano que es bueno siempre confía en Dios y es persona de fe. Su reverencia hacia Dios le hace consciente de las condiciones del prójimo, y despierta el deseo de ayudarle.

20. Los temores de los ingenuos, 14:14-19

El v. 14 tiene dos posibles interpretaciones. Por un lado, el hombre desviado o *descarriado* está harto con sus obras, ¡Basta ya! El segundo refrán puede leerse: "De sobre él un hombre bueno" e interpretado como el hombre bueno que está satisfecho con lo suyo (sus obras). Otra interpretación sería que el hombre descarriado se harta de sus obras (1:31) y que llega a ser un hombre bueno, traduciendo entonces "de sobre él es igual al hombre descarriado, un hombre bueno". ¡Vuelva el hombre desviado a la senda derecha!

En el v. 15 se encuentra el ingenuo o abierto a todas las influencias, identificado con los adolescentes en 1:4 y con los burladores y los necios en 1:22. Se subraya la diferencia entre él y el sagaz (ver 12:23; 13:16; 14:8). Por un lado, *el ingenuo*-sin-criterio confía y se apoya en "toda (cada) palabra". Al contrario, el sagaz evalúa (*considera*) su "pasito" o "pisada". Se afirma la forma correcta del *sagaz,* advirtiendo entonces al joven que use el sentido común y sea más cuidadoso con "apoyarse" en cualquier palabra (*La Sabiduría de Amen-em-opet*).

El v. 16 presenta las actitudes del sabio

17 El que es irascible hará locuras,
y el hombre malicioso será aborrecido.
18 Los ingenuos heredarán insensatez,
pero los sagaces se coronarán de
conocimiento.
19 Los malos se postrarán ante los buenos,
y los impíos ante las puertas del justo.

---

o prudente (ver 1:5; 10:1) y del necio (ver 1:22) frente al *mal* (palabra que se define como "el mal", "la calamidad", "la miseria", "la herida" o "la aflicción" en 2:14; 5:14; 8:13; 11:15; 12:21; 13:17; 19:23; 21:10). Por un lado, el *sabio teme,* un término que muestra una fe o reverencia hacia Dios (ver 1:7; 9:10; 15:33 para *temor de Jehovah*), y se aparta del mal. Los verbos "temer" y "apartarse" se encuentran en el tiempo perfecto para mostrar la seguridad de que se cumple de parte del sabio (así es *el sabio*). Por otra parte, el necio o indiferente "se hace arrogante" (según el texto hebreo) o *es entremetido* (según el texto griego, Septuaginta) y *confiado* (ambos textos). "Se hace arrogante" contrapone la actitud de "temer" en la primera parte, mientras *es entremetido* subraya un compromiso íntimo entre el necio y el mal. De todos modos, la enseñanza es clara: el justo evita el mal, mientras el necio se mete en el mal como los impíos en 4:16, que *no duermen si no han hecho mal* (ver 26:17).

El proverbio sinónimo en el v. 17 entrega dos verdades acerca del malo. Primeramente, un hombre con una "nariz corta", qué significa nariz: la ira o el enojo; y corto: impaciente. Es decir, un hombre con una ira impaciente actúa en una manera insensata (ver 14:8). Por otra parte, un hombre "que planifica o dibuja un plan para el mal" (ver 1:4; 2:11; 3:21; 5:2; 8:12 para un plan positivo; 12:2; 14:17; 24:8 para un plan negativo), *será aborrecido* u odiado (ver 6:16). Sea un malo impaciente o sea un malo que planifica en una forma paciente, hay que rechazar a ambos, quizá al paciente aun más.

El v. 18 muestra lo que se recibe o lo que son los valores de *los ingenuos* y *los sagaces.* Por un lado, el ingenuo o abierto a todas las influencias (ver 1:22; 14:15; 22:3; 27:12), "adquiere" o "toma posesión de" (tiempo perfecto, para mostrar que es ya como un hecho, que así siempre actúa el ingenuo) la *insensatez* (repetida en el versículo anterior). Por otro lado, el sagaz o astuto (ver 14:15) "se hace rodear o coronar (el verbo significa "rodear" o "echar la corona" o "mostrar la corona como en un triunfo") *de conocimiento.* Así no es que ellos reciben la insensatez o el conocimiento, sino que se esfuerzan para adquirir su valor, o la insensatez o el conocimiento.

> **Joya bíblica**
> **Los malos se postrarán ante los buenos,**
> **y los impíos ante las puertas del justo (14:19).**

El v. 19 subraya la superioridad del bueno sobre el malo y del justo sobre el impío. Por un lado, el malo se postra o se humilla (el verbo está en perfecto, para mostrar que así es o para mostrar un hecho pasado pero con influencia en el presente; mejor el primer significado) ante el superior, el bueno. Y el impío (está) *ante la puertas del justo,* o para pedir limosna o para hacer alguna petición (ver Luc. 16:20, en que Lázaro estaba echado a la puerta del rico; Hech. 3:2 donde el cojo estaba a la puerta del templo, llamada Hermosa).

21. La actitud apropiada hacia el pobre, 14:20-25

El v. 20 apunta a la actitud de la gente hacia *el pobre* y hacia el *rico.* Por un lado, *el pobre se hace odioso.* Se pone énfasis en *a su prójimo* o igual a su prójimo o vecino, para apuntar a alguien conocido y en una relación mutua (ver 3:28). Por

20 El pobre se hace odioso a su prójimo,
pero muchos son los que aprecian al
rico.
21 Peca el que desprecia a su prójimo,
pero el que tiene misericordia de los
pobres es bienaventurado.
22 ¿No yerran los que planean lo malo?
Pero hay misericordia y verdad para los
que planean lo bueno.
23 En toda labor hay ganancia,
pero la palabra sólo de labios lleva a
la pobreza.
24 La corona de los sabios es su discreción,*
pero la diadema de los necios es la
insensatez.
25 El testigo veraz libra las vidas,
pero el engañoso respira mentiras.

*14:24 Según LXX; heb., *riqueza*

otro lado, los que aman al rico son abundantes (o muchos). Hablando Don Quijote sobre el tema del pobre y su mujer, dice: "El pobre honrado (si es que puede ser honrado el pobre) tiene prenda en tener mujer hermosa." Aquí se nota el concepto del pobre. Jesús llamó la atención de sus discípulos al ver a una mujer pobre y su ofrenda en medio de los ricos con sus ofrendas impresionantes (Luc. 21:1-4). El tema del v. 20 se repite en 19:4.

Parece ser que el v. 21 está unido al v. 20. *El que desprecia* (ver 6:30; 11:12; 13:13; 23:9, 22) *a su prójimo* encuentra una situación concreta en el v. 20. El texto declara que el hombre que menosprecia al prójimo es pecador, ("pecador" o "el que yerra al blanco"). Por otro lado, el que "siente lástima y muestra generosidad hacia" los pobres o humildes es *bienaventurado* o dichoso (ver 3:13; 8:32, 34; 14:21; 16:20; 20:7; 28:14; 29:18). Las palabras *peca* y *bienaventurado* muestran que esta evaluación de las actitudes hacia el pobre viene de Dios y ha de ser escuchada. Jesús afirma a sus discípulos la responsabilidad de apoyar a los necesitados (ver Mat. 6:1-4). ¿Quiénes son los pobres? Son las viudas, los huérfanos, las madres solteras, los jóvenes sin trabajo, los refugiados, los ancianos, los niños en la calle sin hogar, los pueblos indígenas, etc.

El v. 22 hace una pregunta retórica que busca la respuesta implícita: "Por supuesto que sí." Así *los que planean lo malo* se desvían del camino recto. Por otro lado, la segunda parte dice: "y misericordia (bondad) y verdad (fidelidad), *para los que planean lo bueno*"(ver Stg. 2:15, 16).

En el v. 23 se afirma el trabajo como el medio legítimo en la vida (ver 6:6-11; 10:4, 5). La palabra *toda* muestra una gran promesa para los diversos trabajos y para cada esfuerzo invertido. La palabra *labor* significa "dolor" o "aflicción" y muestra el compromiso físico que requería la labor. La palabra *ganancia* viene de la palabra hebrea para "abundancia". Así, "en toda labor (dolor) hay abundancia (ganancia)". Por otro lado, el modismo hebreo traducido *la palabra sólo de labios* puede definirse como "palabra-labios" o "palabra-discurso" (ver Sal. 59:13; Isa. 36:5; 2 Rey. 18:20), y puede subrayar el concepto de "blá blá" o mucha habla inútil o mero hablar. Tal "blá blá" solamente produce miseria.

El texto hebreo para v. 24 es difícil, porque dice: "La corona de los sabios es su riqueza." Por eso, se ha adoptado la traducción griega de la Septuaginta, que reemplaza la palabra "riquezas" con la palabra *discreción*, quizá ofendido por el "materialismo" y la confusión que puede ocurrir con la palabra "riqueza". Sin embargo, no hay porqué rechazar la palabra "riquezas" porque el v. 23 hablaba de la abundancia de la labor y los pasajes como 8:18 subrayan el hecho de que las riquezas vienen de la sabiduría divina. Ser *corona* significa tener honor y ser muy visible en el hecho (ver 4:9; 12:4; 16:31; 17:6; 27:24). Por otro lado, el texto griego hace un paralelismo sinónimo con *corona* y la

26 En el temor de Jehovah está la confianza
del hombre fuerte,
y para sus hijos habrá un refugio.
27 El temor de Jehovah es fuente de vida,
para apartarse de las trampas de la muerte.

28 En el pueblo numeroso está la gloria
del rey,
y en la escasez de pueblo está el pánico
del funcionario.

---

palabra *diadema* (ver 1:9). Al contrario, el texto hebreo presenta el refrán redundante: "La insensatez de los necios es la insensatez." De todos modos, el mensaje es claro: mientras la riqueza (legítima) o la discreción es la honra del sabio, la insensatez es la honra del necio.

El v. 25 acentúa la influencia del testigo en librar o perjudicar a la persona (parece un contexto legal). Por un lado, el testigo fiel o veraz (ver 13:17; 14:5) libra las vidas, es decir, testifica a la inocencia de la persona o hace retribución para la persona como redentor. Al contrario, el testigo engañoso o traicionero (ver 12:20; 26:24) es aquel que "respira" mentiras (ver 6:19; 10:31). El testigo falso se pone en peligro (ver Deut. 19:16-21).

22. Una sociedad justa y próspera, 14:26-35

El v. 26 es una gran promesa en el contexto del paralelismo sinónimo. *El temor de Jehovah,* una verdadera fe o reverencia, es un gran atributo que es beneficioso (ver 1:7; 3:7; 8:13; 9:10; 10:27; 14:27; 15:33; 19:23; 22:4; 23:17). Aquí es la *confianza del hombre fuerte,* es decir "no ha de confiar en la fuerza" sino en Dios. La palabra *fuerte* muestra que Dios es un bien para el débil, el fuerte, el pobre y el rico. Por lo tanto, la verdadera fe del fuerte da un "refugio o lugar de seguridad y bienestar del mal" para *los hijos* del hombre fuerte (tema frecuente en los Salmos: 46:2; 61:4; 62:8, 9; 71:7; 73:28; etc.). De hecho, los hijos del hombre de fe, sea humilde o sea fuerte, reciben las bendiciones consecuentes de la fe (ver Exo. 3:6; 1 Rey. 11:12, 13; Hech. 16:30-32). Se recuerda la manera de actuar de Sansón, quien aun siendo fuerte fue humillado ante los filisteos porque estaba orgulloso de su fuerza y no siempre daba la gloria a Dios (Jue. 15:16). Por otro lado, David hizo público el hecho de su fuerza y su coraje como valores de Dios y de que de Dios era la victoria (ver 1 Sam. 17:45).

En el v. 27 se encuentra otra promesa divina. Otra vez se utiliza el tema de la fe o reverencia del creyente (*temor de Jehovah;* ver v. 26; 11:19; 13:14). Ahora es *fuente de vida* (ver 10:11; 13:14; 16:22) y aleja a uno de *las trampas* (la imagen del cazador) *de la muerte* (ver 1:19; 7:26, 27; etc.).

Semillero homilético

¿Qué trae el temor de Jehovah?

14:22-28

Introducción: El temor de Jehovah es sinónimo de la reverencia hacia Dios. Hoy identificamos al temor como una cualidad negativa, pero en verdad este temor o reverencia es sano.

I. En el temor de Jehovah hay confianza, v. 26.
   1. Para la familia.
   2. Para la vida individual.
   3. Para los negocios.

II. En el temor de Jehovah hay vida eterna, v. 27.
   1. Hay una fuente de vida eterna (Apoc. 21:6b).
   2. Depender de él nos trae vida (Juan 15:5).
   3. Confiar en él nos da vida eterna.

III. En el temor de Jehovah hay fuente de misericordia, v. 22.
   1. Al mostrarnos su amor (Rom. 5:8).
   2. Al darnos la salvación (Hech. 4:12).
   3. Al darnos la vida eterna (Juan 3:16).

Conclusión: Las buenas nuevas son un mensaje de esperanza y de consuelo. La Biblia contiene estas buenas nuevas. El primer paso es reconocer al Dios de amor y misericordia, y mostrar nuestra reverencia hacia él.

29 El que tarda en airarse tiene mucho entendimiento,
pero el de espíritu apresurado hace resaltar la insensatez.
30 El corazón apacible vivifica el cuerpo,
pero la envidia es carcoma en los huesos.
31 El que oprime al necesitado afrenta a su Hacedor,
pero el que tiene misericordia del pobre lo honra.

El v. 28 apunta a una verdad obvia de la observación sabia. Los ingresos y la fuerza de un pueblo se determinan según la población. El rey sabio mantiene la fidelidad de los vasallos. Desafortunadamente, Israel se dividió después de la muerte de Salomón, debilitando el poder y limitando el futuro de los hebreos, haciéndolos vulnerables a los pueblos del norte. No se puede engrandecer una nación sin un gran esfuerzo de trabajo. La palabra "razón", traducida *funcionario*, no aparece en otro pasaje de la Biblia. Finalmente, hay que concluir que un pueblo grande y trabajador es *gloria del rey*, mientras un pequeño pueblo produce temor o ruina de parte de los líderes políticos (ver 14:35; 16:10, 12-15; 19:12; 20:2, 8, 26, 28; 21:1; 22:11; 23:1-3; 25:2, 3, 5-7; 29:4, 12, 14; 31:1-9).

Joya bíblica

El que tarda en airarse tiene mucho entendimiento,
pero el de espíritu apresurado hace resaltar la insensatez (14:29).

El v. 29 utiliza dos modismos hebreos: "La nariz larga" para representar el hombre "paciente en no enojarse tan fácilmente" (ver 15:18; 16:32 para "nariz larga" mientras 14:17 para el opuesto, o "nariz corta") y "el soplo (espíritu) corto", que habla de la falta de la paciencia. Por un lado, el creyente que es lento para la ira es un hombre de gran entendimiento (ver Stg. 1:19, 20). Por otro lado, al que le falta la paciencia exalta la insensatez (ver 12:23). Aquí el hombre paciente muestra el dominio propio sobre su ira (ver 11:12, 13; 12:16, 23; 13:3; 17:27, 28; 25:28; 29:11, 20). Aristóteles define la ira como "un deseo acompañado con el dolor para cumplir una venganza conspicua, porque había un insulto conspicuo de parte de los hombres sin una causa justificada", reflejando de esa manera el concepto hebreo (*Retórica*).

Parece ser que el v. 30 es una extensión del tema del v. 29 porque se trata del *corazón apacible* y *la envidia. El corazón apacible* (ver 10:8 para corazón) subraya la actitud de la salud, que significa "sanidad" como en 6:15; 12:18 o "apacible" (como en 15:4) de la mente (o sea, corazón). El lema puede ser "una mente sana, un cuerpo sano". Por otra parte, *la envidia*, del vocablo hebreo para "ponerse del color rojo" hace "pudrir" (ver 12:4) o destruye el cuerpo. El lema puede ser "una mente envidiosa, un cuerpo muy enfermo". El mandamiento dice: *No codiciarás la casa de tu prójimo...* (Exo. 20:17). En un estudio serio en 1992, 47% de los encuestados admitieron codiciar algo de otra persona (*Barna Research Group*). El sabio enseña: *No envidies al hombre violento...* (3:31).

El v. 31 vuelve a hablar del tratamiento al pobre que Dios acepta (ver 14:21; esp. 17:5; 19:1, 7, 17; 22:2; 28:6, 27). Los términos para el *pobre* hablan del "insignificante o pequeño" y del "humilde". Por un lado, el que *oprime* al "pequeño", "ya ha insultado gravemente (la forma verbal es perfecto y por lo tanto *piel* para mostrar algo acabado e intensificado) al *Hacedor* (Dios como en 17:5; Isa. 17:7), quien ha hecho a todo ser humano a su imagen y quien rechaza la opresión (Amós 4:1; Miq. 2:2). Al contrario, se repite en el segundo refrán lo dicho en el v. 21, agregando que tal persona recibe la *honra* divina (un sinónimo para la palabra *bienaventurado* del v. 21 (ver Mat. 25:35 ss.; Stg. 2:14-

32 Por su maldad será derribado el impío,
pero el justo en su integridad halla refugio.*
33 En el corazón del hombre entendido reposa la sabiduría,
pero no* es conocida en medio de los necios.

*14:32 Según LXX y Peshita; heb., *pero el justo en su muerte halla refugio.*
*14:33 Según LXX y Peshita; heb. *omite no.*

17; 1 Juan 3:17). El Quijote expresa la actitud moderna acerca del pobre: "Por el pobre todos pasan los ojos como de corrida, y en el rico los detienen."

El v. 32 tiene dos posibles interpretaciones para la segunda parte, pero la primera parte habla del impío o malvado que se atrapa a sí mismo por medio de sus hechos (ver 1:18, 19, 32; 5:22). La segunda parte, según la Septuaginta y la Peshita, usa un paralelismo antitético para mostrar cómo la *integridad* del justo o recto le da refugio, una protección segura (ver 14:26). Una interpretación secundaria, según el texto hebreo, complica el versículo, lit. agregando que "la muerte (del impío o del justo) es el refugio del justo". Por eso, se ha elegido el texto griego. Sin embargo, parece ser que el texto más probable es el hebreo y ha de ver que la muerte del impío (que está predicha) da seguridad al justo, quien espera pacientemente en la justicia (ver Hab. 1:2 ss.; Amós 1:3 ss. para ver cómo los malos pueden trastornar los valores en la sociedad; sin embargo aquí en el v. 32, ellos serán trastornados por su propia maldad concreta).

En el v. 33 se subraya la presencia o ausencia de la sabiduría entre los justos y entre los necios. El texto de la Septuaginta y la Peshita hace un paralelismo antitético donde en el *entendido* (ver 1:5 en que está nombrado con el sabio) se encuentra un lugar tranquilo de sabiduría o prudencia (ver 1:7), mientras está ausente o desconocido de entre los necios (ver 1:22). Por otro lado, el texto hebreo es difícil porque está ausente la palabra *no.* Puede ser que la sabiduría reposa en el corazón del justo como una parte de su ser, mientras la sabiduría se conoce o se experimenta entre los necios con cada experiencia amarga (ver Isa. 9:8 y Sal. 14:4 donde la palabra "conocer" significa "experimentar algo amargo").

El v. 34 es una verdad tremenda, mostrando la evaluación divina de una nación. "La justicia o rectitud" (ver 10:2) "exalta-eleva-honra" al pueblo. Al contrario, *el pecado* (de la raíz para errar al

Semillero homilético

Atrévase a transformar la sociedad

14:29-32

Introducción: Los creyentes siempre hemos tenido el desafío de buscar transformar la sociedad, pero muchas veces queremos hacerlo con actividades dramáticas, tales como la legislación de normas morales. La Palabra de Dios nos orienta para que busquemos la transformación de la sociedad con "pequeños" actos, que redundarán en cambios profundos. Estos actos se verán en el diario vivir.

I. La situación de la sociedad, vv. 29-32.
   1. Se percibe en la insensatez y envidia, vv. 29b, 30b.
   2. Se capta en la opresión y la maldad, vv. 31b, 32b.

II. La necesidad de una actitud personal, vv. 29, 30.
   1. Se manifiesta en ser tardo para la ira, v. 29.
   2. Se transmite en ser apacible, v. 30.

III. La eficacia de una actitud social, vv. 31, 32.
   1. Se nota en hacer misericordia, v. 31.
   2. Se comunica al hacer justicia, v. 32.

Conclusión: La sociedad necesita ser cambiada, y se logrará por medio de esfuerzos personales de los cristianos. Debemos atrevernos a hacer estos cambios, comenzando con nuestra vida personal para luego dedicarnos a los cambios sociales.

34 La justicia engrandece a la nación,
pero el pecado es afrenta para los pueblos.
35 El rey muestra su favor al siervo prudente,
pero su ira está sobre el que le causa
vergüenza.

15 1 La suave respuesta quita la ira,
pero la palabra áspera aumenta el
furor.
2 La lengua de los sabios embellece el
conocimiento,
pero la boca de los necios expresa insensatez.
3 Los ojos de Jehovah están en todo lugar,
mirando a los malos y a los buenos.

---

blanco, mostrando así el hecho concreto de fallar) es una vergüenza o afrenta para todos los pueblos (con énfasis en "todos").

En el v. 35 se subraya la actitud del rey hacia el prudente, el que tiene sentido común y hacia el que actúa de una manera vergonzosa (ver 10:5 con el hijo que avergüenza que es flojo; 19:26 con el hijo que avergüenza que roba a sus padres; 29:18 con el hijo no disciplinado que avergüenza). Por un lado está el favor del rey para su siervo prudente, y por otro lado se siente la ira del rey hacia el que avergüenza (castigo; ver 14:28 acerca de los pasajes sobre los gobernantes).

23. Las palabras que pacifican, 15:1-7

El v. 1 muestra la influencia de la respuesta en el contexto de la ira. Por un lado, la respuesta (ver 16:1) *suave* (o "blanda" según 25:15) "da vuelta" (aquí *quita*) el calor o la rabia. Por otra parte, la palabra que es dolorosa "incita la nariz" (la palabra hebrea para *la ira*). Así, al encontrarse en un contexto donde alguien está enojado con uno, hay que responder de una manera que se calme la situación (una respuesta blanda) y no de una manera que complique la situación (con una respuesta que causa dolor). La forma verbal del *hiphil* en el versículo muestra cómo cada respuesta es la reponsabilidad del que responde.

En el v. 2 se encuentran de nuevo los contrastes entre el conocimiento hecho más bueno o bello por los sabios, y la insensatez que fluye como una vertiente de la boca del necio o indiferente (ver 10:11, 21, 31; 12:13; 13:16). La forma *hiphil* de los verbos pone en claro la responsabilidad de cada uno de los actores.

En el v. 3 se subraya la doctrina de la omnipresencia y la omnisciencia de Dios. El no es ciego a la maldad que ocurre, ni tampoco ignora o es ciego a lo bueno que está ocurriendo. Sin duda, Dios hasta ve el lugar de los muertos y el de la destrucción y luego actúa (ver 5:1; 15:11; 22:12; 24:18; Sal. 139). Hay varios pasajes sobre los ojos (ver 4:25; 5:21; 16:2; 17:24; 23:29; 27:20).

El v. 4 muestra el valor de *la lengua* "saludable" (ver 14:30), mientras también subraya la lengua "torcida" (ver 6:12) como algo que quiebra el espíritu o el ánimo. Así, la lengua "saludable" *es árbol de vida* (ver 3:18; 11:30; 13:12).

Joya bíblica

La justicia engrandece a la nación, pero el pecado es afrenta para los pueblos (14:34).

La palabra **justicia** es la más usada, y menos practicada, por nuestros gobiernos de turno. Cuando los candidatos políticos están buscando su elección, **justicia** aparece frecuentemente en sus discursos. Cuando efectivamente llegan al poder, la **justicia** se deja para más adelante y continúa la misma injusticia que se criticaba.

Tenemos aquí un mensaje profético que pronunciar, defender y hacer realidad desde nuestros púlpitos y en nuestras comunidades cristianas. ¿Nos animaremos no sólo a denunciar (eso es más de los políticos) sino a hacer algo efectivo en contra de la injusticia que vemos a diario en nuestro mundo hispanoamericano?

4 La lengua apacible es árbol de vida,
pero la perversidad en ella es
quebrantamiento de espíritu.
5 El insensato menosprecia la disciplina
de su padre,
pero el que acepta la reprensión llega a
ser sagaz.
6 En la casa del justo hay muchas
provisiones,
pero en la producción del impío hay
desbarajuste.
7 Los labios de los sabios esparcen
conocimiento;
no así el corazón de los necios.
8 El sacrificio de los impíos es una
abominación a Jehovah,
pero la oración de los rectos le agrada.

El v. 5 vuelve a mostrar la actitud del hijo insensato y del hijo sagaz frente a la corrección (ver 3:11; 5:12; 10:17; 12:1; 13:18; 15:5, 10, 32).

En el v. 6 se contraponen la casa del justo y la casa del impío. Mientras en el hogar del justo o recto hay "mucha riqueza", los ingresos del impío (quizá vienen del robo y el engaño como en 1:11 ss. y 4:16, 17) representan una "calamidad".

Se repite el tema del contraste entre el sabio o prudente y el necio ante la sabiduría divina. Por un lado, la conversación de los sabios "siembra" intensamente (la forma del *piel* intensifica la acción del verbo). Por otra parte, la palabra *no* muestra que no es así en el corazón (ver 10:8 para *corazón*) del necio.

24. Dios no se engaña, 15:8-14

En el v. 8 se encuentran dos prácticas especiales de la religión judía: *el sacrificio* (ver 3:9, 10; 7:14; 21:3, 27) y *la oración* (ver 15:29; 28:9). Ambas actividades eran aceptables y promovidas por la espiritualidad hebrea desde los primeros días del éxodo de Egipto (ver Exo. 5:3; 20:8, 9, 18, 19). Por lo tanto, el rechazo en el versículo no es el resultado de la naturaleza del sacrificio, sino de la naturaleza del que sacrifica, es decir el impío (ver Amós 5:21-24). Ambas prácticas, la oración y el sacrificio, eran públicas porque se oraba en voz alta (ver Dan. 6:11). Así el rito religioso es vacío y detestable (ver 3:32 para "abominar") cuando el corazón no está bien (ver Mat. 23:23). Por otro lado, está la oración. Aun la oración puede ser una abominación como el sacrificio (ver 28:9). (El v. 8 fue utilizado por el Corán para hacer legítimo el rechazo de parte de Islam del sacrificio o culto judíos.)

La palabra *abominación* (ver 6:16) une el v. 9 con el v. 8. Aquí se rechaza la vida o conducta del impío en términos absolutos ("abominación-impuro-detestable). Al contrario, Dios *ama* (ver 8:17 para "amar", que muestra una relación íntima y exclusiva) al seguidor de la justicia o rectitud (ver 10:2).

Como la playa

Al observar la naturaleza y ver lo que sucede con el mar al chocar con las rocas y causar un estruendo ensordecedor, podemos compararlo con el mensaje de Proverbios 15:1. Debemos ser como la playa en la cual las olas por más fuerza que tengan se ven apaciguadas y pierden su vigor, muriendo apaciblemente, como dice: "La blanda respuesta quita la ira."

Otra vez se unen las palabras *disciplina* (ver 3:11) y *reprensión* (ver 15:5) en el v. 10. Aquí, en un paralelismo sinónimo, se subrayan los antivalores errados del *que abandona* y del *que aborrece* (ver 6:16, donde "aborrecer" muestra odio y distancia) *la disciplina* y *la reprensión*. La primera parte puede significar "una disciplina severa o dolorosa que viene al que abandona la vida recta", o una opinión del que abandona la vida recta donde se declara que "la disciplina es un mal". La primera interpretación hace un paralelismo sinónimo mejor con la segunda parte, que muestra el fin del aborrecedor de la corrección, es decir, la muerte prematura (ver 5:23; 10:21; 19:16; 23:13).

El v. 11 repite la doctrina de la omnipre-

9 Abominación es a Jehovah el camino
del impío,
pero él ama al que sigue la justicia.
10 La disciplina le parece mal al que
abandona el camino,
y el que aborrece la reprensión morirá.
11 El Seol* y el Abadón* están delante
de Jehovah;
¡cuánto más los corazones de los hombres!
12 El burlador no ama al que lo corrige,
ni acude a los sabios.
13 El corazón alegre hermosea la cara,
pero por el dolor del corazón el espíritu
se abate.
14 El corazón entendido busca el
conocimiento,
pero la boca de los necios se apacienta
de la insensatez.

*15:11 O sea, la morada de los muertos
*15:11 O sea, el lugar de perdición

sencia y ominsciencia del v. 3. Los lugares más misteriosos y ocultos del hombre, es decir, *el Seol,* como el lugar de los muertos (ver 1:12; 5:5; 7:27; 9:18; 15:24; 23:14; 27:20; 30:16) y *el Abadón,* como el lugar de la destrucción o perdición (ver 27:20) se encuentran abiertos ante Dios. *¡Cuánto más!,* expresa bien el hebreo *'ap* 637 *kiy* 3588. Están abiertos "la voluntad, los sentimientos, la inteligencia y el asiento desde donde se toman las decisiones" (el corazón en 10:8).

En el v. 12 se presenta el burlador, el que desprecia a otros (ver 1:22). La característica sobresaliente del burlador es su rechazo (lit. falta de amor, que se define como el afecto que hace que una relación sea estrecha y exclusiva como en 8:17) al que lo corrige y cómo evita (lit. no ir a los sabios, quizás maestros de la sabiduría como en 1:5) a los sabios. Nos recuerda la frustración del maestro en 9:7, 8: *El que corrige al burlador se acarrea vergüenza... no reprendas al burlador, porque te aborrecerá.*

El v. 13 muestra que las emociones son factores importantes en la vida del hombre. Por un lado, la alegría produce hasta una cara más hermosa, mientras el dolor produce un ánimo quebrado (ver 10:8 para "corazón"). La frase *corazón alegre* se encuentra en 17:22. Nos recuerda la iglesia cristiana en su comienzo: *Ellos perseveraban unánimes... participando de la comida con* ***alegría*** *y con sencillez de corazón, alabando a Dios y teniendo el favor de todo el pueblo. Y el Señor añadía diariamente a su número...* (Hech. 2:46, 47). Hay que crear los momentos espe-

Semillero homilético

Un arma de doble filo

15:1, 4, 28

Introducción: Un refrán dice: "Las buenas palabras quebrantan las peñas y hablan a los corazones." El autor de Proverbios da enseñanzas importantes por medio de contrastes. En este pasaje hace un contraste con varios elementos importantes en nuestra vida diaria.

I. La manera de responder a otros, vv. 1, 2.
1. En forma suave, con sabiduria.
2. En forma áspera, como el necio.

II. La manera de responder a la disciplina, vv. 5, 10, 32.
1. El insensato menosprecia la disciplina.
2. El sabio acepta la reprensión.

III. La manera de ofrecer nuestra adoración a Jehovah, vv. 8, 33.
1. Para los impíos, es abominación.
2. Para los rectos, agrada a Jehovah.

IV. La manera de relacionarnos con otros, vv. 13, 23.
1. El corazón alegre es contagioso.
2. Un espíritu abatido deprime.

V. La manera de comunicar nuestros pensamientos, v. 26.
1. Loz malos, son abominación ante Dios.
2. Los puros, son agradables ante Dios.

Conclusión: Podemos ver en este capítulo que el autor nos da sugerencias específicas de las actitudes y las acciones que nos hacen agradables delante de Dios y el prójimo.

15 Todos los días del pobre son malos,
pero el corazón contento tiene fiesta continua.
16 Es mejor lo poco con el temor de Jehovah
que un gran tesoro donde hay turbación.
17 Mejor es una comida de verduras donde hay amor
que de buey engordado donde hay odio.

ciales para expresar la alegría.

En el v. 14 se repite la frase "corazón discernidor" (ver 14:33; 18:15). La meta del hombre entendido es el *conocimiento* (ver 1:4) sobre el orden del universo, las conductas apropiadas, etc. Por otra parte, los necios o indiferentes (ver 1:22) se alimentan de la insensatez (ver 12:23). En el mundo hay, a la vez, valores y antivalores.

25. Los diversos ambientes de la alegría, 15:15-21

El v. 15 habla del estado triste del "humilde", el *pobre* o "el afligido" (ver 3:34; 14:21; 22:22; 30:14; 31:20). Se pone énfasis en *todos los días* para entender la ausencia de la fiesta aunque sea en un solo día. Por otra parte, un *corazón contento* o feliz es una fiesta continua. Hay dos interpretaciones posibles. Primero, hay dos hombres, el *pobre* y el *contento,* y es mejor ser contento que pobre. La segunda interpretación desafía al pobre a tener un corazón feliz a pesar de que su vida cada día sea una lucha por la sobrevivencia (parece ser la interpretación mejor al considerar el siguiente versículo).

En el v. 16 se utiliza la expresión *tob* 2896 (bueno) para *mejor,* mostrando así la superioridad de una cosa sobre la otra (ver 15:17; 16:8, 19, 32; 17:1; 19:1, 22; 21:9, 19; 25:7, 24; 27:5, 10; 28:6). Por lo tanto, se ocupa la frase *el temor de Jehovah,* mostrando la fe o reverencia apropiadas (ver 1:7): "Mejor poquísimo con una fe vibrante que un gran tesoro

Fiesta continua del corazón contento, 15:15

18 El hombre iracundo suscita contiendas,
pero el que tarda en airarse calma la riña.
19 El camino del perezoso es como cerco de espinas,
pero la senda de los rectos es llana.
20 El hijo sabio alegra al padre,
pero el hombre necio menosprecia a su madre.
21 La insensatez le es alegría al falto de entendimiento,
pero el hombre prudente endereza su andar.

(ver 10:2; 21:6, 20) donde hay un tumulto-una confusión-un desconcierto". Un dicho egipcio apunta a lo mismo: "Mejor es la pobreza en la mano del dios que riquezas en un almacén; mejor es el pan, cuando el corazón está dichoso, que riquezas con pesadumbre" (*La Sabiduría de Amen-em-opet*).

Joya bíblica

Todos los días del pobre son malos, pero el corazón contento tiene fiesta continua (15:15).

El v. 17 antepone dos comidas y dos ambientes. Los dos ambientes se expresan a través de las frases: *Donde hay amor* (ver 8:17 para "amor", un ambiente grato, contento, comprometido, seguro) y *donde hay odio.* Las dos comidas son: *Una comidas de verduras* (que eran *habas, lentejas* según 2 Sam. 17:28, 29, *cebolla, ajo, puerro y pepino* según Núm. 11:5) y el *buey engordado* (ver Lev. 17:3; Deut. 14:4; Jue. 6:25; 1 Sam. 14:34; 1 Rey. 1:19, 25; 5:3; Neh. 5:18). Quizá lo mejor sería la comida del buey engordado donde hay amor. Sin embargo, no es así porque hay que elegir entre el ambiente grato y la buena comida. Por supuesto, es más importante el ambiente, apuntando a la verdad de que el *amor* es un ingrediente esencial en el hogar y todas sus actividades.

El v. 18 subraya la diferencia entre el hombre "de calor" o "ira" (ver 6:34; 15:1; 29:22) y el hombre con "la nariz larga" o "lento para enojarse" (ver 14:29; 16:32). Por un lado, el hombre iracundo estimula o promueve intensamente (de la forma verbal de *piel*) la contienda (ver 28:25; 29:22). Por otro lado, el hombre con el dominio propio sobre su ira "aquieta" la riña. No hay que pensar que no hay lugar para una indignación justificada. Aquí se trata de un abuso de la ira, donde se presenta algo apresurado y las acciones no son pensadas (ver 22:24, 25; 29:22). Elie Wiesel, sobreviviente del campo de concentración nazi y Premio Nobel de Literatura, protesta la sumisión a la opresión y la crueldad, culpando a la historia de Job por motivar mal a los judíos que no mostraron una ira apropiada. También, Aristóteles subraya la ira apropiada cuando se dirige hacia las cosas y las personas que la merecen, y tal hombre es digno de ser alabado (*Ethica Nicomachean*). Finalmente, se recuerda la escena de Jesús en el templo con los que vendían y compraban (ver Mar. 11:15-17) y la denuncia de los líderes religiosos (ver Mat. 23:1-36).

El v. 19 vuelve a tocar el tema del *perezoso* (ver 6:6-11; 10:4, 5, 26; 12:11, 24, 27; 13:4; 15:19; 28:9; 19:15, 24; 20:4, 13; 21:25, 26; 22:13; 24:30-34; 26:13-16; 28:19). Hay que entender que los caminos de los peregrinos y del comercio estaban construidos para sentarse en una forma elevada por sobre el terreno (ver Isa. 57:14; Jer. 18:15). Con una palabra sinónima con la del *cerco* en el texto, Oseas profetizaba: *Por tanto, he aquí que yo obstruyo su camino con espinos, y reforzaré su vallado, de manera que ella no encuentre sus senderos* (Ose. 2:6). Estas palabras divinas eran la reacción a la idolatría israelita. En este mismo sentido, el dicho del v. 19 enseña que los perezosos se van a encontrar con un *cerco* de espinos crecido por la negligencia y que va a ser una obstrucción para caminar (un cerco silvestre natural y no hecho por el

22 Donde no hay consulta los planes
se frustran,
pero con multitud de consejeros, se
realizan.
23 El hombre se alegra con la respuesta de
su boca;
y la palabra dicha a tiempo, ¡cuán buena
es!

24 Al prudente, el camino de vida le
conduce arriba,
para apartarse del Seol* abajo.
25 Jehovah derribará la casa de los
soberbios,
pero afirmará los linderos de la viuda.

*15:24 O sea, la morada de los muertos

hombre, como se puede ver a veces en el desierto donde se han utilizado los arbustos de espino para hacer un verdadero cerco. Por ejemplo, en el desierto de Atacama, en Chile, para las cabras). Por otra parte, *los rectos* (opuestos a los perversos) tendrán un "levantado" (concepto hebreo para *senda*, que muestra la forma segura de construir un camino por sobre el terreno). La palabra *cerco* aparece sólo aquí en el AT.

En el v. 20 se encuentra de nuevo el hijo sabio o prudente (ver 10:1; 27:11; 29:3) quien puede alegrar en una forma profunda (la forma *piel* para intensificar la acción del verbo). Al contrario, el hijo necio o indiferente a la sabiduría (ver 1:22) "mira en menos" a su madre (como mira en menos la rectitud en 14:2 y 19:16).

En el v. 21 se vuelve a acentuar el tema de *la insensatez* (ver 10:21 con *los insensatos* y *la falta de entendimiento:* 12:23; 13:16), como la *alegría* o "gozo" (palabra clave que une este versículo con el anterior) del *falto de entendimiento* (ver 6:32; 7:7). ¡Qué antivalor, no sólo ser insensato, sino gloriarse en ello! Por otro lado, está *el hombre prudente.* La forma verbal del *piel* para *endereza* muestra el camino rectísimo y muy caminable.

26. Una participación sabia, 15:22-26

El v. 22 repite la importancia de consultar a otros (ver 11:14; 20:18). Por un lado, sin el consejo de otros *los planes* (o "los pensamientos" como se traduce *majashabot* 4284 en 6:18; 12:5; 15:26; 16:3; 20:18) se frustran o se quiebran (no se realizan). Al contrario, *la multitud de consejeros* "garantiza" el éxito (lit. "que se levanta o que se para") de los pensamientos o planes. Son las actitudes de orgullo e insensatez las que impiden al hombre que escuche a otros. Mejor vencer el orgullo o la insensatez y hacer la consulta apropiada.

Semillero homilético

El poder de la alegría

15:13, 15, 30

Introducción: El autor de los proverbios vio la importancia de la alegría como una emoción que inspira confianza y colaboración.

I. El origen de la alegría es interno, v. 13.
1. Algunos buscan factores externos para crear alegría.
2. La alegría es una emoción que escogemos y no es involuntaria.

II. La influencia de la alegría es extensiva, v. 15.
1. La alegría es contagiosa, crea fiesta continua.
2. La alegría no depende de la prosperidad ni se quita por la pobreza.

III. Los resultados de la alegría se manifiestan, v. 30.
1. Los ojos comunican la alegría o la tristeza.
2. Los huesos manifiestan vida por la alegría. Los hombres saltan por la alegría.

Conclusión: Hoy en día se reconoce que uno escoge la emoción que quiere tener y manifestar. Puede ejercer la voluntad para no ser controlado por la emoción, más bien controla sus acciones, las que conducen a la emoción deseada. Uno no es víctima del capricho en el mundo; puede escoger su reacción a toda experiencia.

26 Los pensamientos del malo son una abominación a Jehovah,
pero las expresiones agradables son puras.

El v. 23 vuelve al tema de la alegría (ver vv. 20, 21). Otra vez se trata de la *respuesta* (ver v. 1; 25:11). Hay un juego de palabras en los sonidos repetidos, que ayuda a la memoria. La expresión *la respuesta de la boca* puede mostrar que al hombre le gusta escucharse hablar a sí mismo y así se denota una observación de la vida, o puede apuntar a una palabra "apta" para mostrar que es una respuesta positiva, haciendo así la relación sinónima con la segunda parte. Por lo tanto, *la palabra dicha a tiempo, ¡cuán buena es!* (ver Deut. 11:14 para *a tiempo* en que [Dios] *dará la lluvia a vuestra tierra en su tiempo*). Pablo dio una palabra a tiempo desde la cárcel en Filipos, cuando dijo: *¡No te hagas ningún mal, pues todos estamos aquí!* (Hech. 16:28.) Y se exhorta que *amonestéis a los desordenados... alentéis a los de poco ánimo... déis apoyo a los débiles... tengáis paciencia hacia todos...* (1 Tes. 5:14). Hay un tiempo apropiado, una palabra a tiempo que hay que dar, antes que sea tarde. Una expresión contemporánea para hablar de algo oportuno es el refrán "como llovido del cielo".

Semillero homilético

Los secretos para permanecer alegre

15:21-24

Introducción: Una cita del escritor Kant dice: "He de portarme siempre como si la norma de conducta de mis actos hubiera de convertirse en ley universal." Podemos aplicar esta norma a nuestras decisiones y comportamiento. ¿Queremos que nuestro comportamiento sea la norma para todos los demás? El autor de los proverbios nos da consejos en cuanto al comportamiento para lograr el éxito en la vida.

I. Caminar rectamente, vv. 21, 24.
   1. Hay que corregir los propios pasos de uno.
   2. Hay que buscar el mejor camino.
   3. Hay que encontrar la felicidad.

II. Aconsejar con sabiduría, vv. 22, 23.
   1. A la persona necesitada.
   2. Con la palabra adecuada.
   3. En el momento oportuno.

III. Escuchar consejos con toda atención
   1. El que nos aconseja tiene una perspectiva objetiva.
   2. El que nos aconseja tiene una experiencia larga.

Conclusión: Un refrán dice: "Mas vale pedazo de pan con amor que gallina con dolor." El camino de la prudencia nos lleva a la felicidad. El hacer lo que es prudente tomará en cuenta las condiciones de los demás y no considerará nuestra situación solamente.

En el v. 24 se encuentra un paralelismo sintético. La segunda parte se aclara a través de entregar el propósito o la razón para la primera frase. La verdad de este proverbio subraya el impacto positivo de prolongar la vida y evitar una muerte prematura y una estadía prematura en *el Seol* (ver 1:12; 5:5; 7:27; 9:18; 15:11; 23:14; 27:20; 30:16). Por supuesto, el hombre ha de morir a su tiempo (ver Ecl. 3:2; 2:17): *Tal como está establecido que los hombres mueran una sola vez, y después el juicio* (Heb. 9:27).

El v. 25 muestra dos posesiones y dos personajes ante Dios. Las dos personas son el soberbio y la viuda. Por un lado, se encuentra el soberbio y su casa que Dios va a derribar, el juicio o castigo divino contra aquellos que son así. Al contrario, con la viuda y las piedras que marcan los límites de su tierra (ver lindero o *gebul* [1366] en Job 24:2; Prov. 22:28; 23:10, 11; Ose. 5:10) está Dios quien "mantiene" o "sostiene" el *lindero.* Las viudas son especialmente vulnerables a los malos de la sociedad (ver Rut 4).

En el v. 26 se repite la palabra plan o pensamiento (ver v. 22). Ahora estos planes pertenecen al malo y son detestables o "impuros" (opuesto a lo sagrado; ver 6:16). Al contrario, las expresiones (verbales) agradables son *puras* (el lado opuesto de la abominación o impureza).

27 El que tiene ganancias injustas perturba
su casa,
pero el que aborrece el soborno* vivirá.
28 El corazón del justo piensa para responder,
pero la boca de los impíos expresa
maldades.
29 Lejos está Jehovah de los impíos,
pero escucha la oración de los justos.
30 La luz de los ojos alegra el corazón,
y una buena noticia nutre los huesos.
31 El oído que atiende a la reprensión
de la vida vivirá entre los sabios.
32 El que tiene en poco la disciplina
menosprecia su vida,
pero el que acepta la reprensión adquiere
entendimiento.
33 El temor de Jehovah es la enseñanza* de
la sabiduría,
y antes de la honra está la humildad.

*15:27 Lit., *los obsequios*
*15:33 Otra trad., *es la base de*

27. Las ganancias que dejan pérdidas, 15:27-33

El v. 27, a través del paralelismo antitético, muestra que el hombre no se afirma por medio de las ganancias injustas (ver 1:19; 28:16; Isa. 57:17; Hab. 2:9) ni por medio de los regalos o *el soborno* (ver 17:8, 23; 21:14; Ecl. 7:7). Se encuentran algunos paralelos en los escritos extrabíblicos (*La Sabiduría del Visir Ptah-hotep*). El soborno nos hace recordar el ejemplo de Judas (Mat. 26:14-16; 27:3-5).

En el v. 28, el concepto de "hacer un soliloquio" (ver Jos. 1:8 traducido *medita,* aunque la lectura siempre se hacía en voz alta) o "pensarlo profundamente" se encuentra como una característica del justo o recto (ver 10:3). Al contrario, la boca del malvado fluye con (o derrama) las cosas malas (ver 1:23; 15:2, 28; 18:4).

Lejos salta del v. 29, mostrando la ausencia de una relación íntima y el espítitu de abominación que Dios siente hacia el malvado (ver 15:8). Se utiliza la misma palabra para interceder que se usó en el v. 8, una oración escuchada (y por consecuencia, contestada) de parte de Dios (28:9). El ciego sanado apoyó la naturaleza justa de Jesús diciendo: *Sabemos que Dios no oye a los pecadores; pero si alguien es temeroso de Dios y hace su voluntad, a ése oye* (Juan 9:31).

El v. 30 entrega dos factores positivos para la salud y el bienestar del hombre. Primeramente, "los ojos brillantes" (quizá el concepto de la "presencia que brilla", en un sentido metafórico) produce una alegría profunda en el hombre. En segundo lugar, la *buena noticia* "hace gordo" (figurativo para "hacer prosperar" en 11:25; 13:4; 28:25). El tema de los huesos se encuentra en otros pasajes de Proverbios y puede apuntar a la salud física o integral de la persona (ver 3:8; 14:30; 16:24). Hay ejemplos de la *buena noticia* en la Biblia (ver 25:25; algún nacimiento; el evangelio de Jesucristo). Hay ejemplos de la mala noticia (ver la muerte de Saúl en 2 Sam. 4:4; Dan. 11:44).

El v. 31 muestra la manera de llegar a estar entre los sabios (ver 1:5). La condición dada en el modo indicativo, y no imperativo como en 1:8 (*escucha);* 4:1 (*oíd)* y 8:33 (*escuchad),* dice: *El oído que atiende...* Enseguida viene la palabra común para la "reprensión o corrección" apuntando al contenido del escuchar (ver 15:5, 10, 32). Esta "corrección vital" prepara al hombre para ser un sabio, y hacer su vivienda entre ellos. (Este versículo no se encuentra en la Septuaginta, pero sí en todos los manuscritos hebreos.)

El v. 32 repite la enseñanza del v. 31 pero en una forma antitética, con un juego de palabras y sonidos, comparando la actitud del que menosprecia contra la actitud del que acepta. El contenido para discutir es *musar* [4148] *toksjat* [8433], que es frecuente en Proverbios (ver 1:23; 3:11; 10:17). El que ignora (como el necio o indiferente) la información-formación-reformación, menosprecia o mira en menos a

16 1 Del hombre son los planes del corazón,
pero de Jehovah es la respuesta de la lengua.

2 Todo camino del hombre es limpio en su propia opinión,*
pero Jehovah es el que examina los espíritus.

*16:2 Lit., *en sus ojos*

su propia alma o persona. Mientras, el que acepta la corrección además va adquirir el entendimiento.

El v. 33 vuelve a hablar sobre el tema de la enseñanza (ver 1:7; 9:10; 14:16; etc.) de la palabra para información-formación-reformación (ver 3:11,12; 18:12; Job 28:28). La sabiduría pone a la iglesia en una postura de adquirir la prudencia y entender el arte de vivir. Quizá está apuntando al hecho que ***la** enseñanza de la sabiduría* (ver 1:7, 22) es *el temor de Jehovah,* y se agrega que la humildad es la actitud que encamina *la honra.*

Joya bíblica

Lejos está Jehovah de los impíos, pero escucha la oración de los justos (15:29).

El autor explica que Dios siempre se aleja del pecado, pero esto no quiere decir que se aísla del pecador. Está listo para escuchar la oración del arrepentido, y lo recibe con los brazos abiertos. Escucha la oración de los suyos como los padres escuchan a sus hijos.

28. Un examen divino del corazón humano, 16:1-9

Esta sección contiene uno de los materiales más teológicos de todo el libro de Proverbios. De los nueve dichos, se encuentra el nombre *Jehovah* en ocho. En la sección más amplia desde el cap. 10 y hasta 15:24, hay unos 16 pasajes con la palabra *Jehovah.* Luego, desde 15:25 hasta 22:16 donde termina la sección más amplia de los proverbios de Salomón, hay unos 40 pasajes con la palabra *Jehovah.* Por lo tanto, se cambia la preferencia del paralelismo antitético al paralelismo diverso, favoreciendo el sinónimo. Algunos eruditos piensan que esta sección fue formada por separado y después unida a la otra parte de la compilación de 10:1—15:33. De todas maneras, sigue la forma del aforismo con dos líneas en un paralelismo.

El v. 1 pone énfasis en la soberanía de Dios. Aunque se usa la conjunción *pero,* no es un paralelismo antitético puro sino que hay un espíritu sintético, donde el segundo refrán agrega nueva información para el primer refrán. Primeramente, se subraya el hecho que el hombre tiene en su *corazón,* aquí con el significado del asiento de la inteligencia (ver 10:8), "el arreglo o la ordenación" (de sus pensamientos). De hecho, el hombre tiene la capacidad racional de proyectarse hacia el futuro. En segundo lugar, se muestra la verdad de que el hombre tiene sus limitaciones, mientras Dios es soberano. Esta segunda parte puede acentuar o que Dios va a tener la última palabra sobre la vida del hombre o que Dios entrega cada palabra al hombre (sépalo o no el hombre) como fue predestinado. La palabra hebrea para *planes* es difícil, siendo esta la única vez que aparece en el AT. Un dicho egipcio es paralelo con este versículo: "El acto de abrir su boca es una frase de los dioses, y si los dioses le aman pondrán algo bueno que decir en su boca" (*Las Palabras de Ahiqar*). Tomás de Kempis dijo que "el hombre propone, pero Dios dispone". Don Quijote exclamó que "el hombre pone y Dios dispone". Además, "no se mueve la hoja en el árbol sin la voluntad de Dios" (*Don Quijote de la Mancha*). Juan Calvino utilizó este versículo, entre otros, para mostrar el determinismo absoluto de todas las cosas y todos los hechos de parte de Dios (*Instituciones de la Religión Cristiana*). Algunos eruditos modernos admiten que tal espíritu determinista es una parte del AT, e interpreta bien el v. 1.

3 Encomienda a Jehovah tus obras,
y tus pensamientos serán afirmados.
4 Todo lo ha hecho Jehovah para su propio propósito;
y aun al impío, para el día malo.
5 Abominación es a Jehovah todo altivo de corazón;
de ninguna manera* quedará impune.
6 Con misericordia y verdad se expía la falta,
y con el temor de Jehovah uno se aparta del mal.

*16:5 Lit., *mano a mano* (como en garantía)

Otros muestran que Dios es una parte de la vida del creyente y guía (sin determinar) al creyente en sus pensamientos, los que llegan como un regalo de Dios (Keil-Delitzsch). Sin duda, Dios tiene la última palabra en la vida del hombre (ver Apoc. 20:11-15) e influye en los creyentes en su manera de pensar (ver Fil. 2:5-11; 1 Cor. 2:12-16). Por otra parte, hay que tener cuidado en atribuir todas las cosas a Dios. Por eso el sentido de urgencia, para que el joven de Proverbios tome buenas decisiones y así proyecte un futuro éxitoso en todo sentido (ver 1:4, 8, 11). Como consecuencia, es difícil pensar que todo está predestinado y es inalterable. Parece ser que el joven puede tomar algunas decisiones que trazan su camino.

El v. 2 tiene mucha relevancia para hoy en día, cuando algunos tratan de enseñar que las distintas formas de vivir la vida y las conductas diversas son relativas. El mensaje es claro aquí (ver 12:15; 21:2), pues se enseña que *todo camino* ante los ojos del hombre es "puro" o *limpio* en el sentido espiritual y moral (como en 20:11 y 21:8). Quizá el individuo cree que el camino es recto. Sin embargo, la segunda parte del versículo aclara que es Dios quien *examina* ("pesa") el espíritu humano. Como un juez perfecto, Dios puede distinguir entre los verdaderos valores y los antivalores. El hombre, en cambio, no distingue cien por ciento entre el bien y el mal porque el pecado ha distorsionado su razón (ver Rom. 12:2). Hoy en día se necesita la Palabra de Dios enseñada y predicada al hombre para poder discernir entre lo recto y lo pecaminoso. El criterio humano no es suficiente, como expresó Calvino: "El hombre se engaña con lo externo mientras Dios pesa los secretos impuros del corazón" *(Instituciones de la Religión Cristiana).* ¡Ojo con el criterio humano! ¡Conozca el criterio divino!

El v. 3 es un dicho imperativo (aunque todos los *mashal* tienen un espíritu autoritario) para el oyente. El verbo *galal* 1556 significa "rodar", traducido aquí como *encomienda,* captando así la idea de confiar a Jehovah la obra de uno. Un erudito apunta a las cosas más difíciles de la vida (Keil-Delitzsch), aunque parece ser que se trata de la obra del hombre en general. Por lo tanto, los *pensamientos* o "planes" (ver 6:18; 12:5, 22; 15:26; 20:18) del hombre serán realizados. Al entregar las *obras* de uno a Dios, ahí viene la bendición de la presencia divina.

El v. 4 complica algunas teologías simplistas cuando, en realidad, se nota el elemento del misterio en Dios a través de toda la Biblia (ver 25:2; Isa. 55:8, 9; 1 Cor. 13:12). La idea central del versículo es que el Creador tuvo un propósito para todas las cosas creadas. Aquí se encuentra un gran descubrimiento, y corresponde al hombre y a sus líderes descubrir su utilidad (ver 25:2). Se agrega en una forma sintética, que da un ejemplo extremo de la verdad, el caso del malo que aún tiene un propósito, es decir "vivir" el día malo (angustia o calamidad). Apoyado en este versículo, Calvino señaló que "el mal fue decretado para el propósito divino" (*Instituciones de la Religión Cristiana*). Hay que recordar que aunque Dios tiene un propósito para todas las cosas, muchas no cumplen este propósito divino; pueden llegar a frustrar el plan divino (ver 1 Rey. 11: 9-13; Col. 1:15-23).

Abominación, grita el v. 5 (ver 3:32;

7 Cuando los caminos del hombre le agradan a Jehovah,
aun a sus enemigos reconciliará con él.
8 Es mejor lo poco con justicia
que gran abundancia sin derecho.
9 El corazón del hombre traza su camino,
pero Jehovah dirige sus pasos.

6:16 donde *abominación* significa impureza y algo rechazado dentro del rito religioso y el ambiente moral). De este modo, se muestra la seriedad del orgullo como un pecado que distancia el individuo de Dios. El modismo hebreo "mano a mano" (batir las manos) da una garantía acerca del castigo seguro para la ofensa (ver 6:29; 11:21; 17:5; 19:5, 9; 28:20).

Los atributos de "misericordia o bondad" y "verdad" en el v. 6 son frecuentemente combinados en Proverbios (ver 3:3; 14:22; 20:28) y muestran una actitud totalmente distinta que la del v. 5 (el orgulloso). Estos atributos muestran una imitacion de la naturaleza divina (Gén. 24:27; Sal. 25:10 y otros). Estos atributos son perdonadores en un sentido formal del perdón divino en el rito judío (un resultado opuesto al concepto de la segunda parte del v. 5). La forma verbal de *pual* muestra la intensificación del perdón. Otra vez se repite cómo una fe reverente en Dios lo aleja a uno del mal (el pecado y el sufrimiento consecuente del pecado, como en 3:7 proclamado por sabiduría).

El v. 7 subraya el valor inesperado del criterio divino. Al "agradar" (es decir, recibir el favor, ser aceptable) a Dios en su conducta o manera de ser y vivir, el hombre, a la vez, causa (la forma verbal del *hiphil* que marca quién es responsable) un estado "pacífico", aun (pone énfasis en la naturaleza inesperada de la siguiente palabra) del enemigo (de la raíz para "ser hostil", como en 24:17, 18; 25:21, 22; 27:6).

El v. 8 trata un dicho que utiliza la forma de *mejor* para subrayar la superioridad de una cosa por sobre otra (ver 3:14; 8:11; 15:16 entre otros). Aquí "un poquísimo" (de bienes) por medio de la vida justa (ver 10:2 para *justicia*) es superior a una *abundancia* de recursos a través de los medios sobre los que uno no tenía el derecho (los medios ilegales o inmorales).

En el v. 9 se repite la enseñanza central del v. 1, en que Dios es soberano por sobre el hombre. Aquí el hombre "calcula" intensamente (la forma de *piel* para intensificar la acción del verbo) su vida o conducta (e.g. *camino*). Pero Dios es responsable (el sentido de la forma verbal *hiphil)* por la dirección de los *pasos* del hombre (ver *a Sabiduría de Amen-em-opet:* "Una

---

Semillero homilético

Dios: ¿Soberano o limitado?

16:1-3, 9 y 33

Introducción: Siempre habrá conflicto en definir los alcances de la soberanía de Dios y la libertad que tiene el hombre. A lo largo de la Biblia se enseña que sobre la libertad del hombre se halla la soberanía de Dios. La soberanía de Dios se ve en la vida del ser humano en general y de una manera particular en el creyente, tal como se enseña en este pasaje.

I. Dios es soberano en:
1. Dar la última palabra, v. 1b.
2. Ser el juez en última instancia, v. 2b.
3. Afirmar los pensamientos, v. 3b.
4. Tomar la decisión final, v. 33b.

II. Pero el hombre se cree dueño de su destino en:
1. Hacer sus planes, v. 1a.
2. Pensar que lo que hace es correcto, v. 2a.
3. Confiar en la suerte, v. 33a.

III. Por eso el creyente que descansa en Dios es reafirmado:
1. Siendo que encomienda sus actos, v. 3a.
2. Siendo que confirma su voluntad en sus actos, v. 3b.

Conclusión: Todo en la creación tiene un propósito de acuerdo con la soberanía de Dios. Ningún ser humano está fuera de este propósito. El hombre debe reconocer al Soberano en sus caminos; el creyente debe comprobar su voluntad.

10 Hay oráculo* en los labios del rey;
en el juicio no yerra su boca.
11 La pesa y las balanzas justas son
de Jehovah;
obra suya son todas las pesas de la bolsa.
12 Es abominación a los reyes hacer
impiedad,
porque con justicia se afirma el trono.

13 Los reyes favorecen a los labios justos
y aman al que habla lo recto.
14 La ira del rey es como mensajero
de muerte,
pero el hombre sabio la apaciguará.
15 En la alegría del rostro del rey está
la vida;
su favor es como nube de lluvia tardía.

*16:10 Otra trad., *decisiones*

cosa son las palabras que los hombres dicen y otra lo que el dios hace").

Joya bíblica

Cuando los caminos del hombre le agradan a Jehovah,
aun a sus enemigos reconciliará con él.
Es mejor lo poco con justicia
que gran abundancia sin derecho (16:7, 8).

29. El gobierno honrado, 16:10-15

En el v. 10 se presenta la palabra *qesem* 7081, que normalmente se traduce "adivinación", que estaba prohibida en Israel (ver Deut. 18:10; 1 Sam. 15:23; 2 Rey. 17:17; Eze. 13: 6, 23). Aquí es positiva y ha de subrayar "alguna palabra de Dios" que se encuentra en los labios del rey. La segunda parte es independiente de la primera o es una consecuencia de la inspiración divina de la primera parte. "Actuar en una manera fiel" es el espíritu de la palabra hebrea *ma'al* 3603.

El v. 11 muestra la participación de Dios en el comercio y la rectitud de aquél (ver 11:1, 26; 20:10, 14, 23). De modo que el Señor se interesa por toda la sociedad y el bienestar del pueblo. No se encuentra solamente en algún recinto religioso sino en todo el mundo creado por Dios y por eso es sagrado.

Según el v. 12, el rey puede ser abominable o detestable si hace el mal (ver 3:32; 6:16), o puede afirmar su trono a través de obrar con justicia y rectitud (ver 25:5; 10:2).

El v. 13 es un paralelismo sinónimo que lit. dice: "Favor (ver 10.32; 11:27; 14:9) de Dios (ver 14:35; 16:15; 19:12), los labios justos o rectos." La palabra *aman* muestra una relación estrecha y comprometida (ver 8:17).

Siguiendo el espíritu del v. 13, el v. 14 presenta el lado opuesto: *La ira del rey...*

Juicio justo, 16:10

16 Es mejor adquirir sabiduría que oro fino,
y adquirir inteligencia vale más que la plata.
17 La vía de los rectos es apartarse del mal,
y el que guarda su camino guarda su vida.
18 Antes de la quiebra está el orgullo;
y antes de la caída, la altivez de espíritu.
19 Mejor es humillar el espíritu con los humildes
que repartir botín con los soberbios.
20 El que está atento a la palabra hallará el bien,
y el que confía en Jehovah es bienaventurado.

---

mensajero (ángel) *de... muerte.* Se ve el poder del rey para quitar la vida de aquel que está sujeto en su reino por ser malhechor. Sin embargo, el hombre sabio (ver 10:1) o *apaciguará* o "pagará por el pecado" (ambas traducciones son posibles para *kapar* 3722).

> **Joya bíblica**
>
> **Antes de la quiebra está el orgullo; y antes de la caída, la altivez de espíritu (16:18).**

El v. 15 repite el favor del rey del v. 14, comparándolo con la vida y la lluvia de la primavera (otra expresión para la vida cuando se trata de un lugar árido).

Esta sección sobre el gobierno tiene su paralelo en el libro judío *Ben Sirá:* 9:17, 18; 10:1-5.

30. Los pasos hacia la perdición, 16:16-25

El v. 16 repite la superioridad de la sabiduría sobre el oro fino (ver 8:11; 17:16: 23:23; 24:7), y la inteligencia sobre la plata. El verbo "adquirir" pone énfasis en una búsqueda intensa de los bienes superiores.

En el v. 17 se repite la frase *apartarse del mal* (ver 3:7; 13:19; 16:6). Además de tener la protección contra la maldad, la vía recta protege contra la muerte prematura, dando una vida más larga y mejor (ver 14:27). El proverbio se encuentra en un juego de sonidos en el versículo.

El v. 18 habla de la *quiebra* y la *caída*, productos de la actitud del orgullo (ver 6:17; 7:11; 16:5). El versículo se repite en 18:12.

Otra vez, la palabra *mejor* subraya la superioridad de una actitud sobre otra (ver 16:16). En el v. 19 se muestra cómo es superior un espíritu humilde y el estar entre *los humildes* (ver 3:34; 14:21; 15:15; 22:22; 30:14; 31:9, 20 que significa "el postrado, humillado, afligido"). También se muestra que es inferior ser participante con los orgullosos en compartir algún botín (ver 1:13).

En el v. 20 se resaltan los valores de escuchar (ver 1:8; 4:1), cuando ello está asociado con la palabra (sabia o divina), y de confiar (cuando es en Jehovah; ver 3:5). Los dos frutos de tales valores son el bien y la felicidad (ver 3:13 para la palabra *bienaventurado* o "dichoso").

La frase *sabio de corazón* en el v. 21 se repite de 10:8. Otra vez, se acentúa la capacidad del sabio o prudente para distinguir, es decir formar un sabio criterio para juzgar las cosas (ver 1:5; 10:13; 14:6; 17:28; 19:25). En este mismo sentido, el discurso "dulce" o "placentero" causará (la forma verbal de *hiphil* para mostrar el responsable) el aumento del "poder para instruir" (en vez de "saber" que expresa la

> **Joya bíblica**
>
> **El sabio de corazón será llamado entendido,
> y la dulzura de labios aumenta el saber (16:21).**
>
> Hay una relación entre la persona que tiene un corazón sabio y por eso habla con dulzura de labios. Los que han adquirido la sabiduría han aprendido que las palabras ásperas pueden herir en forma grave. Por eso, la persona sabia reconoce que sus palabras pueden pacificar las tormentas que vienen en la vida de toda persona.

21 El sabio de corazón será llamado
entendido,
y la dulzura de labios aumenta el saber.
22 Fuente de vida es el entendimiento al
que lo posee,
pero el castigo de los insensatos es
la misma insensatez.
23 El corazón del sabio hace prudente
su boca,
y con sus labios aumenta el saber.
24 Panal de miel son los dichos suaves;
son dulces al alma y saludables al
cuerpo.
25 Hay un camino que al hombre le parece
derecho,
pero que al final es camino de muerte.

---

idea en una forma breve).

El v. 22 utiliza la metáfora *fuente de vida* para mostrar el tremendo valor del entendimiento o prudencia (ver 10:11; 13:14; 14:27). Al contrario, el *musar* (o "disciplina"), para los insensatos hacia la sabiduría (ver 1:7) es la misma *insensatez* que fue proclamada por los necios o indiferentes (ver 12:23; 13:16) y ahora se vuelve en contra de su dueño, como Jesús dijo: *Todo aquel que practica el pecado es esclavo del pecado* (Juan 8:34). Hay otros ejemplos de la maldad como la trampa de los mismos tramposos (ver 1:18, 19; 5:22, 23).

En el v. 23 se repite la frase *aumenta el saber*. Esta habilidad, más la de hablar con prudencia, es una señal que el *corazón* es sabio (ver 10:8 para corazón; Mat. 15:18 ss. para la relación entre el corazón y la boca, según Jesús).

El v. 24 se llena de cosas dulces. Se comparan las palabras placenteras que alientan e inspiran a la miel (ver 5:3; 24:13; 25:16, 27). Tal dulzura sirve para el ánimo de la persona y para el cuerpo (lit. "sanidad a los huesos" como en 4:22; 12:18; 13:17). ¡Cuán valiosa es la palabra dulce! (ver *Ahiqar*).

El v. 25 es una repetición exacta de 14:12, que muestra el gran error de seguir un camino de vida sin pedir el consejo divino (ver 14:12).

31. Las actitudes destructivas, 16:26-33

En el v. 26, se encuentra el verbo en el tiempo perfecto, para subrayar algo acabado o algo tan cierto que está acabado en la mente del que habla. Así, los verbos son "trabajar" e "instar o impulsar". La palabra *apetito* viene de *nepesh* [5315], que ampliamente puede significar el deseo o el apetito, la persona o el alma o la emoción. Por lo tanto, la oración muestra lit. cómo las necesidades básicas son influyentes en lo que el hombre hace: "El apetito del obrero

> Semillero homilético
>
> **Las ventajas de la sabiduría**
>
> 16:16
>
> *Introducción*: Una fábula de Esopo cuenta de un perro que cruzaba un puente con un hueso en la boca. Miró su propia imagen en el agua abajo, y soltó el hueso para agarrar el que estaba en el agua, porque le parecía más grande. Su acción demuestra la falta de sabiduría; es característica de nosotros en muchas ocasiones, porque tantas veces cometemos errores parecidos al del perro. Veamos las ventajas de ejercer la sabiduría en las actividades diarias.
>
> I. La sabiduría es el camino para el éxito.
> 1. Porque está a nuestro alcance, 8:1-9.
> 2. Porque es más preciosa que los bienes materiales, v. 16a.
>
> II. La sabiduría es fuente de bendiciones.
> 1. Porque nos da una vida equilibrada, 3:5-8.
> 2. Porque produce una vida con propósito, 3:11-15.
>
> III. La sabiduría es el fruto del temor de Dios.
> 1. Porque nos lleva a Dios, 1:7.
> 2. Porque provee conocimientos de Dios, 8:13.
> 3. Porque nos aleja del mal, 2:9-15.
>
> *Conclusión*: La sabiduría, según Agustín, consiste en aprender cosas útiles más bien que cosas admirables. Una sabiduría verdadera es la que nos ayuda para vivir en armonía con Dios y el prójimo.

26 El apetito del trabajador es lo que le
obliga a trabajar,
porque su boca lo apremia.
27 El hombre indigno trama el mal,*
y en sus labios hay como fuego abrasador.
28 El hombre perverso provoca la contienda,
y el chismoso aparta los mejores amigos.
29 El hombre violento persuade a su amigo
y le hace andar por camino no bueno.

*16:27 Otra trad., *es crisol de maldad*

(la raíz para la palabra viene del "sufrir" o "afligir" y muestra la dureza del trabajo) siempre (capta la idea del perfecto del verbo) trabaja para él porque su boca (una expresión sinónima con apetito) siempre le impulsa (a trabajar)."

El v. 27 habla del hombre que es *beliyya'al*, una palabra compuesta de los vocablos hebreos *beliy* 1097, que significa "nada o sin" y *ya'al* 3276, que quiere decir "valor, utilidad o ganancia" (ver 1 Sam. 25:15; 2 Sam. 16:7; 20:1; 1 Rey. 21:13). Entonces se trata del hombre inútil (se recuerda el nombre "Onésimo" que significa "ser útil" y el juego sobre su utilidad en Flm. 11). Además de ser inútil, el hombre es peligroso porque "excava" el mal o la calamidad (ver 1:33; 3:29; 22:3). En el mismo sentido, el habla del hombre "sin valor" (y sin verdaderos valores morales) es como (metáfora) el fuego quemante o destructivo (ver Eze. 21:3). Con su lengua, el hombre inútil destruye lo que haya planificado (ver 18:8; 20:19; 26:20, 22).

En el v. 28 se subraya el mismo tema de la naturaleza destructiva del habla. *El hombre perverso* (ver 2:12; 8:13; 10:31, 32; 16:30; 23:33 para la misma palabra para "perversidad") en vez de formar amis-

Semillero homilético

El amigo verdadero

16:28, 29; 17:9, 17

Introducción: Tenemos a muchos conocidos, pero los amigos verdaderos se cuentan en los dedos de una mano. David y Jonatán son personajes bíblicos que nos impresionan con su fidelidad el uno al otro. Aun cuando el padre de Jonatán intentaba matar a David, aquél mostró su fidelidad a su amigo. ¿Qué es un amigo verdadero?

I. Ama en todo tiempo, 17:17.
II. Evita a los chismosos en todo tiempo, 16:28.
III. Guía al bien en todo tiempo, 16:29.
IV. Consuela en todo tiempo, 17:17b.
V. Perdona en todo tiempo, 17:9.

Conclusión: El amigo es el que podemos llamar en cualquier momento, contarle nuestros problemas y pedirle su apoyo y sus oraciones a favor nuestro. Han acontecido milagros cuando dos amigos que tienen el pacto de orar juntos sobre necesidades especiales se han arrodillado para interceder por necesidades especiales personales o de otras personas conocidas que han pedido la oración.

Panal de miel son los dichos suaves, 16:24

30 El que entrecierra sus ojos para planear
perversidades,
el que aprieta sus labios, consuma el mal.
31 Corona de honra son las canas;
en el camino de la justicia se encuentra.

32 Es mejor el que tarda en airarse que
el fuerte;
y el que domina su espíritu,* que el que
conquista una ciudad.

*16:32 Otra trad., *se controla a sí mismo*

---

tades y crear un ambiente de bienestar, produce (la forma verbal *piel* intensifica la acción) la discordia o contienda (de una metáfora hebrea que lit. se traduce "dar libertad o desenfrenar la contienda", también en 6:14, 19). Por lo tanto, "susurra" (eufemismo hebreo para el chisme) alejando los *mejores amigos* (o vecinos), destruyendo de esa forma sus relaciones (ver 3:29 para "prójimo").

En el v. 29 se repite el tema del *hombre violento* (ver 3:31; 4:17). Un ejemplo del liderazgo dañino se revela en este tema repetido de la mala compañía (ver 3:31, 32; 4:14-17; 16:29; 22:24, 25; 23:20, 21; 24:1, 2). El hombre violento "abre o suelta" intensamente (la forma verbal de *piel)* al "prójimo" (¿del buen camino?) y le dirige (la forma verbal de *hiphil* muestra responsabilidad de parte del hombre violento) *por camino no bueno.* El dicho tiene razón: "Más vale andar solo que mal acompañado."

El v. 30 apunta a dos gestos maliciosos (ver 6:13; 10:10): "Cerrar el ojo" y "apretar el labio". En los pasajes de 6:13 y 10:10 se acentuaba el hecho de ignorar, hacer la vista gorda. Las personas que hacen estos gestos y planean las perversidades (ver 6:12, 14), seguramente (la forma verbal del perfecto y a la vez *piel)* hacen que el mal sea cumplido. La palabra traducida *entrecierra* aparece sólo aquí en el AT y es difícil de interpretar.

En el v. 31 se subraya el tema de la vejez (ver 17:6; 20:29). La palabra *seybah* [7872] es "la cabeza gris", un eufemismo para la vejez (ver 1 Rey. 2: 6, 9; 20:29) que es una *corona de honra,* un símbolo de victoria (la vida prolongada prometida en Proverbios: ver 4:9; 12:4; 14:24; 17:6 para *corona;* 3:2, 16 para *abundancia de días).* Tal *abundancia de días* es, por consecuencia, el resultado de la vida justa y recta. La Misná judía hace una lista de características que se ven bien en el justo: "La belleza, la fuerza, las riquezas, la honra, la sabiduría, la vejez y la cabeza gris y los hijos".

El v. 32 utiliza la forma mejor para mostrar la superioridad de una cosa sobre otra (ver 3:14; 8:11, 19; 15:16, 17; 16:8, 16, 19, 28; 17:1, 12; 19:1, 22; 21:9, 19; 25:7, 24; 27:5, 10; 28:6). Superior es el que tiene "la nariz larga", (metáfora hebrea para "el dominio propio sobre la ira", como en 14:29; 15:18) que el fuerte o valiente (ver Nimrod en Gén. 10:9; los hombres de Gabaón en Jos. 10:2; Gedeón en Jue. 6:12). En este mismo sentido, superior es el hombre que gobierna "en" su espíritu y no por sus pasiones que el que conquista una ciudad (un día de mucha alegría fue la conquista de una ciudad como en la toma de Jerusalén en 2 Sam. 5:6-10). El dominio propio es un gran bien (ver la frase *lento para la ira* que se encuentra en Stg. 1:19; ver Gál. 5:23; Misná, para la pregunta "¿Quién es el fuerte?").

El v. 33 vuelve a repetir la doctrina de la soberanía de Dios (vv. 1, 9). "Echar suertes" era una práctica común para tomar las decisiones ambiguas al hombre (ver

Joya bíblica

**Corona de honra son las canas;
en el camino de la justicia se
encuentra (16:31).**

La persona que ha vivido muchos años tiene las bases para dar consejos sabios, porque ha experimentado las consecuencias de la justicia y la injusticia.

33 Las suertes se echan en el regazo,*
pero a Jehovah pertenece toda su decisión.

17 1 Mejor es un bocado seco y con tranquilidad
que una casa llena de banquetes*
con contiendas.
2 El siervo prudente se enseñoreará sobre
el hijo que avergüenza,
y junto con los hermanos compartirá
la herencia.

*16:33 O sea, sobre el pecho, donde se colocaba el efod; comp. Núm. 27:21
*17:1 Lit., *sacrificios* (de paz)

Deut. 33:8; Lev. 16:8; Jos. 14:2; Neh. 10:34; 11:1; Prov. 18:18; Hech. 1:26). Las piedras con algunas marcas especiales se echaban en el efod del vestido (del sacerdote) y después eran extraídas. El v. 33 enseña que el hombre puede echar las suertes en el efod, pero lo que sale viene de Dios y no lo sabe el hombre, de modo que Dios toma la decisión.

Joya bíblica

Es mejor el que tarda en airarse que el fuerte;
y el que domina su espíritu, que el que conquista una ciudad (16:32).

32. Las vivencias en el hogar, 17:1-10

La verdad central del v. 1 vuelve a poner énfasis en la superioridad del ambiente y la actitud de las personas hacia los bienes (ver 15:16, 17; 16:8, 19; 21:9, 19). Los dos ambientes son un lugar de *tranquilidad* y una *casa llena... con contiendas* o disputas (ver 15:18; 17:14; 20:3; 26:17, 21; 30:33). Las dos comidas son *un bocado seco* y *banquetes.* El bocado seco representa lo mas pobre de la alimentación. Normalmente, el pan se comía con algo con qué mojarlo (ver Rut 2:14; Lev. 7:10). Además, se usaba como una ración de sobrevivencia (ver 1 Sam. 2:36; 28:2) o en un sentido figurativo para mostrar algo de poco valor (ver 28:21). La segunda comida gira alrededor del concepto de *banquete*, que viene de la palabra hebrea *zebaj* 2077, que se define como "sacrificio" (Gén. 46:1; Exo. 10:25) y como todo el proceso incluyendo la comida de lo ofrecido en el sacrificio (ver Exo. 18:12; Lev. 7:12-17; 22:18-23, 29, 30; 1 Sam. 9:12, 19; 1 Rey. 8:62-66). Aquí se usa la palabra para hacer referencia a la comida, muchas veces abundante, durante el mismo día o dentro de dos días después del sacrificio (ver Exo. 18:12; Lev. 7:12-15; Lev. 22:18-23). Sobresale la fiesta de la comida comunal dejada de los sacrificios en el tiempo de Salomón (ver 1 Rey. 8:62-66). Las dos posibilidades son: *Un bocado seco y con tranquilidad* y *una casa llena de banquetes con contiendas.* Por supuesto, el sabio va a elegir una comida humilde, pero tranquila.

El v. 2 trata el tema del siervo o esclavo prudente (ver 10:5, 9; 14:35; 15:24) y muestra cómo tal esclavo puede llegar a gobernar sobre un hijo, un heredero legítimo (ver 11:29; 13:22; 15:14; 20:21 para heredar), que es responsable (captando el espíritu del *hiphil* del verbo) por la vergüenza (ver 10:5; 12:4; 14:35; 19:26; 29:15). Se pueden recordar algunos ejemplos de los hijos que causaron vergüenza, especialmente en el caso de Samuel, quien fue el heredero espiritual de Elí por el fracaso de los hijos de éste (ver 1 Sam. 2:12; 2:27-36; 3:11-14). Además, se recuerda la parábola de Jesús donde los siervos manejaron los bienes de su señor. Dos fueron fieles y entraron *en el gozo de su señor* (Mat. 25:14-30). También, el ejemplo de Onésimo, un esclavo escapado, quien recibió a Cristo y heredó las bendiciones divinas (ver Flm. 8-20). Finalmente, se recuerda en la historia de Israel cómo algunos herederos legítimos de las promesas de Abraham no llegaron a heredar la tierra prometida, como Coré, de la tribu de Leví

3 El crisol prueba la plata, y la hornaza el oro;
pero el que prueba los corazones es
Jehovah.

4 El malhechor está atento al labio inicuo,
y el mentiroso escucha a la lengua
destructora.

(ver Núm. 16), y Acán de la tribu de Judá (ver Jos. 7). Al contrario, fueron herederos la mujer adúltera de Jericó, llamada Rajab, junto a la familia de su padre (ver 6:23-25), la moabita Rut (ver Rut 4:9 ss.) y los cristianos que han sido salvos por medio de la fe en Cristo (ver Rom. 4:13-25). Tal como dice el texto en el v. 2, *el siervo prudente* compartirá la herencia en medio de los hermanos, los otros herederos legítimos que no han avergonzado a la familia.

En el v. 3, se utiliza una metáfora común (ver 27:21) para mostrar que Dios *prueba* el valor o la pureza del corazón humano (*el oro* como en Job 23:10 y Zac. 13:9). *El crisol* era el lugar donde se separaba *la plata* de los otros minerales (ver 25:4) y son comunes en algunas partes de América Latina desde el tiempo de la llegada de los españoles, aunque había más entre los pueblos indígenas de los aztecas y los incas (ver 27:2). En la misma manera, *la hornaza* afinaba *el oro* (aunque el oro se puede usar tal cual como se encuentra, pero no es tan afinado como el que es procesado). La presencia de las hornazas u hornos de minerales era frecuente en el tiempo antiguo (ver Deut. 4:20; 1 Rey. 8:51; Isa. 48:10; Jer. 11:4; Eze. 22:18, 20, 22). Así como el crisol es capaz de "probar o examinar" la plata y la hornaza es capaz de "probar" el oro, Jehovah es capaz de probar el corazón humano (ver 1 Ped. 1:7). Utilizando la metáfora de la plata (ver 2:4; 3:14; 8:10, 19; 10:20; 16:16; 22:1; 25:11; 26:23) y del oro (ver 3:14; 8:10, 19; 11:22; 16:16; 20:25; 22:1; 25:11, 12), el libro de Proverbios muestra la superioridad de los valores morales de Dios por sobre los bienes materiales. El Salmista tenía razón porque sólo Dios puede probar y comprobar el corazón (la voluntad, la inteligencia, el proceso para tomar decisiones, las pasiones, etc; para *corazón;* ver 10:8) porque el criterio humano es inadecuado como se puede ver en Proverbios (ver Sal. 139; Prov. 14:12).

El v. 4 vuelve al tema del mentiroso, del *malhechor* de labios (ver 6:12, 17, 19; 10:18; 11:12, 13; 12:19, 22; 16:28; 18:8; 20:19; 25:23; 26:20, 22, 23, 28). Tal individuo *está atento* al labio malvado y no al maestro sabio que pedía que se prestara atención en 5:1. En la misma manera, escucha la lengua que destruye tomando su víctima por completo.

El v. 5 trata el tema del *pobre* (ver 10:4, 10, 15; 13:7; 14:20; 18:23; 22:2, 7, 16; 23:21; 28:6, 11; 30:8, 9). Se subraya la actitud de la gente hacia el pobre (ver 14:31, 20; 19:1, 7, 17; 22:2; 28:27), aunque había algunas excepciones como la mujer íntegra de 31:20. La acción hacia el

Obreros trabajando la plata, 17:3

5 El que se mofa del pobre afrenta a su Hacedor,
y el que se alegra por su calamidad no quedará impune.
6 Corona de los ancianos son los hijos de los hijos,
y la gloria de los hijos son sus padres.
7 No conviene al hombre vil la grandilocuencia.*
Cuánto menos al noble el labio mentiroso.

*17:7 Lit., *labio de exceso*

pobre involucra decir algunas cosas cortantes, quizá en una forma de tartamudeo. Esta actitud de burla (como la actitud del que oprime al pobre en 14:31) es enérgicamente rechazada de parte de Dios en la expresión *afrenta a su Hacedor* o "merece una censura del Hacedor del pobre" (la forma verbal del perfecto muestra que la actitud de Dios es segura bajo esta situación y la forma del *piel* muestra la intensidad del verbo *afrenta*). En la misma manera, el que se regocija (un gozo malicioso) en la *calamidad* (¿del pobre?) (ver 1:26, 27; 6:15; 24:22; 27:10) recibirá el castigo merecido (ver 6:29; 11:21; 16:5; 19:5, 9; 28:20). Un dicho egipcio es paralelo con este versículo: "No te rías de un ciego ni te burles de un enano, ni maltrates los asuntos del cojo" (*La Sabiduría de Amen-em-opet).* La actitud del rico en la parábola del rico y Lázaro (irónicamente el pobre tiene un nombre mientras el rico es uno sin nombre; una actitud opuesta a la del mundo) refleja bien la actitud de siempre hacia el pobre cuando aun desde el lugar de la perdición él desea ordenar a Lázaro (una petición absurda que muestra la naturaleza pecaminosa de querer seguir mandando a Lázaro, quien descansa y se goza (Luc. 16:19-31).

Semillero homilético

Consejos a un hijo muy amado

17:4, 13, 15

Introducción: En el libro de los Proverbios hay varias referencias a los consejos que dan los padres a sus hijos, que abarcan varios temas. En estos versículos vemos tres recomendaciones que pueden ayudar a uno a llegar al éxito.

I. No prestes atención al malhechor, v. 4.
1. Porque te puede extraviar de la verdad.
2. Porque te puede dañar.

II. Nunca devuelvas mal por bien, v. 13.
1. Porque amargas tu vida.
2. Porque amargas la vida de los tuyos.

III. Sé recto en todas tus cosas, v. 15.
1. Porque beneficiarás a la humanidad.
2. Porque hallarás bendición de Dios.

Conclusión: Dichoso es el hijo que tiene un padre cuya vida y palabras le autorizan para dar estos consejos.

El v. 6 muestra el valor de la familia, específicamente entre las generaciones, un valor que necesita énfasis en cada generación. La *corona* u honra (triunfo) de los abuelos son *los hijos de los hijos,* es decir los nietos (ver 16:31; 20:29). Al ver los nietos, los abuelos podían tener seguridad acerca del futuro de la familia. ¡Cuánto placer y amor pueden compartirse entre un nieto (o nieta) y un abuelo (o abuela)! Del mismo modo, *la gloria* (que se define como "la belleza, la gloria, la jactancia, la posición) de los hijos han de ser los padres (se incluyen los abuelos y antepasados como en Gén. 49:33 y 1 Rey. 2:10). La familia ha de dar los valores espirituales y morales a los hijos, como también motivarlos a la grandeza espiritual o moral a través de su ejemplo. Al tomar a Betsabé como su mujer, David deshonró a su familia y causó mucho sufrimiento, mientras Boaz tomó a Rut en una manera apropiada y produjo mucho gozo (ambas relaciones están en la lista de los antepasados de Jesús en Mat. 1:5, 6). Cada familia tiene los elementos de la vergüenza y de la grandeza.

El v. 7 es el primero de tres dichos que utiliza la frase "no conviene, no deseable, no se ve bien" (ver 19:10; 26:1). Se nota el peligro en un hombre vil o tonto (ver 30:22) que sabe hablar (una habilidad

8 Piedra de encanto* es el soborno a los ojos del que lo practica;
dondequiera se dirija, tiene éxito.

9 El que cubre la transgresión busca amistad,
pero el que divulga* el asunto aparta al amigo.

*17:8 Lit., *Piedra de gracia*
*17:9 Otra trad., *repite*

para hablar en una forma arrogante o para hablar en una forma persuasiva en que la expresión lit. significa "el labio excesivo"). Hay un peligro en que alguien pueda creerle, como en el caso de la mujer adúltera de 7:14-20. En el mismo sentido, aunque el peligro es mayor (así es el espíritu de "cuánto menos" en el hebreo), se nota el peligro en un hombre noble (ver 8:16; 17:26; 19:6; 25:7) con un labio falso o mentiroso. Aquí se aumenta el daño cuando se extiende a toda la esfera de su influencia.

El v. 8 es complicado porque hay que decidir si se enseña una verdad espiritual (así debe ser como los *mashal* del imperativo o los que muestran algo superior o mejor) o si se enseña la triste realidad de la experiencia como en 10:15 acerca del rico y sus riquezas. Al tomar el versículo en el primer sentido habría que cambiar la palabra *soborno* al sentido neutral "regalo" y, por lo tanto, el dicho muestra el poder del regalo para motivar y el éxito resultante. Sin embargo, la palabra *shojad* 7809 no se encuentra traducida de esta manera en la Biblia. En el segundo sentido, es un dicho que habla acerca de la verdad (aunque sea de una naturaleza moralmente sospechosa) de la experiencia. Tal sentido ve en el versículo la realidad de que el soborno puede ser utilizado para apaciguar una disputa (ver 6:35; 21:14) o para que se haga, finalmente, la justicia. ¡Qué triste una sociedad donde el inocente tiene que comprar la justicia aunque no sea culpable de ninguna manera! Entonces, se cambia la naturaleza del soborno en lo normalmente pensado (ver Exo. 13:18; Deut. 16:9; 27:25). Por otro lado, *soborno* puede tomarse en el sentido normal para expresar una práctica ilegal e inmoral, pero desafortunadamente, exitosa en un mundo corrompido y lleno de antivalores (parece que esta interpretación no es muy probable). La frase *piedra de encanto* puede traducirse "piedra preciosa", como se ve el adjetivo en 1:9; 3:22; 5:19, aunque *piedra de encanto* era conocida en el Medio Oriente (ver Eze. 13:18).

La interpretación del verbo "cubrir" decide el mensaje del v. 9. Los significados son "esconder" u "ocultar" (ver 28: 13; Gén.

Semillero homilético

La ganancia que resulta en pérdida

17:8, 9, 23

Introducción: El ofrecer y/o aceptar sobornos puede parecer como una ganancia en el momento, pero al fin y al cabo resulta una pérdida. Vamos a considerar cómo el soborno llega a ser una pérdida.

I. Nos hace ciegos a los valores morales y espirituales.
   1. El deseo del dinero nos hace materialistas en nuestra visión.
   2. La adquisición de dinero despierta deseos de adquirir más y más.

II. Nos hace perder confianza en la persona que ofrece o acepta sobornos.
   1. Una vez comprobada la deshonestidad de uno, ya no se puede confiar en él.
   2. La confianza se gana en base a negocios honestos.

III. Nos hace perder la autoridad moral en la sociedad. Varios líderes religiosos han sido descubiertos engañando a los cristianos. Esto daña el testimonio de todos, y hace más difícil ganar a los perdidos.

Conclusión: En los últimos años hemos visto la caída de "peces gordos" en las altas esferas financieras del mundo, por su deshonestidad y por los sobornos que mancharon sus negocios. Es testimonio de la verdad que se comunica en el título de este mensaje. Lo que parece como ganancia resulta siendo pérdida.

10 Más aprovecha una reprensión al hombre
entendido,
que cien azotes al necio.
11 El malo sólo busca la rebelión;*
un mensajero cruel será enviado
contra él.
12 Mejor es encontrarse con una osa
despojada de sus crías
que con un necio empeñado en su
insensatez.
13 Al que da mal por bien,
el mal no se apartará de su casa.

*17:11 Otra trad., *El revoltoso sólo busca el mal*

37:26) o "no hacerlo público" (quizá por haberlo solucionado, por esperar una solución, por ignorarlo o por perdonarlo). Los pasajes favorecen "no hacerlo público" o "ignorarlo" (aunque algunos eruditos favorecen el significado de "perdonarlo") como en 10:12, 18; 11:13; 19:11 (traducido "pasar por alto"). De ese modo, no hay un deseo de ocultar sino de mantener la transgresión para que haya una relación amistosa (la palabra es amor como en 8:17 y 10:12). Al contrario, el que repite (para repetir alguna palabra o algún hecho) y repite (se pone énfasis en no solo decir públicamente una vez sino varias veces) el asunto "divide" (ver 16:28) o se separa del amigo íntimo ("domesticado y tierno", para referirse al animal y *amigo* íntimo para referirse al hombre).

El v. 10 hace una comparación entre el hombre entendido y el necio en el campo de la corrección. La expresión *más aprovecha* traduce el espíritu del verbo "profundizaba" y la preposición *que*. Por un lado, el hombre entendido recibe la *reprensión* (o amenaza como en 13:1, 8) y tal reprensión le penetra (sentido de "profundizar"). Por otra parte, los *cien azotes al necio* logran menos. La ley sólo permitía 40 azotes, aunque la práctica era 39 (Deut. 25:2, 3). Los azotes no sólo fueron utilizados contra malhechores; fueron también una forma de castigo injusto durante persecuciones religiosas (ver Jer. 20:2; 37:15 en el caso de Jeremías; Mar. 15:15; Luc. 22:63; Juan 19:1 en el caso de Jesús). En el libro de Proverbios se habla de la práctica de los azotes en varios pasajes (ver 19:25; 23:13, 14). Finalmente, se nota que el entendido es corregible, mientras el necio es incorregible (ver 9:7, 8:13; 13:18).

33. Las personas problemáticas, 17:11-23

El v. 11 apunta a la actitud del hombre malo y su destino. En primer lugar se ve su preocupación con buscar intensamente (forma verbal de *piel)* la transgresión o la rebelión, es decir ir en contra de la moralidad aceptable. En segundo lugar, se mandará (*pual* es la forma vebal y muestra la intensidad) el *cruel* contra él. El cruel es el instrumento divino para el juicio, tal cual como los asirios y otros contra los hebreos rebeldes (ver Jer. 6:23; 50:42). Fueron descritos como "los hombres crueles". "Los crueles" pueden significar los malos o los instrumentos del castigo feroz (ver 5:9; 11:17; 12:10).

En el v. 12 se encuentra una metáfora conocida la *osa despojada de sus crías,* que apunta al concepto del peligro (ver 2 Sam. 17:8; Ose. 13:8), aunque "el oso" por sí solo también significaba peligro (ver 2 Rey. 2:24; Amós 5:19; Prov. 28:15). En este sentido, el oso es un peligro en sí, y la *osa despojada de sus crías es peligrosísima.* Sin embargo, este versículo enseña que el necio o indiferente a la sabiduría (ver 1:22) es aún más peligroso en su insensatez.

La segunda parte del v. 13 subraya un resultado de la acción en la primera parte (v. 11). Sorprende la actitud del recipiente del bien. Se espera que se devuelva el bien; sin embargo, el hombre beneficiado *da mal,* perjudicando al que le había hecho un bien. La segunda parte muestra cómo el mal dado vuelve a ser una pesadilla perma-

14 El que comienza la contienda es quien suelta las aguas;
desiste, pues, antes que estalle el pleito.
15 El que justifica al impío y el que condena al justo,
ambos son abominables a Jehovah.

16 ¿De qué sirve el dinero en la mano del necio
para adquirir sabiduría, si no tiene entendimiento?
17 En todo tiempo ama el amigo,
y el hermano nace para el tiempo de angustia.

---

nente en la casa del recipiente de bien, el dador del mal. Nos hace recordar la situación de Saúl y David, en que David hizo un gran bien a Saúl al matar a Goliat, y cómo Saúl (por celos, como se muestra en 1 Sam. 18:7, 8) empezaba a planear cómo matar a David. Sin embargo, el mal pensado cayó sobre la casa de Saúl (ver 2 Sam. 31:1-7). *Da mal por bien* es un camino seguro para formar una casa donde el mal es un huésped permanente.

Joya bíblica

Al que da mal por bien, el mal no se apartará de su casa (17:13).

El texto hebreo es difícil en el v. 14, aunque el contexto de la segunda parte ayuda a aclarar la primera parte. Otra vez se utiliza una metáfora común, aquí es el agua. El texto lit. dice: "Soltando el agua" (ver 30:16), el principio de la contienda (ver 6:14; 18:19; 23:29; 26:20), entonces abandona (imperativo) antes que el pleito estalle (ver 15:18; 17:1; 20:3; 26:17, 21; 30:33). La palabra para *disputa* significa "gritar o hacer ruido en una disputa". Mejor evitar un aumento en la contienda porque ya viene la destrucción total de la relación. Jesús enseñaba el valor de arreglarse con el prójimo en el camino antes que llegara a la corte (Luc. 12:54-59).

En el v. 15 se hace un juego de palabras que lit. dice: "El que (declara) justo al malvado y el que (declara) malvado al justo; detestable al Señor, ambos son parecidos." Se usa la forma verbal del *hiphil*, subrayando la responsabilidad. Ambas acciones son *abominables a Jehovah* (ver 3:32; 6:16 para "abominación" que se define como "impuro" en el sentido religioso y moral). Algunos eruditos aplican el dicho al juez malo y unen el versículo con otros (17:23, 26; 18:5; 24:23-25; 28:21). Aún Don Quijote menciona "la ley de encaje", en la que el juez ignora las leyes y toma una resolución basado en lo que él tiene "encajado en la cabeza". La ley enseña que *te alejarás de las palabras de mentira, y no condenarás a morir al inocente y al justo; porque yo no justificaré al culpable* (Exo. 23:7).

La pregunta retórica en el v. 16 tiene como propósito mostrar la inutilidad de tener *el dinero* (que se define como "el precio o el costo" como en 27:26 o "el salario" como en Deut. 23:18) en la mano de un necio (ver 1:22) que no tiene "corazón" (ver 2:10 donde significa la facultad de la inteligencia) y piensa comprar la *sabiduría* (ver 1:7). En primer lugar, el necio no sabría cómo utilizar la sabiduría porque no es parte de su naturaleza. En segundo lugar, no se adquiere con dinero. Nos hace recordar la errada petición del mago Simón, que quería comprar el poder del Espíritu Santo (ver Hech. 8:13-25). El mago, aun siendo un nuevo creyente, había guardado algunas de sus antiguas supersticiones y el sentido comercial. Afortunadamente, se nota su sincero arrepentimiento en la Biblia (ver Hech. 8:24).

El v. 17 muestra que hay gente buena, muy buena en el mundo de hoy. Tal *amigo* (ver que a veces la palabra se traduce "prójimo", como en 3:28) cumple la Palabra de Dios cuando dice: ... *Amarás a tu prójimo como a ti mismo* (Lev. 19:18). Además de ser un amigo o prójimo siempre presente (*en todo tiempo*), es un *hermano* que está dispuesto a estar al lado en un *tiempo de angustia*, que se define como

18 El hombre falto de entendimiento
estrecha la mano,
dando fianza en presencia de su amigo.
19 El que ama la transgresión ama las
contiendas,
y el que se enaltece* busca la ruina.
20 El perverso de corazón nunca hallará el
bien,
y el de doble lengua caerá en el mal.
21 Quien engendra al necio lo hace para su
tristeza,
y el padre del insensato no se alegrará.

*17:19 Lit., *levanta su puerta*

"estrecho", como en 24:10; 25:19. El amor entre David y Jonatán es un gran ejemplo de la enseñanza de este versículo (ver 1 Sam. 18:1, 3). Además Jonatán fue llamado *el hermano* de David (ver 2 Sam. 1:26; otro ejemplo fue la relación entre Salomón e Hiram en 2 Rey. 9:13). Aunque Job se queja que sus íntimos amigos le habían abandonado, la misma riña con ellos muestra que estaban a su lado (ver Job 19:19).

El v. 18 habla en contra de la fianza (6:1-5; 11:15; 20:16; 22:26, 27; 27:13). Tal persona no tiene sentido común (ver 6:32; 7:7; 9:4, 16; 10:13, 21; 11:12; 12:11; 15:21; 24:30).

La frase *el que se enaltece,* en el v. 19, viene del modismo hebreo "el que hace su puerta alta", que es ambigüo. Algunos eruditos cambian una letra hebrea y escriben "boca" en vez de "puerta" (ver Toy), pero no hay evidencia de la palabra "boca". Sigue el concepto de amar, que representa una relación íntima y exclusiva (ver 8:17). Andan juntos *la transgresión* o "rebeldía" (un concepto de un hecho concreto fuera de la palabra divina) y la contienda (ver 13:10). Aquí se apunta al orgullo y el pecado.

En el v. 20 se repite el resultado destructivo del corazón torcido y la lengua que peca (ver 6:12, 14, 17, 18), que nunca encontrará el bien pero si caerá en el mal (y sus consecuencias).

En el v. 21 se repite la tristeza que vendría a los padres del hijo necio, aquel que es indiferente a la sabiduría y está orgulloso de su necedad (ver 1:22 para *necio;* 1:8; 6:20; 10:1 para los padres). Hay mucha razón en Eclesiastés 2:18, 19, como el

Semillero homilético

Reglas para ganar y conservar buenos amigos
17:17, 18

Introducción: Para tener amigos uno tiene que ser amistoso. A la vez hay que cultivar las amistades y cuidar de no ofender a los amigos que uno tiene. El autor de Proverbios nos da pautas para ayudarnos:

I. Escoja sus amigos con mucho cuidado, v. 18a.
   1. No sea engañado, estrechando la mano de uno que no le conviene.
   2. No sea engañado, aceptando ofertas insinceras de amistad.

II. Practique la regla de oro con las amistades, v. 17.
   1. Amar por lo que puede ofrecer, no lo que puede recibir.
   2. Amar por las necesidades de otros, no las nuestras.

III. Sea constante en manifestar la actitud amistosa, v. 17.
   1. El amigo verdadero ama en tiempos de alegría; así puede regocijarse en compañía de uno que ama.
   2. El amigo verdadero ama en tiempos de angustia; así puede consolar al otro.

Conclusión: Hay un dicho por Manuel del Palacio: "El amigo verdadero ha de ser como la sangre, que siempre acude a la herida sin esperar que la llamen." Somos dichosos si tenemos amigos que acuden a nuestro lado en los momentos de dificultad, sin tener que invitarles.

22 El corazón alegre trae sanidad,
pero un espíritu abatido seca los huesos.
23 El impío toma soborno de su seno
para pervertir las sendas del derecho.
24 La sabiduría se refleja en la cara
del hombre entendido,
pero los ojos del necio vagan hasta
el extremo de la tierra.
25 El hijo necio causa enojo a su padre
y amargura a la que le dio a luz.
26 Ciertamente no es bueno imponer una
multa al justo
ni golpear a los nobles a causa de su
integridad.

---

hijo heredero que puede ser necio.

En el v. 22 se subraya de nuevo la relación íntegra entre el ánimo y la salud (ver 12:25; 13:12, 19; 14:10, 13, 30). Los temas del *corazón alegre* y el *espíritu abatido* se encuentran en 15:13. La palabra *sanidad* aparece sólo aquí en el AT, y es antitética con "secar los huesos" (ver 25:15).

El v. 23 es un dicho de la observación y no espera promover la acción de dar *soborno* (ver 15:27; 17:8; 18:16; 21:14) al juez corrupto (ver 17:15). La acción muestra cómo el impío o malvado (ver 10:3) extrae el soborno del escondite en el vestido del seno.

34. Los ojos son el espejo del alma, 17:24-28

El v. 24 acentúa el hecho de cómo la apariencia muestra en qué se concentra el hombre. Por un lado, el *hombre entendido* que sabe discernir (ver 1:5; 10:13; 14:6; 16:21; 19:25) refleja la sabiduría o prudencia (ver 1:7). Por otro lado, *los ojos del necio* (ver 1:22) se concentran en el fin o *el extremo de la tierra.* La interpretación es difícil y hay que especular si se subraya el hecho de que sus ojos "vagan" (como indica el texto traducido aquí) o si se subraya que el necio tiene una curiosidad insaciable y perversa (ver 27:20; Hech. 17:21).

En el v. 25 se encuentra una triste realidad sobre la ira-tristeza-provocación (ver 12:16; 21:19; 27:3) y la *amargura* de los padres. Tal emoción impactante viene de un hijo necio (ver 10:1 15:5, 20; 17:21). Hay una advertencia fuerte en el v. 2 acerca de cómo un hijo que avergüenza pierde su herencia. Un ejemplo de la amargura del espíritu de la madre se encuentra en Génesis 26:34, 35, cuando Esaú se casa con dos heteas y la vida de Rebeca se pone amarga.

¿Cómo puede un hijo hacer feliz a sus padres?
17:21, 25

1. Siendo un hijo sabio, v. 21
   (1) Escucha el consejo.
   (2) Tiene temor de Dios.
2. Siendo un hijo prudente, v. 25
   (1) Apartándose de las malas compañías.
   (2) Trazando planes sensatos.
3. Siendo un hijo obediente, v. 25
   (1) No causa problemas para los padres.
   (2) Acepta la amonestación con alegría.

En el v. 26 se apunta a dos castigos que no son merecidos. En primer lugar, un hombre ("aun" o *ciertamente* subraya la sorpresa) justo o recto ha de pagar *una multa* (¿al supuesto ofendido o al sacerdote?). En segundo lugar, un hombre noble o de espíritu noble y generoso (ver 8:16; 17:7; 18:6; 25:7) es físicamente golpeado (quizá hasta 40 azotes según Deut. 25:2, 3), un castigo apropiado al malvado en Proverbios (ver 17:10; 19:25; 23:13, 14). Nos hace recordar los ejemplos de los azotes injustos a Jeremías (ver Jer. 20:2; 37:15) y a Jesús (ver Juan 19:1). La frase que salta del versículo, *no es bueno*, une las dos partes.

El v. 27 proclama dos características positivas que muestran el dominio propio (ver 11:12, 13; 12:16, 23; 29:11, 20). Son "las palabras refrenadas" (ver 10:19) y "el espíritu o el ánimo sereno".

27 El que tiene conocimiento refrena sus palabras,
y el de espíritu sereno es hombre prudente.
28 Cuando calla, hasta el insensato es tenido por sabio;
y el que cierra sus labios, por inteligente.

18 1 El que se aparta busca su propio deseo,
y estalla en disputa contra toda iniciativa.
2 El necio no toma placer en el entendimiento,
sino sólo en exponer lo que tiene en su corazón.

En el v. 28 se encuentra la palabra *gam* [1571], para *hasta*, que muestra la sorpresa o pone énfasis (ver 1:26 para *también;* 14:13 para *aun;* 14:20 para "aun" que no se encuentra traducido en el texto; 17:26 para *ciertamente;* 18:9 para "aun" que no se ha traducido; 19:2 para *tampoco;* 20:11 para *aun*). El paralelismo sinónimo subraya que el hombre que se calla, aunque sea necio (ver 1:22), aparece como un sabio e inteligente. ¡Cuán importante es el dominio propio sobre el habla!

La prudencia en el silencio
17:28

Cierto día un alumno le preguntó a su profesor acerca de un tema teológico muy profundo. El profesor contestó:

—No sé la respuesta.

El alumno procedió a exponer su punto de vista sobre el tema. Entró en una exposición larga que no se relacionaba con el tema bajo consideración. Al fin, el profesor le interrumpió, diciendo:

—Yo no dije que tú no sabes, yo dije que yo no sé.

El alumno quedó quieto, reconociendo que a veces el silencio es más una manifestación de la sabiduría que el hablar mucho.

Muchos hemos tenido la experiencia de preguntar al médico sobre nuestra enfermedad y, después de escuchar una respuesta larga y técnica, quedamos más confundidos que antes. Tenemos ganas de preguntarle otra vez, para ver si podemos entender cuál es nuestra condición. Una prueba de la competencia del profesor es la capacidad de explicar las cosas de tal manera que los oyentes comprendan, no importa su nivel de comprensión. Por eso, el maestro de niños tiene que ser una persona muy sabia, para dar las respuestas sencillas a los niños. Es importante guardar silencio en el momento más propicio, y no revelar a todos nuestra falta de inteligencia.

35. Los hechos de los malvados, 18:1-9

El v. 1 es difícil por la naturaleza abrupta del texto y la ambigüedad de la interpretación. El texto lit. dice lo siguiente: "El que está separado... busca intensamente (la forma verbal de *piel)* el deseo, contra toda sabiduría eficiente o exitosa, se pone desnudo (o se descubre)." La primera parte muestra la característica de la enemistad por ser apartado (ver 17:9). A la vez, tal persona busca cumplir o realizar su deseo o apetito. Tal deseo parece mostrarse en la segunda parte, es decir, lograr que se provoque una contienda, aunque tal acción vaya en contra de toda prudencia y el mismo éxito inherente. El verbo *gala'* [1540] se define como "descubrir" o "ponerse al desnudo". Se ha unido a la palabra *riby* [7379], es decir contienda o disputa, en 17:4 y 20:3. Parece ser que el verbo sólo apunta a la frase total. Entonces, el texto apunta a una persona que busca provocar un "griterío" (así el sentido literal de *riby)* aunque se perjudica a sí mismo. Hay aquellos que guardan rencor durante muchos años, esperando una venganza. ¡Qué tontería!

El v. 2 subraya la actitud del necio. La frase *kiy* [3588] *'im* [518], traducida *sino sólo* limita la primera parte, agregando una excepción a lo dicho en la segunda parte. Aunque el necio (ver 1:22) no se complace en el entendimiento (ver 2:3; 3:13; 15:1; 14:29; 19:8 para el objeto del proceso del entendimiento), él se complace en revelar *su corazón* (ver 12:23, que muestra cómo

3 Cuando viene la impiedad, viene también
el menosprecio;
y con la deshonra viene la vergüenza.
4 Aguas profundas son las palabras de la
boca del hombre,
y arroyo que rebosa es la fuente de la
sabiduría.
5 No es bueno mostrar preferencia* por el
impío,
desviando al justo en el juicio.
6 Los labios del necio entran en contienda,
y su boca clama por los golpes.

*18:5 Lit., *levantar la cara*

el corazón del necio *proclama la insensatez).*

El v. 3 une cuatro características negativas en dos parejas (ver 16:18; 11:2). Con *la impiedad* (ver 10:2) llega *también el menosprecio,* es decir la actitud de mirar en menos a los demás (ver 12:8). En el mismo sentido, *con* (la preposición *'im* 518 apunta a la idea de "estar al lado" o "acompañar") *la deshonra* (ver 3:35; 6:33; 9:7; 11:2; 12:16; 13:18; 22:10) llega como compañera *la vergüenza* (o "lo reprendido" o "el desdeñoso"). Al buscar la impiedad o la deshonra se va a ver el menosprecio o la vergüenza.

El v. 4 subraya la capacidad vital del habla con la metáfora *aguas profundas,* que se define como "profundas" o figurativamente como "difícil para ver" (como en 20:5). Hay dos posibles interpretaciones. Por un lado, un paralelismo sinónimo diría que las palabras del hombre son vitales, expresando lo profundo o escondido del corazón del hombre, y la *sabiduría* es un recurso ilimitable que produce y produce. Por otro lado, un paralelismo antitético enseñaría que mientras el habla del hombre es algo oculto (quizá perverso), *la sabiduría* es una *fuente* vista por todos y de mucha estima. Parece que la primera interpretación es la mejor. La metáfora de las aguas se encuentra en las palabras de Jesús: *El que cree en mí, como dice la Escritura, ríos de agua viva correrán de su interior* (Juan 7:38).

En el texto hebreo del v. 5, la frase *no es bueno* se encuentra en el medio del texto y une las dos partes (ver 17:26). Tal forma es una manera indirecta de poner un valor espiritual sobre alguna acción o actitud. Por un lado, "no es buena" la parcialidad que favorece al impío o malvado (ver 10:3). Por otro lado, "no es bueno" desfavorecer *al justo en el juicio* (ver 17:15, 23, 26; 24:23-25; 28:21).

El v. 6 subraya las consecuencias del habla *del necio* (ver 1:22 para el necio). La naturaleza ambigua de los verbos, que en hebreo son "viene" la contienda" e "invita o llama a los golpes", da la posibilidad de dos interpretaciones. Primeramente, y menos probable, es que el necio desea perjudicar a otros, provocando la contienda y motivando que otro sea golpeado. La segunda interpretación muestra cómo las palabras del necio son la causa de la contienda y los golpes (que caen sobre él). El texto griego está de acuerdo con la segunda interpretación (también los targúmes).

El v. 7 repite la idea que el habla del necio es una *trampa* y la *ruina* del mismo necio (ver 1:19; 10:8, 13, 14; 11:6, 17):

Semillero homilético

Los errores del necio

18:2, 6, 7, 13

Introducción: Dicen que el necio es aquel que carece de inteligencia, discreción y sentido de aprovechar la oportunidad. Para ayudarnos a evitar los errores que los necios cometen, el libro de los Proverbios dice:

I. El necio expone de lo que no entiende, v. 2.

II. El necio discute para estar en contienda, v. 6.

III. El necio responde antes de escuchar, v. 13.

Conclusión: Si aceptamos los consejos que Dios nos da, eso nos ayudará para evitar ser necios.

7 La boca del necio es su propia ruina;
sus labios son la trampa de su vida.
8 Las palabras del chismoso parecen suaves
y penetran hasta lo recóndito del ser.*
9 El que es negligente en su trabajo
es hermano del destructor.
10 Torre fortificada es el nombre de Jehovah;
el justo correrá a ella y estará a salvo.
11 Las riquezas del rico son su ciudad fortificada;
son como un alto muro en su imaginación.*
12 Antes del quebrantamiento se enaltece el corazón del hombre,
y antes de la honra está la humildad.

*18:8 Lit., *las cavidades del vientre*
*18:11 Es decir, para protegerle

No os engañéis; Dios no puede ser burlado. Todo lo que el hombre siembre, eso mismo cosechará. Porque el que siembra para su carne, de la carne cosechará corrupción... (Gál. 6:7, 8).

El v. 8 recalca la triste realidad del efecto que tienen *las palabras del chismoso* (ver 16:28; 26:20, 22). La metáfora utiliza la palabra hebrea *laham* 3859, que significa "tragar con avidez", mostrando la recepción que encuentran las palabras de la chismografía. Se agrega que, como lo tragado llega a lo más interior del vientre, una información aun errada y perversa es aceptada como legítima, complicando el sentido de la realidad del oyente. Este versículo muestra una triste realidad y el creyente ha de ser sabio en confrontar tales situaciones distorsionadas. Hay otros *mashal* que tratan de educar al creyente en las realidades del mundo (ver 10:15; 17:8).

Torre fortificada es el nombre de Jehovah, 18:10

13 Al que responde antes de oír,
le es insensatez y deshonra.
14 El ánimo del hombre soportará su enfermedad;
pero, ¿quién soportará al espíritu abatido?
15 El corazón del entendido adquiere conocimiento,
y el oído de los sabios busca el conocimiento.

Hay dos figuras comparadas en el v. 9: *el que es negligente* (ver 6:6-11; 10:4, 5) y *el destructor* (Babilonia fue llamado "un destructor" con la misma palabra en Jer. 51:25). Así el proverbio nombra al perezoso como el *hermano* del destructor. De ese modo se muestra el gran daño resultante del perezoso. Una sociedad llena de gente perezosa no va a prosperar (ni tampoco una sociedad donde no hay empleo para los ciudadanos).

36. Los sentimientos mejores, 18:10-15

El v. 10 es una gran promesa al justo o recto (ver 10:3). Jehovah se compara a una torre muy fortificada desde donde se puede vigilar y a la vez proteger (ver 10:29; Sal. 61:4). Ahí el justo puede correr (del peligro como David en Sal. 61) y estar rescatado y tranquilo.

La primera parte del v. 11 es paralela con la primera parte de 10:15, mostrando la realidad de cómo los ricos (un término relativo según los ojos del individuo) consideran *las riquezas* como su protección y su seguro contra el futuro. La segunda parte afirma la verdad de la primera, utilizando la metáfora parecida de un *alto muro.* Esta imagen nos hace recordar las ciudades fortificadas vistas por los espías mandados por Moisés (ver Núm. 13:28) y el muro de Jericó (ver Jos. 7:20). La frase *en su imaginación* pone en duda la realidad de lo pensado por el rico (y con razón como muestra 11:4 y Luc. 12:15-21).

El v. 12 es un dicho encontrado anteriormente en otros dos proverbios. La primera parte repite 16:18 con la modificación del substantivo "orgullo" al verbo "enorgullecer" y agregando la frase preposicional *el corazón.* La segunda parte se encuentra en 15:33. (Las frases *antes del quebrantamiento* y *antes de la quiebra* vienen de la misma frase hebrea.)

El v. 13 apunta a dos características del que *responde antes de oír* (tan insensato como el que no escucha la sabiduría, es decir, el insensato en 1:7; 12:23 o el necio en 1:22; 10:1 que es indiferente a escuchar). Primeramente, es insensato o muestra falta de prudencia (ver 14:1, 8, 9, 24). En segundo lugar, tiene *deshonra* (o "vergüenza" o "humillación"). Ser un oyente tardío puede ser tan peligroso como ser un no oyente (necio o insensato).

Cómo ser bendición para otros
18:4, 8, 15, 18, 20

1. Hablando con sabiduría, v, 4.
2. Dejando el chisme, v. 8.
3. Buscando el conocimiento, v. 15.
4. Poniendo fin a los pleitos, v. 18.
5. Hablando lo correcto, v. 20.

El v. 14 recalca la importancia del *ánimo* (o espíritu) durante un tiempo de angustia. Por un lado, el buen ánimo es capaz de soportar o sobrevivir una enfermedad (la misma palabra se usa en 2 Crón. 21:15). Por otra parte, viene la pregunta retórica que busca la respuesta "nadie". ¿Quién puede "llevar" (o "levantar") o *soportar al espíritu abatido* (ver 15:13; 17:22)? Es muy difícil levantarse cuando "el ánimo está en el suelo". Como ministro, Pablo decía que él estaba *entristecido, pero siempre gozoso* (ver 1 Cor. 6:10). Así, una de las características del fruto del Espíritu Santo es el gozo (ver Gál. 5:22).

El v. 15 repite el tema del entendido o del sabio, que es enseñable (ver 1:5) y que da gozo al maestro que le enseña (ver 9:9). El objeto del *corazón* (ver 10:8) y del *oído* es el conocimiento que muestra

16 El dar regalos le abre camino a un hombre,
y le conduce a la presencia de los grandes.
17 El primero que aboga por su causa parece ser justo,
pero viene su prójimo y lo pone a prueba.
18 El echar suertes* pone fin a los pleitos
y decide entre los poderosos.
19 El hermano ofendido resiste más que una ciudad fortificada;
y las contiendas, más que los cerrojos de un castillo.
20 Del fruto de la boca del hombre se saciará su estómago;
él se satisfará con el producto de sus labios.

*18:18 Por estimar que resulta el juicio divino; comp. Hech. 1:26

cómo verdaderamente es el orden moral del universo; es un blanco de la sabiduría en 1:4. Tal actitud del entendido o sabio es muy distinta a la actitud de no oír del insensato (ver 1:7) y del necio, que es indiferente a la sabiduría (ver 1:22), y del que habla (anticipado del v. 13 en esta sección).

37. Los actos que abren las puertas cerradas, 18:16-24

El poder del regalo se subraya en el v. 16 (ver 21:14; 25:14). Es un instrumento eficaz para que haya "un espacio" para que el hombre se presente. Por lo tanto, él puede llegar, con el regalo apropiado, hasta donde se encuentran los hombres *grandes.* Nos hace recordar la llegada de la reina de Saba quien trajo aprox. 4.000 kilos de oro, una gran cantidad de especias aromáticas y piedras preciosas (ver 1 Rey. 10:2, 10). La frase *nunca llegó una cantidad tan grande de especias aromáticas* (1 Rey. 10:10) muestra cómo ella había captado la atención de Jerusalén. Por lo tanto, nos hace recordar el ejemplo de Jacob, quien apartó como regalo para su hermano Esaú *200 cabras, 20 machos cabríos, 200 ovejas, 20 carneros, 30 camellos y sus crías, 40 vacas, 10 toros, 20 asnas y 10 borriquillos,* una fortuna (ver Gén. 32:14, 15).

El v. 17 se encuentra en el contexto legal donde alguien se está defendiendo y es justo (*parece* así). Luego, *viene su prójimo* y el testimonio del primero es totalmente examinado (que así es la situación se muestra por el uso del perfecto, que acentúa el concepto de algo tan cierto que ya está acabado). Bajo un examen cuidadoso y completo, el testimonio de muchos no se sostiene (ver Gén. 4:9; 1 Rey. 3:16 ss.).

El v. 18 resalta el valor de *echar suertes* en vez de esperar una disputa desastrosa entre dos *poderosos,* capaces de una guerra. El pleito era común como en el día de hoy (ver 3:30; 10:12; 15:18; 20:3; 26:17, 20, 21; 28:2, 25; 29:9, 22). *Echar suertes* se encuentra en 16:33.

En el v. 19 se presenta el hermano ofendido. Se ocupa una metáfora muy frecuente en este capítulo: *una ciudad fortificada* (ver vv. 10, 11). Nos hace recordar el ejemplo de Absalón, quien fue ofendido cuando Amnón, su medio hermano, violó a Tamar, su hermana; dos años más tarde realizó su plan de venganza (ver 2 Sam. 13:18-23). En el mismo sentido, la contienda *resiste más que los cerrojos de un castillo,* un edificio prominente como el templo o el palacio (ver Deut. 3:5; 16:13).

El v. 20 enseña acerca del resultado (*el fruto* y *el producto*) de las palabras del hombre. Los resultados vuelven a impactar la vida del que habla, para bien o para mal (ver 1:31; 12:14).

En el v. 21 se repite el poder del habla, en que está ahí *la muerte y la vida.* Dicho de otra forma, las palabras de la persona muestran su naturaleza (ver 6:12-19; Mat. 15:18-20). La segunda parte indica que el uso de las palabras producirá "la comida del futuro".

El v. 22 es uno de los dichos más hermosos de Proverbios. "Buscar" tiene la idea de un esfuerzo positivo para lograr lo que tiene un valor. Buscar cónyuge es una de las tareas más importantes de la vida,

21 La muerte y la vida están en el poder de la lengua,
y los que gustan usarla comerán de su fruto.
22 El que halla esposa halla el bien
y alcanza el favor de Jehovah.
23 El pobre habla con ruegos,
pero el rico responde con dureza.
24 Hay* amigos que uno tiene para su propio mal,
pero hay un amigo que es más fiel que un hermano.

*18:24 Según vers. antiguas; heb., *Hombre*

---

quizá la segunda tarea más importante después de buscar al Señor. Al encontrar la esposa idónea se ha hecho bien y se ha "extraído" (trad. lit. de la palabra hebrea encontrada en 3:13; 8:35; 12:2) *el favor* o el placer de Dios. Cuando la comunidad ha dicho "amén", como en el caso de Rut y Boaz (Rut 4:11, 12) y Dios ha dicho "amén" (Gén. 2:18 ss.), entonces el individuo puede sentirse contento con la compañera de su juventud (ver 2:17) y con la mujer que le dará confianza y honor (ver mujer; y 2:16-19; 5:3, 14; 6:20-35; 7:5-27; 9:13-18; 19:19; 21:9, 29; 25:24; 27:15, 16 para las mujeres no muy buenas).

Joya bíblica

**Hay amigos que uno tiene para su propio mal,
pero hay un amigo que es más fiel que un hermano (18:24).**

Los vv. 23 y 24 no se encuentran en la Septuaginta, pero sí en el texto hebreo. El v. 23 muestra cómo se refleja la confianza del hombre en el tono de la voz. Por un lado, *el pobre* utiliza los *ruegos* (más apropiados para dirigirse a Dios que a los hombres como en Dan. 9:3, 17). Por otro lado, *el rico responde* en una manera fuerte. De modo que las riquezas hacen la diferencia para que el rico no tenga "pelos en la lengua". Este dicho es una triste realidad también en el mundo de hoy. Para el rico, muchas veces se usa el título de Señor o Don, aunque sea un rico malvado. Sin embargo, Dios no hace distinción de personas y da una gran promesa en Mateo 5:5: *Bienaventurados los mansos, porque ellos recibirán la tierra por heredad.* ¡Sólo Dios puede hacer este milagro! ¡Sólo Dios puede lograr la justicia en algunas situaciones! "Poderoso caballero es Don Dinero", pero ¡más poderoso es el Señor de los señores, el Rey de los reyes!

El v. 24 tiene una dificultad en la interpretación. Por un lado, el paralelismo antitético mostraría un amigo no fiel en la primera parte y un amigo fiel en la segunda parte. Por otra parte, el paralelismo sinónimo mostraría un amigo que está dispuesto a ser quebrado por su amigo en la primera parte y más cerca aun que un hermano. Nos recuerda las palabras de Jesús: *Este es mi mandamiento: que os améis los unos a los otros, como yo os he amado. Nadie tiene mayor amor que éste, que uno ponga su vida por sus amigos* (Juan 15: 12, 13). Hay muchos pasajes en Proverbios sobre los amigos (la palabra *prójimo* como en 3:28 ; también 17:9, 17; 25:8-10, 17; 26:18, 19; 27:6, 9, 10, 14, 17).

38. El pobre y el testigo falso, 19:1-14

El v. 1 utiliza la palabra *tob* 2894 para *mejor*, subrayando de esa forma la superioridad de una cosa sobre una segunda cosa (ver 3:14; 8:11, 19; 12:9; 15:16, 17; 16:8, 16, 19, 32; 17:1; 19:1, 22; 21:9, 19; 22:1; 25:7, 24; 27:5, 10; 28:6). Superior *es el pobre* (*rush* 3423, que significa el pobre que tiene necesidad como en 10:15; también 13:7; 14:20; 18:23; 22:2, 7, 16; 28:6, 11) *que camina en su integridad* (de una palabra que significa "completo, realizado, íntegro" como en 20:7; 28:6) que un hombre con un habla torcida (ver 6:12, 17) y que es necio o indiferente a la sabiduría (ver 1:22).

19 1 Mejor es el pobre que camina en su integridad
que el de labios perversos y que es necio.
2 Tampoco es bueno hacer algo sin conocimiento,
y peca el que se apresura con sus pies.
3 La insensatez del hombre pervierte su camino
y enfurece su corazón contra Jehovah.
4 Las riquezas atraen muchos amigos,
pero el pobre es abandonado por su prójimo.
5 El testigo falso no quedará impune,
y el que respira mentiras no escapará.

Tampoco es bueno (v. 2) combina las palabras hebreas *gam* 1571 y *lo'* 3808-*tob* 2894 (traducido *no es bueno* en 17:26; 18:5; 24:23; 28:21). Son dos características condenadas. En primer lugar, *no es bueno* que el hombre haga *algo sin conocimiento* (ver 1:4), es decir, que viva y actúe sin la información necesaria y la manera prudente. En segundo lugar, hacer algo en una forma apresurada (quizá prematuramente, como en 21:5; 28:20; 29:20). Como en 6:18, *peca* (lit. "errar al blanco").

Según el v. 3, *la insensatez* (ver 12:23; 14:8, 18; 16:22; 22:15; 27:22) es un gran peligro para el hombre. En primer lugar, esta actitud distorsiona su forma de vivir y su conducta cotidiana. En segundo lugar, trastorna el corazón del hombre contra Dios. La palabra *za'ap* 2196 muestra la furia de la tormenta, así es la acción que provoca la insensatez en contra de Dios. Tal actitud negativa contra Dios es algo muy peligroso (ver 17:3).

El v. 4 repite el tema de 14:20. Por un lado, *las riquezas atraen muchos amigos* (ver 3:28 para "compañero, colega, amigo o prójimo"). Por otra parte, *el pobre* (el sinónimo preciso ha de ser "la pobreza") está "dividido" o "separado" de su amigo. Este dicho es una realidad y hay que darse cuenta. Aquí la palabra *pobre* es *dal* 1800, que se define como "pequeño o insignificante" (ver 22:16).

El v. 5 es textualmente igual al v. 9, con la excepción de la última palabra, aunque expresa la misma idea. En el v. 5 se termina con las palabras *no escapará*, mientras en el v. 9 se termina con *perecerá*. Otra vez, se trata del *testigo falso* (ver 6:19; 12:17; 14:5; 19:9, 28; 21:28; 24:28 contra el testigo veraz en 14:5, 25; también para testigo falso comp. Exo. 20:16; Deut. 19:18). El testigo falso no quedará libre del castigo (ver 6:29; 11:21; 16:5; 17:5; 19:9; 28:20). En este mismo sentido, se repite la idea de que otro grupo, es decir los que "respiran o muy natural-

Semillero homilético

El gozo de ser un testigo verdadero

19:5, 9, 22, 28

Introducción: Cuando uno se ve involucrado en un choque automovilístico, no hay una experiencia mejor que descubrir que un testigo se presenta para ofrecer contar de lo que presenció. Mucho mejor si es una persona conocida y en quien se puede tener confianza que va a decir la verdad. Hoy en día, como en la antigüedad, los testigos falsos abundan.

I. El testigo verdadero quedará impune, v. 5.
II. El testigo verdadero permanecerá firme, v. 9.
III. El testigo verdadero hará feliz a su hermano, v. 22.
IV. El testigo verdadero siempre dice la verdad, v. 28.

Conclusión: "El testigo perverso se burla del juicio, y la boca de los impíos expresa iniquidad" (v. 28). Por eso, debemos ofrecernos para ser testigos verdaderos cuando hemos presenciado algo que puede perjudicar a personas inocentes.

6 Muchos imploran el favor* del
generoso;
todos son amigos del hombre que da
regalos.
7 Todos los hermanos del pobre le odian;
cuánto más se alejarán de él sus amigos.
Busca quienes le hablen, pero no los halla.
8 El que adquiere entendimiento ama su vida,
y el que guarda la prudencia hallará el bien.
9 El testigo falso no quedará impune,
y el que respira mentiras perecerá.

*19:6 Lit., *aplacan el rostro*

---

mente dicen" mentiras (ver 6:19; 14:5, 25; 19:9) también van a ser castigados. La mentira tiene patas cortas.

El v. 6 repite el tema acerca de la actitud de la gente hacia el *que da regalos* (el rico o el que aparenta ser rico, como en 13:7; 14:20; 19:4). Aquí, las palabras *muchos* y *todos* expresan la amplitud de esta actitud. La palabra *favor* traduce *jalah* 3176, que significa la acción de "hacer la cara agradable y suave a través de frotarla suavemente". Las dos personas en el versículo son sinónimas: el *generoso* (o *noble* como en 8:16; 17:7, 26; 25:7) y el *que da regalos* (ver 25:14 para *regalos* y 15:27 para *soborno*). La palabra *amigos* puede traducirse el "prójimo" (ver 3:28; 11:12).

Joya bíblica
Muchos imploran el favor del generoso;
todos son amigos del hombre que da regalos (19:6).

En el v. 7 se encuentra otra vez la palabra *todos*, para revelar la actitud universal hacia el pobre. ¿Quiénes son *los hermanos*? Parece ser que los mismos hermanos de sangre, aunque no es imposible considerlos como otros hebreos. Sin embargo, la frase *cuánto más* (ver 11:31; 15:11; 19:7, 10) apoya la idea de los hermanos de sangre que tienen una actitud muy negativa. El verbo "odiar", como el verbo "alejar", se encuentra en el tiempo perfecto para mostrar que tales actitudes son un hecho. La última parte del versículo es difícil, porque termina "no ellos", lo que puede apuntar a que él no puede hallarlos (como el texto) o a que ellos no prestan atención. Hay que entender la naturaleza de la pobreza para evaluar la actitud. Hay pobres por negligencia o falta de esfuerzo (ver 6:11). Hay pobres por cosechar el castigo de algún pecado o acción ilegal (ver 6:30-35). Por otro lado, hay pobres por la opresión de los ricos (ver 14:31; 22:16) o por la falta de una oportunidad (ver 14:4). Hoy por hoy, el joven en América Latina ha de esforzarse en salir adelante, aunque, a veces, hay pocas oportunidades.

Joya bíblica
Todos los hermanos del pobre le odian;
cuánto más se alejarán de él sus amigos (19:7a).

El v. 8 pone énfasis en lo provechoso de la sabiduría (ver 1:7, 20-33; 2:1-22; 8:1-36; 9:1-6) y el objeto de la inteligencia (ver 2:2; 3:13; 5:1; 14:29; 18:2). Los dos frutos son "un amor propio que es apropiado y beneficioso" (ver Lev. 19:18; Mar. 12:31 para la frase *amarás a tu prójimo* ***como a ti mismo***) y el logro del *bien* (ver 16:20; 17:20; 18:22).

El v. 9 es una repetición del v. 5, con una pequeña modificación, y ya fue comentado.

En el v. 10, "no se ve bien" capta el espíritu de la frase *no conviene* (ver 17:7 para *no conviene* y 26:1 para *no le caen bien*). Además, la frase *cuánto menos* traduce la frase literal "cuánto más" (ver 19:7), con la frase implícita de *no conviene*. No conviene un necio o indiferente a la sabiduría (ver 1:22) que es muy cómodo, es decir con muchísimos bienes (ver la misma palabra que aparece en Miq. 1:16 como *deli-*

10 No conviene al necio la comodidad;
cuánto menos al esclavo dominar a los gobernantes.
11 El discernimiento del hombre detiene su furor,
y su honra es pasar por alto la ofensa.
12 Como rugido de león es la ira del rey,
y su favor es como el rocío sobre la hierba.
13 El hijo necio es la ruina de su padre;
y gotera continua son las contiendas de la mujer.

---

cias). En este mismo sentido, no conviene que un *esclavo* gobierne a los oficiales políticos o administrativos (contra 17:2, que dice que el esclavo prudente se enseñoreará sobre el hijo que avergüenza; de acuerdo al dicho es 30:22, donde el esclavo que llega a ser rey hace temblar la tierra). Nos hace recordar el ejemplo de Daniel y los celos que provoca su ascensión a uno de los tres administradores máximos del reino persa (ver Dan. 6:1-4; además, el ejemplo de José en Gén. 41:39-41; y el mal ejemplo de Zimri en 1 Rey. 16:9 ss.). El siervo o esclavo era un participante en el hogar antiguo (ver 11:29; 12:9; 14:35; 17:2; 22:7, 19, 21; 30:10, 22).

El v. 11 habla del hombre con un criterio bien formado (ver 12:8 para *discernimiento).* Esta capacidad de distinguir se utiliza para producir (la forma verbal es *hiphil* perfecto, es decir, el hombre es responsable y esforzado para que tal actitud se concrete) lentitud en la ira (lit. "una nariz larga", como en 14:29; 15:18; 16:32; 25:15 y "una nariz corta" para mostrar la impaciencia y la ira como en 14:17; 22:24). En este mismo sentido, la gloria y el orgullo sano (ver 17:6; 20:29; 28:12) se pueden ver en la capacidad de ignorar una ofensa (p. ej. algún mal concreto que puede pedir un castigo de parte de la sociedad como es la transgresión). Se nota el valor del dominio propio (ver 11:12, 13; 12:16, 23).

El rugido de león, 19:12

El v. 12 muestra las dos actitudes del rey. Por un lado, se compara *la ira* (o furia como de una tormenta o del mar, como en Jon. 1:15) *del rey* con el león rugiente (ver 20:2). Nos recuerda la actitud del rey David, al saber por el profeta Natán acerca del rico que tenía muchas ovejas pero roba al pobre de su único y amado corderito (ver 2 Sam. 12:1 ss.). David, lleno de ira, dijo: *¡Vive Jehovah, que el que hizo semejante cosa es digno de muerte! El debe pagar cuatro veces el valor del corderito, porque hizo semejante cosa y no tuvo compasión* (2 Sam. 12:5, 6). Por supuesto, tal individuo era David mismo (ver 2 Sam. 11:4 ss; 12:7-12). Utilizando una segunda metáfora del *rocío,* se explica la naturaleza beneficiosa del favor del rey (ver el favor del rey persa hacia Ester, en Est. 5:3; el favor de Herodes hacia la hija de Herodías, ver Mar. 6:23). Así, el favor del rey es tan beneficioso como el rocío que es necesario para *la hierba,* especialmente en un lugar árido.

En el v. 13 se combinan dos individuos que pueden hacer miserable un hogar. En

14 Una casa y riquezas son herencia de los padres,
pero una mujer prudente lo es de Jehovah.
15 La pereza hace caer en sueño profundo,
y la persona negligente padecerá de hambre.
16 El que guarda el mandamiento guarda su alma,
pero el que menosprecia sus* caminos morirá.
17 El que da al pobre presta a Jehovah,
y él le dará su recompensa.
18 Corrige a tu hijo mientras haya esperanza,
pero no se exceda tu alma para destruirlo.

*19:16 Es decir, de Dios

primer lugar, *el hijo necio es la ruina de su padre* (ver 1:22; 19:10; Ecl. 2:18, 19; 1 Sam. 2—4 para el ejemplo de Ofni y Fineas, los hijos de Elí; 1 Sam. 8 para el ejemplo de Joel y Abdías, los hijos de Samuel). En segundo lugar, la metáfora de la *gotera continua* (de la lluvia) refleja la contienda continua (de "la mujer rencillosa" en 21:9; 25:24; 27:15; también "el hombre rencilloso" en 26:21) de la mujer o esposa. Nos hace recordar a la mujer de Job, quien le dijo: *¿Todavía te aferras a tu integridad? ¡Maldice a Dios, y muérete!* (Job 2:9.) Es la imagen de la mujer "regañona".

Joya bíblica

Corrige a tu hijo mientras haya esperanza, pero no se exceda tu alma para destruirlo (19:18).

El v. 14 subraya el gran valor de una *mujer prudente* (de criterio y de sentido común como el siervo en 17:2) como otros pasajes hablan de la mujer apreciada (ver 12:4; 18:22; 31:10-31). Mientras una familia puede guardar y entregar una casa y una riqueza al hijo, Dios es el dador de una esposa prudente, un valor inestimable. Se resalta la importancia de encontrar la mujer idónea (ver 18:22).

39. La flojera, la pobreza y el hijo, 19:15-18

El v. 15 repite el dicho que condena la flojera (ver 6:6-11; 10:4, 5). El *sueño profundo* es la imagen de Adán en Génesis 2:21, de Saúl y sus hombres en 1 Samuel 26:12, del hombre en el medio de la noche en Job 4:13, de Abram en Génesis 15:12 y del pueblo pecaminoso en Isaías 29:10. Aquí se refiere a la insensitividad y al supuesto cansancio que produce *la pereza* (una palabra que aparece sólo aquí en el AT). Por lo tanto, tal *persona negligente* (ver 10:4) tendrá hambre.

La palabra *mandamiento* (v. 16) puede indicar alguna regla o imperativo específico (ver 2:1) o la sabiduría divina o la palabra divina considerada en su totalidad (ver 6:23; 13:13). Parece ser que, con la segunda parte, se subraya la sabiduría divina en su totalidad (sinónimo con *sus caminos).* Guardar (una repetición poética de la palabra) su *nepesh* [5315] es lo opuesto de morir (prematuramente, como en 2:22). "Mirar en menos" (ver 15:20) los caminos divinos tendrá un resultado desastroso.

El tema de los préstamos no es uno favorecido en Proverbios (ver 22:7). Sin embargo, el v. 17 sorprendentemente subraya que el misericordioso que *da al pobre* está, en realidad, dando un présta-

Principios para tener éxito
19:16-29

1. Obedecer los mandamientos de Dios, v. 16.
2. Escuchar buenos consejos de otros de experiencia, v. 20.
3. Sofocar la ambición exagerada, v. 22.
4. Temer a Dios, v 23.
5. Evitar la pereza, v. 24.
6. Honrar a los padres, v. 26.
7. Evitar desvíos del propósito principal, v. 27.

19 El de gran* ira llevará el castigo;
si lo libras, tendrás que hacerlo de nuevo.
20 Escucha el consejo y acepta la corrección,
para que seas sabio en tu porvenir.
21 Muchos planes hay en el corazón del
hombre,
pero sólo el propósito de Jehovah se
cumplirá.
22 La ambición del hombre es su desgracia,
y es mejor ser indigente que engañador.

*19:19 Según *Qere*

mo a Dios quien, a la vez, lo "devolverá" (ver 11:31 y 13:13 para "recompensar" y 20:22 para "devolver"). Se recuerdan las palabras de Jesús (ver Mat. 6:3, 4, 6, 18). Por lo tanto, la forma *piel* del verbo "recompensar" en el v. 17 subraya la intensidad de la promesa divina.

Joya literaria

No te preocupes por saber quién está a tu favor o contra ti; sólo debes buscar y procurar que Dios esté contigo en todas tus acciones (Tomás Kempis, *Imitación de Cristo).*

En el v. 18 el imperativo (o mandato) es una sorpresa. La palabra *yasar* 3256 se define como "corregir" (Deut. 8:5) o "disciplinar". La forma *piel* intensifica la acción ("corregir intensamente"). El pronombre *tu* hace un compromiso con el joven, tal como el pronombre *mío* en 1:8 para *hijo mío.* La frase *mientras haya esperanza* (lit. "cuando existe la esperanza") apunta a un tiempo oportuno, como el tiempo oportuno para trabajar en 10:5 (ver 10:28; 11:7, 23; 23:18; 24:14; 26:12; 29:20 para *esperanza*). La segunda parte, sin embargo, pone un límite. Lit. dice: "Pero y sobre su muerte (quizá un castigo físico que le quita la vida), no sostenga su deseo." Así, la disciplina ha eliminado la posibilidad de que el joven madure. En el día de hoy, el castigo suena como una muestra de ira y una venganza contra el hijo. Hay un límite a la disciplina paternal en Efesios 6:4: *Y vosotros, padres, no provoquéis a ira a vuestros hijos, sino criadlos en la disciplina y la instrucción del Señor.* Hay que considerar el bienestar del hijo como la prioridad máxima. El libro de Proverbios recalca la gran importancia de la disciplina paternal (ver 13:24; 20:30; 22:15; 23:13, 14; 29:15, 17).

40. La furia, la ambición y la flojera, 19:19-24

El v. 19 subraya la naturaleza del hombre iracundo (ver 6:34 y 15:1 para *furor;* 15:18 y 22:24 para *iracundo*). Al librarlo de su castigo, se aumentará el problema. Mejor sería dejarlo que cumpla el castigo (ver 17:26; 21:11; 22:3; 27:12 para una palabra de la misma raíz; la palabra precisa se encuentra en 2 Rey. 23:33 traducida *multa*). El libro de Proverbios acentúa el valor del castigo para modificar el carácter (ver 13:24; 20:30; 22:15; 23:13, 14; 29:15, 17). Por lo tanto, se nota la ausencia del castigo en los siguientes ejemplos: los hijos de Elí (ver 1 Sam. 12—17), los hijos de Samuel (ver 1 Sam. 8:1-5), el hijo primogénito de David (ver 2 Sam. 13:21).

El v. 20 es un llamado repetido de escuchar el *consejo* (ver 1:31) y aceptar la instrucción formativa (*la corrección*). El resultado de esta condición es lograr la sabiduría o prudencia (1:7) en su futuro (hay dos significados: *el final,* como en 5:11 y 14:12 o *el porvenir,* como en 23:18 y 24:20). No hay manera mejor para asegurar un buen futuro que adquirir sabiduría (ver 3:14-18).

El v. 21 vuelve a repetir el tema de la soberanía de Dios por sobre los *planes* del *corazón* (ver 10:8 para *corazón*). Por un lado, la mente (es decir, *el corazón*) del hombre se llena de planes, pero es el "consejo divino" el que se realiza (ver 16:1, 9). Un proverbio egipcio dice: "Una cosa son las palabras que los hombres dicen, y otra lo que el dios hace" (*La Sabiduría de*

23 El temor de Jehovah es para vida;
el hombre vivirá satisfecho con él
y no será visitado por el mal.
24 El perezoso hunde su mano en el plato,
pero ni aun a su boca la llevará.
25 Golpea al burlador, y el ingenuo se hará
sagaz;
amonesta al entendido, y captará
conocimiento.
26 El que roba a su padre y ahuyenta a
su madre
es hijo que avergüenza y deshonra.

Amen-em-opet).

El texto hebreo del v. 22 es difícil en la primera parte. El texto dice: "El deseo (o "codicia", para representar el deseo insano) del hombre, su lealtad-fidelidad-bondad-amabilidad". La traducción dada acepta una modificación de la palabra "lealtad" a *desgracia,* haciendo así un paralelismo más preciso. Sin embargo, la Septuaginta como también el texto hebreo utilizan las palabras "misericordia" y "deseo", rechazando las modificaciones. Parece ser mejor decir que "el deseo del hombre" apunta a la lealtad o bondad, y por eso, un hombre pobre es mejor que uno mentiroso (ver 30:8, 9). Quizá el dicho está intentando decir que *es mejor* (ver 15:16 para *mejor*) ser un pobre recto con un futuro donde hay la posibilidad de un cambio material que ser un mentiroso y encontrar mucha dificultad para cambiar.

El v. 23 tiene una gran promesa divina que se está repitiendo acerca del *temor de Jehovah* (ver 1:7, 29; 2:5; 3:7; 8:13; 9:10; esp. 10:27; 14:2, 26, 27; 15:16, 33; 16:6; 22:4; 23:17; 24:21; 31:30). Ser *satisfecho* trata el tema de la calidad de vida (ver 3:17). Así, la vida se prolonga y se mejora con una fe reverente. Por lo tanto, se repite 14:27, donde "el mal o la desgracia" y sus consecuencias no van a ser bienvenidos.

El v. 24 ilustra la naturaleza del *perezoso* (ver 6:6, 9; 10:26; 24:30) a través de una escena absurda (ver repetición en 26:15). Se ve *la mano* del perezoso enterrada en la sopa (un plato común para todos), quizá en su mano hay un panecillo. Hasta ahí llega la acción, porque el perezoso es tan, pero tan flojo que ni levanta la mano para traer la comida a la boca. Se parece a otra escena absurda del perezoso, en la que grita: *¡Afuera hay un león!* para disculparse de salir y trabajar (ver 22:13). La verdad es como señala el dicho: "No hay pero que valga."

Joya bíblica

El temor de Jehovah es para vida;
el hombre vivirá satisfecho con él
y no será visitado por el mal.
El perezoso hunde su mano en el plato,
pero ni aun a su boca la llevará (19:23, 24).

41. La corrección o castigo del hijo necio, 19:25-29

El v. 25 subraya dos medios para corregir, y su eficiencia. Por un lado, el castigo físico del *burlador* ("el que mira en menos a la gente y la sabiduría", según 1:22; 9:7, 8) lo hace *sagaz* o le da sentido común (ver 12:23; 13:16). ¿Son *el burlador* y *el ingenuo* la misma persona? Por el lado del paralelismo sinónimo, parece que sí; sin embargo, la naturaleza normal del burlador encontrada en 9:7, 8 le distingue del ingenuo en que por lo menos tiene una posibilidad de madurar. En este mismo sentido, se muestra el segundo medio para corregir que utiliza el poder de la persuasión (el reto). Este medio es efectivo con el entendido, quien acumula el conocimiento (ver 1:4 y 1:5). La corrección puede tener un efecto profundo en cambiar el porvenir del oyente.

El v. 26 ilustra un aspecto triste de la realidad de algunos padres causada por sus hijos. Los hijos tienen una influencia grande sobre el ánimo y el bienestar de los padres (ver 10:1, 5; 17:2; 19:13; esp.

27 Hijo mío, deja de atender la enseñanza
que te hace divagar de las palabras
del conocimiento.
28 El testigo perverso se burla del juicio,
y la boca de los impíos expresa iniquidad.
29 Actos justicieros* están preparados para
los burladores;
y azotes, para las espaldas de los necios.

*19:29 Lit., *Juicios*

28:24). Aquí hay dos hechos maléficos. La palabra "robar" es muy amplia, subrayando el hecho de arruinar al padre haciendo, quizá, hasta violencia en contra del padre ("asaltar" o "devastar"). En segundo lugar, el hijo es causante (el sentido del modo *hiphil*) de que su madre huya (desde el hogar). Se recuerda el ejemplo de Rebeca, quien tuvo temor de las esposas de Esaú y no sabía cómo iba a sobrevivir (ver Gén. 26:34, 35; 27: 27:46). También, de los hijos de Job y el temor de Job por las acciones de ellos (Job 1:4, 5). Hoy por hoy, muchos jóvenes adictos a las drogas u otras cosas arruinan a sus padres y hasta hacen la violencia contra ellos. El resultado *avergüenza y deshonra* (ver 13:5).

El v. 27 tiene la expresión vocativa *hijo mío* (ver 1:8, 10, 15; 2:1; 3:1, 11, 21). Se nota que existe la mala *enseñanza* (la palabra es la de 3:11, 12 para "disciplina" o "la información-formación-reformación") que dirige al joven hacia el conocimiento (ver 1:4; 19:25). Se usa otra vez la forma del imperativo (ver 19:25).

Joya bíblica

Actos justicieros están preparados para los burladores;
y azotes, para las espaldas de los necios (19:29).

El v. 28 repite la actitud y la naturaleza del *testigo* falso (ver 6:12, 17, 19). El mira en menos al mismo proceso y sigue con las mentiras. Sin embargo, su propósito se va a frustrar porque "la mentira tiene patas cortas" (ver 19:9).

La frase *están preparados* (v. 29) está subrayada en el texto hebreo (lit. "están establecidos"). Para *los burladores* (ver 1:22; 3:34; 9:7, 8, 12; 13:1; 14:9; 15:12; 19:25, 28; 21:11, 24; 22:10), está la condenación (ver 21:7; 28:5 traducidos *hacer justicia* y *el derecho*, respectivamente). Para *los necios* (ver 1:22), está el azote (ver 18:6).

42. El alcoholismo y otros males, 20:1-6

La palabra *burla* une el v. 1 con 19:29. Se subraya la influencia trágica del *vino* y la bebida fuerte (*¿licor* u otro nombre para el vino?). Le hace a uno "burlador" (mirando todo en menos) y "alborotador" (ruidoso, como la mujer adúltera en 7:11). Ser *sabio* (ver 1:5; 10:1) es opuesto a ser un bebedor de vino (ver 23:20, 21, 29-35; 31:4-7). Según el AT, el vino ha sido un elemento de fácil abuso (ver Gén. 9:20, 21; 2 Sam. 13:23-29). Jesús fue acusado de ser un *bebedor de vino* (en contraste con Juan el Bautista, quien se abstuvo del vino), es decir un borracho (ver Mat. 11:19). Hay muchas expresiones populares para referirse al borracho, como "estar curado","estar con el cuerpo malo", etc. Desafortunadamente, la escena de algún borracho es demasiado frecuente.

En el v. 2 se acentúa la furia *del rey* como el león rugiente (ver 19:12). Se agrega el hecho de aquella persona que causa al rey poner en peligro su vida, pecando contra su persona (su alma). En vez de amarse, él se daña por el pecado. El espíritu del dicho es: "¡No lo haga!"

En el v. 3 se muestran las dos actitudes acerca de *la contienda*. Por un lado, es la gloria o el honor (aun la jactancia o el orgullo sano como en 21:21; 25:2, 27) de una persona "cesar" una *contienda* (ver 15:18; 17:14; 26:17, 21; 30:33). Tal actitud muestra una gran capacidad hacia el

20 1 El vino hace burla;
el licor alborota.
Y cualquiera que se descarría no es
sabio.
2 Como rugido de león es la indignación
del rey;
el que lo enfurece peca contra sí mismo.*
3 Al hombre le es honroso apartarse de la
contienda,
pero todo insensato se envolverá en ella.
4 El perezoso no ara al comienzo de
la estación;*
buscará en el tiempo de la siega y no
hallará.
5 Como aguas profundas es el propósito en
el corazón del hombre,
pero el hombre de entendimiento
logrará extraerlo.
6 Muchos hombres proclaman su propia
bondad;
pero un hombre fiel, ¿quién lo hallará?
7 El justo camina en su integridad;
bienaventurados serán sus hijos
después de él.

*20:2 Lit., *su alma*
*20:4 Lit., *del otoño*

dominio propio (ver 11:13; 12:16, 23; 13:3; 14:29; 17:27, 28; 25:28; 29:11, 20). Por otro lado, *todo insensato* (ver 1:7), va a "mostrar los dientes y rugir", es decir involucrarse en la disputa (ver 17:14; 18:1).

El v. 4 repite la enseñanza sobre el perezoso, quien no hace nada en el otoño, la estación para arar. Después busca intensamente algo en el tiempo de la cosecha (de la forma verbal de *piel)* y no encuentra nada (ver 6:6-11; 19:24).

En el v. 5 se utiliza otra vez la metáfora de las *aguas profundas* (ver 18:4). Se presenta aquí la verdad sobre lo oculto del *propósito* (ver Esd. 4:5 para *propósito* o Prov. 12:15 para *consejo*) que está *en el corazón del hombre* (ver 10:8 para *corazón*). Sin embargo, *el hombre de entendimiento* (ver 10:23; 15:21; 17:27) es capaz de revelarlo (ver 25:2, para lo oculto en Dios que el rey ha de buscar).

El modismo popular "del dicho al hecho hay un gran trecho" resume el sentido del v. 6. Por un lado, muchos se proclaman leales o fieles (una característica divina que significa la fidelidad o la misericordia, como en Sal. 106:1). Sin embargo, *un hombre fiel* (o confiable; ver 13:17 y 14:5), *¿quién lo hallará?* (se repite en 31:10 acerca de la mujer virtuosa). Las personas así son únicas y muy estimadas. Aristóteles habla de la fidelidad en palabra y hecho (*Ethica Nicomachea*).

43. La integridad personal y profesional, 20:7-11

El v. 7 muestra la rica herencia dejada por el hombre de *integridad* o madurez (que se define como "completo" o "realiza-

Semillero homilético

La autoridad

20:2, 3, 8, 26, 28

Introducción: Uno de los temas corrientes en los negocios y la administración de las compañías tiene que ver con la manera en que se ejerce la autoridad y en que se responde a la autoridad. Es interesante que el libro de los Proverbios nos ayuda en esto.

I. Responsabilidades de quien ejerce autoridad, v. 2, 3, 8.
1. No manifestar el enojo, v. 2.
2. Debe evitar la contienda, v. 3.
3. Debe analizar cada caso objetivamente, v. 8.
4. Debe recibir toda la información para decidir, v. 8.
5. Debe decidir imparcialmente, v. 8.

II. Responsabilidades de los subordinados, vv. 2, 26.
1. Debe respetar a quien representa autoridad.
2. Debe someterse a la autoridad, v. 2 (Rom. 13:2).

Conclusión: Todos los ciudadanos estamos buscando a un rey, presidente o gobernador que sea bondadoso, honrado e imparcial. Debe ser el desafío para todos los que ejercen autoridad, ser bondadosos, honrados e imparciales.

8 El rey se sienta en el trono del juicio;
con su mirada disipa todo mal.
9 ¿Quién podrá decir: "Yo he limpiado
mi corazón;
limpio estoy de mi pecado"?
10 Pesas falsas y medidas falsas:*
Ambas cosas son una abominación a
Jehovah.
11 Aun el muchacho es conocido por
sus hechos,
si su conducta es pura y recta.

*20:10 Lit., *Una piedra* (pesa) *y una piedra; un efa y un efa*

do" en pasajes como 10:9; 19:1; 28:6) quien es justo o recto (ver 10:3). La palabra *bienaventurados* o "dichosos" pone énfasis en el bienestar que queda con los hijos del justo (3:13, 18; 8:32, 34; 14:21; 16:20; 28:14; 29:18; 31:28 para *bienaventurado).* Se acentúa el efecto positivo sobre los hijos (ver 11:21; 12:7; 19:22; 14:26; 17:6). El carácter recto es una gran herencia (ver Exo. 20:6; Deut. 5:9, 10).

En el v. 8 el rey es el juez, tal como Salomón (ver 1 Rey. 3:9, 16 ss.). Utilizando sus ojos, el rey *disipa* (ver 20:26 donde apunta a la acción de la separación de los desperdicios del grano, quizás el trigo). Así, el rey ha de examinar toda la evidencia y descubrir *todo mal.*

Siete claves para el éxito en los negocios
20:4-21

1. Practicar la honestidad, vv. 10, 23.
2. Madrugar para trabajar duro, vv. 4, 13.
3. No ser fiador sin garantía, v. 16.
4. Buscar consejos sabios, v. 18a.
5. Planificar una estrategia sabia, v. 18b.
6. Engrandecer el negocio paulatinamente, v. 21.
7. Confiar en Jehovah, v. 22.

En el v. 9 otra vez se encuentra una pregunta retórica que busca la respuesta: "¡Necio!" (ver 20:6; 31:10). La pregunta afirma la ausencia de algún hombre con un corazón (ver 10:8 para corazón como la voluntad, la mente) limpio-puro-inocente y puede decir que es limpio del pecado. La idea central se repite en Romanos 3:23: *... porque todos pecaron y no alcanzan la gloria de Dios.* Por otro lado, el Salmista declara: *¿Cón qué limpiará el joven su camino? Con guardar tu palabra* (Sal. 119:9). Ya tenemos un sacrificio perfecto para nuestro pecado, quien es Cristo (ver Heb. 9:13, 14). Así, podemos ser justificados por medio del Espíritu Santo y en Cristo (ver 1 Cor. 1:2; Rom. 8:1-4). Calvino pone énfasis en la naturaleza única de la fe como el medio de la salvación, mostrando el fracaso de las obras. Un dicho egipcio reza: "No digas: 'Mal no hice' " (*La Sabiduría de Amen-em-opet).* El pecado es universal, y aun así lo veían los egipcios.

El v. 10 vuelve al tema del comercio en que se encuentra el fraude en pesas y medidas (ver 11:1; 16:11). Además de un acto material, es algo espiritual porque muestra la calidad del pueblo. Se declara *abominación* y necesariamente hay que alejarlo de Dios (ver 6:16; 12:22; 15:8; 16:12 entre otros).

La palabra *aun* aparece de nuevo en el v. 11 (ver 16:7), subrayando de ese modo lo que sigue. El *na'ar* [5288] es un término ambiguo que puede significar el joven de 17 años, como José en Génesis 37:2, y el niño que ha dejado de mamar recientemente (ver 1 Sam. 1:24), como Samuel. De todos modos, *el muchacho es conocido* a través de su conducta. Se espera un joven "hecho y derecho".

44. Las formas inadecuadas para adquirir el pan cotidiano, 20:12-18

En el v. 12 se subraya otra vez que Jehovah es el creador de las cosas (ver 8:22 ss.). Dos cosas ha hecho Dios que favorecen en una manera grandísima al hombre: los oídos y los ojos. Dios está diciéndonos: "¡Utilícelos!" Sólo al perder el sentido auditivo o el sentido visual, uno se da cuenta del gran valor de estas dos

12 El oído que oye y el ojo que ve,
ambas cosas ha hecho Jehovah.
13 No ames el sueño, para que no te
empobrezcas;
abre tus ojos, y te saciarás de pan.
14 El que compra dice: "Malo es, malo es";
pero apartándose, se jacta de lo comprado.
15 Existen el oro y una gran cantidad de perlas,
pero los labios que saben son algo más
precioso.

---

características del hombre. Son dos grandes dones de Dios.

El v. 13 trata el tema de la pereza (ver 6:6-11; 19:24; 20:4). Aquí, el perezoso es llamado el amante del *sueño* (ver 3:24; 4:16; 6:9, 10; 24:33). La conjunción *pen* [6435] es difícil de traducir. Apunta a un posible futuro si no se escucha la advertencia anterior. La oración dice: *No ames el sueño* ***para que no*** *te empobrezcas* (ver 23:21; 30:9). En este mismo sentido, el segundo imperativo *abre tus ojos* tiene una doble connotación: Primeramente como el aspecto antitético con "dormir" (los ojos cerrados), y en segundo lugar como el aspecto de entender (un sentido figurativo como en Gén. 3:5, 7). El que se esfuerza está asegurado de tener una abundancia para comer (*pan* es la palabra para "comida", como en 6:8). Hay una discusión amplia sobre la adquisición de los bienes en 10:2-5.

En el v. 14 saltan de las páginas las palabras *Malo es, malo es.* Se muestra cómo el comprador busca desvalorizar el objeto que está comprando por medio de exagerar las fallas (ver 1 Rey. 10:14). Así se negociaban las propiedades, los animales, etc. Por otra parte, al terminar la negociación, el comprador va a jactarse de su astucia (notar que tales expresiones se escuchan en las ferias y los mercados) y del gran valor de lo comprado. Cervantes pone un refrán semejante en los labios del Quijote: "No quiero, no quiero, pero echádmelo en la capilla."

El v. 15 repite el tema del valor superior de la sabiduría sobre los bienes materiales (ver 3:14, 15; 8:10, 11). Aquí son *los labios* del conocimiento, para representar un conocimiento de las normas morales, el orden en el universo, etc. (como en 1:4) en contraste con los labios necios y perversos (ver 6:12, 17; 10:13, 20; 12:14). La superioridad del habla que se basa en el conocimiento está por sobre *el oro* (ver 3:14; 8:10, 19; 11:22; 16:16; 17:3; 22:1, 11, 12; 27:21) y las *perlas* (o corales como en 3:15; 8:11; 31:10), porque tales labios son un objeto preciosísimo.

Semillero homilético

¿Dónde está el honor de un hombre?

20:3, 14, 19, 22

Introducción: El autor de Proverbios resalta las virtudes que crean la armonía en las relaciones humanas y el éxito en las actividades diarias.

I. El honor está en abstenerse de pleitos, v. 3.
   1. Le confiere triunfo. El honor no consiste en salir triunfante de los pleitos sino en abstenerse de ellos.
   2. Le confiere amistad. Al imponernos en un pleito generalmente perdemos la amistad.
   3. Le confiere paz. Ganar pleitos y a la vez enemigos le quita la paz permanente.

II. El honor está en abstenerse de deshonestidad, vv. 14, 17, 23.

III. El honor está en abstenerse de la venganza, v. 22a.
   1. El devolver mal por mal aumenta el mal.
   2. El dejar en manos de Dios la venganza nos tranquiliza.

IV. El honor está en esperar de Dios, v. 22b.
   1. El esperar en Dios produce paciencia.
   2. La paciencia produce confianza.
   3. La confianza produce descanso.
   4. El descanso desecha el enojo.

Conclusión: Simón Bolívar, el gran Libertador, apeló a la unidad de los líderes para preservar las libertades que habían ganado. Sin embargo, al acercarse el final de su vida, sus sueños de unidad se habían prácticamente esfumado debido a los problemas y conflictos entre los ciudadanos. Cuando el hombre espera en el hombre, ese es el resultado.

16 Quítale su ropa al que salió fiador
del extraño,
y tómale prenda al que se fía de la
mujer ajena.*
17 Sabroso es al hombre el pan mal
adquirido;*
pero cuando haya llenado su boca, se
convertirá en cascajo.
18 Confirma los planes mediante el consejo
y haz la guerra con estrategia.

*20:16 Según *Qere; Ketiv, de los extranjeros*
*20:17 Lit., *pan de engaño*

El v. 16 vuelve a la forma imperativa del proverbio (ver 19:25, 27; 20:13). Se trata el tema del gran peligro de la fianza (ver 6:1-5; 11:15; 17:18; 22:26, 27; esp. 27:13). La frase *quítale su ropa* viene de la imagen del fiador en Deuteronomio 24:10-13 (ver Luc. 6:28 en el contexto del enemigo que haya quitado el manto). Los otros ejemplos del vestido en Proverbios son el vestido con el fuego como símbolo del peligro (ver 6:27) y el vestido quitado en el invierno como símbolo de la aflicción (ver 25:20). Además, "quitarse la ropa" puede ser un símbolo del lamento y del arrepentimiento, aunque la frase más frecuente es "rasgar el manto" (ver Job 1:20; 2:12), aunque no es probable aquí. Perder la ropa o la prenda era una pérdida mayor. Tales pérdidas eran frecuentes en la fianza y la relación ilícita con una mujer casada (ver 6:30-35 de parte del marido o 5:10 de parte de la mujer misma). Otra posibilidad de traducción es "los extranjeros o los desconocidos" en vez de *la mujer ajena* (el texto hebreo). *La mujer ajena* se repite en 27:13, mientras "los hombres desconocidos" son sinónimos con el "extraño" de la primera parte.

En el v. 17 la palabra *sabroso* (lit. "dulce") describe la ilusión del "pan de engaño" (ver 4:17 para *pan de impiedad;* 9:17 para *pan comido en oculto*). La palabra "engaño" muestra la forma de la adquisición, utilizando, por ejemplo, el robo, la mentira, etc. (ver 1:13; 4:17). Por lo tanto, se encuentra luego con una boca llena de *cascajo* (ver Lam. 3:16). Hay la ilusión y hay la realidad del resultado (ver 10:2, 3).

El v. 18 subraya la importancia de la planificación y el *consejo,* especialmente algo tan peligroso y lamentable como *la guerra* (ver 11:14; 15:22; 24:6). Se contrasta con ellos que hablan sin pensar (ver

Semillero homilético

Los frutos de la pereza

20:4, 13

Introducción: La fábula de la hormiga y la cigarra, de J. de la Fontaine (ver pág. sig.), relata cómo la cigarra se burla de la hormiga cuando ésta está trabajando duro durante el verano, pero llega a mendigar de ella en el invierno, cuando no hay comida. Así como la pereza no fue buena para la cigarra, pues la llevó a la muerte, igualmente la pereza trae funestas consecuencias para el hombre que la llega a utilizar como su modo de vida. Veamos en la Biblia los resultados de la pereza.

I. Nos hará vivir de simples ilusiones, 13:4.
  1. Porque se practica la ociosidad, 21:25.
  2. Porque se cansa rápidamente, 26:25.
  3. Porque solamente se desea, pero no se alcanza.

II. Nos llevará a padecer necesidad, 20:13.
  1. En la vida material, 19:15.
  2. En la personalidad, 12:27.
  3. En la vida espiritual.

III. Nos llevará a improvisar en vez de planificar, v. 4.
  1. Todo nos será difícil, 15:19.
  2. Pensaremos siempre lo peor, 22:13.

Conclusión: Un dicho popular declara que la pereza es la madre de todos los vicios. La verdad es que por la pereza hay robos, asesinatos, mentiras y toda clase de maldad. También la pereza trae pobreza. Aunque no toda la pobreza se debe a la pereza. Samuel Johnson, hombre de letras, dijo: "La pereza y la pobreza han sido siempre reprochables; por eso cada cual procura lo mejor que puede ocultar su pobreza de los ojos ajenos y su pereza de los propios."

19 El que anda con chismes revela el secreto;
no te metas con el suelto de lengua.

20 Al que maldice a su padre o a su madre,
su lámpara se le apagará en medio* de las tinieblas.

*20:20 Lit., *en tiempo*

18:13) y aquellos que se burlan del consejo y son indiferentes al mismo (ver el insensato en 1:7; el burlador y el necio en 1:22).

45. Los hechos repugnantes, 20:19-25

La primera parte del v. 19 repite 11:13 acerca del "cuchicheo" (ver Lev. 19:16 donde se usa la palabra hebrea traducida como "calumniar", algo condenado; Jer. 6:28 y 9:4 donde está traducida "calumniar"). Al no guardar la confianza, el chismoso lastima a las personas en vez de esperar una mejoría de la situación y una reconciliación de ellas (ver 16:28; 18:8; 26:20, 22). En este mismo sentido, *el suelto de lengua* (lit. aquel con los labios siempre abiertos, en el mismo hecho de hablar) es un amigo peligroso. Un relato egipcio dice: "No repartas tus palabras a la gente común, ni asocies a ti a uno (demasiado) expresivo de corazón" (*La Sabiduría de Amen-em-opet).* Aristóteles acentuaba el hecho de que el habla ha de ser utilizada en una forma correcta y no para causar un "gran daño", mostrando así su naturaleza peligrosa.

Las páginas de la Palabra de Dios se

La hormiga y la cigarra

Una hormiga afanosa recogía poco a poco miguitas de pan, troncos de árboles, ramitas, mondas de frutas y otras menudencias una calurosa tarde de verano.

Cerca de allí, una cigarra, alegre, cantaba sin cesar bajo la sombra acogedora de los árboles.

Y así, día tras día, la cigarra, mirando con compasión a la pequeña hormiga, cantaba día y noche. La cigarra sentía demasiado calor para trabajar.

Entre tanto, la hormiguita seguía infatigable recogiendo y recogiendo para llenar hasta el tope sus graneros, en previsión de los helados días del invierno, en que no se encuentra comida por los caminos.

Pronto terminó el calor, y vino el otoño, y antes de que la despreocupada cigarra se diera cuenta, llegó el invierno, con sus fríos, sus vientos y sus nieves.

Y la cigarra no encontraba nada para llevarse a la boca, por más que buscaba por todos lados. Nada la ayudaba a subsistir.

Muy preocupada por su situación, se fue derecho a la casa de su vecina, la hormiga.

—¿Qué quieres, cigarra?

—Por favor, préstame algún alimento, porque me estoy muriendo de hambre. Te prometo que te lo devolveré antes de agosto, y con sus correspondientes intereses.

Pero la hormiga era desconfiada. ¿Y si la cigarra la estaba engañando y luego no se lo devolvía? Además, el reunir el alimento para el invierno le había costado mucho trabajo.

—Pero, ¿cómo es que no tienes comida? ¿Qué hiciste durante el verano?

—¡Ay! Pues yo estaba a la sombra de los árboles.

—¿Y qué hacías allí?

—Cantaba de día y noche.

Y al oír estas palabras, la laboriosa hormiga cerró las puertas de su casa a la cigarra perezosa, mientras le decía:

—Pues si durante el verano cantaste, ahora puedes bailar.

(Tomado de: *Fábulas de J. de la Fontaine).*

Debemos ser diligentes para trabajar cuando se nos presenta la oportunidad; de otra manera podemos encontrarnos en circunstancias precarias.

21 Los bienes adquiridos apresuradamente
al comienzo,
al fin de cuentas no serán bendecidos.

22 No digas: "Devolveré el mal."
Espera a Jehovah, y él te salvará.

---

llenan con el tema sobre la relación entre el hijo y sus padres que se encuentra en el v. 20 (ver Exo. 20:12 y también Deut. 5:16 para "honrar"; Exo. 21:17; Lev. 20:9; Deut. 21:18-21 para el hijo malo y el castigo; Mat. 15:4-6 para la condenación de Jesús acerca de una manera específica de quebrar el quinto mandamiento; Ef. 6:1-3; Col. 3:20; 2 Tim. 3:2 para *hombres amantes de sí mismos y del dinero... desobedientes a los padres, ingratos...*). Este hijo *maldice* o "desfavorece" intensamente (la forma verbal de *piel)* en palabra y en hecho (ver 3:33 para "maldecir") a sus padres (ver 1:8; 10:5; 13:24; 17:2; 19:26; 20:11). Desafortunadamente, el autor de Proverbios y Pablo podían ver una generación llena de los hijos que eran así (ver 30:11; 2 Tim. 3:2). El destino del hijo *que maldice a su padre o a su madre* será acortado con una vida que termina prematuramente como la de los impíos (ver 13:9; 24:20). Un dicho egipcio instruye lo siguiente: "Quien no se enorgullece de los nombres de su padre y madre, así el sol no brille sobre él, pues es un perverso" (*Ahiqar)*.

El v. 21 muestra la vanidad de la posesión obtenida apresuradamente. La palabra "posesión" es comúnmente traducida "herencia" como en 19:14 (ver 11:29; 13:22; 17:2; 19:14). Así, tal herencia normalmente resulta en una maldición, una dejadez del trabajo. Por otra parte, si se toma como "posesión", se puede hacer referencia al ladrón (ver 1:13; 10:2) o al rico que haya oprimido al pobre (ver 14:31; 22:16). De todos modos, la última etapa o el final no será de bendición (ver 3:33; 5:18; 10:7; 22:9; 27:14; 30:11).

El tema de la venganza en el v. 22 es uno muy delicado dentro de las Escrituras, porque por un lado se buscaba la justicia pero por otro lado la reformación del malhechor (ver 16:7; 17:13; 24:17, 18, esp. v. 29; 25:21, 22). *Espera a Jehovah* no significa "guiñar el ojo" o hacer la vista gorda (ver 6:13), ignorando así el mal. Al contrario, Dios es justo y santo, y no se lo puede burlar (ver Gál. 6:7-10). Dios le

Semillero homilético

Cómo obedecer a Dios y ser feliz

20:12, 24, 25

Introducción: En esta época de "liberación" y de grandes cambios se piensa que el obedecer es algo pasado de moda. Es algo que no se puede, ni se debe practicar. Pero la Biblia nos enseña que podemos ser felices únicamente si obedecemos a Dios. ¿Y cómo hacerlo? Veamos los pasajes de Proverbios 20.

I. Cumpliendo lo que él quiere que hagamos, v. 12.
   1. Nos ha dado oídos para oír.
   2. Nos ha dado ojos para ver.

II. Confiando a él nuestro camino, v. 24.
   1. No podemos confiar en nosotros mismos, 14:12; 16:25.
   2. El Señor nos conoce verdaderamente (Sal. 94:11).
   3. El Señor conoce nuestras actitudes (I Cor. 4:5).

III. No engañándonos a nosotros mismos, v. 25.
   1. Reflexionar en lo que vamos a hacer antes de hacerlo (Luc. 14:25-33).
   2. Las cosas de Dios deben tomarse con seriedad (Luc. 9:62).

Conclusión: Luego de estudiar los pasajes podemos ver con claridad que la obediencia a Dios nos permite ser felices. Realmente en la obediencia a Dios hay liberación.

23 Las pesas falsas* son una abominación
a Jehovah;
y la balanza de engaño no es algo bueno.
24 De Jehovah son los pasos del hombre;
¿cómo podrá el hombre, por sí solo,
entender su camino?
25 Es una trampa para el hombre declarar
a la ligera algo como consagrado,
y reflexionar sólo después de haber hecho
los votos.

*20:23 Lit., *Una piedra* (pesa) *y una piedra*

hace a uno responsable por sus hechos (ver Apoc. 20:12), pero solo él puede juzgar en una manera totalmente recta. Además, todos somos pecadores (Rom. 3:23). Se puede recordar la actitud vengativa de Absalón hacia Amnón (ver 2 Sam. 13:22 ss.) y todo el daño hecho a toda la familia y al reino (p. ej. la desgracia de la familia real, la guerra civil, etc.). Mejor esperar la acción de Dios y ver cómo él es nuestro auxilio. Los verbos en *piel* muestran la intensidad del movimiento del texto. Pablo exhorta: *Mirad que nadie devuelva a otro mal por mal; en cambio, procurad siempre lo bueno los unos para los otros y para con todos* (1 Tes. 5:15). Esta actitud es atacada por Elie Wiesel, un sobreviviente del campo nazi de la concentración y Premio Nobel de Literatura, quien rechaza tal "espera" en Dios.

En el v. 23 se repite el rechazo total del comercio corrupto (ver 11:1, 26; 16:11; 20:10, 14, 23). La palabra *abominación*, que nació en el culto para apuntar a algo impuro y no usable, muestra el rechazo absoluto de Dios hacia tales prácticas (ver 3:32 y 6:16). La frase *no es algo bueno* expresa la actitud en una forma sinónima. El fraude no muestra la astucia sino lo abominable ante los ojos de Dios. Un dicho egipcio instruye: "No inclines la balanza, ni falsees las pesas, ni alteres las fracciones de la medida" (*Amen-em-opet).*

El v. 24 subraya la soberanía de Dios sobre el hombre (ver 16:1-3, 9; 17:3). Hay un elemento del misterio en la soberanía divina y cómo funciona en la vida del ser humano (ver 16:9; 21:30, 31). En esta manera, se puede ver cómo Dios, a través del maestro sabio, busca mostrar las dos grandes opciones de la vida: Un camino de acuerdo con la voluntad divina, que ayuda en prolongar la vida y mejorarla, y un camino perverso que quita la vida, produciendo una muerte prematura (ver 1:18, 19; 2:20-23). El sentido de urgencia muestra que es el joven el que tiene que decidir si seguir a Dios o no. El versículo aquí subraya la verdad de que las posibilidades de "caminar" vienen de Dios y entonces el hombre no es capaz de entender su andar (así se capta el espíritu de la pregunta retórica que pide la respuesta: "No se puede.")

El v. 25 pone énfasis en la manera ligera que algunos tratan las cosas espirituales en la vida (ver 11:15; 17:18; 18:13; 20:16). Aquí, la palabra *trampa* es clave para entender el dicho (ver 18:7). Parece ser que la persona que declara algo (p. ej. un toro, un grano, etc.) *como consagrado* (dedicado a Dios como *qodesh* 6942) en una manera apresurada y jactanciosa de hablar (ver Job 6:3) es como *los que pretenden ser ricos* (13:7). En este mismo sentido, el paralelismo sinónimo muestra la ausencia del pensar antes de tomar los votos (ver Lev. 27:14). En Deuteronomio 23:21-23 se afirma: *Cuando hagas un voto a Jehovah tu Dios, no tardes en cumplirlo...* (o) *sería en ti pecado. Pero si te abstienes de hacer un voto, no sería en ti pecado... harás de acuerdo con el voto que hayas hecho...* El voto apresurado es peligroso, como se puede ver en la historia de Jefté, el juez, quien hizo un voto de sacrificar al primer ser que saliera de su casa si Dios le daba la victoria (ver Jue. 11:30, 31). Desafortunadamente, salió al encuentro de Jefté *su única hija con panderos y danza* (Jue. 11:34). El voto de Jefté fue un doble pecado, porque fue apresurado y a la vez contra la voluntad de Dios (ver Lev. 20:4). Las cosas espirituales

26 El rey sabio dispersa a los impíos,
y sobre ellos hace rodar la rueda.
27 Lámpara de Jehovah es el espíritu del hombre,
la cual escudriña lo más recóndito del ser.*
28 La misericordia y la verdad guardan al rey,
y con justicia* sustenta su trono.
29 La gloria de los jóvenes es su fuerza;
y el esplendor de los ancianos, sus canas.
30 Las marcas de los azotes purifican del mal,
y los golpes purifican al corazón.*

*20:27, 30 Lit., *las cavidades del vientre*
*20:28 Según LXX; comp. 16:12; 25:5; heb., *misericordia*

---

son sumamente importantes y deben ser hechas con una consideración óptima.

46. Las cualidades del buen gobierno, 20:26-30

El v. 26 acentúa el sano juicio del rey sabio (ver 14:35; 16:10, 12-15; 20:2, 8, 28; 21:1; 22:11, 29; 25:2, 3, 5, 6; 29:4, 14; 31:4). El verbo *dispersa* muestra la acción de separar los desperdicios del grano (ver 20:8), de esa forma haciendo correr *a los impíos* (ver 10:3). Por lo tanto, ellos reciben un castigo merecido (lit. "la rueda encima", como en Exo.14:25; Isa. 28:27 y puede significar "la derrota", "el trabajo esforzado" o "el castigo").

En el v. 27 se subraya la autoconciencia que está en el espíritu del hombre (ver Job 26:4; 1 Cor. 2:11). Tal autoconciencia es un don de Dios (ver Gén. 2:7; *el soplo* viene de la misma palabra para *espíritu* aquí), es como una *lámpara* dada por Dios al hombre. Con la metáfora *lámpara,* se pone énfasis en la capacidad del espíritu para alumbrar revelando los porqué de las acciones. El mismo espíritu es capaz de extraer hasta lo más interior del ser humano (como en 18:8; 20:30; 22:18). Así, el hombre no tiene la excusa de no saber lo que está haciendo.

Las palabras *misericordia* y *verdad*, en el v. 28, recalcan una combinación de los atributos que son divinos, y a la vez imitables por el hombre recto (ver Sal. 25:10 para Dios; 3:3; 14:22; 16:6 para la combinación en Proverbios). Estos atributos *guardan al rey*, mientras *la justicia* afirma al trono (es decir, su reino).

El v. 29 es un dicho acerca de la realidad que percibe la sociedad (ver 10:15; 17:8). La palabra *gloria* apunta a la jactancia o el orgullo sano (del vocablo *tipe'* 8597 *arah* 977, como en 17:6). *La gloria de los jóvenes es su fuerza* (ver Joel 2:28; Isa. 40:30, 31: *Aun los muchachos se fatigan y se cansan; los jóvenes tropiezan y caen. Pero los que esperan en Jehovah renovarán sus fuerzas; levantarán las alas como águilas. Correrán y no se cansarán; caminarán y no se fatigarán*). En este mismo sentido, la gloria o el orgullo sano *de los ancianos* (ver 16:31; 17:6) son *sus canas* (el símbolo de la vida larga).

En el v. 30 se repite el tema del castigo físico como un medio legítimo para reformar al individuo (ver 13:24; 19:18; 22:15; 23:13, 14; 29:15, 17 para el castigo del hijo; también 10:13; 14:3; 26:3 para aquellos que son insensatos). Se notan dos aspectos del castigo físico: *Las marcas de los azotes... y los golpes* (ver 13:24). Son dos los resultados: la purificación o la limpieza del mal (todo el proceso desde buscarlo hasta involucrarse en él) y la purificación del interior del hombre (*corazón*, ver 20:29). Este *mashal* es optimista; los dichos de 9:7, 8 y de 17:10 son más pesimistas. De todas maneras, la palabra persuasiva es la forma normal para guiar a las personas.

47. La justicia divina desautoriza el engaño, 21:1-5

El v. 1 muestra la omnipotencia de Dios sobre el rey, utilizando la metáfora de *la mano* (ver Exo. 14:30; Jos. 10:32). La metáfora de *una corriente de agua* puede subrayar la imagen de los canales hechos

21 1 Como una corriente de agua es el corazón del rey en la mano de Jehovah, quien lo conduce a todo lo que quiere.
2 Todo camino del hombre es recto ante sus ojos,
pero Jehovah es el que examina los corazones.
3 Practicar la justicia y el derecho
es más aceptable a Jehovah que el sacrificio.
4 Pecado son la altivez de ojos y el orgullo del corazón,
la lámpara de los impíos.

---

por los hebreos para la irrigación (ver Job 29:6; 38:25; Sal. 1:3; 46:4; 65:10; 119:136; Isa. 30:25; 32:2; Lam. 3:48). Por lo tanto, la influencia de Dios se aclara por la última parte del versículo. *El corazón del rey* significa la voluntad, la mente y el asiento de las decisiones entre otras cosas (ver 10:8 para *corazón*). Este versículo afirma la presencia divina en los pensamientos y las deliberaciones del rey, enfrentando así las malas influencias que existen. Hay que entender también que Dios no siempre manipula al rey, aunque sea posible, y por eso, los pecados del rey son reales (ver Jue. 16:17-20 para el juez Sansón; 1 Sam. 15:3, 9-11 para el rey Saúl; 2 Sam. 11:4 ss. para el rey David; 1 Rey. 11:4-13). A la vez, se nota cómo la intervención o la falta del apoyo divino es decisiva en varios momentos de la vida de un rey, mostrando cuán fácil pudiera ser la intervención de Dios (ver la derrota en Hai en Jos. 7:3-12; el ciclo vicioso de los hebreos en Jue. 2:16-19; la derrota de Israel y la muerte de la casa de Saúl en 1 Sam. 31:1-7; la muerte del hijo en 2 Sam. 12:15-19; la división de Israel en 1 Rey. 11:9-13; la derrota de Samaria y más tarde Jerusalén como está predicha en Miq. 2-16, entre muchos otros pasajes). Finalmente, hay que ver la naturaleza de Dios en que mientras él puede dominar (si quisiera) el corazón del rey, el rey ha de buscar intensamente la voluntad divina porque hay un elemento profundo y misterioso (ver 25:2) que puede en alguna manera más simple reflejarse en el rey sabio y fiel (ver 25:3).

El v. 2 repite casi textualmente el dicho de 16:2, apuntando al hecho de que el criterio humano es muy falible, mientras el criterio divino (ver 15:3) es infalible, y él es quien *examina los corazones* (16:2 dice *los espíritus*). Aquí, el hombre se declara *recto* mientras en 16:2 es *limpio*, un sinónimo.

El v. 3 subraya la importancia primordial del carácter y la moralidad (aquí en los términos de *justicia*) por sobre el ofrecer sacrificios (ver 15:8; 21:27). Este dicho no niega el valor espiritual del sacrifico (ver Deut. 26:1-11; Lev. 6—7). Sin embargo, se da cuenta de la manera fácil en que se puede pervertir el sacrificio (ver Ose. 6:6; Isa. 1:11, 16, 18; Mat. 23:23). En Proverbios, hay una admonición para diezmar (ver 3:9, 10) y a la vez un mal ejemplo del sacrificio (ver 7:14).

El v. 4 trata el tema del orgullo (ver 3:34; 6:17; 11:2; 13:10; 15:25; 16:5, 18, 19; 18:12; 21:24; 25:27; 27:1, 2; 29:23; 30:13, 32). La palabra *lámpara* (ver 13:9) se ha reemplazado con las palabras "tierra arada". Tal traducción ve las características del orgullo como el fruto de la tierra arada. Por otro lado, con la palabra *lámpara* se subrayan las características de "los ojos levantados" y "el corazón (ver 10:8) ancho" (es decir, orgulloso) que alumbran o guían su conducta (ver 20:27 para *lámpara;* también Sal. 119:105). Tal actitud es pecaminosa. Hay un orgullo pecaminoso que mira en menos a otros, que ignora las normas morales de Dios y que busca sobresalir con el engaño y la mentira. Sin embargo, hay pasajes que apuntan a un *orgullo* o una gloria que es sano y saludable (ver 12:8; 16:31; 17:6; 20:29; 30:29-31). Por supuesto, el orgullo del creyente es Cristo y su obra redentora (ver Gál. 6:14), una idea central que nace aun en el tiempo de Jeremías (ver Jer. 9:23, 24). A la vez, Pablo enseña sobre un orgullo propio del creyente en

5 Los proyectos del diligente resultarán en abundancia,
pero todo apresurado va a parar en la escasez.
6 Acumular tesoros mediante la lengua de engaño
es vanidad fugaz de los que buscan la muerte.
7 La rapiña de los impíos los arrastrará,
por cuanto rehúsan hacer justicia.
8 El camino del hombre es torcido y extraño,
pero la conducta del limpio es recta.
9 Mejor es vivir en un rincón de la azotea
que compartir una casa con una mujer rencillosa.

Gálatas 6:3-5, especialmente el v. 4: *... examine cada uno su obra, y entonces tendrá motivo de orgullo sólo en sí mismo y no en otro.* En el contexto griego, Aristóteles trata el tema del orgullo positivo (la quinta de las once virtudes) donde el carácter y las buenas costumbres son fundamentales (ver *Ethica Nicomachea*).

Cinco pasos hacia el éxito
21:5-11

1. Tener proyectos diligentes y ambiciosos, y saber ejecutarlos, v. 5.
2. Hablar la verdad en cada circunstancia, v. 6.
3. Andar en caminos rectos todos los días, v. 8.
4. Mantener un hogar feliz y armonioso, v. 9.
5. Aprovechar oportunidades para aprender lo nuevo, v. 11.

En el v. 5 se repite el tema de los diligentes (ver 10:4; 12:24, 27; 13:4). Aquí sus *proyectos* (o "planes" como en 15:22 y 20:18; o "pensamientos" como en 6:18; 12:5; 15:26; y 16:3) ciertamente o sin duda (son) para la *abundancia.* Por otro lado, se espera escuchar acerca de los negligentes como en 10:4 y 19:15. Sin embargo, se trata en una forma opuesta a aquel que es *apresurado* ("ser apretado" o "ser precipitado" como en 19:2; 28:20; 29:20). A estos versículos hay que agregar 18:13, que apunta al que habla antes de escuchar. Se repite la palabra que significa "ciertamente" y se subraya la palabra *todo* para ser tan inclusivo que sea una verdad universal (ver 20:3; 21:2). El apresurado iguala el fin del negligente, es decir la pobreza (ver 10:4; 19:15).

48. Los modales que destruyen el hogar, 21:6-13

El v. 6 repite el tema de *la lengua de engaño* (ver 6:17; 12:19, 22; 17:4; 26:28). Aquí su meta pecaminosa era la "acumulación" (definida como "conducta" en 21:8; como "obras" en 24:12; como "acción" en 24:29) de *tesoros* que no son pecaminosos en sí (ver 15:16; 21:20). Los tesoros pecaminosos, sin embargo, son como "un vapor" o "un respiro" (ver 13:11 traducido *apresuradas;* 20:21 *apresuradamente;* 31:30 *vana)* ahuyentado y buscando la muerte (o *de los que buscan la muerte*).

El v. 7 subraya que el impío se perjudica a través de la violencia, que se encuentra aquí como *rapiña* (*violencia* en 24:2; y el verbo como "arruinar" en 11:3 y "robar" en 19:26 y "destruir" en 24:15). Tal autodestrucción es un tema frecuente en Proverbios (ver 1:18, 19; 5:22; 11:3, 5, 6, 17, 19, 27; 12:3; etc.). Desde otra perspectiva, es Dios quien castiga al pecador (ver 2:22; 10:27, 29; 16:5). Entonces, el castigo es una combinación entre "cosechar lo suyo" y "el juicio divino".

El v. 8 contrapone el estilo de vida de dos personajes. Por un lado está el hombre "culpable" con su camino (conducta o vida) *torcido y extraño.* Por otra parte, está el hombre *limpio* con su *conducta* (que significa "obra, acción, acumulación" en 21:6; 21:8; 24:12) recta o derechísima (ver 4:26, 27).

En el v. 9 se encuentra otro dicho que usa la palabra *tob* [2896], que se define como "bueno" (ver 15:16, 17; 16:8, 19). Se contrasta *un rincón de la azotea* (ver Jos. 2:6, 8; Jue. 16:27; 1 Sam. 9:25, 26; 2 Sam. 11:2 como un lugar para secar las

10 El alma del impío desea el mal;
su prójimo no halla gracia ante sus ojos.
11 Cuando el burlador es castigado,
el ingenuo se hace sabio;
y cuando el sabio es instruido,
adquiere conocimiento.
12 El justo* observa la casa del impío;
cómo los impíos son arruinados por el mal.
13 El que cierra su oído al clamor del pobre
también clamará, y no se le responderá.
14 El regalo en secreto calma la ira;
y el obsequio a escondidas,* el fuerte furor.

*21:12 Otra trad.; *Justo*, refiriéndose a Dios
*21:14 Lit., *en el seno*

hierbas y los granos y para caminar y descansar) con *una casa* (seguramente una buena casa). Sin embargo, la casa viene con una mujer que produce la contienda (ver 25:24; 26:21; 27:15). Se repite el dicho en 21:19 (modificado) y en 25:24.

El v. 10 subraya la actitud malvada del impío (ver 12:12). Por un lado su *alma* (quizá "apetito", del vocablo hebreo *nepesh* 5315) *desea*, aunque "codicia" capta el espíritu malo, el mal (todo el proceso; ver 20:22). El verbo se encuentra en la forma *piel* perfecto para mostrar la intensidad del deseo y la veracidad de la oración. Por lo tanto, el impío no tiene "misericordia" (ver 14:31) para con el prójimo (ver 3:28). El impío es cruel y sigue en aumento su maldad.

El v. 11 es raro por tener dos oraciones independientes con una ausencia del paralelismo, excepto por la palabra *sabio* y la idea central de lo aprendible de los personajes del ingenuo (ver 1:4) y del sabio (ver 1:5). El "castigo" (o *multa*, según la traducción de 17:26) del *burlador* (ver 1:22) es el momento para el aprendizaje del ingenuo, quien está abierto a todas las influencias y tiene muy poco criterio (aunque se empieza a formar un buen criterio en este versículo). En este mismo sentido, *el sabio* aprovecha la instrucción para saber más. Para el ingenuo, el burlador que es castigado le vuelve a la realidad. El pecado no vale la pena.

En el v. 12 se repite la capacidad de aprender en la vida del justo o recto (ver 10:3) tal cual como en el v. 11 se ve la actitud del necio. *Aquí el justo observa* prudentemente *la casa del impío*, viendo la destrucción (de la palabra *mal*, que nos recuerda 11:19, 27). Aprender del hecho es implícito en el texto (que espera que el lector decida). Algunos interpetan el *justo* como Dios y muestran como él ve la casa de los impíos y su fin (ver 15:3), aunque esta interpretación no es muy probable.

El v. 13 repite el tema de la indiferencia hacia *el pobre* (del vocablo *dal* 1800 para "pequeño" o "insignificante"; 10:15; 14:31; 19:4, 17; 22:9, 16, 22; 28:3, 8, 11, 15; 29:7, 14). La escena es acerca del clamor del pobre, y del indiferente, que ignora el clamor. Por lo tanto, en el futuro, el indiferente será uno (es decir, el pobre) que clama y nadie le va a responder. El va a sentir el impacto de la indiferencia. Este espíritu recíproco es muy frecuente en Proverbios (ver 1:18, 19; 17:13).

49. El soborno y otros vicios, 21:14-23

El v. 14 repite el poder del regalo o soborno (ver 15:27; 17:8, 23; 18:16; 25:14), especialmente cuando se hace en secreto (lo saca del seno como en 17:23), para "calmar" (o "mitigar") la ira (aunque 6:35 muestra cómo el marido de una mujer no acepta ningún arreglo material del adúltero). Este dicho muestra la realidad del mundo.

La palabra *alegría* salta del v. 15 como en 15:23 (ver 10:28; 12:20). La alegría simboliza lo que siente el justo o recto cuando se logra el derecho o la justicia. Mientras tanto, los hacedores de la maldad ven el logro de la justicia como un *terror* o "espanto-destrucción-ruina" (ver 10:14,

15 Le es alegría al justo practicar el derecho,
pero a los que practican la iniquidad les
es un terror.
16 El hombre que se desvía del camino del
entendimiento
irá a parar en la compañía de los
muertos.
17 El que ama los placeres se empobrecerá;
el que ama el vino y los perfumes no se
enriquecerá.
18 El impío es el rescate por el justo;
y el traicionero, por los rectos.
19 Mejor es vivir en una tierra desierta
que con una mujer rencillosa e iracunda.
20 Tesoro precioso y aceite hay en la
morada del sabio,
pero el hombre necio lo disipará.
21 El que sigue la justicia y la bondad*
hallará vida, justicia y honra.

*21:21 O: *misericordia*

15, 29; 13:3; 14:28; 18:17; 21 15). Seguramente el malo teme el derecho porque él puede ser aquel castigado por el juicio.

El dicho del v. 16 comienza con la palabra *'adam* 120, para tratar en general una persona con una característica específica (ver *'adam* en 12:23; 17:18 y *'iysh* 376 en 15:18; 16:28, 29; 21:17). Se apunta al *hombre* que ha dejado el camino prudente, y que va a estar en la *compañía de los muertos*, en contraste con "la asamblea de Israel" como en 5:14; 26:26 (ver 2:18; 9:18 para *los muertos*), subrayando así la muerte prematura (ver 10:27).

El v. 17 resalta un *mashal 'iysh* 376 (ver 21:16), acentuando una característica del individuo y su consecuencia: "El hombre que falta o tiene necesidad, el amante (ver 8:17 para "amar") del regocijo (ver 15:21); amante del vino y del aceite (en el texto escrito como *los perfumes* porque en una manera parecida se utilizaba el aceite, como en Luc. 10:34 y Apoc. 6:6) no enriquecerá." ¡Los excesos son caros! Hay que conocer los límites económicos.

El v. 18 es difícil porque el impío es *el rescate por el justo*, mientras el traicionero es el rescate para el recto (ver 13:8; Exo. 21:30; Núm. 35:31, 32 donde se usa para el valor de la multa por alguna ofensa, a la vez es un impuesto anual para el templo). Varios eruditos ven en el dicho la misma verdad de 11:8, donde se trata el tema del castigo al pecador y la liberación al justo. Se recuerda el concepto del justo como un tipo de rescate para los injustos en Génesis 18:23 ss. ¿En qué circunstancia será el impío el rescate del justo? ¿Como un ejemplo para no imitar (ver 21:11, 12)?

El v. 19 repite el tema de la naturaleza insoportable de la *mujer rencillosa* (ver 21:9), agregando una segunda característica, ser *iracunda* (de *ka'as* 3708, traducida *ira* en 12:16; *enojo* en 17:25 y 27:3). La

Semillero homilético

La medida del ser humano

21:1-23

Introducción: Las compañías, al entrevistarse con posibles empleados, quieren saber de sus capacidades y sus cualidades. Esto deja la impresión que el proceso de medir tiene más relación con los logros estadísticos que cualquier otra cualidad. Pero Dios tiene otra manera de medirnos. ¿Cuáles son sus normas?

I. Uno tiene que agradar a Jehovah, v. 3.
  1. Es justo en sus negocios.
  2. Decide bien en todo momento.
II. Uno tiene que guardarse del engaño, vv. 5, 6.
  1. Es diligente en su comportamiento, v. 5.
  2. Es honesto en sus prácticas, v. 6.
III. Uno tiene que ser sensible al clamor del necesitado, v. 13.
IV. Uno tiene que evitar los vicios, v. 17.
V. Uno tiene que ser sabio en su hablar, v. 23.

Conclusión: El autor resalta las cualidades morales que Dios recompensa, y señala los vicios que nos encaminan al fracaso en la vida. El que hace todo esto es como el hombre justo, que puede morar en la presencia de Dios (Sal. 15).

22 El sabio conquista* la ciudad de los poderosos
y derriba la fuerza en que ella ha confiado.
23 El que guarda su boca y su lengua
guarda su alma de angustias.
24 Escarnecedor es el nombre del arrogante y altivo,
del que actúa con saña arrogante.
25 El deseo del perezoso lo mata,
porque sus manos rehúsan trabajar.
26 Hay quien todo el día codicia y codicia,
pero el justo da y no escatima.
27 El sacrificio que ofrecen los impíos es una abominación;
cuánto más cuando lo ofrece con perversa ntención.
28 El testigo mentiroso perecerá,
pero el hombre que sabe escuchar siempre podrá hablar.*

*21:22 Lit., *sube a*
*21:28 Otra trad., *escuchar tendrá descendencia*

metáfora de la *tierra desierta* apunta a un lugar donde es difícil sobrevivir (ver Job 38:26; Jer. 9:2; Mal. 1:3). De ese modo, es mejor enfrentar la soledad y el desafío de la sobrevivencia en el desierto que vivir con una mujer de contiendas y enojos.

En el v. 20 se muestra cómo el sabio o prudente (ver 10:1) guarda el *tesoro precioso y aceite,* mientras el necio ante las normas morales y la sabiduría o prudencia (ver 1:22) lo "traga". Gastarlo todo no es prudente.

El v. 21 presenta tres resultados positivos a los que persiguen la *justicia y la bondad* (ver Sal. 36:10, donde esa combinación muestra el carácter divino). Son la *vida* (una vida prolongada y de una calidad superior), la *justicia* y la *honra* (el orgullo sano). Nos hace recordar los regalos de sabiduría en 3:16: *Abundancia de días... riquezas y honra.*

En el v. 22 se sorprende al lector mostrando cómo el sabio es superior al fuerte (ver 16:32) subiendo (el verbo perfecto muestra la realidad absoluta) por encima de la ciudad y haciendo caer la fortaleza, la confianza del fuerte. Se recuerda la toma de Jerusalén por parte de David, cuando se utilizó la sabiduría para entrar (ver 2 Sam. 5:8).

El v. 23 subraya el dominio propio del habla (ver 10:19; 11:13; 13:3; 14:3; 17:26; 20:19 y esp. 4:24). *Guardarse* en el aspecto del habla significa *guardarse* de *angustias* (ver 24:10 y 25:17).

50. Los deseos frustrados, 21:24-31

El v. 24 detalla el carácter del "burlador" (ver 1:22). Se repite la raíz hebrea *zd* 2086, con las palabras *arrogante*, que puede traducirse "insolente", y *altivo* (o "soberbia"' como en 11:2 y 13:10). Así es su actuar y su ser (ver 6:16; 16:5).

El v. 25 subraya la desgracia del *perezoso* (ver 6:6-11; 10:4, 5, 26; 12:11, 24, 27; 13:4; 15:19; 18:9; 19:15, 24; 20:4, 13; 22:13; 24:30-34; 26:13-16; 28:19). Por un lado, el flojo tiene un deseo (un apetito) tal cual como todo hombre (ver 13:12). Sin embargo, la forma verbal de *piel* en la palabra *rehúsa* muestra el hecho absoluto de esta actitud, de que las manos del perezoso rechazan el trabajo. En 16:26 se muestra cómo el hombre común se da cuenta de la necesidad del trabajo (ver Gén. 2:15; Exo. 20:9; 2 Tes. 3:6-12).

En el v. 26 se encuentran dos personas. Por un lado, está el hombre que desea y desea (quizás la connotación negativa de codiciar). Sin embargo, lo único del hombre es el deseo. Por otro lado, está el justo que tiene y da con generosidad (ver 11:24-26). Uno no puede satisfacer su propio deseo, mientras el otro es capaz de satisfacer el propio y el de los demás.

El v. 27 subraya que Dios rechaza el sacrificio del impío, usando la palabra *abominación* (ver 3:9, 10; 7:14; 15:8; 21:3 para *sacrificio* y 3:32 y 6:16 para "abominar"). Aquí se agrega el doble rechazo del sacrificio. Primero, la fuente del sacrificio es la impiedad. En segundo lugar y aun

29 El hombre impío se muestra descarado,
pero el recto pone en orden sus caminos.
30 No hay sabiduría ni entendimiento,
ni consejo contra Jehovah.
31 El caballo es alistado para el día de la batalla,
pero de Jehovah proviene la victoria.

22 **1** Más vale el buen nombre que las muchas riquezas;
y el ser apreciado, más que la plata y el oro.
2 El rico y el pobre tienen esto en común:*
A todos ellos los hizo Jehovah.
3 El prudente ve el mal y se esconde,
pero los ingenuos pasan y reciben el daño.

*22:2 Lit., *se encuentran*

---

peor (capta el espíritu de *cuánto más* como en 19:7, 10) cuando hay una razón o un propósito oculto y perverso.

El v. 28 vuelve a tratar el tema frecuente del testigo falso y su fin asegurado (ver 6:19; 14:5, 25; 19:5, 9, 22; 30:8). Se contrasta con el oyente (ver 1:5; 9:9) quien *siempre* puede hablar (ver 10:11, 13, 18, 20, 21, 32; etc. que muestran el valor de las palabras sabias).

Joya bíblica

El testigo mentiroso perecerá, pero el hombre que sabe escuchar siempre podrá hablar (21:28).

Nos gusta escuchar a la persona que nos ha escuchado con paciencia, y que no nos ha presionado para aceptar su punto de vista o estar de acuerdo con ella.

El v. 29 muestra la inflexibilidad del carácter del *impío*. La palabra *descarado* muestra una audacia no sana y una firmeza que no cambia (el sentido positivo se ve en 8:28). Por otro lado, el rectísimo siempre está dispuesto a establecer sus caminos (el pronombre *él* subraya su responsabilidad, como también lo hace el *hiphil*).

El v. 30 proclama el poder absoluto de Dios sobre aquellos en su contra. Ni la *sabiduría* (humana) ni el *entendimiento* (humano) ni el *consejo* (humano) puede derrotar a Dios. ¡Qué tontería ir en contra de Dios! Sin embargo, cada vez que el hombre se levanta contra la ley divina lo está haciendo contra Dios.

En el v. 31 se repite la soberanía de Dios en uno de los momentos más difíciles del ser humano, la guerra (ver 15:3; 16:1, 9, 33; 20:22, 24; 21:1; 22:12; 23:11; 25:2). Tal afirmación de la guerra era reconocida en los días de la conquista de Canaán (ver Jos. 6:22 ss.; 7:10 ss.). *Caballo* apunta a un armamento muy significativo en el día de ayer (ver Exo. 15:21; 1 Rey. 5:26; 10:25-27).

51. La compleja relación entre la riqueza y la bendición, 22:1-9

En el v. 1 la palabra *nombre* acentúa el concepto de "reputación" o "fama" (ver Gén. 11:4; 2 Sam. 8:13: *renombre;* Prov. 21:24). El texto griego agrega *buen*, para aclarar el espíritu del texto. Aquí se subraya que "la reputación" es más importante que los bienes, aunque sean *muchas riquezas* (se elige "la reputación [positiva]" por sobre las riquezas). En este mismo sentido, ver 1:9; 3:22, 34; 4:9; 11:16; esp. 13:15; 17:8; 28:23; 31:30. Es mejor *que la plata y el oro*, los bienes de mucho valor (ver 3:14). Cuidar la reputación es más importante que acumular bienes.

El v. 2 se concentra en el verbo "encontrar", que tiene la forma de *niphal*, para mostrar que una fuerza ajena ejecuta la acción del verbo (ver 29:13). Así, se puede escribir el versículo de la siguiente manera: "El rico (ver 10:15 y 14:20) y el pobre (ver 17:5) están juntos..." (el espíritu de *tienen esto en común*). El punto del encuentro está en el creador, Dios (ver 15:3; 14:13; 17:4). Sobre todo, hay que admitir que Dios es el creador de todos y entonces los hombres no son tan distintos los unos de los otros.

4 Riquezas, honra y vida son la
remuneración de la humildad y del
temor de Jehovah.
5 Espinas* y trampas hay en el camino
del perverso;
el que guarda su vida se alejará de ellos.
6 Instruye al niño en su camino;*
y aun cuando sea viejo, no se apartará
de él.

*22:5 Otra trad., *Lazos*
*22:6 Otra trad., *de acuerdo con su vocación*

En el v. 3 se contrasta a *el prudente* (ver 12:16, 23; 13:16; 14:8, 15,18; 27:12) con *los ingenuos* (ver 1:4). Por un lado, *el prudente ve el mal* (ver 1:33; 3:29, 30; 6:18; 14:34; 24:16) *y se esconde* para no estar en el mal y todas sus consecuencias. Por otra parte, el ingenuo sigue y sufre (ver 17:26; 21:11; 27:12). No es como el ingenuo de 21:11, quien aprende.

El v. 4 repite los valores adquiridos a través de *la humildad* (ver 3:34; 11:2; 16:19) y la fe reverente en Dios (ver 1:7; 3:7; 15:33; 16:6). Estos valores igualan los de sabiduría en 3:16: *Riquezas, honra y vida.*

En el v. 5 se subrayan los dos obstáculos del *camino del perverso* (ver 6:12, 14). Son dos peligros en el caminar común. Primero, los espinos que crecen en el camino, escondiéndolo y escondiendo los peligros del camino, como la serpiente. En segundo lugar, está la trampa (de ave como en 1:17; 7:23 *la red*). Así es la vida, llena de obstáculos, algunos de la naturaleza, otros hechos por el ser humano. Por otro lado, el que se cuida se va a alejar de estos dos obstáculos.

El v. 6 entrega un *mashal* imperativo. La palabra *instruye* aparece sólo cinco veces en el AT, con un significado en las otras veces como "dedicar o estrenar" (ver Deut. 20:5, 2 veces; 1 Rey. 8:63; 2 Crón. 7:5). Entonces, mejor sería decir algo como "dedicar los primeros pasos al niño en el camino (recto)..." (es el tiempo cuando el niño está empezando a aprender las cosas de la vida como en 19:18, el tiempo oportuno); Aristóteles pensaba que las buenas virtudes se aprendían en el hábito de cumplirlas. La palabra *na'ar* [5288] puede significar la edad desde el infante (ver Exo. 2:6) hasta el joven o adolescente (ver Jue. 8:20). De todos modos, es la primera etapa del niño, una etapa importantísima. Otra dificultad del pasaje es la expresión "boca del camino" que se encuentra traducida como *en su camino* (quizá la apertura del camino como en Gén. 29:2 *la boca del pozo;* en Jos. 10:18 *la entrada* o

Semillero homilético

Una retribución justa

22:3-9

Introducción: La vida se vive en base a las recompensas que recibimos o que son prometidas por el cumplimiento de ciertas condiciones. Dios promete recompensas en su Palabra por nuestra obediencia a sus instrucciones y el cumplimiento de las condiciones que él expone.

I. Para el prudente, v. 3.
   1. Ve el mal y reconoce su peligro.
   2. Se esconde del peligro y observa al ingenuo que recibe el daño.

II. Para el que teme a Jehovah y es humilde, v. 4.
   1. Riquezas.
   2. Honra.
   3. Vida.

III. Para el que acepta la oportuna instrucción, v. 6.
   1. Los beneficios son espirituales.
   2. Los beneficios son de largo plazo.

IV. Para el que da buen trato al pobre, v. 7.

Conclusión: El seguir las normas morales y espirituales como patrón de vida traerá su recompensa justa y abundante. Muchas veces hay personas que piensan que por medio de mentiras, engaños y alianzas con los malos llegarán más rápidamente a sus metas, pero no es así. Una dedicación firme y constante y un respeto por las leyes de Dios nos harán llegar a la meta a tiempo.

7 El rico domina a los pobres,
y el que toma prestado es esclavo del
que presta.
8 El que siembra iniquidad segará maldad,
y la vara de su ira será destruida.
9 El de ojos bondadosos será bendito,
porque de su pan da al necesitado.

---

boca *de la cueva).* Se trata, entonces, del comienzo del caminar del niño en vías de ser adolescente. La frase *y aun cuando sea viejo* trata la edad de la madurez (ver 13:22). Estos primeros pasos instructivos forman una parte imborrable del ser. La formación buena es mas fácil que la reformación que ha de venir con un joven mal formado (ver 13:24; 19:18; 20:30; 22:15; 23:13, 14; 29:15, 17). El dicho: "Hombre prevenido vale por dos" tiene razón. Este versículo no se encuentra en la Septuaginta. Hay pasajes paralelos importantes en el NT (ver Efe. 6:4; 2 Tim. 1:5).

El v. 7 vuelve a tratar algunos temas de la realidad de la sociedad (ver 10:15; 17:8). Se nota la autoridad del rico sobre el pobre (las mismas palabras se encuentran en 21:2), y el que presta sobre el que pide préstamos (ver Deut. 28:11-13). Se destaca la palabra *esclavo*, mostrando la fuerte dependencia del que recibió el préstamo (ver 14:31; 17:5; 18:11, 23).

El v. 8 muestra el fracaso del inicuo, quien recibe devuelto el mal (quizá *la violencia*, como en 2 Samuel 3:34) que fue pensado (ver 11:19, 27; 12:21; 13:6, 21; 14:32; 2 Cor. 9:6). La imagen de la vara tan frecuente en Proverbios (ver 10:13; 13:24; 18:6; 19:29; 22:15; 23:13, 14; 26:3; 29:15) se frustra aquí por la naturaleza del uso inapropiado como en 17:26. Dios frena el mal y hay que confiar en él (ver 20:22).

El v. 9 vuelve a repetir el tema sobre el pobre, o *necesitado* (ver 10:15). El hombre que tiene "un ojo bueno" (ver Luc. 11:34), en vez de "los ojos altivos" como en 6:17, será bendecido (ver 3:33; 5:18; 8:32 para el favor divino que nos hace

---

Semillero homilético

¿Por qué disciplinar al hijo?

3:12; 19:18; 22:6, 15

Introducción: Hoy en día circula el pensamiento de que los padres no deben castigar a los hijos en forma corporal. En algunos países esto es un crimen, y se anima a los vecinos a informar a los oficiales de casos de abuso físico que conocen o si sospechan que hay personas adultas que están abusando a los niños. Ciertamente estamos en contra de la crueldad y de los abusos que dejan huellas físicas y emocionales en el niño, pero a la vez debemos reconocer que la disciplina sana es responsabilidad de los padres.

I. Porque lo exige la naturaleza humana, v. 15a.
   1. Es un ser en formación, 19:18.
   2. La necedad está ligada al corazón del muchacho, 22:15.

II. Porque lo demanda nuestra posición de padres, 3:12b.
   1. El padre que ama corrige.
   2. El padre manifiesta amor e interés en su hijo por su disciplina.

III. Porque lo demuestran los buenos resultados, 22:6b.
   1. Lo alejará de la necedad, v. 15.
   2. Le dará pautas que le guiarán en su vida a través de los años, 22:6.

Conclusión: "El problema no es si hay que disciplinar o no; sino cómo manifestar nuestro amor al niño por medio de la disciplina, y cuándo hemos de mostrarlo de otras maneras más afectuosas" (Ross Campbell, en *Si amas a tu hijo).* No debemos interpretar los proverbios que tienen que ver con la disciplina como evidencias del abuso físico de los niños en la antigüedad. Es cierto que en generaciones anteriores se utilizaba el castigo físico más frecuentemente que hoy, pero consideramos que se pueden lograr las mismas metas sin acudir a dar golpes u otra forma de violencia.

10 Echa fuera al burlador,
y se evitará la contienda;
también cesarán el pleito y la afrenta.
11 El rey ama al de corazón puro,
y el que tiene gracia de labios será su amigo.
12 Los ojos de Jehovah custodian el conocimiento,
pero él arruina las cosas de los traicioneros.
13 Dice el perezoso: "¡Afuera hay un león!
¡En medio de la calle seré descuartizado!"
14 Fosa profunda es la boca de la mujer extraña;
aquel contra quien Jehovah está airado caerá en ella.

---

recordar 19:17), porque "comparte el pan" (¿amistad y ayuda material?) con el pobre. La actitud del hombre hacia el pobre ha de imitar la naturaleza divina y no los prejuicios humanos.

52. Los rasgos de la inmadurez, 22:10-16

Desafortunadamente, la ausencia de algunas personas mejora el mundo, como se subraya en el v. 10 (ver 10:7; 11:10). Aquí se encuentra el *burlador* (ver 1:22; 9:7, 8), quien ha de ser echado fuera intensamente (la forma verbal del *piel).* Son tres factores negativos que se pueden eliminar: (1) *La contienda* o "la disputa" (ver 6:19; 18:19; 23:29; 26:20); (2) *el pleito* o "la accion legal" (ver 20:8; 31:5, 8); y (3) *la afrenta* o "deshonra" o "desgracia" (ver 3:35; 6:33; 9:7; 11:2; 12:16; 13:18; 18:3). Ningún hogar puede soportar tantas desgracias.

El v. 11 muestra la actitud de un rey bueno (ver 11:10, 11, 14; 14:28, 34, 35; 16:10, 12-15, 32; 17:7, 11, 15, 26; 18:5; 19:6, 10, 12; 20:2, 8, 26, 28; 21:1, 3, 31; 22:11, 29; 23:1-3; 24:21-25; 25:1-7; 28:2, 15, 16; 29:2, 4, 8, 12, 14, 26; 30:27, 31; 31:1, 3-9). El "amante" (ver 1:22; 3:12; 4:6; 5:19; 7:18; 8:17, 21, 36; 9:8; 10:12; 12:1; 13:24; 14:20; 16:13; 17:9, 17, 19; 18:12, 24; 19:8; 20:13; 21:17; 22:11; 27:5, 6; 29:3) del *corazón* (ver 10:8 para *corazón) puro* o limpio (ver 15:26; Sal. 51:12), del habla llena de gracia (ver 13:15; 28:23), (tendrá) al rey como un prójimo o *amigo* (ver 3:28). ¡Que todo líder político sea así!

El v. 12 subraya dos características de Dios (ver 3:4; 15:3 para el concepto de la omnisciencia de Dios). Por un lado, Dios vigila (ver 3:1, 21; 4:13, 23; 5:2; 6:20; 13:3; 16:17; 28:7) *el conocimiento* (del vocablo *da'at* [1847], que significa un blanco de la sabiduría en 1:4, la información sobre el orden moral en el universo. La forma verbal del *piel* muestra tal acción como una seguridad). Por otra parte, Dios *arruina* (ver 13:6 y 19:3, traducida *pervierte*) las palabras de "los que no son fieles" (*traicioneros,* ver 2:22). Nos hace recordar las palabras de Jesús: *... no podéis oír mi palabra. Vosotros sois de vuestro padre el diablo... homicida desde el principio y no se basaba en la verdad, porque no hay verdad en él... es mentiroso y padre de mentira* (Juan 8:43, 44).

El v. 13 es una escena absurda del *perezoso* (ver 6:6-11; 19:24; 26:13 para una repetición de esta escena). El escenario acentúa al perezoso gritando: "¡León! ¡León!", evitando así el cumplimiento del trabajo. El sigue: "¡Me va a hacer pedazos! ¡Me va a hacer pedazos !" Nos hace recordar las palabras del niño que gritaba: "¡Lobo! ¡Lobo!" para mostrar su poder, hasta cuando abusó del asunto, nadie le creyó en un momento dado y el lobo le comió. Asimismo, la gente va a darse cuenta del perezoso y no le va a creer aunque se presente un león. El trabajo es inevitable, y "no hay pero que valga".

El v. 14 trata la metáfora de la *fosa profunda* (ver Eze. 9:4, 8 para la fosa que atrapa a los leones; Job 33:24 y Jon. 2:6 para la fosa como un símbolo de la muerte) que es un símbolo de la trampa, el peligro o la muerte (un concepto paralelo en 2:18, 19; 7:22, 23, 26, 27). Aquella imagen del peligro (o la muerte) es un símbolo de *la boca* (ver 2:16; 5:3; 6:24; 7:13-

15 La insensatez está ligada al corazón del joven,
pero la vara de la disciplina la hará alejarse de él.

16 El que para enriquecerse explota al pobre o da al rico,
ciertamente vendrá a pobreza.

21; 9:16, 17) *de la mujer extraña* (las opciones son la mujer extranjera o la mujer de otro hombre, que es lo más probable como en 2:16; en 2:17 se muestra que ella está casada con otro hombre, como en 5:3 y ss., donde 5:10 habla de la casa del desconocido y como en 7:5 y ss., donde 7:19, 20 habla del marido en viaje), la mujer adúltera. ¡Ojo con ella! Hay que recordar el peligro del marido furioso (ver 6:34, 35), el gasto económico (ver 5:10 como también con la prostituta en 29:3), la pérdida emocional y de la energía sexual (ver 5:10), la vergüenza pública y el castigo público (ver 5:14; 6:34, 35) y últimamente la muerte prematura (ver 2:19; 7:26, 27).

El v. 15 subraya el hecho de *la insensatez* (ver 12:23; 14:8, 9, 18, 29; 15:5, 14, 21) como un elemento que agarra (del verbo "atar" en 3:3; 6:21; 7:3) *al corazón* (ver 10:8) del adolescente (ver 22:6). Así, la insensatez es una parte del ser del adolescente. Sin embargo, *la vara* (ver 10:13; 29:15) *de la disciplina* (de *musar* [4148]) llega a ser responsable (el espíritu de la forma *hiphil)* del alejamiento de la insensatez. Tal *mashal* anima a la disciplina de los hijos de parte de los padres.

El v. 16 repite la advertencia contra el trato al *pobre* o "necesitado" como en 10:15; también en 14:31; 28:11. Habla de la opresión (que se encuentra en 14:31 y 28:3) del pobre de parte de aquel hombre que desea "aumentar" lo suyo (seguramente sus bienes) o que desea dar al rico (ver 10:15; 13:7; 18:23). El fin del que oprime al pobre es la *pobreza* misma (el mal pensado que vuelve al malo como en 11:17, 19; 13:21). La acción de oprimir al pobre está fuertemente condenada por Dios (ver 14:31; 17:5; 19:17). Por supuesto aquí no se trata del pobre que fue negligente ni del pobre que era un impío (ver 6:11; 10:27).

Así termina esta sección de los proverbios de Salomón. Luego, en 24:1, con el título de "los proverbios de Salomón" y una descripción de aquellos responsables por los proverbios, se entrega una cantidad adicional. Entremedio se encuentran los proverbios de los sabios por medio de dos listas independientes (ver 22:17; 24:22 y 24:23, 34). Ahora se puede subrayar el contenido de 10:1—22:16 al terminar los proverbios. En primer lugar, se nota la gran cantidad de *mashal* o dichos sobre la manera de hablar. Aprox. 80 de los 375 proverbios tratan el tema del buen habla (ver 10:6, 11, 13, 14, 18; 22:10, 11, 14). Seguramente este es el tema central de la sección, como la preocupación de la mujer adúltera fue destacada en los primeros nueve capítulos. En segundo lugar, se nota el énfasis integral de los proverbios que apuntan a las motivaciones, las

¿Cuánto vales?
22:16

Hace años los químicos hicieron el cálculo del peso y el valor de los elementos que componen el cuerpo humano de un adulto, y salieron con una suma ínfima de menos que un dólar. Hace poco salió otro cálculo del científico Daniel A. Sadoff, de Los Angeles, que dijo que el cuerpo humano vale mucho más de 170.000 dólares.

Si calculamos el costo de la sangre por litro, que algunos tienen que comprar cuando necesitan cirugía o cuando surge un accidente, más otros elementos como la albúmina en los plasmas sanguíneo y linfático y en los músculos, más las sustancias que circulan el oxígeno en los músculos, podemos reconocer que simplemente el sistema circulatorio vale miles. De modo que todo depende del punto de vista de la persona que está juzgando.

El que para enriquecerse explota al pobre o da al rico, ciertamente vendrá a pobreza (22:16).

Treinta dichos de los sabios

17 Inclina tu oído y escucha las palabras de
los sabios;
dispón tu corazón a mi conocimiento.

18 Porque es cosa placentera que las guardes
en tu corazón,
y que a la vez se afirmen en tus labios.

19 Para que tu confianza esté en Jehovah
te las hago saber hoy también a ti.

---

actitudes, las acciones, las consecuencias y los destinos del hombre. Finalmente, se presenta el punto de vista de cómo la disciplina y la sabiduría que vienen de Dios pueden hacer una diferencia en la vida del hombre.

IV. LOS TREINTA DICHOS DE LOS SABIOS, 22:17—24:22

Esta sección empieza una nueva etapa en el libro de Proverbios. Hasta ahora se han atribuido todos los proverbios a Salomón. Sin embargo, se han presentado dos juegos de proverbios, los discursos largos en los caps. 1—9 y los aforismos o proverbios de una oración con un paralelismo en la sección 10:1—22:16. Esta sección tiene como autor a *los sabios* (ver 22:17). El contenido son *las palabras* (ver 22:17) y *treinta dichos* (ver 22:20, aunque hay otras posibilidades para la traducciones). Organizar la sección (22:17—24:22) en treinta dichos no es tan fácil, aunque hay alrededor de ésta cantidad de temas. La traducción española ha seguido el bosquejo más frecuente de la materia por los autores modernos, un bosquejo influido por el descubrimiento y la publicación del relato egipcio, *La Sabiduría de Amen-em-opet* en 1923 y su división en 30 "casas" (o capítulos).

1. Una disposición para el desarrollo de la personalidad, 22:17-21

En el v. 17 se repite el llamado a tener una actitud que valoriza *las palabras de los sabios.* La palabra *inclina* subraya la necesidad de una humildad sana. *Los sabios* nos hace recordar aquéllos del tiempo de Salomón: *Etán, Hemán, Calcol y Darda* (1 Rey. 4:31); también los sabios amigos de Job, además de él: Elifaz, Bildad y Zofar (ver Job 2:11). Además, estaban los sabios José y Daniel. Seguramente había algunas escuelas de los sabios dentro de la corte real (ver 25:1; Isa. 29:14; Jer. 18:18).

En el v. 18 se encuentran las palabras *corazón* y *labios,* una combinación frecuente (4:23, 24; Mat. 15:18-20), en la que los labios son la expresión externa del carácter, y el corazón, del hombre. La frase *cosa placentera* imita la frase *su delicia* (Sal. 1:2). Tales cosas son agradables y nunca llegan a ser amargas, como las palabras de la mujer adúltera (ver 5:4). Aquí tenemos un placer legítimo y duradero. *Se afirmen,* en el hebreo, subraya el sentido de las palabras que esperan ser concretadas.

Semillero homilético

Un verdadero hijo de Dios

22:17-21

Introducción: Hoy en día se nota mucha falta de dedicación en cuanto a la práctica de la fe. Se nota mucha pasividad en compartir la fe, y el deseo de muchos de experimentar la diversión por medio de los actos de adoración. ¿En qué consiste la vida cristiana?

I. Presta toda su atención a la correcta enseñanza, v. 17.
   1. Es delicia de su vida, v. 18a.
   2. La incorpora en su personalidad, v. 17b.

II. Pone su confianza en el Señor, v. 19.
   1. Como un sabio consejero.
   2. Su meta es la fe en Dios.

III. Comparte siempre la verdad que conoce, v. 21.
   1. Con certidumbre para los que dudan, v. 21a.
   2. Con fidelidad a los que le preguntan, v. 21b.

Conclusión: Si tenemos en cuenta estas tres características podemos llegar a ser verdaderos hijos de Dios, y estaremos cumpliendo con lo que Dios quiere que hagamos.

20 ¿Acaso no he escrito para ti treinta dichos
de consejos y conocimiento?
21 Son para darte a conocer la certidumbre
de las palabras de verdad,
a fin de que puedas responder palabras
de verdad a los que te envían.

—1—

22 No robes al pobre, porque es pobre;
ni oprimas al afligido en las puertas de la ciudad.
23 Porque Jehovah defenderá la causa de ellos
y despojará al alma de quienes los despojan.

En el v. 19 se acentúa el tema de la confianza en Jehovah (ver 3:5; 16:20; 29:25). Además, se nota el espíritu de poner énfasis en la revelación de las palabras *hoy* y que se dirige *también a ti.* El lenguaje es de la revelación divina.

La oración en el v. 20 revela una interrogativa retórica en la que se espera una respuesta afirmativa. La forma verbal del tiempo perfecto muestra la acción como acabada, algo ya hecho. Las palabras *treinta dichos* son el centro de las inquietudes del versículo. El texto hebreo presenta la palabra *shilshom* 7991, que significa "hace tres días" o "anteriormente" (la Septuaginta guarda la traducción de "tres", como en 1 Sam. 20:12 y Eze. 41:16; la Peshita asume que se escribieron las palabras de los sabios tres veces). Una nota marginal en el texto hebreo entrega la palabra "nobles", utilizando una vocalización distinta. Tal palabra "nobles" fue entendida como "principales" o "excelentes" (ver 2 Rey. 7:2, 17, 19, en que la "tercera" persona es un oficial). El descubrimiento del texto egipcio *La Sabiduría de Amen-em-opet*, en 1923, abre la posibilidad de que había 30 dichos de los sabios, modificando de esa forma la palabra *shilshom* a la palabra *sheloshim*, que se traduce "treinta".

El v. 20 también muestra la naturaleza escrita de las palabras de los sabios (*he escrito;* ver 3:3; 7:3 para un sentido figurativo; 25:1 para "copiaron"). De esta forma, se presenta una evidencia de la autoridad de los dichos y el deseo de guardar sus enseñanzas. Este versículo fue utilizado por Jerónimo, en la traducción de la Vulgata, para hablar de tres sentidos de la interpretación de las Escrituras.

El v. 21 da una breve orientación a los oyentes o lectores. La palabra *certidumbre* da una garantía a los que aprenden *las palabras de verdad* (frase repetida) para que se usen cuando responden a *los que te envían* (¿la contestación del alumno al maestro o a los padres, o la contestación del embajador al gobierno que le envía, es decir un cargo administrativo?).

2. El opresor del pobre, el amigo del violento, 22:22-25

Los vv. 22 y 23 tratan el tema del *pobre* (del vocablo hebreo *dal* 1800 para "necesitado", como en 10:15) que fue el último tema de los 375 proverbios de la sección anterior (ver 22:1). Tal tema es frecuente en el libro de Proverbios, subrayando la naturaleza del pobre (ver 10:15; 13:8; 5:15;18:23; 19:4; 28:11), el compromiso divino con el pobre (ver *creación* en 22:2; 29:13; *protección* y *auxilio* en 14:31; 17:5; 19:17; 21:13; 22:16, 27; 29:14; 31:8, 9), la integridad del pobre recto (ver 19:1), la sociedad o generación que aflige al pobre (ver 30:14), el pobre no bendecido como el pretencioso (ver 13:7), como el impío (ver 13:25; 14:11; 21:17), como el mezquino (ver 11:24) y como el flojo (ver 6:6-11; 10:4) y la pobreza que resulta de un gobierno abusivo (ver 14:28; 28:15). Por lo tanto, el tema del pobre tiene paralelos en la literatura oriental (ver *Ameh-em-opet).*

En estos versículos se encuentra un juego doble de ciertas palabras o sinónimos: (1) *Pobre; afligido* (*'aniy* 6041, traducida *humilde* en 3:34 y 16:19; traducida *pobre* en 14:21; 15:15; 30:14; 31:20; de la misma raíz y traducida *afligido* en 31:5); (2) *robes* (del vocablo hebreo *gazal* 1497 para "arrancar" y encontrada en 28:24

—2—

24 No hagas amistad con el iracundo,
ni tengas tratos con el violento,
25 no sea que aprendas sus maneras
y pongas una trampa para tu propia vida.

—3—

26 No estés entre los que se dan la mano,*
entre los que dan fianza por deudas.
27 Si no tienes con que pagar,
¿por qué han de quitar tu cama
de debajo de ti?

28 No cambies de lugar el lindero antiguo
que establecieron tus padres.

*22:26 Es decir, para hacer compromisos

traducida *roba*); *oprimas*, que se define como "aplastar"; "despojar", en las formas verbal y del sustantivo (del *qaba'* 1792, con una connotación de robar o desprender en Mal. 3:8, donde se traduce "robar"); (3) *defenderá-la causa* (ambas palabras de la misma raíz para contender, dando una posible traducción como: "Porque Jehovah contiende la contienda de ellos o disputa la disputa de ellos"). Estos juegos son muy efectivos en el hebreo. *Las puertas* muestra la naturaleza pública, o económica, o legal, o social, de la ofensa (ver 14:19; 24:7; 31:23, 31 para la misma palabra "puerta"; 1:21; 5:8; 8:3, 34; 9:14; 17:19 para la palabra "entrada", que es un sinónimo). Al robar-oprimir-despojar (un lenguaje violento) al pobre, el hombre va en contra de Dios (el espíritu de *go'el* 1350 como en Lev. 25:25; Núm. 5:8; 35;12; Rut 2:20; 3:9, 12; 4:1, 3, 6, 8, 14; 1 Rey. 16:11; además Prov. 23:11; Job 22:9; 24:3), quien hace en una forma recíproca el daño pensado contra el pobre (la expresión *despojará... quienes los despojan)*. La forma verbal del perfecto muestra la certidumbre de tal juicio divino.

Los vv. 24 y 25 siguen la forma imperativa, acentuando el peligro de una amistad (es decir, ser *prójimo* como en 3:28) o aun una relación "andante" (nos recuerda la relación entre Don Quijote y Sancho Panza) con un hombre *iracundo* (lit. "señor o dueño de la nariz"; 14:29; 15:18; 16:32) o "violento" (lit. "hombre de calor"; el furioso como en 6:34; 15:1,18; 16:4; 19:19; 21:14). Un dicho apropiado afirma: "Dime con quién andas y te diré quién eres." En el v. 25, el "amigo" del iracundo llega a "atraparse" a sí mismo (ver 1:18, 19; 21:13; 22:23). Hay que evitar la mala compañía (ver 3:31, 32; 4:14-17; 16:29; 23:20, 21; 24:1, 2; *Amen-em-opet;* Aristóteles, *Magna Moralia)*.

3. Las tres enseñanzas financieras, 22:26-29

Los vv. 26 y 27 hablan en contra de la *fianza* (ver 6:1-5; 11:15; 17:18; 20:16; 27:13). Se presenta a un hombre sin poder económico, quien hace un compromiso como fiador (¿pretende ser rico? como en 13:7) y puede esperar la pérdida de todo

Una respuesta al grito del pobre
22:2, 7, 9, 15, 22, 23, 26, 27

Nuestro mundo egoísta se caracteriza por el triste lamento de la explotación y marginación del necesitado. Hoy más que nunca el grito del pobre resuena en toda conciencia cristiana. La pregunta es: ¿Cómo responder al clamor del marginado?

1. Hay que identificarse con los pobres.
   (1) En su dolor
   (2) En su situación social
   (3) En su derecho
2. Hay que buscar una justicia social.
   (1) En los derechos humanos
   (2) En la justicia gubernamental
3. Hay que ofrecer una salvación integral.
   (1) Espiritual
   (2) Socioeconómica
   (3) Política

—5—

29 ¿Has visto un hombre diligente en su trabajo?
En la presencia de los reyes estará.
No estará en presencia de los de baja condición.

—6—

23 1 Cuando te sientes a comer con un gobernante,
considera bien lo que está delante de ti.
2 Pon cuchillo a tu garganta,*
si tienes gran apetito.
3 No codicies sus manjares delicados,
porque es pan de engaño.

—7—

4 No te afanes por hacerte rico;
sé prudente y desiste.
5 ¿Has de hacer volar tus ojos tras las riquezas, siendo éstas nada?
Porque ciertamente se harán alas como de águilas y volarán al cielo.

*23:2 Es decir, no ser glotón

hasta la misma *cama,* quedando así sin un lugar para ser consolado (ver Job 7:13).

El v. 28 repite el concepto del *lindero* (ver 15:25; 23:10). Normalmente, el lindero consiste en unas piedras que marcan los límites de un terreno (ver *frontera,* en el sentido de un pueblo como en Gén. 10:19; Jos. 12:5; *lindero,* en el sentido de una familia). Se prohíbe desde la antigüedad el cambio de los linderos (Deut. 19:14; 27:17). Tal hecho podría empobrecer una familia y era, en un sentido legal, un robo. (En una forma figurativa, algunos líderes de la iglesia de la Edad Media utilizaron este versículo para afirmar que la tradición podía fijar la fe ortodoxa.)

Joya bíblica

Cuando te sientes a comer con un gobernante,...
Pon cuchillo a tu garganta,
si tienes gran apetito (23:1, 2).

El v. 29 entrega una pregunta retórica para apuntar al hombre diligente (ver 10:4 donde se contrasta el diligente con el negligente). Tal individuo estará con los reyes, los hombres de renombre e influencia, y no con los *de baja condición* o puede apuntar a aquellos que son "oscuros" o "desconocidos".

4. El afán de vivir en el lujo, 23:1-8

La primera escena con el gobernante se centra en la comida (vv. 1-3). Aquí se pone énfasis en la manera apropiada del comportamiento. La segunda parte del v. 1 es ambigua: la idea de conocer quién es o la idea de ver bien lo que está presente (en la mesa). Las palabras *cuchillo* y *garganta* sólo aparecen aquí y forman una parte del modismo: *Pon cuchillo a tu garganta* ("coma poco" o "no sea glotón"). La frase *si tienes gran apetito* subraya la frase hebrea "el señor o dueño del apetito" (ver 22:24 para "señor de la nariz"), mostrando así a aquel que es un glotón. La palabra hebrea *mate'am* [4303], se define como una alimentación sabrosa (quizá delicada); esa palabra aparece aquí y en el v. 6, además de Génesis 27:4, 7, 9, 14, 17, 31, donde se traduce *potaje.* Tal comida es engañosa, *pan de engaño* (*pan de impiedad* en 4:17; *pan de balde* en 31:27), porque no se puede tener siempre, entonces no se acostumbra, o porque no es tan valioso como se piensa. De todas maneras, el dominio propio juega un papel en el comportamiento en la mesa del rey. El comportamiento mientras uno come ante el rey es un tema frecuente en la literatura oriental (ver *Ptah-hotep; Amen-em-opet).*

La segunda escena, en los vv. 4 y 5, trata la vanidad de buscar las riquezas (ver 12:11; 13:11). La metáfora sobre el vuelo del águila (ver *Amen-em-opet*: "ganso" en vez de águila) muestra la huída rápida de las riquezas. Los ojos ni tienen tiempo de descansar sobre las riquezas cuando se

—8—

6 No comas pan con el de malas
intenciones,*
ni codicies sus manjares delicados;
7 porque cual es su pensamiento en su
mente,* tal es él:
"Come y bebe", te dirá;
pero su corazón no está contigo.
8 Vomitarás tu parte que comiste
y echarás a perder tus suaves palabras.

—9—

9 No hables a oídos del necio,
porque despreciará la prudencia de tus
palabras.

—10—

10 No cambies de lugar el lindero antiguo,
ni entres en los campos de los huérfanos.
11 Porque su Redentor es fuerte;
él defenderá contra ti la causa de ellos.

*23:6 Lit., *ojo malo*
*23:7 Lit., *alma*

van (ver 1 Tim. 6:9).

La tercera escena, en los vv. 6-8, subraya la importancia de la actitud del anfitrión (ver 17:1, donde el ambiente en la comida es importante). *Pan* es la palabra símbolo de la comida en general (ver 6:8, traducida *comida*). El anfitrión tiene un "mal ojo" (se contrasta con el "ojo bueno" en 22:9 traducido *ojo bondadoso)* o la maldad oculta: "Las apariencias engañan." El v. 7 muestra cómo las palabras no reflejan el corazón que tiene algo oculto. Así, el resultado es enfermarse (quizá físicamente) y es echar a perder la buena conversación.

5. Los dos esfuerzos inútiles, 23:9-11

El v. 9 muestra cómo instruir al *necio* (ver 1:22; 10:23; 12:23; 13:20) es como "sembrar en el mar". Su actitud es mirar en menos lo enseñado (ver 9:7, 8). Hay un paralelismo en *Amen-em-opet.*

Los vv. 10 y 11 vuelven al tema del *lindero* (ver 15:25; 22:28), quizá de la viuda, aunque no se especifica (ver 15:25; Rut 4:5). Por lo tanto, la admonición contra la entrada de *los campos de los huérfanos* espera cuidar su herencia (ver Exo. 22:22-24; Job 24:9; Deut. 10:18; Stg. 1:26, 27). Los mas débiles de la sociedad tienen su *Redentor* en Dios, quien les va a defender como el pariente redentor les defendería contra la opresión, buscando la justicia (ver 22:23, que tiene el espíritu del "redentor", como también Lev. 25:25; Núm. 5:8; Rut 2:20; además el espíritu en Prov. 14:31; 18:10; 19:17, donde Dios es el "defensor" del pobre y del justo).

6. La disciplina, un elemento imprescindible, 23:12-16

El v. 12 es como uno de los pasajes motivadores (también en 5:1, 2; 7:1-4. Las

Semillero homilético

Las trampas de la avaricia

23:6-9

Introducción: Hay un dicho popular: "De tal palo tal astilla." La aplicación de este dicho en estos versículos ilustra que la avaricia engendra más avaricia. El millonario no está contento con lo que tiene; siempre quiere adquirir más. Pero la avaricia tiene sus trampas; vamos a considerarlas.

I. La avaricia invita, v. 6.
  1. Con atracciones llamativas.
  2. Con intenciones malas.

II. La avaricia engaña, v. 7.
  1. Hace pensar que está contigo, cuando no es verdad.
  2. Hace soñar planes maravillosos, pero irrealistas.

III. La avaricia quita, v. 8.
  1. Quita de uno lo ya ganado.
  2. Quita de uno las promesas hechas.

Conclusión: La avaricia es personificada en estos versículos, y la verdad es que la tentación viene en tal forma que uno puede imaginarse en forma muy realista lo que haría con riquezas. Pero uno necesita recordar que la avaricia al fin engaña.

—11—

12 Aplica tu corazón* a la enseñanza
y tus oídos a las palabras del
conocimiento.

—12—

13 No rehúses corregir al muchacho;
si le castigas con vara, no morirá.
14 Tú lo castigarás con vara
y librarás su alma del Seol.*

*23:12 Otra trad., *mente*
*23:14 O sea, la morada de los muertos

palabras hebreas son *musar* 4148, para *enseñanza* y *da'at* 1847, *conocimiento* (ver 1:4).

Los vv. 13 y 14 repiten el valor de la disciplina de los hijos de parte de los padres (ver 1:8; 4:1-4; 13:24; 19:18; 20:30; 22:6, 15; 29:15, 17). *No rehúses* (del hebreo que se traduce "negar" en 30:7) sino entrega la "corrección". Se repite la frase *castigarás con vara* (ver 13:24; 19:29; 26:3 para *vara*) en los vv. 13 y 14, uniéndolos. Por un lado, el castigo físico no va a matar *al muchacho* (o adolescente, como en 22:6). Al contrario, la reformación del carácter del muchacho puede prolongar su vida, evitando la pronta llegada a la muerte (ver 1:12; 5:5; 7:27; 9:18; 15:11, 24; 27:20; 30:16 para *Seol).* Hay algo peor que el castigo físico, es la muerte temprana, producto de los vicios y la maldad (ver 1:18, 19; 2:22). De verdad, el castigo muestra el verdadero amor (ver 3:12; 13:24).

La presencia de los pronombres de la primera persona (p. ej. *mío... a mí... mis)* en los vv. 15 y 16, muestra la relación íntima entre el maestro y el joven (ver 1:8, 10, 15; 23:26; 27:11; 31:2 para *hijo mío).* Como en los vv. 13 y 14 se anima a los padres a disciplinar al hijo, ahora en los

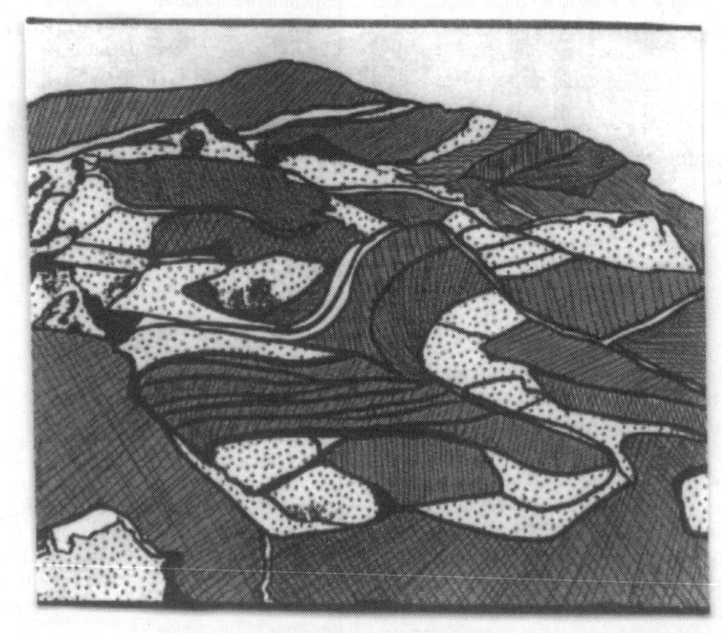

No cambies el lindero, 23:10

—13—

15 Hijo mío, si tu corazón es sabio,
también a mí se me alegrará el corazón.
16 Mis entrañas se regocijarán,
cuando tus labios hablen cosas rectas.

—14—

17 No tenga tu corazón envidia de los pecadores.
Más bien, en todo tiempo permanece tú en el temor de Jehovah.
18 Porque ciertamente hay un porvenir,
y tu esperanza no será frustrada.

—15—

19 Escucha tú, hijo mío, y sé sabio;
endereza tu corazón en el camino.

---

vv. 15 y 16 se anima al joven a responder en una forma concreta a las enseñanzas. Parece ser un dicho donde el actuar del joven (alumno) determina el ánimo del maestro. Un corazón sabio o prudente y un habla recta hacen que el maestro esté contento en lo más profundo de su ser (las entrañas). ¡Qué felicidad ser un maestro exitoso! (ver 9:7-9).

7. El alcoholismo y la glotonería, 23:17-21

En el v. 17 el *corazón* representa la voluntad (ver 10:8 para *corazón).* Aquí se pide que la *envidia* (ver 3:31; 24:1, 19) se reemplace con la fe reverente (ver 1:7). Por lo tanto, se cambia el objeto de la pasión del pecador: de la envidia al Dios santo. El v. 18 detalla el valor de la fe reverente en Dios, es decir, hay un futuro (ver 24:14) seguro (*ciertamente)* y no una falsa *esperanza* (ver 10:28; 11:7).

El v. 19 es un llamado muy conocido para prestar atención y no sufrir luego las consecuencias, como algunos que no escucharon (5:11-14). Otra vez, los vv. 20 y 21 describen una mala compañía que se ha de evitar. El tema del bebedor de vino (el borracho) se encuentra en varios pasajes (ver 20:1; 23:29-35; 31:4-7) aunque también se subraya el valor moderado del vino (ver 3:10; 9:2, 5). El hijo borracho podía ser matado por poner en peligro a la familia y a la comunidad (ver Deut. 21:20). Jesús fue falsamente acusado de ser un bebedor (ver Luc. 7:34). Los rabinos judíos discutían cuánto vino se podía consumir sin quebrar la ley, uno diciendo medio litro mientras otro decía sólo un cuarto de litro (*Misná).* Sin embar-

Semillero homilético

La gloria de esperar en Jehovah

23:17, 18

Introducción: La época contemporánea se ha caracterizado como la de las cosas instantáneas: tenemos platos instantáneos, como papas, arroz y postres; nos ofrecen crédito instantáneo en los bancos y hasta satisfacción instantánea por los artículos comprados o devuelven el dinero. Todo esto contribuye a la impaciencia con relación a las cosas que no se pueden adquirir en forma instantánea. La paciencia es una virtud necesaria para poder disfrutar de las bendiciones de Dios en la forma más amplia.

I. Nos trae paciencia en momentos de crisis, v. 18b.
  1. En quién confiar por nuestras necesidades.
  2. A quién clamar en momentos de angustia.
  3. De quién recibir consuelo de nuestro dolor.

II. Nos trae seguridad en momentos de peligro, v. 18a.
  1. Nos ha prometido su presencia en la vida diaria (Mat. 28:20b).
  2. Nos promete éxito en los negocios, 22:29.
  3. Nos promete la salvación (Sal. 40:1).

III. Nos trae sabiduría en momentos de duda, v. 17b.
  1. Porque tenemos reverencia por Dios.
  2. Porque queremos glorificar a Dios.

Conclusión: En vez de invertir tanta energía en buscar los medios para solucionar nuestros problemas, más vale tomar un poco de tiempo para descansar en la presencia de Dios y meditar en su poder para iluminarnos y darnos los valores que nos hacen falta para vivir la vida en forma positiva y tranquila.

20 No estés con los bebedores de vino,
ni con los comilones de carne.
21 Porque el bebedor y el comilón
empobrecerán,
y el dormitar hará vestir harapos.

—16—

22 Escucha a tu padre, que te engendró;
y cuando tu madre envejezca, no la
menosprecies.
23 Adquiere la verdad y no la vendas;
adquiere sabiduría, disciplina e
inteligencia.
24 Mucho se alegrará el padre del justo;
el que engendró un hijo sabio se gozará
con él.
25 Alégrense tu padre y tu madre,
y gócese la que te dio a luz.

go, algunos consagrados a Dios en el AT evitaban el vino (ver Jue. 13:4 ss. para el nazareo; Prov. 31:4 ss. para el rey).

Junto al bebedor de vino está el *comilón* de carne (ver 28:7). Ambos llegan a la pobreza, a vestirse en *harapos* o trapos (ver 1 Rey. 11:30). Nos hace recordar 21:17 y la advertencia honesta contra el uso del vino y de los perfumes. Hay que evitar los abusos. Aristóteles (*Ethica Nicomachea)* habla en contra de la sobreindulgencia, y a favor de la moderación. Es interesante que los rabinos discutían cuánta carne es excesiva, uno diciendo que 175 gramos era el límite mientras otro cita 560 gramos (*Misná).* Seguramente, la segunda cifra va a quebrar casi cualquier presupuesto. La palabra *dormitar* sólo se encuentra aquí.

No estéis con los bebedores de vino, 23:20

8. La alegría paternal y la prostitución traicionera, 23:22-28

Otra vez, el v. 22 utiliza el llamado a escuchar (ver 1:8; 23:19). Se une la idea de los padres, desde el nacimiento del hijo hasta la vejez de los padres. Aquí hay una fuente honesta y válida de donde el hijo puede extraer el conocimiento.

El v. 23 interrumpe la discusión del hijo y los padres. Este versículo no se encuentra en la Septuaginta. Se repite el llamado a la adquisición de la *sabiduría* y sus buenas compañeras (es decir, *la verdad* o fidelidad, la *disciplina* y la *inteligencia)* tan conocidas en 4:5, 7 (hay un tono de urgencia y la actitud de un predicador en la calle predicando la buena nueva de Cristo).

En el v. 24 se unen las ideas del hijo

Por qué disciplinar a los hijos
23:13, 14, 24, 25

1. Porque es responsabilidad del padre, según el plan de Dios, 13:24; 23:23; Heb. 12:6-8.
2. Porque la disciplina adecuada ayuda y no daña, 23:13b.
3. Porque la disciplina es medida preventiva, 23:14. "Disciplinando al niño ahora evitaremos castigar al hombre mañana" (dicho popular).
4. Porque la disciplina es una inversión que dará frutos en el futuro, 23:24, 25.

—17—

26 Dame, hijo mío, tu corazón,
y observen tus ojos mis caminos.
27 Porque fosa profunda es la prostituta;
pozo angosto es la mujer extraña.
28 También ella acecha como asaltante,
y multiplica entre los hombres a
los traicioneros.

—18—

29 ¿Para quién será el ay?
¿Para quién será el dolor?
¿Para quién serán las rencillas?
¿Para quién los quejidos?
¿Para quién las heridas gratuitas?
¿Para quién lo enrojecido de los ojos?
30 Para los que se detienen mucho sobre
el vino;
para los que se lo pasan probando el
vino mezclado.

---

justo o recto con el hijo sabio o prudente (ver 9:9). ¡Qué alegría tener un hijo tan íntegro! (v. 25). Se nota la presencia de la madre en la instrucción (ver 1:8) y en la celebración del hijo exitoso (v. 25).

El v. 26 repite la frase *hijo mío* (ver 1:8; 23:19; 31:2) y pide que el hijo una su corazón al del maestro y que anden juntos (que el hijo tenga una vida recta). Tal actitud protege contra el peligro (ver 22:14 para *fosa profunda)* de la mujer prostituta (6:26; 7:10; 29:3). Además, *la mujer extraña* (ver 2:16; 5:3; 6:24; 7:5; para la mujer "adúltera", aunque aquí puede significar "la extranjera" o "la adúltera" o una palabra sinónima con "la prostituta") es un peligro (*pozo angosto).* El v. 28 describe la actitud de la prostituta o extraña (parece ser la misma persona). Ella es un ladrón que acecha (ver 1:11, 18; 7:12; 12:6; 24:15) a los hombres transformándolos (la naturaleza del verbo *hiphil* la hace responsable) en *traicioneros* o "infieles" (ver 2:22; 22:12). Se pierde el dinero, pero también el honor y la fidelidad.

9. Las consecuencias inesperadas de la borrachera, 23:29-35

El v. 29 presenta una lista de seis preguntas que requieren la misma respuesta. Dentro de las preguntas se descubren algunas características del beber. Las primeras dos interrogaciones subrayan dos exclamaciones que son resultados del vino excesivo: (1) Una expresión fuerte de la desesperanza, *Ay* (ver Isa. 6:5); (2) una expresión del dolor, quizás "¡Oh!" Las siguientes dos preguntas giran alrededor de la riña y la queja (ver 18:19; 21:9, 19; 26:20 para *la riña* y Job 7:13 para *la queja).* Las siguientes dos preguntas muestran dos consecuencias físicas visibles: *Heridas* (sin una causa válida) y ojos rojos. Se terminan así las seis interrogativas que suenan como un enigma. *¿Para quién?* es la consulta que busca una respuesta.

El v. 30 contesta la pregunta *¿para quién?,* apuntando al que toma excesivamente (e.g. *se detienen mucho... lo pasan probando*), un tema franco (ver 23:20, 21; 31:4-7). El v. 31 da tres condiciones en las que no se debe tomar del vino. Son ambiguas para nosotros, pues tratan la

> Semillero homilético
>
> **Pasos que garantizan el éxito en la vida**
>
> 23:21-25
>
> *Introducción*: El autor quiere enfocar las cualidades que nos encaminan al éxito. Menciona cinco maneras en que podemos garantizarnos el éxito.
>
> I. Siendo industriosos y diligentes, v. 21.
> II. Escuchando el consejo, v. 22; 15:22.
> III. Usando todos los conocimientos científicos posibles, v. 23.
> IV. Siendo disciplinados en el uso de la sabiduría, v. 23b.
> V. Aprendiendo de las experiencias de otros, v. 23a.
>
> *Conclusión*: Todos queremos tener éxito en el trabajo y en nuestros hogares. Para lograrlo, podemos aprender mucho por medio de la observación y del ejemplo de los que han tenido éxito. Hay una frase llamativa: "El conocimiento da poder; el trabajo, realización." El hombre que espera tener éxito en el trabajo y la vida debe aprender a esforzarse.

31 No mires el vino cuando rojea,
cuando resplandece su color en la copa,
cuando entra suavemente.
32 Al fin muerde como serpiente,
y envenena como víbora.
33 Tus ojos mirarán cosas* extrañas,
y tu corazón hablará perversidades.
34 Serás como el que yace en medio del mar,
o como el que yace en la punta de un mástil.
35 Dirás:* "Me golpearon, pero no me dolió;
me azotaron, pero no lo sentí.
Cuando me despierte, lo volveré a buscar."

*23:33 Otra trad., *mujeres*
*23:35 *Dirás* suplido del contexto

---

apariencia en sí, la copa y el sabor. El sabor al tragarlo se contrasta con la forma que *muerde* (v. 32), con las metáforas de la *serpiente* y la *víbora.* Por lo tanto, el v. 33 da las consecuencias del vino: las *cosas extrañas* que se ven y las *perversidades* que se hablan. Se ha perdido el control de sí (ver Ef. 5:18, LXX). En este mismo sentido, se compara al hombre borracho con aquella persona acostada en el medio (del vocablo "corazón" para denotar lo profundo) del mar o en la punta del mástil. ¡Qué peligroso! El hombre ya está perdido.

En el v. 35 se escuchan las palabras absurdas del borracho, una escena demasiada frecuente en el mundo de hoy. El hombre bebedor no se da cuenta de nada, pero está dispuesto a volver a buscar más vino cuando se despierta. ¡Su sed endemoniada le tiene esclavizado!

Semillero homilético

Un encantamiento mortal

23:29-35

Introducción: Uno de los problemas más serios en la actualidad es el alcoholismo. Destruye vidas y hogares, empobrece y encarcela. El autor de Proverbios dio esta advertencia hace miles de años y sus consejos sirven hoy. Resumimos los efectos del alcohol:

I. El vino seduce, v. 30.
1. Es atractivo a los ojos.
2. Es llamativo.
3. Es sutil.

II. El vino engaña, v. 32, 33.
1. Porque causa dolor.
2. Porque hace ver cosas extrañas.
3. Porque hará hablar maldad.

III. El vino esclaviza, v. 34-35.
1. Porque crea dependencia.
2. Porque insensibiliza.
3. Porque convierte a la persona en solitaria.

IV. El vino mata, v. 29.
1. Acaba con la salud.
2. Acaba con la paz.
3. Acaba con la felicidad.

Conclusión: Hoy hay mucha preocupación por la preservación del medio ambiente y hay mucho énfasis sobre la legislación para preservarlo. Se educa sobre los males en muchos campos, pero todavía se permite la propaganda relacionada con la venta de bebidas alcohólicas, que representan una de las amenazas más serias a la juventud.

10. Una envidia peligrosa y una sabiduría subestimada, 24:1-9

Los vv. 1 y 2 repiten un tema muchas veces repetido sobre los hombres malos y el peligro de unirse *con ellos* (ver 1:10 ss.; 23:17, 18). Otra vez, el hombre malo está totalmente comprometido de *corazón* y de *labios* (ver 4:23, 24; 6:12-19; Mat. 15:18-20). Sus metas son la *violencia* (ver 21:7) y la *iniquidad* (su trabajo).

Los vv. 3 y 4 son un poco ambiguos, apuntando a la *sabiduría* y la habilidad que son necesarias en la construcción de una casa, o apuntando al desarrollo espiritual de la persona y su "casa espiritual". Parece ser que la segunda interpretación es la mejor (ver 9:1 s.; 14:1). Se detallan la casa, el fundamento, los cuartos y todo lo que va adentro como los muebles, las lámparas, los vasos, etc. Esta metáfora de la construcción de la casa se usa para mostrar el valor de la sabiduría o prudencia

—19—

24 1 No tengas envidia de los hombres malos,
ni desees estar con ellos;
2 porque su corazón trama violencia,
y sus labios hablan iniquidad.

—20—

3 Con sabiduría se edifica la casa
y con prudencia se afirma.
4 Con conocimiento se llenan los cuartos
de todo bien preciado y agradable.

—21—

5 Más vale el sabio que el fuerte;*
y el hombre de conocimiento, que el de vigor.
6 Porque con estrategia harás la guerra,
y en los muchos consejeros está la victoria.

—22—

7 Muy alta está la sabiduría para el insensato;
en la puerta de la ciudad no abrirá su boca.

—23—

8 Al que planea hacer el mal
le llamarán hombre de malas intenciones.

*24:5 Según vers. antiguas; otra trad., *El hombre sabio es fuerte.*

(ver 1:7), la prudencia o astucia (ver 3:19; 21:30) y el conocimiento (ver 1:4; 22:17).

Los vv. 5 y 6 siguen la forma de un versículo que da el principio y otro versículo que da el propósito (como en 23:5, 7, 9, 11, 18, 21, 27; 24:2 y se traduce *porque).* Son dos posibles lecturas de la primera parte del v. 5, donde el texto hebreo entrega la siguiente oración: "El hombre es sabio en la fuerza" (un dicho que muestra la realidad de la vida). Y la segunda lectura de la primera parte, de la Septuaginta, la Peshita y el targum, concuerda con la lectura en el texto en castellano. Un erudito busca una traducción moderada que dice: "El hombre sabio está lleno de fuerza..." (Keil-Delitzsch). La interpretación de los manuscritos antiguos hace que sea mejor el sentido de la sabiduría sobre la fuerza física. Un dicho moderno, "un ardid vale más que cien soldados", afirma este proverbio.

El v. 6 da una ilustración del v. 5 y nos aclara la enseñanza básica. Las palabras *estrategia* y *consejeros* ponen énfasis en la sabiduría y la planificación (ver 11:14; 15:22; 20:18; 29:18). El resultado es la *victoria.*

El v. 7 es muy difícil en el texto hebreo. La palabra *muy alta* es una modificación de una palabra que significa "los corales" (algo precioso, como en Job 28:18 y Eze. 27:16). Así, "la sabiduría es como corales al insensato" (ver 1:7), es decir el insensato no sabe cómo apreciarla. Abrir la boca en la puerta (el centro de la actividad legal-comercial-social en 22:22 y 31:23) es un resultado de su ignorancia (ojalá que nadie tome su silencio como una señal de ser sabio como en 17:28).

Los vv. 8 y 9 entregan las apreciaciones sobre tres personajes: el malo, el *insensato* (ver 1:7) y el *burlador* (ver 1:22). La Septuaginta no tiene el v. 8. En el v. 8 las

El poder de la codicia

—¿Cuánto vale esta propiedad? —preguntó un caballero a otro, mientras pasaban por delante de una casa magnífica rodeada de bellos y fértiles campos.

—Desconozco su precio —fue la respuesta—, pero sé lo que le costó a su último poseedor.

—¿Cuánto?

—Su alma.

Entonces le contó que el referido propietario había estado muy interesado en el evangelio pero desde que adquirió aquella propiedad los quehaceres de ella le habían absorbido de tal manera que olvidó totalmente los asuntos espirituales. (*Diccionario de Anécdotas e Ilustraciones*, Antonio Almudevar.)

9 La intención del insensato* es pecado,
y el burlador es abominación a los hombres.

—24—

10 Si desmayas en el día de la dificultad,
también tu fuerza se reducirá.

—25—

11 Libra a los que son llevados a la muerte;
no dejes de librar a los que van
tambaleando a la matanza.

12 Si dices: "En verdad, no lo supimos",
¿no lo entenderá el que examina los
corazones?
El que vigila tu alma, él lo sabrá
y recompensará al hombre según sus
obras.

*24:9 Según vers. antiguas; TM, *de la insensatez*

palabras *malas intenciones* (ver 12:2 para *urde males;* 14:17 para *hará locuras)* son la carecterística del hombre (de *ba'al* 1167, que se define como "señor" o "dueño" como en 22:24 y 23:2). Las palabras *pecado* ("errar del blanco") y *abominación* ("detestable" o "impuro" como en 3:32 y 6:16) muestran la actitud divina.

11. Una renuncia prematura y el verdadero fracaso, 24:10-16

El texto hebreo del v. 10 es difícil de interpretar, porque la segunda parte puede ser el resultado de la primera parte o puede ser la causa del desmayo de la primera parte; parece ser que la segunda interpretacion es la más probable. Las palabras *dificultad* (como en 25:19, traducida *angustia)* y *se reducirá* hacen un juego de sonido. Algunos eruditos ven el concepto del trabajo en estos versículos. Sin embargo, *el día de la dificultad* (o "angustia") muestra la llegada de alguna desgracia y cómo aquel hombre no es capaz de vencerla (¿cuántos se desmayan hoy?; ver 2 Cor. 4:16-18 para el cristiano que enfrenta una dificultad).

Diez pasos para resolver los conflictos

1. A veces es mejor evitar el conflicto.
   (1) Amar en vez de pelear, 16:6.
   (2) Envolverse en una pelea es insensato, 20:3.
   (3) Aislarse en vez de meterse en pelea, 21:19.
2. Es aconsejable buscar paz con Dios y los enemigos, 16:7.
3. Es necesario domar el temperamento, 16:32.
4. Es mejor resolver los conflictos en las etapas iniciales, 17:14.
5. Hay que escuchar todas las facetas del problema, 18:17.
6. Hay que buscar la objetividad, 18:18.
7. Hay que calcular el costo del conflicto, 19:11.
8. Hay que hacer el bien a aquel con el que tenemos conflicto, 21:14.
9. Hay que evitar el conflicto ajeno, 26:17.
10. Hay que disminuir la causa del conflicto, 26:20, 21.

Los vv. 11 y 12 subrayan el valor salvífico de la persona presentada. Aquí el prójimo se encuentra en una situación de extrema urgencia donde se enfrenta a la muerte (ver 3:27-30). Nos hace recordar la situación del buen samaritano quien fue al auxilio de un hombre víctima de algún ladrón y dejado como muerto (ver Luc. 10:29-37).

El v. 12 muestra la actitud de inocencia del indiferente, quien dice: *En verdad* (mostrando un tono sorpresivo), *no lo supimos.* Sin embargo, el versículo afirma la naturaleza pecaminosa del indiferente y cómo Dios mandará el juicio recíproco en contra del indiferente (ver 15:3; 16:2; Sal. 28:4). Hay muchísimos pasajes del NT que afirman el concepto de la recompensa para las obras (ver Mat. 16:27; Rom. 2:6; 2 Tim. 4:14; 1 Ped. 1:17; Apoc. 2:23; 20:12, 13; 22:12). El Quijote expresa el espíritu del auxilio: "... se constituyó el orden de los caballeros andantes, para defender las doncellas, amparar las viudas y socorrer a los huérfanos y a los menesterosos. De esta orden soy yo..."

—26—

13 Come, hijo mío, de la miel, porque es buena;
y del panal, que es dulce a tu paladar.
14 Así aprópiate de la sabiduría para tu alma.
Si la hallas, habrá un porvenir,
y tu esperanza no será frustrada.

—27—

15 Oh impío, no aceches la morada del justo,
ni destruyas su lugar de reposo;
16 porque siete veces cae el justo y se vuelve a levantar,
pero los impíos tropezarán en el mal.

—28—

17 No te alegres cuando caiga tu enemigo;
y cuando tropiece, no se regocije tu corazón,
18 no sea que lo vea Jehovah, y le desagrade,
y aparte de él su enojo.

Los vv. 13 y 14 afirman lo bueno de *la miel* y *la sabiduría,* la relación entre ambas es ambigua. Si los dos dichos son distintos, entonces el primero enseña la riqueza de la miel de la naturaleza. Si los dos dichos son paralelos, entonces la sabiduría es como la miel, agradable y beneficiosa a largo plazo (ver 16:24). El *porvenir* como producto de la sabiduría (del temor a Jehovah) se encuentra aquí y en 23:18, respectivamente.

Los vv. 15 y 16 se dirigen al hombre *impío* (ver 10:3). Como el ladrón en 1:11, la mujer adúltera en 7:12 y la prostituta en 23:28, el impío "acecha" (ver 12:6) la casa del justo o recto (ver 10:3), actuando en una forma violenta (el espíritu de *destruyas).* Sin embargo, el v. 16 sorprendentemente afirma cómo el justo es capaz de levantarse repetidamente (*siete,* muestra la totalidad o la manera completa de levantarse). Por otro lado, *los impíos* caen una sola vez (no se levantan como en 11:21; 21:12, donde el justo observa la casa del impío).

12. El enemigo, el malvado y el inestable, 24:17-22

Los vv. 17 y 18 son algunos de los versículos más interesantes de toda esta sección (ver 22:17—24:22). Se trata la actitud del individuo hacia su *enemigo* (del vocablo que significa la enemistad o la hostilidad, como en 16:7, donde se espera la reconciliación). La actitud normal hacia la caída del enemigo es la alegría o el regocijo. Sin embargo, estos versículos muestran el temperamento divino, donde tal alegría no es apropiada. Aquí se ve el verdadero amor divino aun hacia los perdidos. Por lo tanto, se nota la intensa interacción divina con el *enemigo* y con el individuo al que se habla. No hay gozo en el corazón de Dios cuando se cumple un castigo. Por ende, el creyente no ha de tener gozo. Aquí se acentúa el amor universal y el compromiso absoluto de Dios hacia el hombre. Segura-

Semillero homilético

Un verdadero creyente

24:13-18

Introducción: "Por los frutos los conoceréis." Pablo nos dio esta declaración, pero el autor de Proverbios presentó las mismas verdades desde generaciones anteriores. ¿Cómo podemos saber que uno es creyente?

I. El verdadero creyente obra correctamente, v. 15.
   1. Aprecia al justo.
   2. Cuida y respeta el bien ajeno.

II. El verdadero creyente evita ser esclavo del pecado, v. 16.
   1. No permanece en la maldad.
   2. Se cuida de no ser malvado.

III. El verdadero creyente es sensible al dolor humano, v. 17.
   1. No se alegra del fracaso ajeno.
   2. Teme a Jehovah.
   3. Obedece la voluntad de Dios.

Conclusión: Aquí se presentan tres evidencias muy claras de que uno es creyente. Esto quiere decir que el creyente debe preocuparse por su comportamiento y su testimonio. La crítica más frecuente de los inconversos radica en el testimonio falso que dan los creyentes por su modo de vivir.

—29—

19 No te enfurezcas a causa de los malhechores,
ni tengas envidia de los impíos;
20 porque no habrá un buen porvenir para el malo,
y la lámpara de los impíos será apagada.

—30—

21 Hijo mío, teme a Jehovah y al rey,
y no te asocies con los inestables.
22 Porque su calamidad surgirá de repente,
y el castigo que procede de ambos,
¡quién lo puede saber!

mente, a Jehovah le agrada la reconciliación (ver 16:7; Rom. 5:6-11 donde Cristo murió por los impíos y para lograr la reconciliación; Col. 1:21-23, en que los enemigos son reconciliados con Dios en Cristo). Hay otros pasajes en el libro de Proverbios que tratan el tema del enemigo y la venganza (ver 16:7; 17:13; 20:22; 25:21, 22; 27:6).

Los vv. 19 y 20 vuelven a tocar el tema de la envidia de *los malhechores* (ver 3:31; 23:17; 24:1). *No te enfurezcas* puede traducirse "no te quemes". El v. 20 da la razón en que no hay futuro en el camino de ellos (ver 23:18; 24:13 para *porvenir).* Al contrario, se asegura la muerte prematura (ver 13:9).

Los vv. 21 y 22 afirman la fe reverente y obediente que corresponde *a Jehovah y al rey* (ver 1:7; Mat. 22:21; Rom. 13:1 ss.; 1 Ped. 2:13, 14, 17, aunque también Hech. 5:29 cuando están en conflicto). El compromiso leal con Dios y con el rey se contrasta con el compromiso (a veces en el sentido de la fianza, pero siempre con una relación estrecha, como en 6:1; 20:19 traducido *no te metas)* con *los inestables* (del vocablo para "cambio", así "el cambiante"). El peligro del futuro, lleno de una *calamidad* (ver 1:26, 27; 6:15) y un castigo que no se define, pinta una película bastante negra y nebulosa. El que anda con el "inestable" puede esperar un futuro como el dicho popular: "El que se acuesta con los perros, se levantará con pulgas."

V. OTROS DICHOS DE LOS SABIOS, 24:23-34

Esta sección tan breve es un agregado a los otros dichos de los sabios (ver 1:5; 9:9; 22:17). Otra vez, no se encuentra la identidad precisa de los sabios. No hay una identificación del contenido, sino el pronombre "estos", que se ha interpretado como *dichos.*

1. Los abusos de la corte judicial, 24:23-29

Los vv. 23-26 tratan el tema del juicio pervertido (ver 17:15, 23, 26; 18:5; 28:21). *Hacer distinción* subraya lo que Don Quijote llama "la ley del encaje", en que el juez ignora las leyes y da un fallo basado en su criterio personal. Las palabras *eres justo* son inapropiadas y destruyen el orden y la armonía en la sociedad. De esa forma, el pueblo maldice al juez pervertido y expresa una indignación fuer-

Semillero homilético

Cómo mostrar que amo a Dios

24:19-25

Introducción: El autor de Proverbios dio sus enseñanzas en forma negativa y con prohibiciones, porque el mundo de aquel entonces entendía bien esta clase de enseñanza.

I. No tengas envidia de los pecadores, vv. 19-20.
   1. Su prosperidad no es duradera, v. 20b.
   2. Su fin es amargura, v. 20a.

II. No te asocies con los agitadores, vv. 21-23.
   1. No temen a Dios, v. 21.
   2. Pronto serán destruidos, v. 22.

III. No cometas injusticia, vv. 24, 25.
   1. Serás ejemplo para todos, v. 24.
   2. Recibirás bendiciones, v. 25.

Conclusión: En la antigüedad se distinguía a la gente pía por medio de sus acciones en las relaciones diarias, en sus amistades y en las cosas que no hacían para buscar ventaja sobre otros. Estas mismas pruebas sirven para nosotros hoy en día.

Otros dichos de los sabios

23 También los siguientes dichos
pertenecen a los sabios:

No es bueno hacer distinción de
personas en el juicio.
24 Al que dice al impío: "Eres justo",
los pueblos lo maldecirán;
las naciones lo detestarán.
25 Pero los que lo reprenden serán
apreciados,
y sobre ellos vendrá la bendición
del bien.
26 Besados serán los labios
del que responde palabras correctas.

27 Ordena tus labores afuera;
ocúpate en ellas en el campo.
Y después edifícate una casa.

---

te (ver 3:33; 11:26 para "maldecir"; 22:14; 25:23 para la "indignación", traducido aquí como *detestarán*). Al contrario, el que reprende o corrige (ver 3:11; 9:8; 30:6), quizá el juez contra el impío o el hombre justo contra el juez pervertido, es apreciado (o agradable al pueblo) y será favorecido (ver 3:33; 5:18 para "bendecir"). Por lo tanto, el v. 26 muestra cómo el que reprende es un amigo amado y estimado (la frase *besados... los labios* sólo se encuentra aquí y entonces suena rara; por eso, algunos eruditos separan el versículo de los vv. 23-25).

El v. 27 declara la importancia de tener una prioridad adecuada sobre las cosas. En primer lugar hay que "preparar" (traducido *ordenar* aquí, pero *preparar* en 19:29 y 22:18) el trabajo *(en el campo)*, en esta clase de vida agrícola. Antes de empezar a construir la casa (ver 9:1; 14:1; 24:3), buscar una esposa, o tener una familia... hay que tener un empleo estable y afirmarse económicamente. Hay un elemento de dominio propio y otro elemento de prudencia que se encuentran en el dicho. Aristóteles habla también de la prioridad apropiada en su libro *Lo económico*, cuando cita a Hesiodo: "En primer lugar, una casa, después una mujer o esposa y enseguida un buey para arar...". Tal orden imita Exodo 20:17: *... casa... mujer... siervo... sierva... buey...* En Deuteronomio 5:21 se cambia el orden: *... mujer... casa... campo... siervo... sierva... buey...* De todos modos, el orden de los valores es distinto al orden de la adquisición. Que uno busque un empleo antes de casarse no implica que el empleo es más importante que la novia, sino que representa una madurez y una realidad del mundo. (Este *mashal* va en contra del dicho: "Contigo pan y cebolla.")

Los vv. 28 y 29 reiteran el tema del testigo falso (ver 3:30; 6:19; 12:17; 14:5, 25; 19:5, 9, 28; 21:28; 25:18; 29:24). La motivación del testimonio falso es lo-

Fábula del gallinazo y el pavo real
24:23, 24

Un gallinazo se encontró un día una docena de plumas que se le habían caído a un pavo real. Incapaz de resistir su propia vanidad, procedió a adornarse con ellas y voló hasta donde estaba la bandada de gallinazos con la cual vivía.

Después de caminar ostentosamente por delante de ellos, les dijo: "Mi belleza no soporta más la fealdad de ustedes. He decidido irme donde viven mis iguales." Y partió con una mirada de desprecio.

Al rato encontró una hermosa y reluciente familia de pavos reales, en medio de los cuales cayó en picada, batiendo sus alas. Los sorprendidos pavos se indignaron, le arrancaron las plumas de color al intruso y lo expulsaron a picotazos.

Dolorido y avergonzado, el gallinazo, que a duras penas escapó de la muerte, voló con lentitud de regreso a su manada. Pero cuando llegó, sus propios hermanos lo rechazaron también. El presumido tuvo que soportar otra ofensa.

Entonces uno de aquellos a los que había despreciado dijo: "Si te hubieras contentado con nuestra condición, no hubieras sufrido el desprecio de los pavos reales, ni la repulsa de tu desgracia entre nosotros."

28 No testifiques sin causa contra tu prójimo,
ni le engañes con tus labios.
29 No digas: "Como me hizo, así le haré a él;
recompensaré al hombre según su acción."
30 Pasé junto al campo de un hombre perezoso
y junto a la viña de un hombre falto de entendimiento.
31 Y he aquí que por todos lados habían crecido ortigas;
los cardos habían cubierto el área,
y su cerco de piedra estaba destruido.
32 Yo observé esto y lo medité en mi corazón;
lo vi y saqué esta enseñanza:

---

grar la venganza (ver 21:6, 8; 24:12), algo condenado por Dios (ver 20:22). Las palabras: "Como me hizo, así le haré a él" expresan una reacción normal.

2. El fruto de la flojera, 24:30-34

Los vv. 30-34 pintan una escena viva acerca del *campo* (ver 24:27) del *perezoso* (ver 6:6-11; 10:4, 5; 22:13; 24:30-34; 26:13-16; 28:19). En el mismo sentido, había una *viña* (ver 31:16, donde la mujer virtuosa compró una tierra y plantó una viña en ella). La palabra hebrea traducida *he aquí* muestra un elemento sorpresivo o inesperado en el v. 31, donde se puede ver el descuido del campo, de la viña y del cerco. ¿Cuáles son algunas motivaciones para un campo abandonado? Primeramente, posiblemente el dueño se ha muerto y no tiene herederos o ellos viven lejos. En segundo lugar, se ha ido la familia como un resultado de la situación política (ver Exo. 1:8-14; 3:7 muestra cómo tal situación influyó la salida de los hebreos en Egipto; Mat. 2:13 ss. subraya la situación política que produjo la huída de José y María con Jesús a Egipto) o de la situación económica (ver Gén. 12:10 ss. para la ida de Abram a Egipto; 41:56 ss. y 42:1 ss. para la ida de los hijos de Jacob a Egipto). Finalmente, una causa no legítima del abandono de un campo es la flojera.

El v. 32 afirma que esta escena llega a ser la sala de la enseñanza. Así el *yo* del versículo (quizá el maestro, o el joven) aprende la lección valiosa de la vida real (ver 3:25; 21:11, 12). Hay que ver la vida tal cual es, y varias filosofías vacías no van a resistir la comprobación.

Los vv. 33 y 34 repiten textualmente 6:10 y 11. El v. 33 es un dicho cínico que capta el apetito del perezoso para dormir. Y el v. 34 utiliza las metáforas del *vagabundo* (o "viajero" o "caminante") y del hombre armado para mostrar el gran peligro de la flojera y el trabajo dejado.

La sección termina con el v. 34, poniendo así fin a otro personaje peligroso. Hay

> Semillero homilético
>
> **Cualidades que dignifican al ser humano**
>
> 24:24-29
>
> *Introducción*: El autor de Proverbios habla en forma específica de actos de comportamiento que dan evidencia de que uno es sincero en su dedicación a Dios o, al contrario, que uno es egoísta y busca avanzar personalmente.
>
> I. Responde con palabras rectas, v. 26.
> 1. Será alabado.
> 2. Tendrá felicidad.
> 3. Recibirá gran bendición.
>
> II. Responde siempre con la verdad, v. 28.
> 1. Al ser testigo.
> 2. Al hablar de los malos, v. 24
> 3. Al usar la alabanza.
>
> III. Actua en forma pacífica, v. 29.
> 1. Al obedecer el mandato de Dios (Rom. 12:17: *No paguéis a nadie mal por mal).*
> 2. Al dejar la venganza en las manos de Dios (Rom. 12:19, 1 Tes. 5:15).
> 3. Al responder al mal con un bien (Rom. 12:20, 21).
>
> *Conclusión*: Los ideales que se resaltan en el NT también se presentan en el AT. El uso de la poesía para hacer énfasis en las buenas cualidades llama la atención en forma más dramática que la prosa. Las personas escuchan las declaraciones y toman la decisión de seguir los ideales que se presentan.

33 Un poco de dormir, un poco de dormitar
y un poco de cruzar las manos para reposar.
34 Así vendrá tu pobreza como un vagabundo,*
y tu escasez como un hombre armado.

Otros proverbios de Salomón

25 **1** También éstos son proverbios de Salomón, los cuales copiaron los hombres de Ezequías, rey de Judá:

2 Es gloria de Dios ocultar* una cosa,
y es gloria del rey escudriñarla.
3 La altura de los cielos,
la profundidad de la tierra

*24:34 O: *caminante*
*25:2 Comp. Deut. 29:29

---

que evaluar bien los resultados de ciertas naturalezas y evitar la formación de un carácter que lleva al fracaso.

VI. OTROS DICHOS DE SALOMON, 25:1—29:27

Esta sección detalla una lista de aprox. 135 distintos proverbios de Salomón. Estos proverbios representan 15% del libro y fueron "removidos" (copiados de un rollo a otro) por "los hombres" (sabios) del rey Ezequías, quien reinó entre 716 y 687 a. de J.C. Su reinado se caracterizó por la piedad, la fe y la admiración de la tradición (2 Rey. 17—20; Isa. 36—39; 2 Crón. 29—32). Estos proverbios suman el valor númerico del nombre de Ezequías (j=8 + z=7 + q=100 + y=10 + h=5 = 130). Aprox. 10% del material repite textualmente o en forma teológica lo encontrado en los capítulos anteriores.

1. El ambiente apropiado en el gobierno, 25:1-7b

En el v. 1 la frase *también éstos* repite textualmente la frase hebrea de 24:23, mostrando la naturaleza agregada de estos proverbios. La frase *proverbios de Salomón* se repite aquí (ver 1:1; 10:1). Ya han pasado aprox. 250 años y los sabios de Ezequías están reafirmando y ordenando una lista de los proverbios antiguos de Salomón (del verbo hebreo *'ataq* [6267], traducido en Gén. 12:8 como *trasladó* y en Job 9:5 como *trastorna).*

Los vv. 2 y 3 se unen a través de la palabra hebrea *jaqar* [2713] para "escudriñar" (lo positivo) e "inescrutable" (lo negativo). El v. 2 subraya la majestad y el misterio de Dios (ver Sal. 19:1; Isa. 55:9; Juan 11:4). La segunda parte afirma la tarea real, que es la búsqueda de la voluntad y la naturaleza divinas. Por el otro lado, el v. 3 presenta el elemento misterioso de tres cosas: *La altura de los cielos, la profundidad de la tierra y el corazón* (ver 10:8 para *corazón*) *de los reyes.* Los cielos y la

La importancia del mantenimiento de los bienes
24:30-34

1. Es un paso necesario por la naturaleza, vv. 30, 31.
   (1) Sin mantenimiento todo se deteriora.
   (2) Sin mantenimiento los cardos toman ventaja, v. 32.
   (3) Sin mantenimiento la seguridad se arriesga, v. 32.
2. Es un paso económico a la larga, vv. 33, 34.
   (1) Porque evita gastos mayores posteriormente.
   (2) Porque nos permite alcanzar otras metas.
3. Es un paso ventajoso para el dueño, v. 32.
   (1) Su finca produce más.
   (2) Su ejemplo da buen testimonio de la diligencia
   (3) Su finca dará ganancia durante muchos años en el futuro.

y el corazón de los reyes
son inescrutables.

4 Quita las escorias de la plata,
y saldrá un objeto para el fundidor.
5 Quita al impío de la presencia del rey,
y su trono se afirmará con justicia.
6 No te vanaglories delante del rey,
ni te entremetas en el lugar de los grandes;
7 porque mejor es que se te diga: "Sube acá",
antes que seas humillado delante del noble.

Cuando tus ojos hayan visto algo,*
8 no entres apresuradamente en pleito.
Porque, ¿qué más harás al final,
cuando tu prójimo te haya avergonzado?
9 Discute tu causa con tu prójimo
y no des a conocer el secreto de otro.

*25:7 Otra trad., . . . *noble, al cual tus ojos han visto. 8 No entres* . . .

tierra muestran el misterio y la majestad de la naturaleza.

Los vv. 4 y 5 muestran un paralelismo entre *las escorias* y el *impío,* como dignos de quitarse *de la plata* y *de la presencia del rey.* Así saldrá el *objeto* (es decir, utensilio para la casa) y la justicia que afirma el trono real (ver 16:12). La buena formación requiere quitar lo inútil y lo destructivo de la vida.

Los vv. 6 y 7 subrayan el peligro de "pretender ser importante" (ver 13:7), especialmente ante el rey que se coloca junto a *los grandes. Mejor* (o *superior,* como en 15:16) será subir al lugar para los grandes que pedir que alguien deje el puesto para que otro venga (ver 8:16; 17:7, 26; 19:6 para el *noble;* Luc. 14:7-10, donde Jesús utilizó este dicho para una parábola sobre la humildad y el orgullo).

2. La palabra inoportuna y la palabra amena, 25:7c-15

Los vv. 7c-10 declaran la superioridad de la reconciliación sobre la acción legal (ver 17:9, 17; 18:24; 25:17; 26:18, 19; 27:6, 9, 10, 14, 17; Mat. 5:25; 18:15; Luc. 12:58). El que habla ha sido un testigo presencial (v. 7c) y lo lleva al nivel de un pleito, sin siquiera hablar con el "pecador". Las palabras *porque* (v. 8) y *no sea* (v. 10) subrayan el concepto de "para evitar". Al testificar en una forma apresurada, el testigo se avergüenza públicamente. Hay que entender toda la circunstancia de una ofensa y solucionarla en pri-

Semillero homilético

La gloria de Dios

25:2, 3

Introducción: ¿Cómo se manifiesta la gloria de Dios? En el AT hay casos en que aparece el Angel de Jehovah, que mostró su gloria a la humanidad. Se habla de la gloria *shekinah,* una manifestación especial de la presencia de Dios entre su pueblo en ocasiones especiales. Pero podemos captar su gloria todos los días observando y estudiando las maravillas de la creación divina.

I. Manifestada en lo secreto, v. 2.
 1. La gloria de Dios traspasa el saber humano.
 2. La gloria de Dios muestra su omnisciencia.

II. Manifestada en lo revelado, v. 3.
 1. En los cielos (Sal. 8).
 2. En la tierra (Luc. 2:14).
 3. En el ser humano.

Conclusión: Deuteronomio 29:29 declara: *Las cosas secretas pertenecen a Jehovah nuestro Dios, pero las reveladas son para nosotros y para nuestros hijos, para siempre, a fin de que cumplamos todas las palabras de esta ley.* Así que reconocemos que Dios nos ha revelado mucho, pero tiene mucho más que no nos ha revelado todavía.

10 No sea que te deshonre el que te oye,
y tu infamia no pueda ser reparada.

11 Manzana de oro con adornos de plata
es la palabra dicha oportunamente.
12 Como zarcillo de oro y joya de oro fino
es el que reprende al sabio que tiene
oído dócil.
13 Como el frescor de la nieve en tiempo
de siega
es el mensajero fiel a los que lo envían,
pues da refrigerio al alma de su señor.

14 Como nubes y vientos sin lluvia,
así es el hombre que se jacta de un
regalo que al fin no da.
15 Con larga paciencia se persuade al jefe,
y la lengua blanda quebranta los huesos.

16 ¿Hallaste miel? Come sólo lo suficiente,
no sea que te hartes de ella y la
vomites.
17 Detén tu pie de la casa de tu vecino,
no sea que se harte de ti y te aborrezca.

---

vado cuando sea posible (ver Mat. 18:15-17). "Deshonrar" puede significar "poner en vergüenza".

Los vv. 11-13 dan a conocer tres cosas que son muy especiales. En primer lugar, *la palabra dicha oportunamente* (ver 15:23) es como los adornos preciosos en el hogar. En segundo lugar, el maestro que corrige al oído enseñable (ver 9:8, 9) es como las joyas preciosas que se usan en el cuerpo (ver Gén. 11:22; 24:22; 35:4). En tercer lugar, *el mensajero fiel* (ver 13:17 para el mensajero fiel; 14:5 para el testigo fiel; 20:6 para el hombre fiel) cumple su misión exitosamente y llega de regreso como algo refrescante de la naturaleza.

El v. 14 muestra que así como hay una falsa esperanza de lluvia en las nubes y los vientos, hay una falsa esperanza de un regalo (ver 18:16; 21:14) de aquel que pretende ser rico (ver 13:7; Aristóteles, *Ethica Nicomachea,* apunta a la liberalidad como una de las once virtudes y cómo hay una deficiencia en el hombre que no regala a otros).

El v. 15 afirma la superioridad de la *paciencia* y *la lengua blanda,* aún para lograr lo deseado del *jefe* y para lograr la victoria física (la paciencia y la palabra son superiores a la violencia como en 15:1; *Ahiqar).* "Más moscas se cazan con miel que con vinagre" refleja el espíritu del dicho.

3. Las advertencias sobre diversas relaciones, 25:16-22

Los vv. 16 y 17 reiteran la moderación de las cosas en vez de la excesividad. Por un lado, la *miel* (algo muy apreciado) ha de comerse con moderación (¿es un eufemismo para otra cosa? ¿El sexo como en 5:3? Es dudable.) Por otro lado, las visitas a *la casa de tu vecino* (ver 3:28 para *prójimo)* han de ser moderadas. *Hartes... harte* une los dos versículos, mientras los dos resultados, "el vómito" y "el odio", son llamativos.

Semillero homilético

El progreso de una nación

25:4-10

Introducción: La historia relata el nacimiento de algunas naciones mientras otras están en declinación o caída. ¿Por qué es que algunas naciones prosperan durante siglos y otras mueren en forma repentina? El autor de Proverbios nos da algunas ideas.

I. Comienza con gobernantes justos, vv. 4, 5.
   1. Elegidos por Dios (1 Sam. 4:17).
   2. Apartados de la maldad (Sal. 101:4, 7).
   3. Apropiados de sabiduría divina (1 Rey. 3:28).

II. Permanece con ciudadanos honestos, vv. 6-10.
   1. Respetan al prójimo (Eze. 22:2, 7, 10-12).
   2. Adoran a Dios verdaderamente (Eze. 22:3, 8, 12c).
   3. Guardan su lugar adecuado, 25:6, 7.
   4. Evitan los pleitos, 25:8-10.

Conclusión: Con buenos gobernantes y ciudadanos piadosos tenemos las bases para una nación estable que puede durar por siglos. En cambio, cuando hay líderes corrompidos y ciudadanos inmorales, se pone la base para la desintegración moral y espiritual.

18 Mazo, espada y flecha dentada
es el hombre que da falso testimonio
contra su prójimo.
19 Diente quebrado y pie que resbala
es la confianza en el traicionero,
en el día de angustia.
20 El que canta canciones al corazón
afligido
es como el que quita la ropa en tiempo
de frío
o el que echa vinagre sobre el jabón.
21 Si tu enemigo tiene hambre,
dale de comer pan;
y si tiene sed,
dale de beber agua;
22 pues así carbones encendidos tú
amontonas sobre su cabeza,
y Jehovah te recompensará.

23 El viento del norte trae la lluvia;
y la lengua detractora, el rostro airado.
24 Mejor es vivir en un rincón de la azotea
que compartir una casa con una mujer
rencillosa.
25 Como el agua fría al alma sedienta,
así son las buenas nuevas de lejanas
tierras.

Los vv. 18-20 apuntan a tres personajes que lastiman a otros. En primer lugar, se compara el testigo falso (ver 3:29; 6:17, 19; 10:31; 12:17-20) con el *mazo* (el hebreo traduce *saqueador*, como en Nah. 2:2), *espada y flecha dentada:* armamentos peligrosos. En este mismo sentido, se compara la *confianza* (ver 3:5) *en el traicionero* (ver 2:22 para aquel que no es fiel) con el *diente quebrado* (así se complica el comer) y *el pie que resbala* (así se complica el andar). Especialmente se nota la presencia del traicionero en el tiempo cuando se necesita (ver 1:27 para *angustia* y 24:10 para *dificultad)*. Asimismo, se nota el *diente quebrado* cuando hay que comer y el *pie que resbala* cuando hay que andar. Por lo tanto, el tercer personaje subraya la escena insensible donde un cantante alegre rinde su música al "corazón pesado" (*afligido*), así comparable con aquel que *quita la ropa en tiempo de frío* o cuando se pone el *vinagre sobre el jabón*, es decir, el vinagre destruyendo la eficacia del "jabón antiguo" (la Septuaginta reemplaza "jabón" con "herida", para hacer la comparación más precisa). Hay que cantar algo más apropiado, algo para el afligido y no para la fiesta que no existe.

Los vv. 21 y 22 tratan la relación entre el oyente y el *enemigo* ("aborrecer" u "odiar", como en 6:16). El *enemigo* se encuentra en un estado de extrema necesidad (*hambre* y *sed)*. En vez de aprovechar la situación para quitarle algo o burlarse de él, el oyente ha de ser su auxilio (ver 16:7; 24:17) dando vergüenza al enemigo y recibiendo recompensa de Dios (ver Exo. 23:4, 5; Deut. 32:35; Heb. 10:30; Rom. 12:20; Mat. 5:43-48; sobre la "recompensa divina" en 6:4, 6, 18).

> **Joya bíblica**
> **El que canta canciones al corazón afligido**
> **es como el que quita la ropa en tiempo de frío**
> **o el que echa vinagre sobre el jabón**
> **(25:20).**

4. Los proverbios pintorescos, 25:23-28

El v. 23 vuelve a citar una metáfora de la naturaleza. Se compara el viento del norte con *el rostro airado* o "indignado". El viento "gira hacia afuera" la lluvia mientras el rostro "gira hacia afuera" *la lengua detractora* ("encubierta", como en 21:14 para "secreto"), así la lengua encubierta se abre y sale afuera lo oculto.

El v. 24 repite 21:9, con una pequeña modificación, en que se elimina la preposición *le* (para), lo cual no cambia el sentido.

El v. 25 utiliza la metáfora del agua fría al alma (o "garganta", de la palabra *nepesh)* con las buenas nuevas (ver 15:30) de *lejanas tierras*.

El v. 26 muestra cómo el justo *que vacila* (o "tambalea" en la traducción en 24:11)

26 Como manantial turbio y fuente corrompida
es el justo que vacila ante el impío.
27 Comer mucha miel no es bueno,
ni es gloria buscar la propia gloria.
28 Como una ciudad cuya muralla ha sido derribada,
es el hombre cuyo espíritu no tiene freno.*

26 **1** Como nieve en el verano y lluvia en la siega,
así no le caen bien los honores al necio.
2 Como escapa el ave y vuela la golondrina,
así la maldición sin causa no se realizará.

*25:28 Otra trad., *es el hombre sin dominio propio*

---

ante el impío (ver 10:3), es como la vertiente y la fuente que son deliberadamente contaminadas; la vertiente por medio de pisar el agua embarrándola y haciéndola inútil, y la fuente a través de ser arruinada a propósito.

El texto hebreo del v. 27 no es muy claro. Sin embargo, la interpretación apunta al rechazo de la *mucha miel* (ver 25:16) y la vanagloria (ver 27:2; 1 Cor. 1:26-31; Fil. 3:4-11) o posiblemente la alabanza de otras personas.

El v. 28 compara una *ciudad* sin *muralla* a un *espíritu* del hombre sin "control" (una palabra que se refiere al dominio propio; ver 11:12, 13; 12:16, 23; 13:3; 14:29; 17:27, 28; 29:11, 20). Tal persona es muy vulnerable y se autodestruye (ver 22:24, 25). Hay un dicho que afirma este *mashal:* "Un barco sin timón tendría más posibilidades que un hombre sin disciplina."

5. Cómo tratar al necio, 26:1-12

El v. 1 compara el honor (o "gloria" como en 25:27) *al necio* (ver 1:22) como no natural (ver 17:7 y 19:10 *o conviene;* aquí *o le caen bien),* con la *nieve en el verano* o la *lluvia en la siega* (un trastorno de lo esperado de la naturaleza).

En el v. 2 se subraya la vanidad de *la maldición* (ver 3:33; 29:24) sin fundamento. Nos hace recordar el caso de Balaam contra Israel (ver Núm. 23:7-10). Como el ave y la golondrina escapan, así la maldición no permanece.

Semillero homilético

Cualidades del hombre de Dios

25:21-28

Introducción: El autor de los proverbios resalta las cualidades positivas y negativas para los seres humanos. ¿Cómo se caracteriza el hombre de Dios? A veces las verdades se presentan en forma positiva y a veces en forma negativa. Veamos las cualidades:

I. Muestra identificación con los que sufren, v. 20.
   1. No canta canciones cuando uno está triste.
   2. No se ríe cuando uno está en dolor.

II. Muestra amor hacia sus enemigos, vv. 21, 22.
   1. Nunca paga mal por mal.
   2. Lleva a sus enemigos al arrepentimiento.
   3. Su enemigo responde a su amor.

III. Muestra templanza en su modo de actuar, vv. 27, 28.
   1. Domina sus impulsos, v. 27.
   2. Evita la vanagloria, v. 27.

Conclusión: En este pasaje se pueden captar tres manifestaciones del hombre sincero: sensibilidad a las emociones de los demás, amor por los enemigos y autocontrol en lo que come y en no jactarse de sus hazañas.

3 El látigo es para el caballo,
y el freno para el asno,
y la vara para la espalda de los necios.
4 Nunca respondas al necio según su insensatez,
para que no seas tú también como él.
5 Responde al necio según su insensatez,
para que no se estime sabio en su propia opinión.
6 Se corta los pies y bebe violencia
el que envía recado por medio de un necio.
7 Como las piernas del cojo, que cuelgan inútiles,
es el proverbio en la boca de los necios.
8 Como atar una piedra a la honda,
así es dar honor al necio.
9 Como espina que penetra en la mano del borracho,
es el proverbio en la boca de los necios.
10 Como el arquero que hiere a todos,
es el que contrata a necios y vagabundos.*
11 Como perro que vuelve a su vómito,
así es el necio que repite su insensatez.

En el v. 3 se subraya la necesidad del castigo físico de *los necios* (ver 10:13; 13:24; 19:29; 23:14). *La vara* se encuentra con *el látigo* del *caballo* y *el freno* del *asno.* ¡Qué lástima que algunos necesiten ser sujetados y castigados así!

Los vv. 4 y 5 tratan el tema de la manera de responder *al necio.* Por un lado, el v. 4 enseña que el oyente no ha de entrar en la misma forma de pensar y hablar del necio. Por otro lado, el v. 5 enseña que el oyente ha de contestar al necio en la misma manera necia para que éste se dé cuenta del poco valor de su *insensatez* (ver 12:23; 14:8, 18, 29).

Semillero homilético

Pasos hacia el triunfo

26:13-23

Introducción: El autor de Proverbios nos da consejos útiles para evitar contiendas y lograr las metas del éxito en la vida.

I. Hay que dejar la pereza, vv. 13-16.
 1. Porque la pereza no quiere asumir responsabilidad, v. 13.
 2. Porque la pereza no logra avanzar, v. 14.
 3. Porque la pereza emprende algo y no lo termina, v. 15.

II. Hay que dejar las riñas, vv. 17, 19.
 1. Te llevan a un final fatal, v. 17. "El que mal anda mal termina."
 2. Te quedarás sin amigos, v. 19.

III. Hay que dejar las murmuraciones, vv. 20-23.
 1. Siempre llevan mala intención, v. 20. "Quien mal habla del ausente da gusto al diablo y a las gentes."
 2. Trae efectos desastrosos, vv. 21-23.

Conclusión: El escritor utiliza varios símiles y metáforas para impresionar a los lectores de lo absurdo de las prácticas diarias en el uso de la lengua, en las riñas y en tomar decisiones equivocadas.

El v. 6 afirma el peligro del *necio* (ver 10:26; 17:11; 22:21; 25:13) en los términos más llamativos (el pie cortado, la violencia hecha).

El v. 7 reitera la inutilidad del *proverbio* (la enseñanza moral para la palabra *mashal* en la Introducción) al necio, como también son *inútiles* las *piernas del cojo.*

La escena de la piedra atada *a la honda* (v. 8) es absurda. La piedra ha de mantenerse suelta para su uso (ver 1 Sam. 17:49 para David contra Goliat). Así de absurdo es el *honor* (o la gloria como en 26:1) *al necio.*

En el v. 9 se repite la frase *el proverbio en la boca de los necios* del v. 7, comparándolo a la molestia de *la espina que penetra en la mano del borracho,* que quizá no la siente.

Según el v. 10, *los necios y vagabundos* (ver 6:11) son pésimos empleados, una influencia peligrosa para todo el mundo. No hay que contratarlos.

La primera línea del v. 11 es un dicho popular que muestra la naturaleza del perro, subrayando así la naturaleza del necio que vuelve a la *insensatez* (ver vv. 4, 5). La insensatez tiene el mismo valor del vómito, un desperdicio ya consumido y descartado (2 Ped. 2:20-22, esp. el v. 22).

El v. 12, sorprendentemente, muestra a

12 ¿Has visto a un hombre sabio en su propia opinión?
¡Más esperanza hay del necio que de él!

13 Dice el perezoso:
"¡Hay un león en el camino!
¡Hay un león en medio de las calles!"
14 Como las puertas giran sobre sus bisagras,
así también el perezoso en su cama.
15 El perezoso hunde su mano en el plato,
y se cansa de volverla a su boca.
16 El perezoso es más sabio en su opinión
que siete que responden con discreción.
17 El que se entremete en pleito ajeno
es como el que agarra de las orejas*
a un perro que pasa.

*26:10 O: *transeúntes*
*26:17 LXX tiene *cola.*

uno peor que el *necio,* es decir, el *sabio en su propia opinión* (ver 3:5, 7; 16:2; Isa. 5:21; 19:12; 29:14; 44:25; Jer. 8:9; esp. Rom. 11:25; 1 Cor. 1:19, 20, 27; 3:18). También el necio tiene más esperanza que el apresurado (ver 29:20).

6. La mentalidad del flojo, 26:13-16

Esta sección desarrolla cuatro dichos sobre el perezoso (ver 6:6-11; 10:4, 5). El v. 13 repite 22:13, aunque se ausenta el resultado de ser muerto, pero está implícito. El v. 14 subraya la forma constante de relacionarse entre *las puertas* y las *bisagras,* y el *perezoso* y la *cama.* ¡Son inseparables!

El tercer *mashal,* que se encuentra en el v. 15, se repite de 19:24. Finalmente, el v. 16 revela cómo el perezoso se cree *más sabio... que siete* (un número que significa una sabiduría total) *con discreción* (ver 11:22).

7. Los trastornos del dicho y del hecho, 26:17-28

Agarrar *las orejas* (o la "cola", según la

La honda y las piedras, 26:8

18 Como el que enloquece y arroja dardos
y flechas de muerte,
19 así es el hombre que defrauda a su
amigo y dice:
"¿Acaso no estaba yo bromeando?"
20 Sin leña se apaga el fuego;
y donde no hay chismoso,
cesa la contienda.
21 El carbón es para las brasas,
la leña para el fuego,
y el hombre rencilloso para provocar
peleas.
22 Las palabras del chismoso parecen
suaves,
pero penetran hasta lo recóndito del ser.*
23 Como escorias de plata arrojadas sobre
un tiesto,
son los labios enardecidos y el corazón vil.
24 El que aborrece disimula con sus labios,
pero en su interior trama el fraude.
25 Cuando hable amigablemente, no le
creas;
porque siete abominaciones hay en su
corazón.
26 Aunque con engaño encubra su odio,
su maldad será descubierta en la
congregación.
27 El que cava fosa caerá en ella;
y al que hace rodar una piedra,
ésta le vendrá encima.
28 La lengua mentirosa atormenta a su
víctima,*
y la boca lisonjera causa la ruina.

*26:22 Lit., *hasta las cavidades del vientre.*
*26:28 Comp. Sal. 93:3

Septuaginta) de *un perro* (v. 17), es buscar el gruñido del perro y quizá la posibilidad de ser mordido. Así es el buscapleitos (ver 3:30; 10:12; 15:18; 18:18, 19; 20:3; 26:20, 21; 28:2, 25; 29:9, 22).

> Semillero homilético
>
> **La voz de la sabiduría**
>
> 26:1-12
>
> *Introducción*: El autor presenta a la sabiduría personificada con voz para recalcar en forma más dramática su mensaje para la humanidad.
>
> I. Amonesta acerca de la insensatez del necio, vv. 1, 2.
> 1. Es ilógico: la nieve no aparece en el verano, v. 1a.
> 2. Es rechazado: no queremos lluvia en el tiempo de la siega, v. 1b.
>
> II. Advierte acerca de no bajar al nivel del necio, vv. 4-7.
> 1. En nuestro modo de responderle.
> 2. En asignarle responsabilidades imposibles para el necio.
> 3. La esperanza del necio no llega, v. 12.
>
> III. Avisa que la confianza en el necio es una ilusión, vv. 8-12.
> 1. Asegura el fracaso, v. 8.
> 2. Asegura la falsa interpretación de los hechos, v. 9.
> 3. Asegura la equivocación en lograr alcanzar las metas, v. 10.
>
> *Conclusión*: El hombre sabio y orgulloso es más peligroso que un necio a quien le hemos confiado información delicada.

Los vv. 18 y 19 declaran que el daño se hace y después se dice que fue una broma. Sin embargo, el dardo y la flecha se han arrojado. Hay que construir amistades sanas y duraderas (ver 17:9, 17; 18:24; 25:8-10, 17; 27:6-10, 14, 17). Tal persona no es un amigo de verdad. Hay bromas pesadas que no han de iniciarse.

El v. 20 hace una comparación entre la *leña* que mantiene vivo *el fuego* y el *chismoso* (del vocablo "cuchicheo" como en 16:23; 18:8; 26:22), que mantiene viva *la contienda* (como en 18:19; 23:29).

En el v. 21 sigue el tema del *hombre* "de contiendas" (ver 21:9; 25:24; 27:15) o *rencilloso*, que lit. "enciende las disputas" (ver 15:18; 17:14; 20:3), tal como lo hacen el carbón y la leña.

El v. 22 repite 18:8.

En el v. 23 se reitera el tema de la maldad de *los labios* y *el corazón*, una combinación frecuente (ver 4:23, 24). Se comparan con *las escorias de plata arrojadas sobre un tiesto*.

Los vv. 24-26 subrayan la actitud del *que aborrece* (ver 25:21, donde la misma raíz se traduce *enemigo*). Externamente,

27 1 No te jactes del día de mañana,
porque no sabes qué dará de sí el día.
2 Que te alabe el extraño, y no tu propia
boca;
el ajeno, y no tus propios labios.
3 Pesada es la piedra;
también la arena pesa.
Pero el enojo del insensato es más
pesado que ambas.
4 Cruel es la ira e impetuoso el furor;
pero, ¿quién podrá mantenerse en pie
delante de los celos?
5 Mejor es la reprensión manifiesta
que el amor oculto.

---

se ve pacífico mientras su interior (v. 24) y después sus labios (v. 26) hacen engaño. Hay un contraste entre las palabras del individuo y las *siete abominaciones* (una corrupción total; ver 6:16-19; Luc. 8:2 para María Magdalena con los siete demonios) *en su corazón* (ver 10:8). Hay un dicho que reza: "Contra siete vicios hay siete virtudes", así Dios da los recursos para evitar los vicios. Finalmente, el v. 26 muestra que la verdad vence, afirmando el dicho popular: "La verdad como el aceite también sale a la superficie", aquí *en la congregación* o asamblea, públicamente.

El v. 27 asegura que el hombre cae por sus propios hechos (ver 1:18, 19; 22:25; 24:12). Los esfuerzos para atrapar a otros llegan a ser las trampas de uno mismo. Así, el hombre malo está "cavando su propia sepultura".

El tema del v. 28 muestra la destrucción producida por *la lengua mentirosa* (ver 6:17; 12:19, 22; 17:4; 26:28) y *la boca lisonjera* (la misma palabra se encuentra en 5:3 para "suave").

8. La jactancia, los celos y el vagabundeo, 27:1-10

Los vv. 1 y 2 se unen por la palabra hebrea traducida *jactes* (v. 1) y *alabe* (v. 2). El primer versículo nos hace recordar la jactancia del rico en Lucas 12:19: *Alma, muchos bienes tienes almacenados para muchos años. Descansa, come, bebe, alégrate.* La incertidumbre del futuro humilla al hombre sabio (ver Mat. 6:34; Stg. 4:13-17). Un escrito egipcio exhorta: "No pases la noche temiendo el mañana. ¿Cómo es el día siguiente al amanecer? El hombre no sabe cómo es el día siguiente" (*Amen-em-opet*, 18, 1-3). El segundo dicho sobre "jactar" es paralelo al dicho "no te infles solo". Es de mal gusto alabarse. Mejor que sean otros los que

---

Semillero homilético

Tres pasos para relacionarnos mejor
27:1-10

Introducción: El ser humano es un ser social por naturaleza, necesita de otros para poder vivir, pero este deseo muchas veces también es el responsable de no permitirnos vivir como Dios quiere que vivamos. En el pasaje de 27:1-10 encontramos algunas ideas que nos ayudan a relacionarnos mejor con los que nos rodean.

I. Hay que dejar el orgullo, vv. 1, 2.
1. Porque no tenemos la vida garantizada.
2. Porque la alabanza del otro tiene valor.

II. Hay que expresar lo que sentimos, en amor, vv. 5-6.
1. Porque otros quieren saber lo que sentimos.
2. Porque así manifestamos un verdadero amor.

III. Hay que mostrarnos verdaderos amigos, vv. 9-10.
1. Porque el amigo alegra.
2. Porque el amigo está cerca en caso de necesitarlo.

Conclusión: Siguiendo estos breves consejos conseguiremos vivir mejor con los que nos rodean, y de esta manera lograr la voluntad de Dios, la cual es que podamos vivir unos junto a otros en armonía y dándole gloria a él.

6 Fieles son las heridas que causa el que ama,
pero engañosos* son los besos del que aborrece.
7 La persona saciada desprecia el panal,
pero para la hambrienta todo lo amargo es dulce.
8 Como el ave que vaga lejos de su nido,
así es el hombre que vaga lejos de su lugar.
9 El aceite y el perfume alegran el corazón;
y la dulzura de un amigo, más que el consejo del alma.*
10 No abandones a tu amigo ni al amigo de tu padre,
y no vayas a la casa de tu hermano en el día de tu infortunio;
pues es mejor el vecino cerca que el hermano lejos.

---

*27:6 Según prop. Stutt.; heb., de significado oscuro
*27:9 Heb., de significado oscuro

alaben a uno. Es mejor todavía que Dios alabe al creyente (Mat. 25:21, 23).

Los vv. 3 y 4 se unen por la manera de comparar algunas cosas menores con una superior. Por ejemplo, el v. 3 revela cómo *el enojo* (ver 12:16; 17:25; 21:19) *del insensato* (ver 1:7) *es más pesado* que la piedra o la arena. Un relato arameo dice: "He levantado tierra, he transportado sal; pero nada hay más pesado que la cólera" (*Ahiqar* 8, 111-125). Luego, el v. 4 compara *la ira* y *el furor* como algo cruel e impetuoso, respectivamente, con *los celos* (ver 6:34 s.). El versículo termina con una pregunta retórica (ver 23:29) que afirma la fuerza y la pasión de los celos, algo muy peligroso (se espera la respuesta "nadie").

El v. 5 compara dos actitudes, mostrando la superioridad (*tob* [2896], traducido *mejor* como en 15:16 y otros) de *la reprensión* (ver 1:23; 3:11, donde se une con el concepto de la disciplina) *manifiesta*

Semillero homilético

¿Qué mide el valor del ser humano?

27:10-22

Introducción: De los Proverbios podemos captar las cualidades que son importantes para poder vivir feliz y exitosamente.

I. La capacidad de sentir con los desafortunados, vv. 10, 11.
1. Sus familiares apreciarán su presencia, v. 10.
2. Sus palabras pueden traer consuelo, v. 11.
3. Sus acciones pueden prevenir tragedia, v. 12.

II. La capacidad de percibir los peligros, vv. 12-16.
1. Negocios que pueden ser cuestionables, v. 13.
2. Nos motiva o desmotiva en las relaciones, v. 14.

III. La capacidad de analizar las circunstancias, vv. 17-21.
1. Cuidando el cultivo de su terreno, v. 18.
2. Captando las reacciones de las personas, v. 19.
3. Midiendo las palabras que se pronuncian, v. 21.

Conclusión: Hay un dicho popular que dice: "Todo lo que brilla no es oro." A veces lo que percibimos en la superficie de la situación no dice todo, y puede haber mucho debajo de la superficie que habla más claramente que lo que captamos a primera vista. El autor de Proverbios nos anima a analizar bien las circunstancias y nuestras acciones.

"Nadie se alabe hasta que se acabe. Hasta muertos y enterrados no seáis alabados." Un futbolista estaba llevando la pelota a la meta para marcar un gol. Comenzó a celebrar unos metros antes de llegar a la meta, y un contrincante le quitó la pelota. No debemos jactarnos de nuestras victorias hasta que sean seguras.

(traducido *revela* en 20:19; aquí la forma *pual* pone énfasis en la intensidad del verbo) por sobre *el amor* (ver 8:17) *oculto* (traducido *esconder* en 27:12; aquí la forma *pual* pone énfasis en la intensidad del verbo). Aquella persona con un amor oculto esconde sus sentimientos y pierde la oportunidad de apoyar al prójimo. De hecho, el prójimo no sabe el motivo que guía al hombre que oculta sus sentimientos amistosos. Por el otro lado, el hombre que reprende es una ayuda, aunque a veces no es apreciado (ver 28:23).

Joya bíblica

Mejor es la reprensión manifiesta que el amor oculto (27:5).

Refrán

"Bien me quieren mis vecinas, porque les digo las mentiras, y mal me quieren mis comadres porque les digo las verdades."

El v. 6 se une con el v. 5 por los conceptos paralelos de la reprensión y de las heridas, además por la raíz "amar" (siendo las palabras *el amor* en el v. 5 y *el que ama* en el v. 6). La palabra *engañosos* es una modificación del texto, en que el hebreo claramente propone la palabra "abundancia". Así, *las heridas* fieles del amigo son superiores a *los besos* abundantes del enemigo. Nos hace recordar el beso de Judas (ver Mar. 14:44, 45). El beso era un símbolo de la amistad y la fraternidad (ver Gén. 45:15; 1 Sam. 20:41; Luc. 15:20). El enemigo del v. 6 hace burla de dicho símbolo.

El dicho popular "donde hay hambre, no hay pan duro", expresa en una forma paralela el espíritu del v. 7. Teresa, la esposa de Sancho Panza, dijo que "la mejor salsa del mundo es el hambre... a los pobres, siempre comen con gusto". En el paralelismo antitético se subraya la distancia entre *la persona saciada* (¿el rico?) y *la hambrienta* (¿el pobre?).

El v. 8 subraya el descuido del hogar que occure cuando el hombre se ausenta. Se compara con la ausencia del ave del nido. Tal ausencia produce sus traumas emocionales y sus desastres financieros. De hecho, "piedra que rueda no cría pasto". El v. 8 tiene una repetición del sonido de "k... n... m".

En el v. 9 el texto hebreo es muy difícil. Básicamente, se presentan dos afirmaciones. Los elementos del *aceite y el perfume* (ver 5:3; 7:17) apuntan al ambiente de fiesta. La segunda parte del v. 9 es más difícil. Se puede unir en una forma antitética (léase como en el texto dado), en una forma modificada (léase "aflicción" o "angustia" en vez de *consejo*, aunque no hay evidencia del texto) o en una forma sintética, eliminando la palabra *más*: "...y la dulzura de un amigo en el consejo del alma."

Ave que va lejos de su nido, 27:8

11 Sé sabio, hijo mío, y alegra mi corazón;
así tendré qué responder al que me ultraja.
12 El prudente ve el mal y se esconde,
pero los ingenuos pasan y reciben el daño.
13 Quítale su ropa al que salió fiador del extraño,
y tómale prenda al que se fía de la mujer ajena.
14 Al que bendice a su prójimo en alta voz,
madrugando de mañana,
se le contará por maldición.
15 Gotera continua en un día de lluvia
y mujer rencillosa son semejantes;
16 sujetarla es sujetar al viento,
o al aceite en la mano derecha.*
17 El hierro con hierro se afila,
y el hombre afina el semblante de su amigo.
18 El que cuida de su higuera comerá de su fruto,
y el que atiende a su señor logrará honra.

*27:16 Heb., de significado oscuro

El v. 10 contiene 14 palabras hebreas y podría dividirse en dos versículos. De hecho, la palabra *pues* no se encuentra en el texto hebreo y se pone para unir los dos pensamientos. Se subraya el valor de la amistad, aun la que dura dos generaciones. Se subraya el valor del amigo cercano y las limitaciones de la ayuda que rinden los familiares distantes. *Mejor* viene del hebreo *tob* (ver 27:5).

9. Las relaciones desplomadas, 27:11-16

En el v. 11 se presenta al imperativo, subrayando la relación *hijo mío* (ver 1:8; 10:1). Seguramente, el prestigio del hombre en la comunidad antigua aumentaba o disminuía según el éxito o fracaso del hijo (o los hijos). Aun 1 Timoteo 3:4 subraya que el *obispo* (el pastor de una congregación local) *gobierne bien su casa y tenga a sus hijos en sujeción con toda dignidad.*

El v. 12 es igual a 22:3. *El prudente* evita ponerse en peligro mientras *los ingenuos* (ver 1:22) siguen adelante y se perjudican.

El v. 13 es igual a 20:16. Se muestran dos peligros: la fianza y la adúltera.

El v. 14 juega con las palabras "bendición" y "maldición" (ver 3:33). El significado es un poco oscuro. De todas maneras, la bendición temprana y pública por el vecino es inapropiada. ¿Por qué? Quizá es un tiempo inapropiado (ver Ecl. 3:1-8). Quizá es una bendición insincera. De todos modos, es mejor contar tal bendición como una maldición de parte del vecino. Algunos eruditos piensan que la maldición va en contra del vecino que pronuncia la bendición, aunque tal conclusión es poco probable.

Los vv. 15 y 16 amplían el modismo de 19:13 (ver 21:9, 19; 25:24). Se recalca la persistencia de la mujer rencillosa que es como la *gotera continua.* Ella es tan incontrolable e indisciplinada como el *viento* y *el aceite en la mano derecha* (una expresión no muy conocida). Por el otro lado, gracias a Dios por las mujeres que son grandes bendiciones (ver 12:4; 18:22; 19:14; 31:10-31).

10. Un análisis del carácter humano, 27:17-22

Las dos partes del v. 17 se unen por la palabra que se traduce *afila* (traducido *afina* en la segunda parte). La interacción entre dos personas puede mejorar a las dos personas. Tal inspiración se refleja en 1 Tesalonicenses 5:11, que dice: ... *animaos los unos a los otros y edificaos los unos a los otros...* Por supuesto, el lado opuesto también tiene razón: "Una manzana podrida pudre a las demás." Hay que elegir a los amigos con mucha sabiduría (ver 1:10-19).

El v. 18 subraya que el trabajo es productivo. El obrero que *cuida de su higuera* como el siervo que *atiende a su señor* reciben su recompensa (es decir *su fruto* y

19 Como el agua refleja la cara,
así el corazón del hombre refleja al hombre.
20 El Seol* y el Abadón* nunca se sacian;
así nunca se sacian los ojos del hombre.
21 El crisol prueba la plata,
la hornaza el oro;
y al hombre, la boca del que lo alaba.
22 Aunque machaques al insensato con el pisón de un mortero en medio del grano,
no se apartará de su insensatez.

23 Considera atentamente el estado* de tu ganado;
presta atención* a tus rebaños.
24 Porque las riquezas no duran para siempre,
ni se transmite una corona de generación en generación.
25 Saldrá la grama, aparecerá la hierba,
y serán recogidas las plantas de las colinas.
26 Los corderos proveerán para tu vestido,
y los machos cabríos para el precio del campo.
27 La abundancia de la leche de las cabras será para tu sustento
y para el sustento de tu casa y de tus criadas.

*27:20a O sea, la morada de los muertos
*27:20b O sea, el lugar de perdición
*27:23a Lit., *la cara*
*27:23b Lit.., *pon tu corazón*

la honra). El versículo motiva a creer en el valor del trabajo.

En el v. 19 la claridad del agua para reflejar *la cara* (sea el hombre o sea alguna otra cosa) se compara con el *corazón*, que refleja la verdadera realidad del hombre. Un dicho popular afirma que "se ven caras pero no corazones", acentuando lo difícil que es ver el corazón humano. No es así con Dios, quien puede ver sin dificultad el corazón del hombre. En conclusión, el v. 19 enseña que el agua y el corazón no pueden falsificarse.

En el v. 20, *Seol*, el lugar donde el hombre va cuando muere, y *Abadón*, el lugar donde se encuentra la destrucción total, son mencionados como lugares que nunca se llenan (lit. "se satisfacen"; ver 1:12; 5:5; 7:27; 9:18; 15:11, 24; 23:14; 30:16). Por lo tanto, la falta de satisfacción se nota en *los ojos del hombre* (ver 1 Jn. 2:16). Se subraya la curiosidad del hombre en un sentido positivo o la codicia del hombre en un sentido negativo. Parece que el sentido negativo es paralelo con la primera parte del versículo.

La primera parte del v. 21 se encuentra en 17:3. La reacción de un hombre a la alabanza humana muestra algo de la persona (ver 27:2). Siempre la alabanza divina es lo que cuenta.

El v. 22 ilustra la *insensatez* del *insensato* (ver 15:2, 4) a través del *pisón de un mortero*, donde se muele el grano. "Contra viento y marea", el insensato va a mantenerse insensato.

11. Un análisis del estado agrícola-ganadero, 27:23-27

En los vv. 23-27 se ve una fotografía de la vida rural en la antigüedad. Se observa el valor superior del ganado por sobre la riqueza (vv. 23, 24). Por lo tanto, se dan distintas palabras para enumerar los animales y las plantas o hierbas. Se pone énfasis en el cuidado del ganado. Por lo tanto, se elaboran los beneficios del ganado, sus productos de vestido, de precio para la compra de un campo, de la leche, etc. El autor es un ganadero convencido de que la vida y el trabajo honestos superan todos los demás estilos de vida. Tristemente, muchas personas que van a la ciudad se convierten en los desempleados, los alcohólicos y los criminales. Aquí se encuentra un llamado a la vida decente y honrada.

28 1 Huye el impío sin que nadie lo persiga,
pero los justos están confiados como un león.
2 Por la rebelión del país se multiplican sus gobernantes,
pero por el hombre de entendimiento y de inteligencia permanecerá.
3 El hombre pobre* que oprime a los más débiles
es como lluvia torrencial que deja sin pan.
4 Los que abandonan la ley alaban a los impíos,
pero los que guardan la ley contenderán con ellos.
5 Los hombres malos no entienden el derecho,
pero los que buscan a Jehovah lo entienden todo.
6 Mejor es el pobre que camina en su integridad
que el de caminos torcidos, aunque sea rico.

*28:3 LXX tiene *malvado*

12. Las consecuencias de los valores alterados, 28:1-14

El v. 1 contrapone la actitud asustadiza del impío (ver 10:3) con la actitud confiada, *como un león* (ver 19:12; 20:2; 22:13; 28:15; 30:30), del justo (ver 10:3). El temor esclaviza las acciones del impío (ver Lev. 26:17; Deut. 28:25; 32:30).

En el v. 2 se expresa una realidad política. Las injusticias de los gobiernos y las inmoralidades de los pueblos producen las guerras civiles y las rebeliones; se levantan los gobiernos provisionales y los gobiernos múltiples, todos proclamándose legítimos. Así el pueblo se divide y sufre. Por el otro lado, el entendimiento y la inteligencia afirman un gobierno y, de ese modo, al pueblo.

El texto hebreo es claro en el v. 3, aunque su significado ha sugerido por lo menos tres interpretaciones. La palabra hebrea para *pobre* aquí es *rash* 7326 (ver 17:5). Algunos la han interpretado en el sentido de "gobernante" o "malvado". Sin embargo, es más factible que sea un verdadero pobre que llega a algún puesto de autoridad y de ahí oprime a los aún más pobres e insignificantes. Es como la lluvia destructiva que daña la tierra, eliminando la siega.

Según el v. 4, hay dos grupos de personas en la sociedad. El primer grupo son los que *abandonan la ley* (Torah, ver 2:13, 17). Ellos *alaban a los impíos,* convirtiéndolos así en sus héroes. El segundo grupo son los que *guardan la ley,* son inteligentes (v. 7) y disputan con los impíos. Los adolescentes, muchas veces como los ingenuos, escuchan las alabanzas y los rechazos de los dos sectores hacia los impíos y han de decidir quién tiene la razón.

En el v. 5 *el derecho* (ver 19:28; 21:7, donde se traduce *el jucio* y *la justicia)* está relacionado íntimamente con Dios. De hecho, sólo el Dios santo puede declarar lo verdaderamente justo. Así, los malos tienen una ignorancia total, mientras que *los que buscan a Jehovah* pueden adquirir una sabiduría acabada (sorprendentemente, la palabra *todo* aparece en el texto).

Semillero homilético

El hijo que agrada

28:7

Introducción: El dicho: "Quien no escucha consejo no llega a viejo" ilustra la sabiduría de poder prestar atención a los consejos de personas de experiencia en la vida. Esta es una cualidad de suprema importancia para un hijo.

I. El hijo prudente escucha consejos.
II. El hijo prudente tiene buenos pensamientos.
III. El hijo prudente agrada a Dios.

Conclusión: La capacidad de escuchar los consejos de otros da evidencia de un hijo sabio. También, el que llena su cabeza de pensamientos positivos muestra su madurez. Y una reverencia para Dios es la marca de una persona sabia.

7 El que guarda la ley es hijo inteligente
pero el que se junta con glotones
avergüenza a su padre.
8 El que aumenta sus riquezas con usura
e intereses
acumula para el que se complace de
los pobres.
9 El que aparta su oído para no oír la
ley,
él caerá en su propia fosa.
10 El que hace errar a los rectos por el mal
camino,
él caerá en su propia fosa;
pero los íntegros heredarán el bien.
11 El hombre rico es sabio en su propia
opinión,
pero el pobre que es inteligente lo
escudriña.

La primera parte del v. 6 es paralela con 19:1, ambos mostrando que un *pobre* puede caminar en la *integridad*, el estado de madurez espiritual y moral. La palabra *mejor* muestra la superioridad del pobre íntegro por sobre el rico de *caminos torcidos* o perversos. Aquí la calidad moral es superior a las posesiones, algo fácil de aceptar en el plano teórico, pero mas difícil en el real.

El v. 7 enfrenta el abuso del comer, quizás en la situación de una fiesta de mal gusto (ver 23:20, 21; 29:3; Deut. 21:20 donde se une con *borracho;* Rom. 13:13 donde se une con *borracheras)*. Donde sobrevivir es la vida normal, el abuso de los alimentos es aun peor. Falsamente, Jesús fue acusado de ser *un hombre comilón y bebedor de vino* (Luc. 7:34). Por el otro lado, parece ser que los hijos de Job daban y participaban en fiestas nada sanas (Job 1:4, 5).

En el v. 8 hay un gran optimismo, que desautoriza la permanencia de las riquezas ganadas por intereses en las manos del recolector, dándolas al ayudador de los pobres (ver Exo. 22:25; Lev. 25:36, 37; Deut. 23:19; Prov. 19:17).

El v. 9 apunta a un Dios que se distancia y no oye la oración del que detesta la ley (ver 28:4, 7). A tal *oración* (ver 15:8, 29; 16:6; 20:25; 21:3, 27; 28:13) le falta el elemento básico, la integridad de vida (ver Ose. 6:6; Mat. 12:7; Luc. 18:10 ss.). La palabra *abominable* subraya la distancia entre el que ora y Dios (ver 6:16; 11;1; 15:8; 20:23).

En el v. 10 se encuentra una advertencia para los que *hacen errar a los rectos.* Otra vez se repite el tema de que el peligro puesto, la trampa preparada, resultará en un perjuicio para el hacedor de mal (ver 1:18, 19; 26:27; 28:1, 18; 29:6).

El v. 11 compara al *rico* que se autode-

Semillero homilético

Una clave para el éxito
28:1-10

Introducción: La clave para el éxito en la vida es una vida recta. Vamos a considerar esta vida recta.

I. La base de una vida recta, vv. 1-3.
1. Tiene confianza en sus proyectos, v. 1.
2. Tiene entendimiento en asuntos de gobierno, v. 2.

II. El curso de la vida recta, vv. 4-6.
1. Respeta y obedece la ley, vv. 4, 6.
2. Reconoce y se somete a Jehovah, v. 5.

III. La recompensa de una vida recta, vv. 7-10.
1. Es respetado por sus hijos, v. 7.
2. Sigue el camino recto, v. 8.
3. Heredará una recompensa apropiada, v. 10.

Conclusión: Aunque los malos prosperan por un tiempo y disfrutan de la buena salud, el fin del hombre bueno probará que Dios bendice al que es fiel a sus enseñanzas.

12 Cuando triunfan los justos,
grande es la gloria;
pero cuando se levantan los impíos,
se esconden los hombres.
13 El que encubre sus pecados no prosperará,
pero el que los confiesa y los abandona
alcanzará misericordia.
14 Bienaventurado el hombre que siempre teme,
pero el que endurece su corazón caerá en el mal.
15 León rugiente y oso que embiste
es el gobernante impío sobre el pueblo empobrecido.

nomina *sabio* (ver 3:7; 12:15; 16:2; 21:2; 26:12; etc.) con *el pobre que es inteligente* porque "*escudriña,* busca la sabiduría, observa, pregunta. Mejor es hacerse sabio que declararse sabio. ¿Se relaciona esto con el v. 6?

Hay un paralelismo entre el v. 12 y 29:2. En ambos casos, lo positivo para los justos hace alegrarse al pueblo. Hay una reacción de parte del pueblo que es distinta a la victoria de los justos y a la de los impíos. *Los impíos* se regocijan a solas, mientras la victoria de los justos es un triunfo para la sociedad. La segunda parte del versículo se repite en el v. 28. ¿Cuántas veces se ve a los niños escondiéndose de sus padres porque los niños saben que los padres los van a retar en vez de abrazar? De igual manera, los impíos victoriosos no inspiran confianza y amor.

El v. 13 nos recuerda el pecado de David al adulterar con Betsabé (ver 2 Sam. 11:4 ss.) y su lucha para encubrir al pecado (ver 2 Sam. 11:6 ss; 12:1 ss.). Tal actitud no tiene futuro, *no prosperará.* Solamente la oración de confesión resultará (ver 1 Jn. 1:8-10). Junto a la confesión se agrega el abandono del pecado, que requiere el poder del Espíritu Santo. Así se logra la misericordia divina (ver Sal. 32). La forma *pual* pone énfasis en la acción de "alcanzar".

El v. 14 muestra la actitud de un temor sano en contraste con el temor del impío que se encuentra en el v. 1. Este temor se centra en una actitud reverente hacia Dios (ver 1:7, 29; 2:5; 3:7). La palabra *bienaventurado* refleja el favor (divino) que afirma al hombre creyente (8:32, 34; 14:21). La actitud opuesta a la reverencia o temor es la del que *endurece su corazón,* es decir, rechaza el camino divino, ignorando la ley (ver v. 4). Otra vez, se advierten las consecuencias negativas (ver 13:14; 15:24).

Semillero homilético

Las respuestas justas de Dios

28:9, 10, 13

Introducción: El creyente tiene a su disposición el recurso del poder de Dios para socorrerlo en cada circunstancia. Es una reserva espiritual más repleta que la que pueda tener cualquier rey o presidente con los recursos financieros y militares a su disposición. Pero tenemos que apropiarnos de este recurso.

I. Dios oye al que ora con fe, v. 9.
  1. Debemos orar con el oído sincronizado para escuchar de Dios.
  2. Debemos orar con una actitud de sumisión y obediencia.

II. Dios guía al que busca dirección divina, v. 10.
  1. Debemos buscar dirección para evitar la equivocación.
  2. Debemos buscar para no ser desviados del camino recto.

III. Dios perdona al que se arrepiente, v. 13.
  1. El que encubre sus pecados sufrirá las consecuencias.
  2. El que confiesa y abandona experimentará el gozo de ser perdonado.

Conclusión: Tres verdades fundamentales relacionadas con nuestra relación con Dios nos muestran el camino a la tranquilidad tanto como la felicidad en nuestra vida.

13. El ambiente del gobierno tirano, 28:15-22

Los vv. 15 y 16 apuntan a dos abusos del gobernante. En primer lugar, el gobernante puede empobrecer al pueblo hasta el hambre. En segundo lugar, puede aumen-

16 El gobernante falto de entendimiento
aumenta la extorsión,
pero el que aborrece las ganancias
deshonestas alargará sus días.
17 El hombre que carga con un delito de
sangre huirá hasta la fosa,*
y nadie lo detendrá.
18 El que camina en integridad será salvo,
pero el de caminos torcidos caerá
en una fosa.*
19 El que cultiva su tierra se saciará de
pan,
pero el que persigue cosas vanas se
saciará de pobreza.
20 El hombre fiel tendrá muchas
bendiciones,
pero el que se apresura a enriquecerse
no quedará impune.

*28:17 Es decir, la muerte
*28:18 Según Peshita; heb., *en una.*

---

tar la corrupción en el pueblo. Sin embargo, tal gobernante acorta sus días. En otros pasajes se utiliza la metáfora del *león rugiente* para apuntar a los enemigos de David (ver Sal. 22:13) y al diablo (ver 1 Ped. 5:8).

El texto hebreo del v. 17 es muy difícil. Parece ser que se trata de algún asesino que está yendo hacia el castigo o la consecuencia del crimen. El individuo no ha de apoyar el asesinato. Al contrario, la ley de la justicia demanda la recompensa moral. Ciertamente, este versículo trata de aquella persona no arrepentida (ver v. 13). Algunos eruditos sugieren que la persona es suicida, aunque tal interpretación es poco probable.

En el v. 18 se repite el tema de la consecuencia del camino íntegro y del camino torcido (ver 6:6-11; 10:4). El texto hebreo substituye la palabra *una* por la palabra *fosa,* diciendo así que "un camino torcido" es la trampa del hombre no íntegro.

El v. 19 es paralelo con 12:11, modificando la última parte del versículo. Por un lado, el granjero *se saciará de pan,* el fruto de su labor. Por el otro lado, el perseguidor de *cosas vanas se saciará de pobreza,* de necesidad (ver 6:11). Esta afirmación modifica la declaración de 12:11 en cuanto a la falta del entendimiento del perseguidor de cosas vanas.

El v. 20 afirma la importancia de la fidelidad constante en vez de las riquezas apresuradas (ver 19:2; 21:5; 29:20). *Muchas bendiciones* acentúa la abundancia de

Semillero homilético

El síndrome de anhelar enriquecerse rápidamente

28:20-22

Introducción: No hay nada malo en querer progresar económicamente en la vida, pero un anhelo exagerado que nos mueve a ser deshonestos o tomar altos riesgos nos llevará a la quiebra. El autor de Proverbios nos da buenos consejos.

I. Nos lleva a buscar el atajo, v. 20.
  1. Pensando que podemos evitar la lucha larga que otros han tenido que hacer.
  2. Pensando que hay secretos que otros no han descubierto en el proceso de hacerse rico.

II. Nos tienta a buscar medidas de engaño, v. 21.
  1. Pensando que no seremos descubiertos.
  2. Pensando que somos excepciones a las leyes.

III. Nos encamina a la pobreza, v. 22.
  1. La bancarrota ha sido el destino de muchos que han buscado el atajo y que han sido deshonestos.
  2. La desgracia es compañera de los que han tratado de enriquecerse rápidamente.

Conclusión: El mejor camino para el que quiere tener éxito es ser honesto, ser sabio y ser paciente. No tenemos que enriquecernos de la noche a la mañana. Debemos contentarnos con un progreso lento pero seguro en nuestro avance.

21 No es bueno hacer distinción de
personas,
pues un hombre puede delinquir hasta
por un bocado de pan.
22 El hombre de malas intenciones*
se apresura a enriquecerse,
y no sabe que le ha de venir escasez.
23 El que reprende al hombre hallará
después mayor gracia
que el que le lisonjea con la lengua.
24 El que roba a su padre y a su madre,
y dice que no es maldad,
es compañero del destructor.
25 El de ánimo altivo* suscita contiendas,
pero el que confía en Jehovah
prosperará.
26 El que confía en su propio corazón es
un necio,
pero el que camina en sabiduría estará a
salvo.

*28:22 Lit., *de mal ojo*
*28:25 Otra trad., *El codicioso de posesiones*

la bendición (ver 3:33; 5:18). *No quedará impune* se repite aquí (ver 6:29; 16:5), afirmando la inevitabilidad de la justicia divina. Las riquezas apresuradas muchas veces son el resultado de la opresión de los pobres, el robo o la cobranza de los intereses. Tales riquezas no van a permanecer (ver 13:11), mientras el trabajo fiel permanecerá (ver 27:23-27).

La primera parte del v. 21 se encuentra en 24:23. La segunda parte honestamente muestra el precio tan bajo que puede motivar la delincuencia del hombre, es decir *un bocado de pan* (ver 6:26; 24:23), una suma bajísima. ¡Tan fácil es pervertir la justicia y comprar a un hombre! ¿Dónde está la integridad contemporánea?

El v. 22 repite la verdad enseñada en el v. 20. La palabra *intenciones* traduce el hebreo para "ojo" (la frase total es "mal ojo"; ver 1 Tim. 6:9). Las riquezas apresuradas vuelven a uno a la pobreza.

14. El juicio apropiado, 28:23-28

El v. 23 subraya la superioridad de la reprensión (ver 27:5) por sobre la lisonja. Este proverbio confronta la filosofía que hay que ser siempre positivo y nunca decir "no" al niño. Sin embargo, este idealismo ignora el peligro que enfrentan los adolescentes. A veces hay que decir "¡NO!" en una voz firme y constante. La palabra *después* admite que la gracia mayor viene en el futuro y no es evidente de inmediato. La gratificación instantánea no es la meta de una vida que se construye de a poco sobre los principios eternos de la palabra de Dios.

La primera parte del v. 24 es igual a 19:26. Un hijo que roba a sus padres, declarándose inocente de alguna culpabilidad del pecado (ver 31:20) está identificado como un colega o *compañero* (del verbo para "asociarse con") *del destructor*. La relación entre el hijo y los padres es un tema frecuente en Proverbios (ver 20:20; 23:22; 30:11, 17).

El v. 25 trata el tema del hombre orgulloso (ver 6:17) o codicioso (ver 1:19) que es la causa de una contienda (ver 15:18; 28:25). Por el otro lado, se une la idea de la confianza en Jehovah (ver 16:20; 29:25) y la prosperidad (lit. ser gordo o tener en abundancia).

En el v. 26 sigue el concepto de la confianza (ver 28:11). Otra vez se contrasta la autoconfianza con la confianza que viene a través de la sabiduría, apuntando así al necio (ver 8:5; 12:15) y al sabio.

En el v. 27 se repite el mandato de apoyar a los pobres (ver 19:17; 21:13; 22:9). Las palabras *muchas maldiciones* (ver 3:33), que se contrastan con las *muchas bendiciones* en el v. 20, sorprenden al lector por la fuerza del plural.

El v. 28 hace eco del tema de la relación entre *los impíos, los justos* y el pueblo (ver 11:10, 11; 14:34; 28:12; 29:2, 16). Se repite el temor del pueblo cuando los impíos tienen la autoridad. Además, se acentúa la presencia de los justos en la ausencia de los impíos. Un pueblo no puede

27 Al que da al pobre no le faltará,
pero el que cierra ante él sus ojos
tendrá muchas maldiciones.
28 Cuando se levantan los impíos,
se ocultan los hombres;
pero cuando perecen,
los justos se engrandecen.

29 **1** El hombre que al ser reprendido
endurece la cerviz,
de repente será quebrantado,
y para él no habrá remedio.
2 Cuando los justos aumentan,
el pueblo se alegra;
pero cuando gobierna el impío,
el pueblo gime.
3 El hombre que ama la sabiduría alegra a
su padre,
pero el que se junta con prostitutas
malgasta sus bienes.
4 El rey con la justicia da estabilidad al
país,
pero el que lo abruma con impuestos lo
destruye.
5 El hombre que lisonjea a su prójimo
le tiende red ante sus pasos.

---

prosperar cuando los impíos tienen el poder.

15. La sociedad alterada I, 29:1-11

El v. 1 es una advertencia muy sobria y clara. La falta de un arrepentimiento verdadero (ver 28:13) dirije al hombre a una situación donde *no habrá remedio* (ver 6:15). El dicho popular tiene razón: "De los arrepentidos es el reino de los cielos." El concepto de endurecer se encuentra en 28:14.

El v. 2 repite el tema del gobernante impío que oprime al pueblo, y los justos que alegran al pueblo (ver 11:10, 11; 14:34; 28:12, 28; 29:16).

En el v. 3 se describe la actividad del hijo pródigo (ver Gén. 41:42; Deut. 21:16; Prov. 28:7; Luc. 15:13, 30). Este proverbio trata el tema frecuente del joven con las mujeres (ver 2:16 ss.; 5:3 ss.; 6:20 ss.; 7:6 ss.; 9:3 ss.; 31:3).

En el v. 4 se repite la grandeza y la seguridad de un pueblo en la justicia del gobierno (ver 14:28, 35). La segunda parte advierte contra los impuestos excesivos que destruyen y empobrecen a un pueblo, haciéndonos recordar al rey Roboam (ver 2 Crón. 10:1 ss.).

En el v. 5 se presenta otra vez la palabra lisonjera en un sentido negativo (ver 28:23). Aquí se repite la metáfora de la red para el ave (ver 1:17), mostrando la insinceridad de la lisonja. El prójimo (ver 3:28) ha de cuidarse de la lisonja.

El v. 6 repite el tema de la autodestrucción del hombre malo por su propia *trampa* (ver 1:18, 19; 28:10). Por el otro lado, *el justo* (ver 10:3) muestra las señales de una alegría sorprendente (ver 12:20), es decir el canto y la alegría, en una fiesta de creyentes.

El v. 7 muestra la distinción entre *el justo* y *el impío* (ver 10:3) frente a *la causa* (lit. "la justicia" o el proceso para lo-

Semillero homilético

El hombre fiel

28:26

Introducción: ¿En qué consiste la fidelidad? El autor de Proverbios nos da la respuesta en base al trabajo que hace la persona que es fiel.

I. Su carácter.
1. Fiel a sí mismo.
2. Fiel a Dios.
3. Fiel a sus amigos.
4. Fiel a su palabra.

II. Su fruto.
1. Derrama bendiciones en relaciones humanas.
2. Cumple con sus compromisos.

III. Su recompensa.
1. Elogiado por sus amigos y compañeros.
2. Premiado con bendiciones espirituales.
3. Recibido en la presencia de Dios al morirse.

Conclusión: La fidelidad es una cualidad admirable. Nos conmovemos mucho cuando vemos a una persona que ha sido fiel a su misión en medio de peligros. Hay miles de cristianos que recibirán la invitación de entrar en la recompensa en el cielo por las labores cumplidas fielmente para el Señor.

6 El hombre malo cae en la trampa de su propia transgresión,
pero el justo cantará y se alegrará.
7 El justo se preocupa por la causa de los más necesitados,
pero el impío no entiende tal preocupación.
8 Los burladores agitan la ciudad,
pero los sabios aplacan la ira.
9 Si el sabio pleitea con el necio,
aunque se enoje o se ría, no tendrá reposo.
10 Los hombres sanguinarios aborrecen al íntegro,
pero los rectos buscan su bien.
11 El necio da rienda suelta a toda su ira,*
pero el sabio conteniéndose la apacigua.
12 Si el gobernante atiende a palabras mentirosas,
todos sus servidores serán unos impíos.
13 El pobre y el opresor tienen esto en común:
A ambos Jehovah les alumbra los ojos.

*29:11 Lit., *El necio saca su espíritu*

grar la justicia) *de los más necesitados* (como en 10:15). Así, se trata de los derechos de los necesitados, su acceso a la justicia. Por un lado, hay una preocupación de parte de los justos. Por el otro lado, los impíos ni se dan cuenta del problema. La indiferencia es aquí el gran pecado.

El burlador del v. 8 se caracteriza por la falta de disciplina, el carácter altivo, la manera de despreciar a los demás (ver 1:22; 3:34; 9:7, 8;13:10; 15:12; 21:24). Aquellas personas "echan leña al fuego destructivo" que está en proceso en la ciudad. Por el otro lado, los sabios o prudentes son capaces de "calmar" las pasiones fuertes.

> Semillero homilético
>
> **Cuatro pasiones desordenadas**
>
> 29:8-11
>
> *Introducción*: El autor de Proverbios menciona cuatro pasiones que pueden tener un efecto negativo en nuestro ministerio y testimonio en la comunidad.
>
> I. La burla, v. 8.
> 1. Aprovecha las debilidades de otros o sus defectos.
> 2. Busca perturbar a sus víctimas.
>
> II. El pleito, v. 9.
> 1. Busca aprovechar a los vulnerables.
> 2. Deja a todos de mal humor.
>
> III. El odio, v. 10.
> 1. Derrama su veneno en todas partes.
> 2. Busca desequilibrar al que es sano.
>
> IV. La ira, v. 11.
> 1. Destruye los programas positivos que se han elaborado.
> 2. Busca dividir los grupos que viven en armonía.
>
> *Conclusión*: El autor contrasta lo que hacen las personas que se caracterizan con estas cuatro pasiones desordenadas, pero en cada caso responde con una alternativa sana y positiva que brota de la sabiduría.

En el v. 9 se revela la indiferencia del *necio* hacia el pleito del *sabio*. Ni las emociones fuertes expresadas son capaces de sacar al necio de su necedad (ver 10:13; 18:6). Lo mejor es tener un contacto mínimo con el necio.

El v. 10 recalca la actitud del hombre sanguinario y del recto ante el *íntegro* (heb. *tam* 8538, como en 28:18). Mientras el hombre sanguinario (ver 28:17) odia (ver 5:12) al íntegro, el recto "busca" (algunos ponen "proteger" como una interpretación del significado) el bien del íntegro. Por lo tanto, el v. 11 sigue el mismo pensamiento, mostrando que el necio no controla su "espíritu" sino *suelta... su ira* (ver 12:16). Por el otro lado, el sabio o prudente controla su ira. El dominio propio es un tema frecuente en Proverbios (ver 11:12, 13; 12:16, 23; 13:3; 14:29; 17:27, 28; 25:28; 29:20). Las expresiones "tener la sangre en el ojo" o "salirse de sus casillas" ilustran bien la actitud del necio.

16. La sociedad alterada II, 29:12-27

El v. 12 muestra cómo un rey impío influye en todo el pueblo (ver 14:28, 35;

14 El rey que juzga a los pobres según la verdad
afirma su trono para siempre.
15 La vara y la corrección dan sabiduría,
pero el muchacho dejado por su cuenta
avergüenza a su madre.
16 Cuando abundan los impíos,
abunda la transgresión;
pero los justos verán la ruina de ellos.

28:15, 16). "Cuando llueve, todos se mojan" expresa esta verdad de la influencia real. En 1 Reyes 22 se muestra cómo un rey impío hace pecar a muchas personas y hace sufrir a todo el pueblo.

El v. 13 acentúa la igualdad para ver qué tienen el pobre y el opresor (ver 22:2). Se subraya el valor de la creación divina. Figurativamente, puede ser que significa el valor para discernir lo moral en el mundo.

La palabra hebrea *'emet* [571], que se define como "fidelidad, verdad, fidedigno", es la clave del v. 14 (ver 3:3; 14:22; 16:6; 20;28 traducido *verdad;* 14:25 traducido *veraz).* Aquella clave del juicio real *afirma su trono para siempre.* La madre de Lemuel exhorta a su hijo real a *no pervertir el derecho de todos los afligidos* (31:5). El tema de la justicia y del rey aparece con frecuencia en el libro (14:28, 35; etc.).

El v. 15 anima a los padres a ejercer la disciplina sobre los hijos a través de la disciplina verbal (*la corrección* como en 1:23; 3:11; 15:31) y el castigo físico (ver 13:24; 19:18; 20:30; 22:6, 15; 23:13, 14; 29:17). La frase *dejado por su cuenta* interpreta el verbo que significa "mandar", y figurativamente "mandar a alguien sin restringirlo, darle una licencia absoluta". Tal actitud se rechaza en el v. 15. La vergüenza será el fin de una licencia sin límites morales. Por lo tanto, los padres dejan la vida del hijo abierta a las consecuencias del pecado potencial. Hay un orden moral en el universo y el pecado tiene sus consecuencias.

El v. 16 repite el tema de la inseguridad de *los impíos* y cómo los justos van a pre-

Semillero homilético

La imperiosa necesidad de una visión

29:18

Introducción: Las compañías que han experimentado el éxito en años recientes señalan la planificación como uno de los pasos más necesarios. Una parte de la planificación es el tener visión de lo que quisiéramos tener o experimentar dentro de un tiempo futuro específico. ¿Qué papel juega la visión?

I. Un panorama histórico del papel de la visión.
1. Abraham tenía una visión de la nación y la tierra futuras que Dios le había prometido.
2. Moisés tenía una visión de una nación liberada de la esclavitud.
3. Isaías tenía una visión de una nación que necesitaba el mensaje de justicia social para evitar la desintegración.

II. Las expresiones variadas de la visión.
1. Para Moisés, era la zarza ardiente en el desierto de Madián.
2. Para Samuel, era la voz en la noche en la casa de Elí.
3. Para Isaías, era la voz divina en el templo.

III. Los efectos duraderos de la visión.
1. Para Moisés, una nación prosperada y bendecida espiritualmente.
2. Para Samuel, un ministerio largo y eficaz.
3. Para Isaías, una oportunidad de influir entre los reyes.

Conclusión: Guillero Carey, padre del movimiento de las misiones modernas, tuvo una visión que pocas personas entre sus contemporáneos compartían, pero, a pesar de todo, siguió con su insistencia en la obligación de llevar el evangelio a los que no habían tenido oportunidad de escucharlo. Los resultados han sido abrumadores. Nos inspira a continuar buscando una visión.

17 Corrige a tu hijo, y te dará reposo;
él dará satisfacciones a tu alma.
18 Donde no hay visión, el pueblo se desenfrena;
pero el que guarda la ley es bienaventurado.
19 El siervo no se corrige sólo con palabras;
porque entiende, pero no hace caso.
20 ¿Has visto a un hombre apresurado en sus palabras?
Más esperanza hay del necio que de él.
21 El que mima a su siervo desde la niñez,
a la postre, éste será su heredero.
22 El hombre iracundo suscita contiendas,
y el furioso comete muchas transgresiones.

---

senciar la caída de ellos (ver 3:25, 26).

El v. 17 es igual al v. 15, animando a los padres a corregir al hijo, evitar los problemas y aumentar las bendiciones. Tal hijo bien disciplinado es un gozo para sus padres (ver 10:1).

En el v. 18, la palabra *jazon* [2377] se define como *visión* y apunta a la experiencia extática del profeta (ver Ose. 12:11; Hab. 2:3; Eze. 7:13). Es una palabra que viene del corazón de Dios para su pueblo. Presenta la frescura de la ley divina, y así lo muestra el paralelismo en el versículo. Un compromiso con la ley (y por ende la visión divina) produce la bienaventuranza, el favor divino (ver 8:32, 34; 14:21; 16:20; 20:7; 28:14). La ausencia de una visión, como la ausencia de una dirección o los consejeros (ver 11:14; 15:22; 20:18; 24:6), produce un pueblo que *se desenfrena,* de la palabra que significa "soltar" o "dejar a solas". De ese modo, la visión del v. 18 viene de Dios y pide que se siga la visión divina.

El v. 19 pone énfasis en que a veces el castigo físico es la única medida que da resultado cuando las palabras no se siguen, aunque se entiendan (ver 29:15 para la *vara;* 17:2; 27:18; 29:21; 30:10 para los *siervos).* Sin duda, la conversación y la corrección verbal han de utilizarse en primer lugar y principalmente (así se afirma la importancia de lo escrito en Proverbios). La vara no ha de reemplazar la exhortación ni mostrar la ira o la falta de paciencia, sino que es un recurso último.

La pregunta retórica en el v. 20 busca la respuesta "sí", subrayando el carácter del *hombre apresurado* (ver 19:2; 21:5; 28:20) en la manera y el contenido del hablar. Tal persona se declara con menos esperanza que el necio, siendo un paralelo del hombre *sabio en su propia opinión* de 26:12. Al ver las características del necio que aborrece el conocimiento (ver 1:22) y no tiene una actitud correcta (ver 8:5), el lector se da cuenta de la situación irremediable del hombre de labios apresurados (ver 2:12; 6:12, 17). Le falta el dominio propio en el campo del hablar (ver 29:11).

El v. 21 se complica por la presencia de la palabra *panaq* [6445], que aparece sólo aquí en el AT, traducida *mima,* y *heredero* según el texto hebreo (modificado a "tristeza por ser incontrolable" en la LXX). De todas maneras, ser indulgente con el siervo es algo peligroso, con resultados sin remedio. El hombre puede ser indulgente con el hijo o con el siervo, perjudicándose a la larga a sí mismo.

El v. 22 es paralelo con el proverbio en 15:18, en la primera parte del versículo. La segunda parte, sin embargo, es sinónima y no antitética como en 15:18. El adjetivo *muchas* subraya la grandeza de los errores. Las *contiendas* son un tema frecuente de Proverbios (ver 3:30; 10:12; 18:18, 19; 20:3; 26:17, 20, 21; 28:2, 25; 29:9). También lo es *el hombre iracundo* (ver 22:24, 25).

El v. 23 trata nuevamente el tema de *la soberbia* (ver 11;2; 15:33; 16:5, 18; 18:12; 30:13). Tal autoalabanza se analiza en Job 5:11; 22:29; Mateo 23:12; Lucas 14:11; 18:14; Santiago 4:6, 10; 1 Pedro 5:5. Aquí se acentúa el daño hecho a sí mismo de parte de aquella persona soberbia (hay un juego de palabras entre *abate* y *humilde,* en que se utiliza la misma raíz para "humillar"). Así, el soberbio se humilla, mientras el humilde se honra.

El v. 24 lit. trata de la persona que tiene

23 La soberbia del hombre lo abate,
pero al humilde de espíritu le sustenta la honra.
24 El cómplice del ladrón aborrece su vida;
aunque oiga las maldiciones, no lo denunciará.
25 El temor al hombre pone trampas,
pero el que confía en Jehovah estará a salvo.
26 Muchos buscan el favor del gobernante,
pero de Jehovah proviene el derecho de cada uno.
27 Abominación es a los justos el hombre inicuo,
y el de caminos rectos es abominación al impío.

Palabras de Agur

30 **1** Las palabras de Agur hijo de Jaqué, de Masá:*

El hombre dice:
"No hay Dios; no hay Dios."
¿Y acaso podré yo saber?*

*30:1a Otra trad., *profecía*
*30:1b Otras trads., *A Itiel, a Itie y a Ucal;* o, *Dichos del varón: Estoy fatigado, oh Dios; estoy fatigado, oh Dios; estoy agotado.*

"una porción" o "algo dividido" con el *ladrón,* siendo así un colega en la repartición del botín (ver 1:14). Es difícil decidir si la persona fue apoyo en el robo o recibe una parte de las posesiones para callarlo ante la ley. De todos modos, es un *cómplice del ladrón,* poniendo su vida en peligro porque el mismo ladrón puede cambiar su parecer y destruirlo, o puede ser pillado y padecer la muerte, el castigo normal para el robo (Lev. 5:1; Prov. 12:17; 14:5, 25; etc.).

El v. 25 muestra un temor insano que eleva las expectativas de los hombres al nivel de imitar o cumplir. Tal admiración o reverencia al hombre no es apropiada. Al contrario, el verdadero temor reverencial se concentra en la confianza *en Jehovah* (ver 1:7; 9:10; 15:33; 2 Cor. 10:5). Hay temores no apropiados (ver 3:25; 14:16; 15:16; 28:1) que vienen del pecado y sus consecuencias o una reverencia insana hacia la opinión del hombre.

El v. 26 es una extensión del v. 25, en la que se especifica al *gobernante* como la meta de una búsqueda del favor (ver 8:35; 19:6). Sin embargo, el último juez es Dios, quien está aun por sobre los gobernantes (ver 21:1).

La palabra *abominación* (ver 3:32; 6:16) une las dos partes del v. 27. Son dos perspectivas totalmente distintas. El justo se distancia y se rechaza la inicuidad del pecado, mientras el impío no soporta la rectitud del justo. Sin embargo, los dos puntos de vista no son igualmente correctos. El justo tiene razón (ver 10:6, 7), y el impío sufrirá las consecuencias de su juicio fatal (ver 10:3, 7, 20, 24, 25, 27, 28, 30). Desafortunadamente, las familias del hombre impío también sufren.

VII. LAS PALABRAS DE AGUR BEN JAQUE, 30:1-14

1. La búsqueda de Dios, 30:1-6

Son varias las interpretaciones del nombre encontrado en el v. 1. Por un lado,

Semillero homilético

Los refugios para los malhechores

29:23-26

Introducción: Dios les ofrece el escape de las tentaciones si están dispuestos a buscar y entrar en la salida. El problema es que muchas veces ven la salida pero prefieren el camino que satisface las tentaciones.

I. Las tres clases de malhechores.
1. La ira que busca pleitos, v. 22.
2. La soberbia que enorgullece, v. 23.
3. La complicidad en los crímenes, v. 24.

II. Los tres refugios
1. La humildad que sostiene, v. 23.
2. La sabiduría que guía, v. 23.
3. La confianza que da la victoria, v. 25.

Conclusión: Si nos preparamos para las ocasiones de tentación, entonces es más fácil resistirlas. El hombre prevenido no va a caer en el abismo.

2 Ciertamente yo soy el más ignorante de los hombres
y no tengo entendimiento humano.
3 No he aprendido sabiduría
para conocer al Santo.

4 ¿Quién ha subido al cielo y ha descendido?
¿Quién reunió los vientos en sus puños?
¿Quién contuvo las aguas en un manto?
¿Quién levantó todos los extremos de la tierra?
¿Cuál es su nombre, y el nombre de su hijo, si lo sabes?

5 Probada es toda palabra de Dios;
él es escudo a los que en él se refugian.
6 No añadas a sus palabras,
no sea que te reprenda,
y seas hallado mentiroso.

---

algunos eruditos judíos subrayaron la exclusividad de Salomón como autor único, afirmando así un nombre oculto en el título para designar a Salomón. Una segunda teoría afirma que *Masá* ha de traducirse como un oráculo y no como un lugar o una familia. La tercera y mejor teoría apunta al séptimo hijo de Ismael (ver Gén. 25:14; 2 Crón. 1:30) y a la región de la tribu.

La segunda parte del v. 1 es difícil en que ni el texto hebreo ni el de la Septuaginta ni el de la Vulgata están de acuerdo. El hebreo dice "a Itiel, a Itiel y a Ucal", quizás los oyentes originales de estas palabras orientales (ver nota de RVA). Traducidos los nombres, serían "conmigo está Dios" o "hay un Dios". Por lo tanto, la palabra "no hay Dios" puede apuntar a la característica de ser incapaz o infiel (no creyente). De todas maneras, el pasaje es difícil porque se debe utilizar el vocativo para Dios, como "Oh Dios,..." El texto presentado es una enmienda de las vocales y sigue una de varias traducciones.

En el v. 2, el hombre reconoce su ignorancia utilizando el método de la exageración afirmándose como el *más ignorante de los hombres.*

En el v. 3, aprender la sabiduría se relaciona con una comunión con Dios. El libro de Proverbios trata el tema de adquirir la verdadera sabiduría (ver 1:2, 7). No se sirve a Dios a través de mantenerse en una ignorancia infantil e inmadura. Hay que leer la Palabra de Dios, orar cada día y unirse a los creyentes, obteniendo así la sabiduría divina.

El v. 4 se llena de cinco preguntas retóricas que esperan la respuesta "nadie" o "sólo Dios". Por supuesto, Jesús descendió del cielo y después ascendió (ver Juan 3:13; Fil. 2:6, 7; Hech. 1:9-11). Además, como la sabiduría de Proverbios 8, Jesús estuvo en la creación (ver Juan 1:3, 4; Col. 1:16 ss.). Sin embargo, ningún hombre puede afirmar tal cosa, como aprendió Job (ver Job 38 s.). Todavía la creación es un enigma, donde tan poco se conoce. Se enfoca la unidad de Dios.

El v. 5 tiene una linda afirmación en cuanto a la palabra de Dios. Se incluye ***toda*** *palabra* y se describe como *tsarap* [6884], que se traduce *probada* (como en el oro "probado" o "refinado"). Así, cada palabra

Semillero homilético

¡Cuán grande es él!

30:2-6

Introducción: En toda época ha habido personas que no creen en Dios. Algunos tratan de persuadir a otros de que Dios no existe, y otros simplemente guardan sus opiniones para sí. Pero podemos afirmar que Dios existe y es grande en sus obras. Mencionamos tres facetas de su grandeza:

I. Su reino se extiende desde el cielo hasta la tierra, v. 4a.
II. Su providencia se siente y se experimenta entre los hechos de la historia, v. 4b.
III. Su poder alcanza a controlar las fuerzas de la naturaleza, v. 4c.

Conclusión: El creyente puede sentirse tranquilo y seguro porque sabe que está sirviendo a un Dios que es grande. Ha creado el mundo, controla los movimientos en la historia por medio de su providencia, y tiene control sobre los elementos. Además, nos ha provisto el camino para la salvación, por medio de la fe en Cristo Jesús.

7 Dos cosas te he pedido;
no me las niegues antes que muera:
8 Vanidad y palabra mentirosa aparta de mí,
y no me des pobreza ni riqueza.
Sólo dame mi pan cotidiano;
9 no sea que me sacie y te niegue,
o diga: "¿Quién es Jehovah?"
No sea que me empobrezca y robe,
y profane el nombre de mi Dios.

10 No difames al siervo ante su señor;
no sea que te maldiga,
y seas hallado culpable.

11 Hay generación que maldice a su padre
y no bendice a su madre.
12 Hay generación limpia en su propia opinión,*
a pesar de que no ha sido lavada de su inmundicia.

*30:12 Lit., *en sus ojos*

divina está ya probada (Sal. 18:30). La segunda parte del versículo apunta a la protección dada por Dios a los refugiados (ver 2:7; 10:29; 18:10).

La advertencia en el v. 6 exhorta al lector a la prudencia en el hablar, un tema frecuente en Proverbios (ver 10:19; Deut. 4:2, que habla acerca de no añadir a las palabras de Jehovah). Jesús dijo que mejor es hablar *sí, sí y no, no.* El dicho popular informa que "la mentira tiene patas cortas". Además, un segundo modismo dice "al pan, pan, al vino, vino".

2. Una súplica íntima, 30:7-9

Los vv. 7-9 forman un párrafo unido por un solo pensamiento. El v. 7 ruega la contestación de una doble petición que el orador espera ver antes de morir. Nos hace recordar el ejemplo de Simeón, quien vio al Mesías antes de morir (ver Luc. 2:26 ss.).

El v. 8 explica los dos aspectos de la petición. Por un lado, se pide ayuda en el carácter y el hablar (es decir, *vanidad y palabra mentirosa,* como en 6:17, 19; 10:18; 12:22). En segundo lugar, el hombre pide el *pan cotidiano* (ver Mat. 6:11; Luc. 11:3; 1 Tim. 6:8). El pan cotidiano se opone a la extrema pobreza y a la riqueza abundante.

En el v. 9 se continúa el mismo pensamiento del v. 8, ampliando el segundo aspecto de la petición. Aquí se especula sobre aquella situación en la que el hombre rico o saciado niega a Dios (una consecuencia conocida hoy en día). Por lo tanto, se especula sobre el hombre pobrísimo quien ha de robar para sobrevivir (otra situación demasiado conocida en el mundo de hoy). Con tal acción, de hecho se niega a Dios. En ambas situaciones, el hombre se aleja de Dios, potencialmente por lo menos.

3. Las señales de una generación perversa, 30:10-14

El v. 10 vuelve a tocar el tema del *siervo* (ver 17:2; 27:18; 29:19, 21). Se exhorta contra la difamación del siervo (o empleado) *ante su señor.* Contrariamente, el que difama al siervo es el perjudicado, siendo maldecido y llevado al proceso legal por haber mentido. Se nota un señor (o jefe) que conoce a su siervo y lo defiende cuando se le acusa falsamente. ¿Cuántos jefes son así?

Joya bíblica

Hay generación que maldice a su padre
y no bendice a su madre.
Hay generación limpia en su propia opinión,
a pesar de que no ha sido lavada de su inmundicia (30:11, 12).

Los vv. 11-14 empiezan con la palabra hebrea *dor* [1755], que se traduce período o *generación.* Esa *generación* empieza por maldecir a los padres (ver 20:20) y termina por oprimir a los más pobres y necesitados (ver 14:31). Entremedio, tal generación es inmoral, aunque se cree inocente

13 Hay generación cuyos ojos son altivos
y cuya vista es altanera.
14 Hay generación cuyos dientes son espadas
y cuyas mandíbulas son cuchillos,
para devorar a los pobres de la tierra
y a los necesitados de entre los hombres.

Proverbios numéricos

15 La sanguijuela tiene dos hijas:
Dame y Dame.

16 Tres cosas hay que nunca se sacian,
y la cuarta nunca dice: "¡Basta!"
El Seol,* la matriz estéril,
la tierra que no se sacia de agua
y el fuego que jamás dice: "¡Basta!"

17 Al ojo que se burla de su padre
y menosprecia el obedecer a su madre,
sáquenlo los cuervos de la quebrada,
y tráguenlo los polluelos del águila.

*30:16 O sea, la morada de los muertos

(v. 12). Por lo tanto, es orgullosa y menosprecia a los demás (v. 13). Hay un autoengaño y una serie de maldades. Obviamente, esa generación no sigue la ley divina y le falta por completo la sabiduría de lo alto. ¿Dónde estamos hoy en relación con estas características?

VIII. LOS PROVERBIOS NUMERICOS, 30:15-33

1. ¡Basta... ya!, 30:15-17

Los vv. 15 y 16 están divididos en el texto dado en una manera satisfactoria. Se empieza una serie de proverbios numéricos (ver 6:16; 30:18 y 19, 21-23, 24-28 y 29-31). Por lo tanto, el v. 15 trata un proverbio acerca de los animales (ver 6:6-8; 30:18 y 19, 24-28, 29-31). Estos dos proverbios hablan del concepto de la naturaleza, insaciable de ciertas cosas. De hecho, las hijas de la sanguijuela, se llaman *hab* y *hab* [1890] en el hebreo, porque su grito es "¡Dé! ¡Dé!"

El v. 16 apunta a cuatro cosas insaciables; son temas muy delicados, mostrando las heridas posibles en la vida del ser humano. Se menciona *el Seol,* que siempre tiene capacidad para más muertos. Además se nota la naturaleza no realizada de

Semillero homilético

Los pecados que Dios odia

30:11-14

Introducción: Desde la perspectiva humana hay algunos pecados que son más graves que otros. Pero ante los ojos de Dios todo pecado representa el quebrantamiento de los ideales que él nos ha presentado en su Palabra. En este pasaje el autor menciona cuatro pecados que Dios odia.

I. El maldecir a los padres, v. 11.
1. Llevaba la pena de muerte en la ley de Moisés (Exo. 21:17; Deut. 27:16).
2. Representaba la pérdida de la bendición de Dios (Exo. 20:12).

II. El ser hipócrita, v. 12.
1. Se engaña a sí mismo.
2. Se queda en su inmundicia.

III. El ser orgulloso, v. 13.
1. Se ve como de mayor importancia que la que tiene.
2. Se cree superior a los demás.

IV. El oprimir al pobre, v. 14.
1. Usa los dientes para derrotar a los pobres.
2. Usa las mandíbulas para devorar a los débiles.

Conclusión: La falta de honor a los padres, la hipocresía, el orgullo y la opresión son cuatro pecados muy comunes que se dan hoy igual que en los días de Salomón. Nuestro deber es luchar por erradicar estos pecados en nuestras familias, en la sociedad y en nosotros mismos.

18 Tres cosas me son misteriosas,
y tampoco comprendo la cuarta:
19 el rastro del águila en el aire,
el rastro de la serpiente sobre la peña,
el rastro del barco en el corazón del mar
y el rastro del hombre en la joven.

20 La mujer adúltera procede así:
Come, limpia su boca y dice:
"No he hecho ninguna iniquidad."

21 Por tres cosas tiembla la tierra,
y la cuarta no puede soportar:
22 por el esclavo, cuando llega a ser rey;
por el vil, cuando se sacia de pan;

---

la matriz estéril (la poetisa chilena, Gabriela Mistral, ganadora del Premio Nobel de Literatura, escribió *La mujer estéril*, que muestra esa herida profunda). Luego, se menciona *la tierra* (desierta o semiárida en Palestina), que siempre requiere más y más agua. Y por fin, se refiere al *fuego*, que quema y quema como si fuese un incendio, o que gasta y gasta si es el fuego del hogar donde se requiere trabajo para mantener el calor para la familia. Seguramente, aquellas cosas son insaciables. Nunca se escucha la palabra *basta* de parte de aquellas cosas.

El v. 17 pinta una escena de terror, en la que *los cuervos* sacan los ojos del hombre y sus polluelos los tragan. Sin duda, esta exageración llama la atención del adolescente que recibe la instucción del maestro de la sabiduría. Los verbos "burlarse" (ver 1:22) y "menospreciar" muestran una actitud engañadora e inapropiada hacia los padres (ver 1:8; 29:15, 17; 30:11).

2. La conciencia insensible de la adúltera, 30:18-20

Los vv. 18 y 19 subrayan cuatro cosas misteriosas o que maravillan. La palabra *rastro* traduce la palabra para camino, frecuentemente utilizada en un sentido metafórico (ver 1:15, 31; 2:15; etc.). Se notan dos animales en su vida cotidiana: el *águila* en el aire y la *serpiente* sobre la peña. Además, se acentúan el riesgo y la aventura del barco en el medio (*corazón)* del mar y la manera de relacionarse un joven con una señorita. Tales cosas son maravillosas, sin comprensión (v. 18).

El v. 20 vuelve a llamar la atención del oyente o lector (ver v. 17) a la realidad y el desafío desagradable de la adúltera (ver 2:16 ss.; 5:3 ss.; etc.). Como las adúlteras anteriores, ella es altiva y se autoproclama inocente (ver 7:14 ss.; 9:17; y para la autoproclamación de la inocencia ver 28:26; 30:12). Hay un eufemismo acerca del sexo, donde se describe con los conceptos del comer (ver 9:17).

3. Los cuatro personajes insoportables, 30:21-23

El versículo anterior sobre la mujer adúltera ciertamente nos hace pensar en lo insoportable. En los vv. 21-23 se presentan las situaciones cambiadas, a veces en una forma sorprendente, de cuatro personajes. *Tiembla la tierra* apunta a algún aspecto de un terremoto, dando énfasis así a la naturaleza insoportable de los individuos. El primer personaje trata la llegada de un *esclavo* al trono (ver 19:10). Esa persona no está preparada para tomar las decisiones ni manejar bien el poder inherente. Por supuesto, hay excepciones (ver 11:29; 17:2). En segundo lugar, la llegada del *vil* a la abundancia material es un te-

Una civilización sensual
30:20-23

Will Durant, historiador y filósofo que estudió todas las civilizaciones desde el comienzo de la historia, declaró que por sus estudios captó que las civilizaciones comienzan siendo estoicas y terminan siendo hedonistas. Quería decir que durante la juventud de un negocio o de una nación la disciplina y el trabajo serio forman una parte importante, pero al adquirir más y más éxito, las personas y las civilizaciones tienden a tornarse más inclinadas hacia la flojedad y el placer sensual.

¿Tendrá esta declaración validez en nuestras circunstancias hoy?

23 por la mujer aborrecida, cuando se casa;
y por una criada que hereda a su señora.
24 Cuatro cosas son de las más pequeñas de la tierra,
y las mismas son más sabias que los sabios:
25 las hormigas, pueblo no fuerte,
pero en el verano preparan su comida;
26 los conejos, pueblo no poderoso,
pero tienen su casa en la roca;
27 las langostas,* que no tienen rey,
pero salen por cuadrillas;*
28 y la lagartija, que atrapas con las manos,
pero está en los palacios del rey.
29 Hay tres cosas de paso gallardo;
y la cuarta camina muy bien:
30 el león, fuerte entre todos los animales,
que no vuelve atrás por nada;

*30:27a Es decir, insectos saltadores
*30:27b Otra trad., *pero todas guardan la distancia*

rror, porque su manera es oprimir y hacer maldad con lo que tiene (ver 4:16, 17). De ese modo, el hombre vil tiene los medios para hacer aun más daño a la sociedad. En tercer lugar, se apunta a la *mujer aborrecida* que se casa. El matrimonio difícilmente va a ser exitoso si no hay un cambio en su manera de ser. Algún marido se ha casado con un grave problema (pudiera haber sido al revés, cuando una mujer se casa con un hombre aborrecido, el resultado es el mismo). Finalmente, se menciona la *criada que hereda a su señora.* Tales cambios en la vida del esclavo, del hombre vil, de la mujer aborrecida y de la sierva o criada subrayan la esperanza en el orden establecido por Dios. No es para que nadie haga una distinción de las personas, algo rechazado en Proverbios (ver 24:23; 28:21).

Cuatro criaturas sabias
30:24-28

El autor de Proverbios utiliza los animales muy conocidos y sus características para darnos lecciones objetivas de mucho valor.

1. Las hormigas nos dan un ejemplo de dedicación, v. 25.
2. El conejo nos ilustra la sobrevivencia en medio de las dificultades, v. 26.
3. La langosta nos ilustra la ventaja de trabajar en forma organizada para lograr la meta, v. 27.
4. La lagartija nos enseña que podemos escaparnos de aprietos muy serios.

Aunque tal vez no vemos a estos animales tanto como ejemplos para imitar, sus características nos inspiran a buscar cumplir con sus objetivos.

4. Las huellas sabias en las pequeñas criaturas, 30:24-28

El pasaje vuelve a tratar el tema de un proverbio númerico ilustrado por cuatro animales: *las hormigas, los conejos, las langostas* y *la lagartija.* Se subraya el valor de la criatura aunque sea pequeña y a veces considerada insignificante. Por lo tanto, se manifiesta la sabiduría natural (o de instinto) de las criaturas. Se resaltan las características de la preparación anticipada (de las hormigas), del hogar protegido (del conejo), del orden y la organización (de la langosta) y de la presencia en el lugar real (de la lagartija).

5. El orgullo sano, 30:29-31

Sigue otro proverbio numérico. La frase *de paso gallardo* traduce bien el texto hebreo. De nuevo, se subraya la acción del paso de tres animales, los estereotipos de los animales, *el león, el gallo* y *el macho cabrío.* La característica del paso gallardo también se acentúa en *el rey.* En los cuatro ejemplos se pone énfasis en el coraje, la fuerza y la manera de llevarse. Por lo tanto, se trata del concepto de la dignidad personal, el orgullo sano (ver 6:17; 11:2 para la soberbia insana). Hay una humildad y una dignidad apropiadas que andan mano a mano. Pablo tuvo orgullo de Cristo y de ser cristiano (ver 1 Cor. 1:31).

31 el gallo erguido,* el macho cabrío;
y el rey, a quien nadie resiste.*

32 Si neciamente te has enaltecido y has pensado el mal,
pon tu mano sobre tu boca:

33 Ciertamente el que bate* la leche sacará mantequilla;
el que con fuerza se suena* la nariz sacará sangre,
y el que provoca* la ira causará contienda.

*30:31a Según vers. antiguas; heb., *el erguido de lomos*
*30:31b Comp. vers. antiguas
*30:33a, b, c *Bate, suena y provoca* son el mismo verbo en heb.

6. El dominio propio sobre el habla, 30:32, 33

El v. 32 capta un mal hablado en el proceso de nacer. El que habla se ha engrandecido y está pensando en decir algún mal.

León, gallo, y macho cabrío, 30:31

El imperativo requiere que se interrumpa el habla y que se calle, un tema repetido (ver 10:18, 31; 11:9, 11, 13; etc.). El dicho popular "en boca cerrada no entran moscas" tiene toda la razón.

El v. 33 repite la palabra hebrea *miyts* 4330, traducida *bate.* La idea es la fuerza en "apretar", que produce lo esperado: la *mantequilla,* la *sangre* que sale de la nariz y *la ira.* Hay que esperar tales resultados cuando se presentan tales elementos. Hay un juego de palabras entre *la nariz* y *la ira.* Aquí se subraya la importancia del dominio propio en no producir los elementos que anticipan *la ira* y, entonces, *la contienda.*

El orgullo y la humildad
30:29-32

El autor de los Proverbios utiliza la ilustración de tres animales que tienen la capacidad de desfilar su orgullo en forma dramática. Todos hemos visto al pavo real cuando se muestra esparciendo sus plumas, lo cual presenta un diseño impresionante. El león es llamado por algunos "el rey de la selva", por su capacidad de atemorizar y "reinar" sobre todos los otros animales. El macho cabrío tiene la capacidad de saltar abismos en las montañas, de tal manera que se escapa de los cazadores más avezados.

Lo que el autor hace hincapié es en la importancia de guardar silencio en el momento propicio. Esta es una virtud que viene como consecuencia del cultivo de la humildad en las relaciones humanas. Nos conviene poner la mano sobre la boca para evitar declaraciones que pueden herir a otros y que es mejor evitarlas.

Palabras de Lemuel

31 1 Palabras de Lemuel, rey de Masá,*
que le enseñara su madre:

2 ¡Oh, hijo mío!
¡Oh, hijo de mi vientre!
¡Oh, hijo de mis votos!
3 No des a las mujeres tu fuerza,
ni tus caminos a las que destruyen los
reyes.*
4 No es cosa de reyes, oh Lemuel,
no es cosa de reyes beber vino;
ni de los magistrados, el licor.
5 No sea que bebiendo olviden lo que se
ha decretado
y perviertan el derecho de todos los
afligidos.
6 Dad licor al que va a perecer,
y vino a los de ánimo amargado.
7 Beban y olvídense de su necesidad,
y no se acuerden más de su miseria.

---

*31:1 Otra trad., *rey, la profecía que*
*31:3 Otra trad., *caminos a las concubinas de los reyes* (comp. Dan. 5:2)

IX. LAS PALABRAS DE LEMUEL, 31:1-9

1. Un compromiso maternal, 31:1, 2

Esta sección desvía de la conversación normal entre los varones que se encuentra en el libro de Proverbios, que principalmente es un diálogo entre el sabio y el adolescente. Aquí, sin embargo, se encuentran los consejos de una madre a su hijo, un hijo que será rey. *Lemuel,* en el v. 1, puede significar "consagrado o dedicado" (a Dios), apuntando así a Salomón (según algunos rabinos judíos antiguos, una teoría con poco apoyo hoy). En segundo lugar, *Masá* puede significar "el oráculo" (ver 30:1) o la región oriental donde vivía una parte de la descendencia de Ismael; ésta última es una teoría más probable.

> Semillero homilético
>
> **Los peligros del alcohol**
>
> 31:5, 6
>
> *Introducción*: El autor de Proverbios resalta los peligros de las bebidas embriagantes. Aquí presenta un caso especial cuando se permitirían las bebidas.
>
> I. Los efectos dañinos del alcohol.
> 1. Impide tomar decisiones sabias, v. 4.
> 2. Hace a uno olvidar sus promesas, v. 5.
> 3. Pervierte la justicia para los oprimidos, v. 5.
>
> II. Los efectos benéficos del alcohol.
> 1. A los que están a punto de morir, v. 6.
> 2. A los de ánimo amargado, v. 6.
>
> *Conclusión*: Aunque algunos podrían argumentar que el v. 6 permite el uso de bebidas alcohólicas, hay pocas ocasiones cuando la emergencia extrema daría permiso para tal procedimiento.

2. ¡Cuidado con las prostitutas y la borrachera! 31:3-7.

Las enseñanzas maternales se encuentran desde 1:8. Obviamente, las madres jugaban un papel importante dentro de la educación de los jóvenes. El v. 2 pone énfasis en el triple compromiso de la madre con su hijo, quien es querido como algo de uno, biológica y espiritualmente (los *votos,* es decir, las oraciones y el apoyo espiritual, como Job 1:4 y 5).

El v. 3 recalca el tema del peligro de la indisciplina en el campo sexual. Nos hace recordar los ejemplos negativos de David, Salomón y otros. Por el otro lado, nos recuerda el buen ejemplo de José (ver Gén. 39).

En los vv. 4-7 se presenta un segundo peligro, es decir, el *vino* y el *licor* (ver 20:1; 23:31). No se deben mezclar los deberes del servicio público con el vino y el licor (v. 4). Por lo tanto, el v. 5 admite la relación entre la perversión de la justicia y el abuso del alcohol (vv. 8, 9). Un rey intoxicado no puede velar por el bienestar del pueblo, especialmente de los más necesitados. El v. 5 lucha en favor de la abstención (otros pasajes hablan de la moderación, como en 9:1 ss.).

Los vv. 6 y 7 muestran un uso apropiado del vino, es decir como apoyo para el que

8 Abre tu boca por el mudo
en el juicio de todos los desafortunados.
9 Abre tu boca, juzga con justicia
y defiende al pobre y al necesitado.

Elogio de la mujer virtuosa*

10 Mujer virtuosa, ¿quién la hallará?
Porque su valor sobrepasa a las perlas.
11 Confía en ella el corazón de su marido,
y no carecerá de ganancias.
12 Le recompensará con bien y no con mal,
todos los días de su vida.

*31:10t Sigue un poema acróstico, comenzando cada versículo con las letras sucesivas del alfabeto hebreo. En lo posible se ha colocado en castellano la palabra con que empieza cada versículo en hebreo.

---

va a fallecer (¿criminal? ¿enfermo terminal?), el que tiene el ánimo por el suelo. Desafortunadamente, se puede abusar de esta forma de beber si se usa para evitar o escapar de las responsabilidades ordinarias. Sin duda, se trata aquí de algunas circunstancias extremas y extraordinarias. A veces es difícil distinguir. Varios pasajes tratan el tema de la borrachera (20:1; 23:20, 21, 29-35; ver Exo. 23:6, 7; 1 Rey. 16:9; 20:1).

3. El gobierno, el hacedor de la justicia y el defensor del pobre, 31:8, 9.

La frase *abre tu boca* se repite en los vv. 8 y 9. El no abrir la boca subraya un pecado de omisión, la falta de hacer lo justo, lo recto. Es el deber del rey ser un vocero del *mudo* (¿la persona con una incapacidad física o con una incapacidad porque no tiene autoridad dentro de la comunidad?). El rey, siendo el abogado del *pobre* y del *necesitado* (ver 10:15), ha de defender y juzgar rectamente a los inferiores en la sociedad. Los deberes presentados son una parte de un idealismo del nivel más alto.

X. ELOGIO A LA MUJER VIRTUOSA, 31:10-31

1. La mujer anhelada, 31:10-12

Esta sección se desarrolla dentro de una estructura del alfabeto hebreo (ver 2:1-22; Sal. 34). El v. 10 empieza con una palabra con la primera letra del alfabeto hebreo, *alef* (es decir, *mujer*). El último versículo (v. 31) comienza con la palabra hebrea que tiene la letra *tau,* la última letra del alfabeto hebreo (es decir, *dadle*). El texto dado en la RVA empieza cada versículo con la palabra que tiene la letra hebrea correspondiente. Tal sistema sirve como una ayuda a la memoria. Por supuesto, la pregunta acerca del origen de esta sección puede contestarse como una extensión de las palabras de la madre de Lemuel (ver 31:1-9) o con un origen desconocido.

El último ejemplo de la mujer en Proverbios destaca a la *mujer virtuosa* (ver 3:15;

Semillero homilético

Potencial para el bien o el mal

31:8, 9

Introducción: El autor de Proverbios menciona dos recursos que utilizamos todos los días, y que pueden ser utilizados para el bien o para el mal.

I. El uso del habla, vv. 8, 9.
   1. Hablar falsedades o en forma exagerada.
   2. Hablar a favor de los que necesiten defensas, v. 8.

II. El uso del poder, vv. 8, 9.
   1. No debe utilizarse para robar ni aprovecharse de otros.
   2. Debe utilizarse benéficamente, v. 9.
      (1) Juzgando con justicia.
      (2) Defendiendo al pobre y al necesitado.

Conclusión: Con la boca y con los actos uno puede hacer mucho daño o puede obrar en forma positiva. Las palabras y las acciones deben de concordarse, para obrar en forma positiva para beneficiar a la humanidad.

13 Busca lana y lino
y con gusto teje con sus manos.
14 Es como un barco mercante
que trae su pan de lejos.
15 Se levanta siendo aún de noche,
y da de comer a su familia
y su diaria ración a sus criadas.
16 Evalúa un campo y lo compra,
y con sus propias manos planta una viña.
17 Ciñe su cintura con firmeza
y esfuerza sus brazos.

8:11; 20:15). La pregunta retórica del v. 10 busca la respuesta "nadie". De hecho, el maestro sabio ha mostrado que la esposa prudente es un don de Dios (ver 18:22; 19:14). El tema de la esposa es frecuente en Proverbios (ver 12:4; 18:22; 19:13, 14; 21:9, 19; 25:24; 27:15, 16; además de los pasajes acerca de la mujer adúltera en 2:16 ss.; 5:3 ss.; etc.). La mujer virtuosa de 31:10-31 es anhelada por muchos jóvenes.

El v. 11 pone énfasis en la palabra *confía* (la letra hebrea es *bet).* Así la primera característica que se ve en ella es la confianza de parte de *su marido.* La confianza es algo que cuesta lograr, pero fácil de perder. Hay que cuidar la confianza que alguien ha puesto en uno. Por lo tanto, el v. 12 muestra cómo la esposa es una ayuda idónea para su marido y la edificación del hogar.

Semillero homilético

Una mujer digna

31:10-31

Introducción: Solemos pensar que las mujeres no tenían mucha influencia ni autoridad en el Cercano Oriente en la antigüedad. Pero este proverbio presenta otra perspectiva.

I. Colabora con el esposo, vv. 11, 12, 23, 28, 29.
  1. Es digna de confianza, v. 11.
  2. Es fuente de bien, v. 12.
  3. Es causa de respeto, v. 23.
  4. Es objeto de elogio, v. 28.

II. Ejecuta sus negocios con eficacia, vv. 14, 16, 18, 24.
  1. Trae mercancía desde lejos, v. 14.
  2. Tiene buena cabeza para los negocios, v. 16.
  3. Administra sabiamente, v. 16.
  4. Aprovecha el mercado y produce hasta lo máximo, v. 18.
  5. Sabe tratar con mercaderes, v. 24.

III. Atiende la casa con cariño, vv. 13, 19, 21, 22, 27, 28.
  1. Sabe suministrar la ropa para la familia, vv. 13, 19.
  2. Provee comida y ropa según la necesidad, v. 21.
  3. Vigila la administración del hogar, v. 27.

IV. Simpatiza con los desheredados de la sociedad, v. 20.
  1. Los pobres.
  2. Los necesitados.

V. Consagra su vida a Dios, v. 30.
  1. Un temor sano de Jehovah.
  2. Tiene hermosura y madurez espiritual.

VI. Merece una recompensa especial, vv. 25, 28.
  1. De parte de los hijos, v. 28a.
  2. De parte del esposo, v. 28b.

Conclusión: Este proverbio presenta los ideales que representan un desafío para cualquier mujer, mientras desafía al esposo y a los hijos a brindarle el respeto que se merece.

18 Comprueba que le va bien en el
negocio,
y no se apaga su lámpara en la noche.
19 Su mano aplica a la rueca,
y sus dedos toman el huso.
20 Sus manos extiende al pobre
y tiende sus manos al necesitado.
21 No teme por su familia a causa de la
nieve,
porque toda su familia está vestida de
ropa doble.*
22 Tapices hace para sí,
y se viste de lino fino y púrpura.
23 Es conocido su marido en las puertas de
la ciudad,
cuando se sienta con los ancianos del
país.
24 Telas hace y las vende;
entrega cintas al mercader.

*31:21 Según LXX y Vulgata; otra trad., *ropa* (de lana) *escarlata*

2. La mujer creativa-industriosa, 31:13-19

La mujer muestra su valor en los vv. 13-19. Las diversas actividades dentro del hogar y fuera del hogar sorprenden al lector casual. ¿Cómo es posible que una sola mujer tenga tantas actividades? ¿Se trata de una mujer real o alguna imagen o ficción?

Las actividades muestran la vida cotidiana de aquel entonces. Sus días son largos, desde temprano hasta la noche (vv. 15, 18). Ella, de verdad, se quema las pestañas. Sus manos son muy útiles, tejiendo lana y lino. Se escucha el sonido de la rueca y del huso. Ella rebusca en el mercado los productos necesarios y los mejores precios. Además, invierte en el futuro, comprando un campo y plantando una viña (v. 16). En medio de todas estas actividades, es una ama de casa que prepara la comida diaria para la familia y los siervos (v. 15). Ella nunca se queda con los brazos cruzados, aumentando el valor de los bienes familiares.

3. La mujer íntegra, 31:20-27

Sigue el diálogo sobre la mujer valiosa. Por palabra (v. 26) y por hecho (v. 20), ella muestra la misericordia a los más desafortunados, cumpliendo así lo dicho en 11:25. Además de invertir en el futuro por medio de la viña (v. 16), ella tiene la ropa preparada para su familia cuando la nieve comienza a caer, hasta tejiendo abrigos más gruesos (ver 6:8).

La risa de ella en el v. 25 muestra su confianza absoluta (v. 21; ver Sal. 2:4). Ahora ella es un vendedora de *telas* y *cintas* (v. 24), una ocupación común en el mundo antiguo y dentro de los pueblos indígenas de América Latina hoy en día.

El marido de la mujer valiosa es un líder dentro del pueblo (v. 23; ver Rut 4:1-13). Su éxito sin duda es en parte debido a la calidad de la mujer valiosa (ver 1 Tim. 3:4 y 5). *Su fuerza y honor* (v. 25) junto con su capacidad para hablar *con sabiduría* (v.

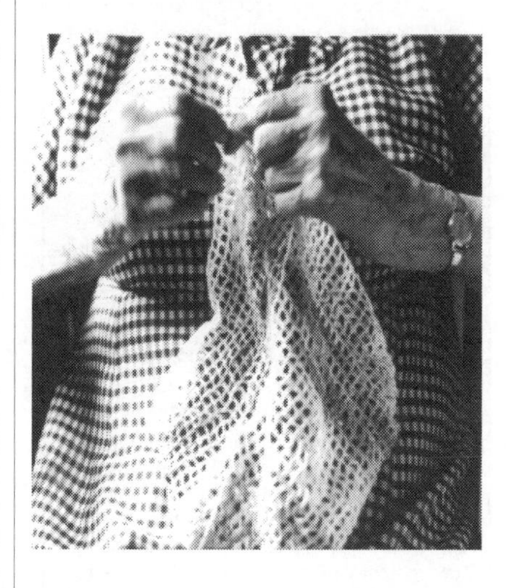

Tejiendo con las manos, 31:13

25 Fuerza y honor son su vestidura,
y se ríe de lo porvenir.
26 Su boca abre con sabiduría,
y la ley de la misericordia está en su lengua.
27 Considera la marcha de su casa
y no come pan de ociosidad.
28 Se levantan sus hijos
y le llaman: "Bienaventurada."

26) se reflejan en el bienestar y el prestigio de su familia dentro de la comunidad. El v. 22 da una lista de los símbolos de la riqueza, que es sólo un factor en el éxito y no el factor del éxito.

El v. 27 vuelve a tratar el tema del cuidado del hogar. Aunque hayan muchas actividades de la mujer, ella no ignora *la marcha de su casa* (vv. 15, 27). Es una verdadera ama de casa, que no come el *pan* (ver 4:17; 9:17) *de ociosidad* (ver 2 Tes. 3:8; *Don Quijote,* 2.5, donde Teresa, la esposa de Sancho Panza, dice que "los escuderos andantes no comen el pan de balde").

Semillero homilético

Símiles de la mujer en Proverbios

11:22; 19:13; 27:15; 12:4; 31:10-31

Introducción: Los Proverbios nos ofrecen varios símiles que presentan en forma dramática cualidades, positivas o negativas, de la mujer.

I. Como zarcillo de oro en el hocico de un cerdo, 11:22.
1. Puede ser una persona bella pero mal ubicada.
2. Puede ser inteligente pero testaruda.
3. Puede saber la etiqueta pero no practicarla.

II. Como gotera continua es la mujer rencillosa, 19:13; 27:15.
1. Sus palabras irritan.
2. Sus palabras son persistentes.
3. Sus palabras fatigan y fastidian.

III. Como carcoma en los huesos, 12:4.
1. La mujer mala obra en forma paulatina, para perjudicar.
2. La mujer mala despilfarra lo que logra el esposo.

IV. Como corona de su marido, 12:4, 19:14; 31:1-31.
1. La mujer prudente es dádiva de Dios.
2. La mujer virtuosa luce al esposo, 12:4.

Conclusión: ¿A cuál de estas símiles te pareces tú? ¿Has demostrado a través de tu comportamiento que eres una corona, o quizás eres un anillo de oro en el hocico de un cerdo, o una gotera continua, o carcoma en los huesos?

4. La mujer querida, 31:28-31

Los vv. 28 y 29 revelan el cariño de parte de los hijos y del marido. *Bienaventurada* (ver 3:13, 18; 8:32, 34; 16:20; 28:14; 29:18), de parte de los hijos, resume lo que ellos han visto en ella: Una mujer profundamente espiritual y trabajadora, en la que la presencia y la bendición divinas se pueden ver concretamente. Lo dicho por el marido es aun más especial. El reconoce que hay muchas mujeres en el pueblo que hacen el bien, ¡pero ella es la mejor! Estas palabras tan sencillas han de escucharse de parte de muchas mujeres cristianas dentro de la América Latina. El marido reconoce la joya que él tiene y no la quiere perder.

Los vv. 30 y 31 son un comentario dado por el maestro de la sabiduría. Es una exhortación y una evaluación de la manera apropiada para juzgar el valor de la mujer. Se da una advertencia contra dos características populares de la mujer. En primer lugar, la Escritura declara que *engañosa es la gracia.* Nos hace recordar el encanto de la mujer adúltera en 5:3 s. y 7:21 s. En segundo lugar, se afirma que *vana es la hermosura.* En un canto por Antonio se habla de "las hipócritas hermosuras que engañan al Amor mismo" (ver *Don Quijote,* 1. 11). Se recuerda el engaño de las mujeres en la vida de Sansón (ver Jue. 14:1 ss.; 16:1 ss.). Este engaño era principalmente la culpa de Sansón mismo, en su forma de evaluar a la mujer. Un escrito judío aconseja que "el joven pone los ojos no sobre la belleza sino sobre la familia

Y su marido también la alaba:
29 "Muchas mujeres han hecho el bien,
pero tú sobrepasas a todas."
30 Engañosa es la gracia y vana es la
hermosura;
la mujer que teme a Jehovah, ella será
alabada.
31 ¡Dadle del fruto de sus manos,
y en las puertas de la ciudad alábenla
sus hechos!

---

potencial" (ver *Misná,* Taan 4:8). Pablo exhorta a las mujeres a una vida moderada (ver 1 Tim. 2:9 y 10).

La segunda parte del v. 30 subraya la característica esencial de la mujer. Se recalca la naturaleza espiritual de la mujer (es decir, *teme a Jehovah* como en 1:7; 2:5; 3:7). No hay nada más aburrido que estar con alguien por largo tiempo y que no tenga una espiritualidad desarrollada. Esta característica ha de ser alabada y tal mujer ha de ser reconocida públicamente en la sociedad, un ejemplo digno de imitar (v. 31). Es interesante que las puertas de la ciudad designan el lugar público y aquí también se encuentra el marido (v. 23). La mujer virtuosa cumple el mandamiento de Jesús más tarde: *Así alumbre vuestra luz delante de los hombres, de modo que vean vuestras obras y glorifiquen a vuestro Padre que está en los cielos* (ver Mat. 5:16).

¡Que se cumpla lo dicho por Sancho: "Se ha de amar a Nuestro Señor, por sí solo, sin que nos mueva esperanza de gloria o temor de pena"! (*Don Quijote,* 1. 31)

ECLESIASTES

Exposición

Floreal Ureta

Ayudas Prácticas

José Luis Andavert

INTRODUCCION

Leer el libro de Eclesiastés es toda una aventura intelectual, es uno de los desafíos mayores que encontramos en las Sagradas Escrituras. Todo en el libro resulta tan extraño a una mentalidad occidental y moderna que nunca se alcanza la seguridad de una comprensión exacta de su contenido. La tarea resulta muchas veces, o por lo menos así lo parece, como tantas veces repite el autor a lo largo de su obra *vanidad y aflicción de espíritu* (1:14; 2:11; 4:16, etc.). Y sin embargo hay algo en el libro que una y otra vez nos lleva a emprender la tarea de leerlo y entenderlo.

Pero hay una clave para acercarse a la obra del Predicador, un punto de vista desde el que se puede ir ordenando su contenido de modo que las ideas y conceptos aparezcan en una perspectiva que va dando razón de muchas, si no todas las antinomias que a primera vista la llenan. Tenemos que detenernos en este texto del Predicador: *En el día del bien, goza del bien; y en el día del mal, considera que Dios hizo tanto lo uno como lo otro, de modo que el hombre no pueda descubrir nada de lo que sucederá después de él* (7:14). La Biblia de Jerusalén traduce: "Alégrate en el día feliz y, en el día desgraciado, considera que, tanto uno como otro, Dios los hace para que el hombre nada descubra de su porvenir." Y en nota al pie, aclara: "Es decir 'para que no sea posible contar con nada', o también 'para que nadie pueda adivinar lo que le está reservado' ". En palabras del Predicador, el hombre no puede contar con nada ni con nadie, no le sirve su sabiduría ni ninguna ayuda humana, sólo Dios; no puede prever el resultado de su previsión, ni lo que acontecerá con las disposiciones sabias del presente. Todo puede tener éxito y cualquier previsión suya puede fracasar. Detrás de cada acción humana hay un imprevisible, mejor dicho, una voluntad que provocará el resultado feliz o la experiencia desdichada. Pero no es un destino ciego ni un hado bienhechor, es la voluntad de un Dios personal que así nos enseña que él sólo es grande y que el hombre depende de él.

Tomemos un ejemplo de cómo nos ayuda a interpretar Eclesiastés este punto de vista en el que el Predicador nos invita a colocarnos. Siempre nos ha parecido Eclesiastés 3:2-8 una absoluta expresión de pesimismo, nada tiene valor, lo que hoy hacemos con una mano mañana lo destruimos con la otra, o, lo que es más grave, el tiempo con sus mudanzas es quien se encarga de frustrar toda posibilidad nuestra. Hoy construimos lo que mañana destruiremos o alguien destruirá; hoy lloramos y no nos imaginamos que mañana reiremos por lo mismo que hoy nos hace verter lágrimas; hoy buscamos afanosamente lo que mañana hemos de perder; y así todo lo demás. ¿Qué sentido tiene entonces construir o destruir, llorar o reír, buscar afanosamente o dejarnos estar? Nada tiene valor, todo es absurdo. Pero esto mismo, mirando desde el punto de vista que nos muestra el Predicador, tiene un sentido distinto. Debiéramos decirnos: "Hoy tengo la ocasión de destruir lo que ayer hice mal. Gracias, Señor, porque me das la posibilidad de intentarlo de nuevo y esta vez estará mejor hecho; gracias, Señor, por las lágrimas que vierto hoy, porque me quitaste algo que apreciaba mucho, porque espero que mañana reiré, incluso de mis lágrimas de hoy, por la nueva bendición recibida; hoy he hallado algo de sumo valor, y me has hecho comprender que es el resultado de lo que ayer perdí."

Dios está en todas las cosas y todas, cuando lo entendemos correctamente, son para nuestro bien (Rom. 8:28). Por eso afirmamos que no sólo hay que leer e interpretar 3:2-8 a la luz de 7:14, sino que todo el libro hay que leerlo e interpretarlo a la luz de este versículo. Esto nos puede parecer extraño pero no lo es si tenemos en cuenta el pensamiento de los sabios de Israel. Para ellos todo proviene de Dios quien tiene sus razones que el hombre difícilmente puede alcanzar (8:17). Job, en muchas cosas alma gemela del Predicador, lo decía así: *Recibimos el bien de parte de Dios, ¿y no recibiremos también el mal?* (Job 2:10). El hombre verdadero, dice para nuestro tiempo el poeta inglés Rudyard Kipling, es el que sabe tratar como dos impostores al mal y al bien, al éxito y al fracaso. Pero, eso sí, Kipling no contaba con Dios. Ni el reír ni el llorar son la verdad absoluta, la verdad final está en Dios que permite que el hombre viva una y otra experiencia. Sabiendo que todas las cosas provienen de Dios, el sabio las acepta y con calma aprovecha y disfruta los buenos momentos y soporta los malos, no como un estoico que no puede ver otra cosa que el mal mismo, sino sabiendo que la última palabra no la tienen las circunstancias sino que la tiene Dios y Dios no es tirano ni caprichoso, sencillamente es Dios.

EL JUICIO DE DIOS

En pocos lugares del libro el Predicador se refiere al juicio de Dios. Parece que obstinadamente se conformara con ver el mal en el mundo sin un juicio ético de condenación, ni siquiera aparece en él el grito desgarrador tan común en los Salmos (9:13, 19; 10:13; 13:1-2; 17:13, 14, etc.). Tampoco aparece en el Predicador la solemne amonestación y la amenaza de juicio de los profetas (Isa. 3:10-15; Jer. 22:13-19; Ose. 12:14; Hab. 1:1-4). Pareciera que el sabio se contentara con constatar el mal que el hombre hace sobre la tierra y eso, como decían los antiguos latinos, *sine ira et studio* (con total insensibilidad). Pero, a su manera, también el Predicador habla del juicio de Dios.

En cierto modo pareciera que se contenta con pensar que el mal obrar lleva en sí mismo aparejado el castigo, como en el refrán castellano: "El que la hace, la paga", por ejemplo cuando cita un refrán popular que también pudo ser de factura personal: *El que cava un hoyo caerá en él, y al que rompe el cerco le morderá una serpiente* (10:8), pero quizá también esté reflexionando en el castigo de Dios. Le aconseja a los jóvenes: *Anda según los caminos de tu corazón y según la vista de tus ojos, pero ten presente que por todas estas cosas Dios te traerá a juicio* (11:9, comp. 3:17). Y esto no tiene el tinte de amenaza con que suena en castellano; es lo que el Predicador ha observado y sabe que es realidad.

Pero hay otra manera en que el juicio de Dios se puede ejercer sobre el ser humano y esto se basa en la fe del sabio de que Dios es el que concede todas las cosas que suceden en la vida del hombre. Y en este reparto de bienes y males se ejerce la justicia de Dios: *Porque al hombre que le agrada, Dios le da sabiduría, conocimiento y alegría; pero al pecador le da la tarea de acumular y amontonar, para que le deje al que le agrada a Dios.* De este modo, en el pensamiento del Predicador, la vida humana es la escuela de Dios: Dios concede sus bendiciones y va enseñando a los hombres cómo conducirse en cada circunstancia (6:2; 7:18: 8:12). Y su pensamiento es muy distinto al de la sabiduría "oficial"; en ésta se dice que la buena conducta del hombre trae como consecuencia infalible las bendiciones de Dios. Para el Predicador, Dios a través de sus bendiciones enseña al hombre a ser bueno.

Por otra parte, esto mismo es lo que el epiloguista ve como la lección fundamental del libro: *La conclusión de todo el discurso oído es ésta: Teme a Dios y guarda sus mandamientos, pues esto es el todo del hombre* (12:13). Lo que pueda suceder en la vida, por más variado que sea, por más contradictorio que parezca a la comprensión de nuestra lógica occidental, ¡y el autor da muchos ejemplos de ello!, encuentra su explicación en esta verdad: Un Dios, que conoce mejor que nosotros mismos lo que pueda resultar del bien y del mal que sobreviene en nuestras vidas, es quien dirige nuestra historia mínima. La exhortación se sobreentiende: En él debemos confiar.

EL AUTOR

¿Quién es el autor que ha escrito este libro? El prologuista, el mismo discípulo que compuso el epílogo, lo presenta como el Predicador, hijo de David, rey en Jerusalén (1:1). La intención es evidente, coloca el libro bajo el patrocinio de Salomón, el gran rey judío que pasó a la posteridad con la fama de ser muy sabio. *El fue el más sabio de todos los hombres: más que Eitán el ezrajita y que Hemón, Calcol y Darda, hijos de Majol. Su nombre llegó a ser conocido en todas las naciones de alrededor. Salomón compuso 3.000 proverbios y 1.005 poemas. También disertó acerca de las plantas, desde el cedro del Líbano hasta el hisopo que crece en la pared. Asimismo disertó acerca de los cuadrúpedos, las aves, los reptiles y los peces. De todos los pueblos venían para escuchar la sabiduría de Salomón, de parte de todos los reyes de la tierra que habían oído de su sabiduría* (1 Rey. 4:31-34). Pero la generalidad de los comentadores entiende que esta atribución es sólo un recurso literario común en la antigüedad que consistía en atribuir una obra contemporánea a alguna personalidad notable del pasado. Con ello se buscaba una segura aceptación de la obra. Hay muchas razones para aceptar esta última posición, la más importante es el lenguaje literario de la obra que está muy lejos de ser contemporáneo de la época de Salomón. Eclesiastés es otro estilo y su lenguaje muy posterior, plagado, se dice, de arameísmos, que si bien no son tantos como los que en un principio se había creído, son los suficientes como para atribuir al libro una fecha más reciente que el tiempo de Salomón. Se puede concluir, entonces, que el autor es alguien que siguiendo la tradición salomónica nos ha dejado esta joya de la literatura de sabiduría.

Pero, si Salomón no fue el autor del libro, ¿a quién se le puede atribuir? Una respuesta inmediata a la pregunta sería, atendiendo a la evidencia interna que nos da la misma obra, que el autor vivió entre los siglos IV y el III a. de J.C. Se lo describe como perteneciente a la clase alta, como un apasionado de la vida, incansable viajero, con un alma sensitiva al triste destino de la mayoría de los hombres, realista y sobrio, con una robusta fe en Dios, pese a que piense que es sideral la distancia que separa al hombre de Dios (5:2). Todo esto lo podrá constatar el lector leyendo detenidamente la obra y tratando de percibir el hombre que se esconde detrás de las palabras o conceptos. Sobre el autor y su obra ha escrito Roberto Gordis, un estudioso judío que ha destinado tiempo para meditar en ello:

> Nada tan ajeno al espíritu de *Qohélet* que el organizar su pensamiento en un sistema. Pero la perspectiva de su pensamiento es muy simple de resumirse. La metafísica de *Qohélet* postula la existencia y el poder creador de Dios. Su meta moral, lo admite sin titubeos, es la conquista de la felicidad. Su religión es la combinación de ambas cosas. Dicho esto mismo de otra manera: su certeza más alta es que el hombre vive y Dios gobierna. La voluntad clara y manifiesta de Dios es que desea la felicidad del hombre, no que éste sea de importancia suma, pero por lo menos es claro que ésta es su evidente voluntad.

LA ESTRUCTURA DEL LIBRO

Al pensar nosotros hoy en este tema tenemos que tener muy en cuenta dos cosas: La primera es el idioma en que fue escrito, sintácticamente tan distinto de nuestros idiomas modernos, y la segunda es el género literario al que pertenece la obra. En este último punto no podemos dejar de recordar que fue escrito por un "sabio", una persona instruida que expresa su pensamiento no en la forma directa y simple en que hoy lo haríamos nosotros, sino en forma intrincada y obscura con el propósito de que el lector luche con el sentido de lo escrito hasta desentrañar su contenido. Esta lucha por alcanzar la comprensión de lo escrito hará que la enseñanza se grabe más profundamente en el espíritu y que sea más difícil de olvidar. Si bien es evidente que cierta familiaridad con este estilo hace más fácil el entender a un "sabio", la verdad es que no tenemos hasta el presente una obra auxiliar que nos ayudaría, como sería un diccionario de los dichos enigmáticos de los sabios. De modo que adquirir cierta familiaridad con estos escritos nos lleva bastante tiempo y dedicación. Hay que leer y releer, pensar y repensar, hasta alcanzar lo que dice Proverbios que resultará del estudio de una obra de sabiduría: *Comprenderá los proverbios y los dichos profundos, las palabras de los sabios y sus enigmas* (Prov. 1:6).

Generalmente se ha sostenido que Eclesiastés tiene un tema: "El sentido de la vida", como si ese tema fuera suficiente para definir el contenido de la obra. Pero no es así; gran parte de la obra se asemeja bastante a nuestro libro de Proverbios, incluso trata temas afines. ¿Cómo entenderlo entonces? Buscando un tema más amplio que incluya los temas tratados con cierta extensión, como el placer, la riqueza, la sabiduría, las injusticias, etc. con otros tan breves como un solo versículo. Si queremos darle al libro como tema central el del sentido de la vida, lo mismo podríamos hacer con el libro de los Proverbios, y finalmente con toda la Biblia.

Sin embargo, hay un pasaje que nos permitiría considerar a Eclesiastés como un tratado sobre la vida verdadera y son los versículos en que el epiloguista parece resumir el contenido de la obra: *La conclusión de todo el discurso oído es esta: Teme a Dios y guarda sus mandamientos, pues esto es el todo del hombre. Porque Dios traerá a juicio toda acción junto con todo lo escondido, sea bueno o sea malo* (12:13, 14). Pero la cosa no es tan sencilla y la prueba de esto es la discusión que ha habido entre los estudiosos sobre el tema: ¿Un autor o varios autores del libro?, que podría muy bien entenderse: ¿Unidad original del libro y del tema, pluralidad de temas y autores? Necesitaríamos uno o varios volúmenes para dar cuenta de todo lo que se ha escrito sobre este y otros temas afines. Hay opiniones diversas: Desde quienes consideraron que en realidad el libro contiene el diálogo entre dos rabinos con puntos de vista sobre temas sapienciales, lo que daría cuenta de aparentes contradicciones que aparecen en la obra, hasta quienes creen distinguir ocho o nueve manos distintas en el libro. Desde luego nunca se han ofrecido pruebas definitivas sobre ello; el libro guarda celosamente su secreto.

La forma más atractiva de quienes suponen una pluralidad de autores es la que postula cuatro manos distintas en la forma actual del libro.

(1) Hay un escritor original que ha escrito la parte medular del libro, él es el Predicador. Su propósito fue discutir el tema de lo que sea el sentido auténtico de la vida, aquello que confiere a la vida humana su razón de ser y le permite alcanzar lo que desde la más remota antigüedad se ha valorado como el sumo bien, la felicidad. Su conclusión es que la felicidad, y con ella lo que confiere sentido a la vida, si es que existe, es inalcanzable. Es una tarea que no tiene fin, es como intentar atrapar el viento, a fin de cuentas "aflicción de espíritu", "vanidad de vanidades", es decir la vanidad suma. Si algo puede hacer el hombre es contentarse con las pequeñas alegrías que le depara la vida y que por otra parte sólo puede alcanzarlo aquel que agrada a Dios.

(2) Una segunda mano es la de un discípulo que no modificó en nada el pensamiento del maestro. Su trabajo "editorial" consistió en agregar a la obra original el prólogo, los vv. 1 y 2 del capítulo primero, el epílogo compuesto por los últimos seis versículos del libro (12:12-14) y pequeños agregados tal como 7:28, 29.

(3) La obra así conformada sufrió una nueva revisión. Esta vez intervino un judío piadoso (*hasid)* que creyó que el libro, tal como estaba, no respondía a las expectativas de la ortodoxia judía. Faltaba, sobre todas las cosas, el importante tema del temor de Jehovah y se notaba la ausencia, por demás notable, de los sentimientos morales propios del judaísmo. Textos que pudieron ser agregados por este revisor serían, por ejemplo 2:26; 5:1-7; 7:18, 26, 29. En fin, una corrección "piadosa" del texto.

(4) La revisión final del texto, de acuerdo a esta manera de interpretar las cosas, se debió a un sabio (*hakam)* quien añadió al escrito todos los pasajes en que se habla positivamente de la sabiduría en contraposición con el pesimismo que sobre el tema tenía el trabajo original. Los versículos originales, entre

otros, serían 1:18; 2:15; 7:23, etc., que muestran una valoración negativa de la sabiduría. De esta manera el libro alcanzó su forma actual sin que desaparecieran del todo las aparentes contradicciones del texto.

Todo el sistema es una manera tentadora de pretender solucionar el problema de la falta de sistematización del escrito, pero ni este recurso ni ningún otro intentado ha logrado la aceptación unánime de los comentadores. Con todos los problemas que plantea, la opinión prevaleciente es que el libro es una unidad y tiene un único autor. Se entiende que el Predicador no ha querido sistematizar su experiencia, la ha ido relatando y comentando a medida que los hechos sucedían, a éstos los ha relatado con absoluta objetividad. Las contradicciones no están en el sabio, están en la vida misma que tiene muy poco de lógica. Nuestro refranero castellano es un cumplido testigo de lo que vivió el Predicador. ¿Quién no ha sonreído alguna vez ante la contradicción de estos dos refranes? "Una golondrina no hace verano", que vendría a significar que un solo ejemplo no es prueba suficiente. Pero hay otro refrán que dice: "De gotas se compone el océano", lo cual indica todo lo contrario; un ejemplo, más otro ejemplo, sí es una prueba suficiente. La habilidad del que discute es saber cuándo debe usar uno u otro refrán. Por otra parte, se ha hecho notar que los semitas en general, cuando escriben sus reflexiones y deducciones, no se atienen como los occidentales a las leyes de la lógica ni pretenden para sus escritos la unidad conceptual a la que nosotros estamos acostumbrados. En conclusión, no puede probarse que Eclesiastés tenga más de un solo autor.

POSICION FILOSOFICA DE LA OBRA

Por lo expuesto es fácil darse cuenta de la diversidad de posturas filosóficas que se han atribuido tanto al autor como a la obra. En esto es cierto que cada uno lee en un escrito lo que quiere o espera leer. Una interpretación de una obra, si no alcanza a decirnos mucho sobre la obra misma, sí nos dice bastante sobre el comentador o intérprete. Esto es evidente en las distintas interpretaciones de Eclesiastés. Hay quienes creen que el libro es un perfecto manual del **pesimismo** y que el autor es todo un Schopenhauer de la antigüedad (2:17; 4:2), pero de lo que se trata es de mirar la vida con cierto realismo. En la vida no faltan problemas pero lejos está el Predicador de no ver en ella otra cosa que problemas; está la recompensa del noble trabajo (5:12), está la realización que confiere un buen nombre (7:1), están las bendiciones que Dios da al hombre que le agrada. Por otra parte, este pesimismo sería un pesimismo que cuenta con Dios, cosa que no pasa con un auténtico pesimista. Como afirma el comentarista bíblico Gabriel P. Rodríguez, de quien tomamos estos ejemplos: "Que haya desgracias ante las cuales es preferible la muerte, lo afirma cualquiera y no hay en ello pesimismo" *(Biblia Comentada)*.

Hay quienes lo consideran el Cantar de los Cantares del escepticismo. Así lo consideró el filósofo Heine. Hay un escepticismo filosófico y hay un escepticismo ético, el que tiene que ver con el conocimiento de las cosas y el que tiene que ver con el sentido de la vida. Después de luchar con el problema el autor niega a ambos. Un saber seguro es que hay un Dios, un gozar de la vida seguro resulta de vivir en armonía con él. La contrariedad y el pesimismo sobrevienen de dos maneras, cuando se cree que el gozo es el supremo y único sentido de la vida y también cuando no se tiene en cuenta a Dios y el Predicador está lejos de ambas cosas. El escepticismo nace de una vida de frustraciones y sin Dios.

Hay quienes, por lo contrario, ven en el autor un simple gozador de la vida. Los versículos que les sirven de apoyo a su doctrina son abundantes: 2:24, 25; 3:12, 13, 22; 5:18, 19; 8:15; 9:7-9. Estos afirman que lo que hay en estos versículos es sencillamente la aceptación de la *aurea mediocritas*. La lección que nos deja es muy sencilla: Gozamos de las cosas cuando no hacemos del goce el todo de la vida. Y el sentido del Eclesiastés es precisamente ese: ¿Dónde está la felicidad y el sentido de la vida? Para los tiempos del Predicador, pero mucho más para nuestro momento actual, es el alcanzar la comprensión de la vida que tenía el apóstol Pablo (1 Cor. 7:29-31). El hombre feliz del apólogo popular no tenía camisa, y ni sabía que un hombre feliz debe tener una. En palabras de Gabriel P. Rodríguez, a quien ya hemos citado: "Entre la doctrina de Epicuro y el Eclesiastés media un abismo... El epicureísmo pone la suprema felicidad del hombre en el placer de los sentidos; no hay otra moral. Para [el Predicador] la felicidad no consiste en la entrega sin medida a los placeres, sino en el gozar honesto y lícito de los bienes de este mundo, que son, afirma más de una vez, un don de Dios (2:24b; 3:13; 5:19; 9:7)."

LUGAR DE COMPOSICION

El lugar de composición del libro no es tampoco seguro. Si se destacan los pasajes en los que se cree hallar una clara influencia helenística y entre ellos algunos que parecen hacer referencia a usos y costumbres egipcias, del Egipto helénico, por supuesto, el lugar en que el libro vio la luz no puede ser otro que Alejandría. Ejemplos de esta influencia se encuentran, por ejemplo, en la forma de siembra característica de Egipto, arrojar la semilla, una vez retiradas las aguas del Nilo, en el fértil limo que había dejado la creciente (11:1). Presionado a encontrarse ejemplos, en 11:5 se ve una alusión a la escuela de anatomía y medicina existente en Alejandría; en 12:5 el concepto de "morada eterna" para el sepulcro, características del Egipto; y en 12:12 se ve una clara alusión a la famosa biblioteca de Alejandría. Como se ve, las alusiones mencionadas están muy lejos de ser concluyentes y de ahí resulta que no hayan sido aceptadas y se haya buscado otro lugar de origen. Quizás unido al lugar de composición del libro se halle la influencia griega en la obra. ¿Es Eclesiastés un ejemplo válido de la diatriba estoica? Está lejos de haber sido probado. La influencia de estoicos y epicúreos, que algunos sostienen, es una suposición que está lejos de haber sido probada. Un comentador moderno como Lukyn Williams, que no acepta la paternidad salomónica de la obra, sin embargo escribe:

> El hecho por demás evidente es que no podemos considerar a *Qohélet* como un filósofo en el sentido técnico del término. Si tuvo alguna educación en la filosofía griega su libro difícilmente da pruebas de influencia sobre él. Los pasajes que han sido aducidos en favor de que poseía un profundo pensamiento filosófico y que consideraba el universo de una manera estrictamente filosófica han sido citados fuera de su contexto y en otros casos están lejos de apoyar lo que se atribuye a ellos.

Cohen continúa afirmando que el tono de la mente de *Qohélet* era esencialmente hebreo.

De no ser Alejandría el lugar donde se escribió Eclesiastés, hay solamente otra ciudad que se le atribuye como lugar de origen y esta ciudad es Jerusalén. Para probarlo se citan sus referencias al templo (5:1-4), las referencias casuísticas a los votos que evidentemente han sido hechos durante los servicios en el santuario, y las referencias a la asistencia a las ceremonias sagradas en el templo (8:10). Por supuesto, en estas referencias hay un alto grado de probabilidad de haber sido escritas en Jerusalén, y en cuanto a fecha, que vio la luz antes de los conflictivos tiempos que siguieron a la rebelión macabea, en realidad mucho tiempo antes.

BREVE ENSAYO DE INTERPRETACION

El autor de Eclesiastés tiene un concepto muy realista de la vida. Al preguntarse por el sentido último y definitivo de la vida, no lo encuentra en ninguna de las cosas en que el hombre de todos los tiempos lo ha buscado: el placer, las riquezas, la sabiduría, la alta estima social. Para estas cosas, consideradas como absolutos, acuña una expresión característica que se ha abierto camino fuera de la Biblia: *Vanidad de vanidades, todo es vanidad* (1:2). Pero esto no le quita importancia ni al placer, ni a la riqueza, ni a la sabiduría, ni a la situación social. Todas ellas tienen su valor, pero no un valor absoluto. No sin cierta ironía dice: *No seas demasiado justo, ni seas sabio en exceso. ¿Por qué habrás de destruirte? No seas demasiado malo, ni seas insensato. ¿Por qué morirás antes de tu tiempo?* (7:16, 17). No, el sentido de la vida no está en perseguir estas cosas como si fueran el todo del hombre.

¿Pero es que no hay nada absoluto en este vasto universo? ¿Todo, absolutamente todo será vanidad o correr buscando atrapar al viento? El sabio ha observado que hay dos absolutos: Uno es Dios, y en esto es fiel a las intuiciones de los sabios de su pueblo; el otro absoluto, con el que hay que contar en nuestra siempre difícil y conflictuada vida, es nada menos que la muerte. Esta es tan universal que todo lo viviente es presa de ella. Frente a estos absolutos se encuentra el hombre víctima de su ignorancia: No sabe lo que Dios hará, con él sobre todo, y no sabe tampoco cómo ni cuándo ha de morir. El Predicador resulta el Miguel de Unamuno de la antigüedad: Vive entre Dios y la muerte, (en el pensamiento del español) entre las ansias de eternidad y la muerte. Y el hombre está obligado a vivir entre esos dos absolutos. ¿Cómo podrá hacerlo? Hay una más o menos extensa lista de proverbios, suyos o prestados, que enseñan al ser humano de qué manera vivir (6:9—7:11; 10:1—11:8).

Pero sobre todo, la meta es saber gozar los auténticos placeres de la vida, sin hacer, lo repetimos, del placer un absoluto. Pero esto mismo, el saber gozar de lo que hay que gozar, es una suerte de sabiduría, que tiene su fundamento en saber que las pequeñas satisfacciones de la vida las provee Dios (8:15). Y aquí debemos reconocer una auténtica idea estoica: estar más allá de las experiencias que nos depara la vida. Pero para el Predicador hay algo que no pudieron soñar los pensadores de la Stoa: Dios. Dios, en el pensamiento del Predicador, es la Realidad de las realidades.

Bosquejo de Eclesiastés
EL SENTIDO DE LA VIDA

I. PROLOGO, 1:1-11

1. Título, 1:1.
2. El tema de la vanidad de la vida, 1:2.
3. El ciclo monótono de la vida, 1:3-11.

II. ENSAYOS SOBRE LA VIDA, 1:12—2:26.

1. Primer enfoque del problema, 1:12-18.
2. La vanidad del placer, 2:1-11.
3. El afán humano, 2:12-26.

III. PERSPECTIVAS DIVERSAS SOBRE LA VIDA, 3:1—11:6.

1. Dios controla el tiempo para todo, 3:1-15.
2. Las injusticias de la vida, 3:16—4:5.
3. La actuación de un sabio, 4:6-16.
4. Actitudes en la adoración, 5:1-7.
5. El engaño de las riquezas, 5:8—6:8.
6. Midiendo los valores, 6:9—7:12.
7. El valor de la sabiduría, 7:13-22.
8. Los límites de la sabiduría, 7:23—8:1.
9. Una cuestión de autoridad, 8:2-13.
10. Las aparentes injusticias en la vida, 8:14—9:10.
11. El poder de la sabiduría, 9:11-18.
12. Temas misceláneos, 10:1—11:8.

IV. EXHORTACION PARA JOVENES, 11:9—12:8.

CONCLUSION, 12:9-14.

Ayudas Suplementarias

Archer, Gleason L. *Reseña Crítica de una Interpretación al Antiguo Testamento.* Grand Rapids: Editorial Portavoz, 1987.

Cate, Robert L., *Introducción al Estudio del Antiguo Testamento.* El Paso: Casa Bautista de Publicaciones, 1990.

Comentario Bíblico Moody: El Antiguo Testamento. Editor: Pfeiffer, Charles. El Paso: Casa Bautista de Publicaciones, 1993.

Gillis, Carrol. *El Antiguo Testamento: Un Comentario Sobre su Historia y Literatura.* Tomo V. Segunda edición. El Paso: Casa Bautista de Publicaciones, 1992.

Hendry, G. S. *Eclesiastés, Nuevo Comentario Bíblico.* Guthrie, D., Motyer, J. A., Stibbs, A. M. y Wiseman, D. J., editores. El Paso: Casa Bautista de Publicaciones, 1978.

Kaiser, Walter C., Jr. *Eclesiastés: La Vida Total.* Chicago: Moody Press, 1993.

ECLESIASTES

TEXTO, EXPOSICION Y AYUDAS PRACTICAS

Búsqueda del sentido de la vida

1 Las palabras del Predicador,* hijo de David, rey en Jerusalén: **2** "Vanidad de vanidades", dijo el Predicador;* "vanidad de vanidades, todo es vanidad."

3 ¿Qué provecho tiene el hombre de todo su duro trabajo con que se afana debajo del sol? **4** Generación va, y generación viene; pero la tierra siempre permanece. **5** El sol sale, y el sol se pone. Vuelve* a su lugar y de allí sale de nuevo. **6** El viento sopla hacia el sur y gira

*1:1, 2 Heb., *Qohélet*, uno que congrega al pueblo para instruirlo
*1:5 Otra trad., *Se apresura a*

I. PROLOGO, 1:1-11

Que el autor se preguntara por el sentido de la vida le da al libro un toque de actualidad que siempre ha sido apreciado por los comentadores. El hecho de estar en tercera persona nos plantea el problema difícil de juzgar si pertenece el texto 1:1-11 a un compilador final o al autor. En el primer caso serían como una introducción general a la obra, paralela a la conclusión del discurso (12:9-11). Esta introducción es muy escueta: trata del autor y del tema general del libro. Las demás cosas que podrían interesarnos, tales como fecha y lugar de composición, debemos deducirlas del contenido general de la obra (ver Introducción). Por el cambio de tercera a primera persona dividimos este comienzo en dos partes: Prólogo, 1:1-11: primer enfoque del problema, 1:12-18.

1. Título, 1:1

El supuesto o concreto compilador es el que habla. *Las palabras del Predicador.* Algunas versiones católicas prefieren dejar sin traducir el término hebreo *Qohélet* 6953. *Hijo de David, rey en Jerusalén.* Como era costumbre hacerlo en esa época, la paternidad del libro se atribuye a un rey notable por su sabiduría (1 Rey. 4:29-31).

2. El tema de la vanidad de la vida, 1:2

Vanidad de vanidades, todo es vanidad. Una suerte de superlativo. Podría traducirse: "vanidad suma", como Cantar de

Título: Eclesiastés *(Qohélet)*

El principio del libro (1:1) atribuye la obra al "predicador, hijo de David, rey en Jerusalén". El término hebreo que aquí se traduce por predicador es *Qohélet* 6953, una forma derivada del hebreo *qahal,* que significa "asamblea" o "congregación". Aún y cuando el sentido exacto de *Qohélet* es incierto, los más entendidos en la materia, dada su etimología, dan como significado: "el que preside una asamblea" o "el que habla" ante ella. El término indica que se trata de alguien vinculado a, y que ejerce un ministerio en, la asamblea, probablemente el de maestro.

En la Septuaginta (LXX) se traduce *Qohélet* como "Eclesiastés", término a su vez derivado de *ekklesía* de donde viene nuestra palabra "iglesia". Es en esa versión griega de la Biblia donde se le dio al libro el nombre de Eclesiastés. Ese nombre pasó también al latín y de ahí a muchas más lenguas, entre ellas el castellano. Tradicionalmente este libro es conocido como "Eclesiastés". La traducción de *Qohélet* como Predicador en 1:1 se debe a Lutero quien en su Biblia tradujo el término como *Prediger* (Predicador). Desde entonces es bastante común encontrar este uso en numerosas traducciones.

hacia el norte; va girando de continuo, y de nuevo vuelve el viento a sus giros. **7** Todos los ríos van al mar, pero el mar no se llena. Al lugar adonde los ríos corren, allí vuelven a correr. **8** Todas las cosas son fatigosas, y nadie es capaz de explicarlas. El ojo no se harta de ver, ni el oído se sacia de oír. **9** Lo que fue, eso será; y lo que ha sido hecho, eso se hará. Nada hay nuevo debajo del sol. **10** ¿Hay algo de lo que se pueda decir: "Mira, esto es nuevo"? Ya sucedió en las edades que nos han precedido. **11** No hay memoria de lo primero, ni tampoco de lo que será postrero. No habrá memoria de ello entre los que serán después.

---

los Cantares es igual a "el cantar por excelencia", "santo de los santos" (Exo. 30:10, en hebreo; nuestra versión es *muy sagrado),* etc.

3. El ciclo monótono de la vida, 1:3-11

¿Qué provecho...? El término hebreo para *provecho, yitrown*[3504], es favorito del Predicador. Significa "ganancia" o "excelencia", y aparece unas diez veces en el texto de Eclesiastés. Es una pregunta retórica cuya respuesta es: "¡Ningún provecho!" *Debajo del sol* es una expresión característica del libro y aparece unas treinta veces. De uso generalizado en las culturas antiguas, entre ellas la griega, podríamos traducirla como "en este mundo". Es nuestra versión esta expresión alterna con "debajo del cielo" (1:13; 3:1).

Generación va y generación (*dor* [1755]) *viene.* Se suceden las generaciones: una generación muere; otra nace, pero el mundo natural (la tierra, *'erets* [776]) siempre permanece idéntico. Se compara la estabilidad del mundo físico con las mudanzas en las generaciones humanas y se sugiere la fragilidad de la vida humana: *el sol... el viento... los ríos,* tres figuras tomadas de la naturaleza que se muestra idéntica a sí misma en un constante movimiento. Es más una figura poética que ciencia física: el caso del sol no es el mismo que el de los vientos y los ríos, pero en apariencia, por lo que se ve, el poeta tiene razón. Volviendo a su figura, pareciera que el sol, el viento y los ríos, repiten continuamente sus movimientos.

Fatigosas (v. 8). En el sentido de que su comprensión "fatiga" al hombre. Algunos prefieren traducir: "Todo trabaja más de cuanto el hombre pueda ponderar... " (Nacar-Colunga). El hombre no alcanza a comprender ese incesante movimiento. Las cosas en su movimiento desafían la comprensión humana que no se cansa de oír y ver ese incesante fluir. *¿Hay algo de lo que se pueda decir...?* Del mundo de la naturaleza se pasa al mundo del hombre. También aquí hay mucho movimiento pero poca variación, en realidad ninguna. La historia se repite.

No hay memoria... (v. 11). No sólo que las generaciones humanas son pasajeras sino que no habrá memoria de su existencia y de los hechos. Si le preguntáramos al Predicador: ¿qué sucede entonces con la historia?, es probable que nos diría que la historia registra sólo los hechos de los notables y que son incontables los que han vivido en el pasado y de los cuales nada sabemos.

Debajo del sol

La expresión *debajo del sol* que aparece por primera vez en 1:9 no está presente en ningún otro libro de la Biblia a excepción de Eclesiastés, donde ocurre 29 veces en el original hebreo.

En algunas traducciones se dan expresiones equivalentes en castellano tales como: "en este mundo"; "sobre la tierra"; "durante la vida". En la RVA se alterna con la equivalente *debajo del cielo.*

Es interesante que el predicador recurra una y otra vez a esta frase. Su intención es clara. Con la expresión *debajo del sol* se da valor de universalidad a las frases que acompaña; nada se escapa al área que circunscribe esta expresión, excepto el cielo (mundo superior) y el Seol (mundo inferior, país de los muertos).

12 Yo, el Predicador,* fui rey de Israel en Jerusalén. **13** Y dediqué mi corazón a investigar y a explorar con sabiduría todo lo que se hace debajo del cielo. Es una penosa tarea que Dios ha dado a los hijos del hombre, para que se ocupen en ella. **14** He observado todas las obras que se hacen debajo del sol, y he aquí que todo ello es vanidad y aflicción de espíritu.* **15** Lo torcido no se puede enderezar, y lo incompleto no se puede completar.*

*1:12 Heb., *Qohélet*, uno que congrega al pueblo para instruirlo
*1:14 Otra trad., *vanidad y un correr tras el viento*; comp. 1 Cor. 1:21
*1:15 Según Talmud; heb., *ser contado*

Al terminar en este versículo la primera división de nuestro texto obtenemos el siguiente resultado: No sólo que el hombre es un ser transitorio (1:4) sino que además está condenado al olvido (1:11) por lo que sólo puede contar con el presente. Esta es una idea clave del Predicador. Antes que Horacio, el poeta latino, (Odas I, II. 8) el Predicador afirma: *Carpe diem*, "aprovecha el presente". No es sabio vivir para un hipotético futuro, que desconocemos cómo será.

II. ENSAYOS SOBRE LA VIDA, 1:12—2:26

1. Primer enfoque del problema, 1:12-18

Yo, el Predicador. Pareciera que el Predicador defendiera la validez de su

Semillero homilético

Vanidad de vanidades, ¿todo es vanidad?

1:1-11

Introducción: Ante la complejidad de la vida y sus dificultades, muchas veces nosotros sentimos la misma frustración que expresa el Predicador en esta, su primera reflexión (1:1-11). Sentimos que no vale la pena luchar y esforzarnos, pues todo seguirá igual.

I. No vale la pena que nos esforcemos, pues nada cambiará (vv. 1-3).
   1. Lo dice alguien que sabe de la vida. El Predicador forma parte de la sociedad al más alto rango pues es descendiente de David y rey. Su posición le ha permitido gustar de todo y evaluar y, desde su experiencia, declara que todo es efímero, pasajero, sin valor, (v. 2).
   2. De nada pues sirve el esfuerzo (v. 3). No importa cuán duro trabajemos, nadie en todo el mundo podrá cambiar nada. El Predicador extiende su experiencia personal y hace una declaración de valor universal.
   3. La experiencia del Predicador y la nuestra. Al igual que el Predicador, nosotros hoy también nos expresamos así en muchas ocasiones pues a pesar de nuestros esfuerzos por el amor, la paz y el bienestar, sigue habiendo odio, guerra, miseria y marginación social. Esto nos frustra y estamos tentados a decirnos ¡nada cambia! ¡No vale la pena esforzarse!

II. No vale la pena, pues como ocurre en la naturaleza, así ocurre en el hombre (vv. 4-8).
   1. Para el Predicador, lo que observamos en la naturaleza simboliza la condición del hombre. El mundo, el sol, el viento y las aguas sufren constante transformación en un ciclo que requiere gran esfuerzo pero, a la vez, es monótono, sin ningún logro final.
   2. Para el Predicador, lo que ocurre con el ciclo natural simboliza el fracaso del hombre a pesar de sus esfuerzos de conseguir algo en la vida. Como ocurre en la naturaleza, los seres humanos constantemente se repiten en las luchas y transformaciones de la vida, pero *nadie es capaz de explicarlas.*
   3. La experiencia del Predicador y la nuestra. Como le ocurría al Predicador en esta primera reflexión, nosotros también podemos caer en el error de pensar que formamos parte de un ciclo repetitivo imposible de romper y, por lo tanto, que estamos a merced del destino por lo que no vale la pena esforzarse y luchar.

(Continua en la página siguiente)

16 Yo hablé con mi corazón diciendo: "He aquí que yo me he engrandecido y he aumentado mi sabiduría más que todos los que fueron antes de mí en Jerusalén, y mi corazón ha percibido mucha sabiduría y conocimiento." **17** Dediqué mi corazón a conocer la sabiduría y el conocimiento, la locura y la necedad. Pero he entendido que aun esto es conflicto de espíritu. **18** Porque en la mucha sabiduría hay mucha frustración, y quien añade conocimiento añade dolor.

---

argumentación con dos argumentos: es un rey, supuestamente ilustrado y capaz. Por lo tanto, lo que dice es resultado de su experiencia personal. Habla, como sabio que es, de las experiencias propias, no de lo que otros puedan decir. ¿Comienza aquí propiamente la obra del Predicador? Es difícil contestar a esta pregunta. El posible redactor final aparece fugazmente en 7:27. De hecho nos encontramos aquí en la indagación de si la sabiduría es el sumo bien del hombre. La respuesta será una rotunda negación (1:18).

Dediqué mi corazón (v. 13). "Me dediqué" como más adelante en 1:16 donde se dice: "hablé con mi corazón" podemos traducirlo como "me dije". *Vanidad y aflicción de espíritu*, es una expresión repetida que encontramos en 2:11; 4:4; 6:9 y que algunos traducen como "correr tras el viento" o formas parecidas (Biblia de las Américas), forma que nuestra versión anota al pie de página como posible. La idea es que todo en la vida es un trabajo inútil. *Lo torcido no se puede enderezar*, v. 15. Posiblemente es un refrán popular que afirma las razones del autor, que es imposible corregir lo malo o lo incorrecto. *Aún esto es conflicto de espíritu... quien añade conocimiento añade dolor.* Es un melancólico final del primer intento de hallar sentido a la vida. La sabiduría nos enseña a apreciar las cosas en su justa medida, con esto se logra ver lo que realmente son: *conflicto de espíritu.* La sabiduría halla el sinsentido de la vida antes que su sentido. El v. 18, posiblemente un proverbio popular, remata el pensamiento del Predicador.

2. La vanidad del placer, 2:1-11

Si la sabiduría termina en *frustración,*

(Continuación de la página anterior)

III. No vale la pena, pues se olvidarán de ti, y tu memoria no permanecerá (vv. 9-11).

1. Además, según el Predicador, aunque te esfuerces en hacer algo que merezca la pena, se olvidarán de ello. Nadie te lo agradecerá ni se acordará de ti (v. 11).
2. En último extremo, no habrás hecho nada nuevo. Tu esfuerzo es en vano. A ti te parece nuevo, pero eso ya antes lo hizo alguien, sólo que nos olvidamos de ello (vv. 9, 10).
3. El Predicador usa el resorte del orgullo personal, tocando la fibra más íntima: *no habrá memoria de ello.* Si miramos a la historia, son contadas las personas y los hechos que se recogen si tenemos en cuenta los miles y millones de personas que han pasado por este mundo y las circunstancias que lo han ido forjando. Evidentemente, quizás pasamos inadvertidos, pero esto no debe llevarnos a pensar que no vale la pena trabajar duro y esforzarse en este mundo. Pero, cuando vemos que nuestros pequeños logros de cada día no transforman la realidad circundante, como el Predicador, sentimos frustración.

Conclusión: Ciertamente sería fácil hacer nuestra la frustración del Predicador si no fuera por la experiencia de la vida en Cristo. Esta primera reflexión del Predicador es una muestra de lo que no debe ser la actitud del cristiano frente a la vida. Aún y a pesar de que a veces estamos tentados a decir "no vale la pena", no debemos ceder a la tentación pues el mundo es la suma de pequeñas y grandes acciones y no importa cuán pequeño sea nuestro esfuerzo en el contexto del mundo y del universo, todo aquello que hacemos tiene no sólo consecuencias directas en nuestra realidad inmediata, sino consecuencias más allá de lo que podemos objetivamente medir y pesar.

Como cristianos, nuestras acciones todas redundan en la presencia del Reino.

Vanidad del placer

2 Yo dije en mi corazón: "¡Ven, pues; te probaré con el placer, y verás lo bueno!" Pero he aquí que esto también era vanidad. **2** A la risa dije: "¡Eres locura!"; y al placer: "¿De qué sirve esto?"

3 Propuse en mi corazón agasajar mi cuerpo* con vino y echar mano de la necedad—mientras mi corazón siguiera conduciéndose en sabiduría—, hasta ver en qué consiste el bien para los hijos del hombre, en el cual se han de ocupar debajo del sol,* durante los contados días de su vida.

4 Engrandecí mis obras, me edifiqué casas, planté viñas, **5** me hice huertos y jardines, y planté en ellos toda clase de árboles frutales. **6** Me hice estanques de aguas para regar con ellas un bosque donde crecieran los árboles. **7** Adquirí siervos y siervas, y tuve siervos nacidos en casa. También tuve mucho ganado, vacas y ovejas, más que todos los que fueron antes de mí en Jerusalén. **8** Acumulé

*2:3 Lit., *carne*
*2:3 Según 2 mss. y vers. antiguas; TM, *debajo del cielo*

ka'ac 3708 (1:18), que significa "dolor, enojo". ¿Por qué no probar el placer? El hedonismo se ha considerado como la clave de la felicidad, el Predicador ensaya esa vía. Pero no reflexiona sobre el placer, lo prueba, lo busca; y donde el placer se busca por el placer mismo, es seguro que no se halla el placer.

La felicidad que da sentido a la vida se encuentra cuando no se busca. Es conocida la historia de un paisano que salió en busca de la felicidad y luego de andar mucho tiempo, tanto que había envejecido en la búsqueda, resolvió regresar a su humilde vivienda, por lo menos moriría en lo que había sido suyo. Pero para su sorpresa en la puerta de su vivienda abandonada encontró un esqueleto; era el de la

Realicé grandes obras... 2:4

también plata y oro para mí, y tesoros preciados de reyes y de provincias. Me proveí de cantantes, tanto hombres como mujeres; de los placeres de los hijos del hombre, y de mujer tras mujer.* **9** Me engrandecí y acumulé más que todos los que fueron antes de mí en Jerusalén, y en todo esto mi sabiduría permaneció conmigo. **10** No negué a mis ojos ninguna cosa que desearan, ni rehusé a mi corazón placer alguno; porque mi corazón se alegraba de todo mi duro trabajo. Esta fue mi parte de todo mi duro trabajo.

11 Luego yo consideré todas las cosas que mis manos habían hecho y el duro trabajo con que me había afanado en hacerlas, y he aquí que todo era vanidad y aflicción de espíritu.* No había provecho alguno debajo del sol.

*2:8 Otra trad., *princesa tras princesa*
*2:11 Otra trad., *vanidad y un correr tras el viento*; comp. 1 Cor. 1:21

felicidad que había venido en su búsqueda durante su ausencia.

La felicidad no está en lo que se goza o en lo que se tiene, que muchas veces, como en el caso del Predicador sólo conduce a una frustración mayor. La risa engaña (2:2), el poseer deja vacío (2:8) el hacer, cuando la tarea se ha acabado deja el sentido que con la obra terminada terminó la vida misma (2:4). "Mejor es el camino que la posada" dice la sabiduría erudita. Y si se busca la felicidad en el goce material manteniendo al mismo tiempo la capacidad del juicio (2:3), no se alcanzará nada. La conclusión de esta búsqueda del sentido de la vida en el goce de los placeres ha llevado al Predicador a una conclusión: Para ser feliz con el placer es menester estar loco.

¡Ven, pues...! (v. 1). En hebreo es una llamada a la acción (comp. Isa. 1:18). Las riquezas pueden procurar el placer que el Predicador busca en todas sus formas, pero aquí se adelanta el resultado: *esto también era vanidad*. *Agasajar mi cuerpo con vino* (v. 3). La actitud más contradictoria con el pensamiento de los sabios (Prov. 20:1; 21:17; 23:19-21; 23:29-35) y tratándose de un rey más aún (Prov. 31:4). *Contados días de su vida;* el hombre antiguo contaba con que su vida sería breve (Job 7:6; 14:1; comp. 1 Ped. 1:24). *Engrandecí mis obras* (v. 4). Las construcciones eran una manera de pasar a la posteridad. De aquí hasta el v. 9 hay una vívida descripción de lo que se estimaba como

Del hedonismo como mal de nuestro tiempo

2:1-26

El psiquiatra español Enrique Rojas en su libro: *El hombre light: una vida sin valores*, haciendo un análisis de nuestra sociedad y del hombre de final del siglo XX, dice así: "Es una sociedad, en cierta medida, que está enferma, de la cual emerge el hombre light, un sujeto que lleva por bandera una tetralogía nihilista: hedonismo-consumismo-permisividad-relatividad", en una carrera frenética por encontrar sentido a la vida.

Para muchos la cuestión es "pasarlo bien"; el goce y el placer a toda costa; un hedonismo sin fronteras. El hedonismo se convierte en la ley misma del comportamiento, es el placer por encima de todo, así como el ir alcanzando progresivamente cotas más altas de bienestar uniéndose el consumismo como valor. La permisividad es código y la relatividad su hijo natural de tal modo que la tolerancia es interminable y de ahí la indiferencia pura. Es interesante que ya hace 2.300 años, el Predicador hiciera un ensayo sobre la vida (1:12—2:26), lleno de realismo para llegar a la conclusión de que el hedonismo no es camino para nadie. Como tantos hacen hoy, el Predicador lo probó todo: conocimiento, diversión, bebida, propiedades suntuosas, siervos, dinero, mujeres y, en resumen, todo tipo de placeres (2:10). Sin embargo, no se sintió satisfecho. Ni siquiera del hecho de trabajar y trabajar para atesorar. ¡Qué insensatez!

(continúa en la página siguiente)

Vanidad del afán humano

12 Después yo volví a considerar la sabiduría, la locura y la necedad. Pues, ¿qué añadirá el hombre que suceda al rey, a lo que éste ya hizo?* **13** Yo vi que la sabiduría tiene ventaja sobre la necedad, como la ventaja que la luz tiene sobre las tinieblas. **14** El sabio tiene sus ojos en su cabeza, pero el necio anda en tinieblas. También yo entendí que lo mismo acontecerá a todos ellos.

15 Entonces dije en mi corazón: "Lo mismo que le acontecerá al necio me acontecerá también a mí. ¿Para qué, pues, me he hecho más sabio?" Y dije en mi corazón que también esto era vanidad. **16** Porque ni del sabio ni del necio habrá perpetua memoria, puesto que en los días venideros ya habrá sido olvidado todo. ¡Y cómo muere el sabio junto con el necio! **17** Entonces aborrecí la vida, porque la obra que se hace debajo del sol me era fastidiosa; pues todo es vanidad y aflicción de espíritu.*

* 2:12 Según muchos mss., LXX y Peshita; TM, *lo que le hicieron*
* 2:17 Otra trad., *vanidad y un correr tras el viento*; comp. 1 Cor. 1:21

digno del poder real en una corte oriental. *Siervos nacidos en casa* (v. 7) se explica en Exodo 21:2-6. *Acumulé también plata y oro* (v. 8), figura en que se toma la materia por el objeto. La plata y el oro en forma de joyas, vasos y utensilios diversos.

Mi sabiduría permaneció conmigo (v. 9). El ingrediente que estorba la felicidad cuando se la busca por el camino del tener (ver Luc. 12:15). El verbo para "acumular", *kanac* 3664, da la idea de doblar una cosa sobre la otra. *Mi corazón se alegraba de todo mi duro trabajo. 'Amal* 5999 lleva el sentido de dolor y miseria en el trabajo. Por un momento el Predicador creyó que había dado con el sentido de la vida, pero con un examen posterior se dio cuenta que toda esa grandeza acumulada no era otra cosa *que vanidad y aflicción de espíritu* (v. 14). No hay otra recompensa si se busca el sentido de la vida por ese camino.

3. El afán humano, 2:12-26

En esta sección aparece por vez primera el tema de la muerte. No porque el Predicador tuviera los conceptos modernos sobre la muerte, ya que el hombre bíblico de la antigüedad no temía la muerte, la asumía como una cosa natural. El aguijón de la muerte está aquí en que le resta significado al quehacer humano. Pretendemos trabajar para lo eterno y nos encontramos con que la vida es pasajera. La muerte interrumpe el curso de la vida y le resta sentido a todo lo que hacemos. No sabemos si alguien, un sucesor que podía ser el hijo, continuará la obra comenzada, ni siquiera podemos prever si podrá aprovechar lo que ha sido hecho. ¿De qué sirve entonces el afanarse? Ni siquiera cabe esperar que quede perpetua memoria de lo que se ha hecho. La muerte cierra todos los caminos, ante ella se desvanecen las ventajas que la sabiduría tiene sobre la necedad (2:13). Queda un solo camino: disfrutar la vida sin caer en la ansiedad (2:24). Pero el sabio encuentra dificul-

(continuación)

Si a fin de cuentas, el día que muramos todo lo material queda aquí. Eclesiastés pone de manifiesto que el hedonismo no da sentido a la vida. Ahora bien, tampoco se trata de que el gozar de la vida sea malo y que no sea bueno esforzarse (2:24-26). Pero sí se trata de que se haga en la debida relación al Señor de todo. Cuando así lo hacemos, no sólo encontramos sentido a la vida sino que disfrutamos de la vida en su dimensión más amplia y verdadera: una vida vivida en el amor del Dios Creador y Salvador que nos sustenta y que posibilita a la vez una relación de amor hacia el prójimo.

El cristiano debe aprender de la experiencia del Predicador de entonces y de los predicadores de nuestro tiempo que vuelven insatisfechos de probarlo todo. Debemos rechazar con fuerza el hedonismo pues es "antievangelio", es el "otro evangelio" de falsas promesas de felicidad creando un hombre vulnerable y vacío hambriento de verdad y de amor auténtico.

18 Asimismo, aborrecí todo el duro trabajo con que me había afanado debajo del sol, el cual tendré que dejar a otro que vendrá después de mí. **19** ¿Y quién sabe si él será sabio o necio? Sin embargo, se enseñoreará de todo el duro trabajo con que me he afanado para hacerme sabio debajo del sol. También esto es vanidad.

20 Por tanto, volví a desesperarme* con respecto a todo el duro trabajo con que me había afanado debajo del sol. **21** Porque se da el caso del hombre que habiéndose afanado con sabiduría, con conocimiento y con talento, deja sus bienes a otro hombre que jamás se afanó en ello. También esto es vanidad y un mal grande. **22** Porque, ¿qué logra el hombre de todo su duro trabajo y del conflicto de corazón con que se afana debajo del sol? **23** Porque todos sus días no son sino dolores; y su tarea, frustración. Ni aun de noche reposa su corazón. Esto también es vanidad.

*2:20 Lit., *desesperar mi corazón*

tades aun en esto. Es Dios quien decide. Y así aparecen los únicos dos absolutos que limitan el pensamiento del Predicador: Dios y la muerte. No podemos huir de ninguno de ellos.

Yo volví (v. 1). Es *yo* enfático, *yo* y no *otro. La luz sobre las tinieblas* (v. 13). La luz es símbolo de todo lo positivo, las tinieblas son el símbolo de todo lo negativo, de todo lo que causa horror. La reflexión israelita sobre el tema aparece por vez primera en nuestras Biblias en Génesis 1:4 cuando Dios se muestra apartando la luz de las tinieblas. *Entonces dije en mi corazón...* (v. 15). Me dije a mí mismo en presencia de que la muerte sobreviene igualmente al sabio y al necio. La sabiduría tiene un gran valor, pero no *perpetua memoria* (v. 16). Para una evaluación distinta ver Salmo 112:6; Proverbios 10:7. *Aborrecí la vida* (v. 17), recordando el uso del término "aborrecer"

No hay, pues, mejor cosa... 2:22

24 No hay, pues, mejor cosa para el hombre que comer y beber, y hacer que su alma vea lo bueno de su trabajo. Yo he visto que esto también proviene de la mano de Dios. **25** Pues, ¿quién comerá y se regocijará separado de él?* **26** Porque al hombre que le agrada,* Dios* le da sabiduría, conocimiento y alegría; pero al pecador* le da la tarea de acumular y amontonar, para que lo deje al que agrada a* Dios. También esto es vanidad y aflicción de espíritu.*

Un tiempo para todo

3 Todo tiene su tiempo, y todo lo que se quiere debajo del cielo tiene su hora:

2 Tiempo de nacer* y tiempo de morir
tiempo de plantar y tiempo de arrancar lo plantado;
3 tiempo de matar y tiempo de sanar;
tiempo de destruir y tiempo de construir;
4 tiempo de llorar y tiempo de reír;
tiempo de estar de duelo y tiempo de bailar;

*2:25 Según algunos mss. y vers. antiguas; TM, *separado de mí*
*2:26a, d Lit., *es bueno delante de*
*2:26b Heb., *él*
*2:26c Otra trad., *el que falla en agradarle*
*2:26e Otra trad., *vanidad y un correr tras el viento*; comp. 1 Cor. 1:21
*3:2 Lit., *dar a luz*

(*sane* 8130, "amar menos") en la Biblia, podríamos entender que el sabio atempera su entusiasmo por la sabiduría y por la vida al comprenderlas en la perspectiva de la muerte.

Los vv. 18-22 cubren en la perspectiva de la muerte el trabajo evaluado positivamente en el v. 10 y adquiere su dimensión justa. Otra vez nos encontramos con "aborrece" como equivalente a "amar menos". ¿Qué, específicamente es "vanidad"? Que no disfrute de mi trabajo y no sepa quién disfrutará de él a mi muerte. Es una valoración negativa de la historia de la cultura si se entiende por trabajo la adquisición de la sabiduría. *Ni aún de noche reposa* (v. 23). Para el "dormir" en el AT ver Salmo 3:5; Proverbios 4:16; Eclesiastés 5:12.

No hay, pues, mejor cosa, es una apreciación positiva de la vida, no la vida complicada por la ambición o por valores absolutos, sino la vida sencilla (comp. 1 Rey. 4:20; Jer. 22:15). Nada más lejos de una posición hedonista: se aprueba la vida sencilla y no el placer por el placer. Pero el vivir esa vida sencilla es un don de Dios. Aparece así el tema bíblico de la soberanía de Dios (Deut. 8:17, 18; Sal. 39:4-6; Prov. 30:8).

III. PERSPECTIVAS DIVERSAS SOBRE LA VIDA, 3:1—11:6

1. Dios controla el tiempo para todo, 3:1-15

La vida del hombre está compuesta de penas y alegrías, de triunfos y fracasos, de trabajos y reposos. El sabio ve que así debe ser. Obtener triunfos sin fracasos haría del hombre un pequeño dios; padecer fracasos sin ningún triunfo de la vida sería una miseria infinita. Lo que caracteriza el trabajo del hombre es un continuo hacer y deshacer lo hecho, cada cosa a su tiempo. Como esos tiempos los fija Dios, para el Predicador la sabiduría del hombre consiste en ponerse en sintonía con Dios para saber qué hacer en cada caso. Dios lo ha dispuesto todo, lo bueno y lo malo, el hacer esto y el hacer aquello, cada tarea tiene su tiempo propicio, cada experiencia humana su razón de ser. El hombre, como ser relativo, se encuentra también ante tareas relativas; ningún momento es absoluto, absoluto es solamente Dios. Esto es lo que nos dice el Predicador.

Veamos un poco más adelante: *En el día del bien, goza del bien; y en el día del mal, considera que Dios hizo tanto lo uno como lo otro...* (7:14). Hoy es tiempo de reír,

5 tiempo de esparcir piedras y tiempo de juntar piedras;
tiempo de abrazar y tiempo de dejar de abrazar;
6 tiempo de buscar y tiempo de perder;
tiempo de guardar y tiempo de arrojar;

río con gratitud a Dios; mañana, si es tiempo de llorar, lloraré con esperanza en Dios. El apóstol Pablo se encontró con este problema en su vida y lo solucionó comprendiendo que las "revelaciones" y los "aguijones en la carne" servían ambos al propósito de Dios en su vida y en su ministerio (2 Cor. 12:7-9). Hay dos maneras de enfrentarnos con esta realidad de la vida que el Predicador nos presenta: con fe o sin ella. Lo que la vida nos diga dependerá de ese imponderable que llamamos "fe".

Todo tiene su tiempo (v. 1). Lógicamente es el tiempo fijado por Dios. No es temor a la fatalidad, la voz de la fe dice: *Pero yo he confiado en ti, oh Jehovah. He dicho: "Tú eres mi Dios; en tus manos están mis tiempos"* (Sal. 31:14, 15a). *Tiempo de nacer y tiempo de morir* (v. 2), abarca los dos extremos de la vida humana y los que están más lejos de su voluntad. Entre ellos podemos incluir todas las experiencias de la vida. *Tiempo de esparcir piedras:* Con una ligera variante en el texto hebreo algunos leen "tiempo de prodigar agasajos y tiempo de guardarlos" (J. J. Serrano); otros, sin recurrir a ningún cambio, lo interpretan como un eufemismo por el trato marital *(Comentario Bíblico San Jerónimo).* Generalmente se ha interpretado con referencia a esparcir piedras en el campo enemigo para hacerlo improductivo. A esa acción del enemigo corresponde sin lugar a dudas la acción de recoger las piedras para permitir el cultivo del campo. Esto sucedía en las guerras (2 Rey. 3:19, 25). De todas maneras la intención es clara, se refiere a acciones diametralmente opuestas. *Tiempo de romper:*, podría referirse a un acto de duelo. Hay evidencias en la literatura pos-

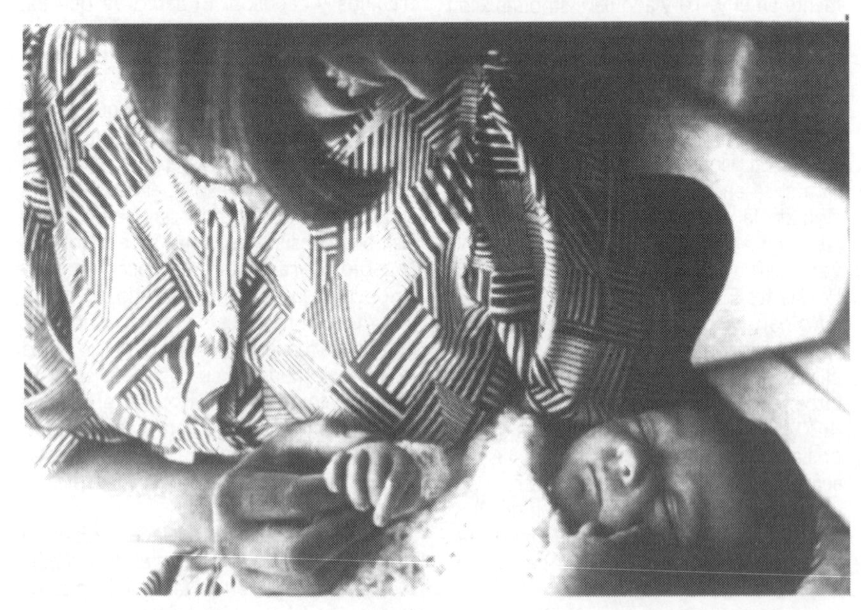

Tiempo de nacer... 3:1

7 tiempo de romper y tiempo de coser;
tiempo de callar y tiempo de hablar;

8 tiempo de amar y tiempo de aborrecer;
tiempo de guerra y tiempo de paz.

---

terior judía de que se acostumbraba aconsejar el rasgar la ropa moderadamente de modo que pudiera remendarse y usarse de nuevo. *¿Qué provecho...?* es una pregunta retórica; la respuesta es evidente: *Ningún provecho*, ya que lo que hoy se hace mañana se deshace.

Todo lo hizo hermoso (v. 11), es un testimonio de lo bueno de la creación. *Dios vio todo... y era bueno. También ha puesto eternidad.* Ver la nota al pie del texto. Dejando la traducción actual, la idea pudiera ser: Dios ha puesto en el corazón del hombre anhelos de verdades eternas, la tarea que Dios ha dado al hombre pero que éste no puede llevar a cabo, *no alcanza a comprender.*

No hay cosa mejor... es una idea que se repite en 2:24; 5:18; y 8:15. No hay por qué tomarla como expresión de un crudo hedonismo. *Todo lo que Dios hace permanecerá* (vv. 14, 15). Y permanecerá tal como es, sin que haya nada que *añadir* ni *disminuir*. *Para que los hombres teman delante de él* (v. 13), cosa que para los sabios es el comienzo de toda sabiduría (Sal. 111:10; Prov. 1:7; 9:10).

Dios recupera lo que ya pasó. Ver nota al pie de página. Este es un texto difícil de traducir e interpretar. Algunas posibles traducciones son: "Dios restaurará" (Biblia de las Américas, en nota aparte). Nueva

Semillero homilético

El tiempo: un don precioso de Dios

3: 1-15

Introducción: Una de las cosas que somos más celosos en guarder es nuestro tiempo. Algunos van con el NO por delante. ¡No tengo tiempo!, es la respuesta inmediata que muchos contestan cuando se les pide que hagan algo. Otros sin embargo a todo dicen que sí, pero no cumplen. No obstante, todos encontramos tiempo para hacer lo que nos apetece. Ciertamente el tiempo es un concepto relativo y mucho depende de nuestra escala de valores y posibilidades a la hora de administrarlo cada día, semana, mes o año.

I. El tiempo es un don de Dios (v. 1).
   1. El tiempo, como la vida misma, no nos pertenece. Nos es dado por Dios y a él daremos cuenta.
   2. El tiempo es un bien precioso pero limitado. Debemos aprovecharlo al máximo.

II. Debemos administrar correctamente el tiempo que Dios nos da (vv. 2-8).
   1. Según la voluntad de Dios para nuestra vida.
   2. Según prioridades claramente establecidas de acuerdo a esa voluntad de Dios.
   3. Cuando reclamen de nuestro tiempo, debemos aprender a decir SI y NO según sea oportuno y a la luz de las prioridades establecidas.

III. Seamos realistas con el tiempo (vv. 9-11).
   1. No nos afanemos en ver las cosas hechas de un momento para otro. Debemos dar tiempo al tiempo sin forzar situaciones permitiendo que las cosas discurran de un modo natural.
   2. Aceptemos la voluntad de Dios en el devenir de los acontecimientos pues no siempre entenderemos por qué las cosas son como son.

IV. No nos castiguemos (vv. 12-15).
   1. Dios no quiere que seamos esclavos del tiempo de tal modo que no podamos disfrutar de la vida. Toda nuestra agenda debe ser motivo de felicidad, sea trabajo u ocio, y debe incluir estas cosas.
   2. Aprendamos a descansar en Dios de quien en último extremo depende todo.

Conclusión: El tiempo es un don precioso que los cristianos debemos usar diligentemente como buenos administradores de Dios. Dios reclama toda nuestra vida y ello incluye el tiempo, pero también nos dota de inteligencia para discernir y usarlo adecuadamente.

9 ¿Qué provecho saca el que hace algo, de aquello en que se afana? **10** He considerado la tarea que Dios ha dado a los hijos del hombre, para que se ocupen en ella. **11** Todo lo hizo hermoso en su tiempo; también ha puesto eternidad* en el corazón de ellos, de modo que el hombre no alcanza a comprender la obra que Dios ha hecho desde el principio hasta el fin.

12 Yo sé que no hay cosa mejor para el hombre* que alegrarse y pasarlo bien en su vida. **13** Y también, que es un don de Dios que todo hombre coma y beba y goce del fruto de todo su duro trabajo. **14** Sé que todo lo que Dios hace permanecerá para siempre. Sobre ello no hay que añadir, ni de ello hay que disminuir. Así lo ha hecho Dios, para que los hombres teman delante de él. **15** Aquello que fue ya es, y lo que ha de ser ya fue. Dios recupera lo que ya pasó.*

Las injusticias de la vida

16 Además, he visto debajo del sol que en el lugar del derecho allí está la impiedad, y que en el lugar de la justicia allí está la impiedad.

*3:11 Otras trads., *el universo*; o, *un enigma*
*3:12 Comp. 2:24; heb., *para ellos*
*3:15 Otra trad., *lo que se persiguió*

Biblia Española traduce: "Dios da alcance a lo que huye"; Dios Habla Hoy lo traduce "Dios hace que el pasado se repita"; y Biblia de Jerusalén dice: "Dios restaura lo pasado", que es semejante a nuestra versión.

2. Las injusticias de la vida, 3:16—4:5

¿Qué hace imposible gozar lo que Dios ha concedido como don al hombre para su felicidad? Dos cosas, dice el sabio: las injusticias de la vida y la muerte. Toda injusticia será un día castigada, porque Dios, que establece los tiempos, ha establecido también un tiempo para juzgar la conducta de los hombres. La otra cosa que impide la felicidad y el sentido a la vida es el hecho de la muerte, y sobre todo la inseguridad de lo que espera más allá de la vida. El animal también vive y muere, es el método pedagógico de Dios para poner al hombre enfrente de su propia muerte. Frente a las injusticias de la vida, frente al hecho palpable de la muerte, no hay mucho lugar para encontrar sentido a la vida. Este hecho clama por una revelación más adecuada: No sé si muero definitivamente, no sé si viviré eterna-

¡Hombres y animales, un mismo destino: la muerte!
3:19-22

Los vv. 19-21 del cap. 3 trazan una comparación entre los hombres y los animales. No debemos caer en el error de interpretar estos versículos con categorías aristotélicas acerca de la naturaleza del hombre y del animal pues no es intención de Eclesiastés establecer tal distinción. Aquí, y en este momento de la reflexión, el escritor trata simplemente de ver que tanto el hombre como los animales tienen un mismo último destino: la muerte, y que en este sentido, la condición del hombre no se diferencia del animal. El trasfondo de este pensamiento hay que buscarlo en el concepto de Seol, lugar al que van los muertos (9:10). Esta descripción está basada en Génesis 2, de donde el escritor toma la imagen de Dios dando el soplo de vida sobre la materia inerte. Para Eclesiastés, al igual que el soplo de vida viene de Dios, para hombres y animales, del mismo modo, cuando mueren y vuelven a ser materia, van a un mismo lugar, el Seol. El hecho terrible de la muerte mueve al Predicador a cuestionarse con inquietud. Parece ser que en su tiempo algunos se preguntaban o trataban de buscar una distinción entre el espíritu de la vida del hombre y del animal (v. 21). Posiblemente Eclesiastés no daba con evidencias de diferencia. El v. 22 termina con palabras de consuelo como último pensamiento y manifiesta que el hombre no conoce su futuro. En último extremo, todo depende de Dios y, como no sabemos qué pasará en el futuro, mejor vivir el presente (v. 22) y dejar el resto en manos de Dios.

17 Y yo dije en mi corazón: "Tanto al justo como al impío los juzgará Dios, porque hay un tiempo para todo lo que se quiere y para todo lo que se hace."

18 Yo dije en mi corazón, con respecto a los hijos del hombre, que Dios los ha probado para que vean que ellos de por sí son animales. **19** Porque lo que ocurre con los hijos del hombre y lo que ocurre con los animales es lo mismo: Como es la muerte de éstos, así es la muerte de aquéllos. Todos tienen un mismo aliento; el hombre no tiene ventaja sobre los animales, porque todo es vanidad. **20** Todo va al mismo lugar; todo es hecho del polvo, y todo volverá al mismo polvo. **21** ¿Quién sabe si el espíritu del hombre* sube arriba, y si el espíritu del animal desciende abajo a la tierra?

22 Así que he visto que no hay cosa mejor para el hombre que alegrarse en sus obras, porque ésa es su porción. Pues, ¿quién lo llevará para que vea lo que ha de ser después de él?

*3:21 Lit., *espíritu de los hijos del hombre*

mente, ¿cómo viviré el aquí y el ahora? Es conocida la respuesta del gran filósofo español don Miguel de Unamuno a este interrogante: Viva de tal manera, que sea una injusticia que no haya una vida más allá. Nos conviene recordar: *El anuló la muerte y sacó a luz la vida y la inmortalidad por medio del evangelio* (2 Tim. 1:10). La última reflexión que podemos hacernos tiene que ver con el modo distinto en que ven las injusticias de la vida los sabios y los profetas. Donde uno observa, el otro clama, donde uno critica, el otro se indigna, pero los dos dejan la solución final de las injusticias a la acción de Dios.

En lugar del derecho allí está la impiedad (v. 16). "Derecho" es *tsedek* 6664, se refiere a lo correcto o lo legal. "Impiedad" es *reshah* 7562, se refiere al mal moral. No es el problema de que exista la impiedad sino de que la impiedad se sienta, como señora, en el lugar que corresponde a la justicia y al derecho. Que haya impiedad es algo malo, que la impiedad ocupe el lugar del derecho es algo mucho peor (1 Sam. 8:1-3; Miq. 7:3). *Tanto al justo como al impío los juzgará Dios* (v. 17); es una rotunda afirmación del Predicador. Dios juzgará a ambos para declarar la inocencia del justo y condenar la culpabilidad del impío. La palabra "juzgar", *shofet* 8199, lleva idea de ser equilibrado y castigar justamente. *Porque hay un tiempo para todo lo que se quiere*, evidentemente se refiere al tiempo del juicio en que actos e intenciones serán juzgados por Dios.

Dios los ha probado (v. 18). El texto, un poco ambiguo, algunos lo interpretan como diciendo que por la impiedad de los hombres Dios les prueba que no son más que animales. El sentido figurado del término "animal" tiene otros ejemplos: Sal. 49:20; 73:22. *Como es la muerte de éstos, así es la muerte de aquéllos* (v. 19), la muerte es el gran misterio, frente a ella tanto el hombre como el animal son *vanidad*. Pero el hombre "vuelve a la tierra" (Gén. 3:19) a causa de su pecado, cosa que no puede pensar el Predicador que pasa con el animal.

¿Quién sabe si el espíritu del hombre...? En 12:7 encontramos un enfoque distinto. *Porque esa es su porción.* Si se deja el futuro a Dios queda para el hombre una sola posibilidad: alegrarse en sus obras en el aquí y ahora, como en 3:12.

Eclesiastés 4:1-3 vuelve al tema de la injusticia pero aquí como "opresión". Manifiesta una actitud distinta: ante la injusticia la seguridad de la justicia de Dios, ante la opresión la melancólica reflexión de que sería mejor morir o no haber nacido. *No tienen quien los consuele* (v. 1). *Nacam* 5162, significa que no hay quién para compadecer con ellos en su dolor. *He visto que todo trabajo y toda obra excelente son resultado de la rivalidad del hombre contra su prójimo* (v. 4). Una manera contemporánea y un poco más suave de referirse al tema, que se ve que es muy antiguo, es el concepto de emulación. Por esto último se entiende el sen-

4 Yo me volví y vi todos los actos de opresión que se cometen debajo del sol: He allí las lágrimas de los oprimidos, que no tienen quien los consuele. El poder está de parte de sus opresores, y no tienen quien los consuele. **2** Entonces yo elogié a los difuntos, los que ya habían muerto, más que a los vivos, los que hasta ahora viven. **3** Pero consideré que mejor que ambos es el que aún no ha nacido, que no ha visto las malas obras que se hacen debajo del sol.

4 Asimismo, yo he visto que todo trabajo y toda obra excelente son resultado de la rivalidad del hombre contra su prójimo. También esto es vanidad y aflicción de espíritu.*

5 El necio se cruza de brazos y come su misma carne.

* 4:4 Otra trad., *vanidad y un correr tras el viento*; comp. 1 Cor. 1:21

---

timiento que nos lleva a imitar los ejemplos superiores. Para la palabra hebrea se dan en castellano los siguientes equivalentes: celo, celos, afán, pasión, envidia. Un comentario a estas motivaciones humanas es el cap. 13 de 1 Corintios.

El necio se cruza de brazos (v. 5). El necio no siente el desafío de emular a nadie, es la manera de unir este proverbio popular con la argumentación que el Predicador venía trayendo hasta aquí. A él no lo mueve de su indolencia el ejemplo de los demás, se muere de hambre pero se queda de "brazos cruzados" (Prov. 6:10; 24:30-34).

3. La actuación de un sabio, 4:6-16

En tres ejemplos muestra el Predicador las ventajas de una conducta verdaderamente sabia; las tres introducidas por la expresión "mejor" (en nuestra versión). Mejor la vida sosegada con lo poco que lo

Semillero homilético

Las bendiciones de una vida en común

4:4-16

Introducción: La reflexión del Predicador nos hace recordar que el hombre ha sido creado para vivir en comunidad y que de su vida compartida resultan beneficios mutuos para quienes así viven.

I. Los extremos no son aceptables (vv. 4-6).
  1. La rivalidad no es aceptable. No son aceptables los celos, la pasión o la envidia que llevan a pisar al prójimo para tener éxito (v. 4).
  2. Tampoco la holgazanería es aceptable (v. 5).
  3. Debe haber equilibrio y contentamiento en nuestro trabajo (v. 6).

II. Atesorar a manos llenas sin nadie con quien compartir empobrece nuestra experiencia de la vida. Disfrutamos más del fruto de nuestro trabajo cuando tenemos alguien con quien compartirlo (vv. 1-8).
  1. Porque compartimos nuestros éxitos y fracasos del trabajo diario.
  2. Porque vemos que otros son beneficiados por nuestro esfuerzo y experimentamos la alegría de compartir y contribuir a la vida de otros.
  3. Tanto lo uno como lo otro da bienestar a nuestra alma.

III. Nos apoyamos unos a otros (vv. 9-12).
  1. Seremos de ayuda mutua levantándonos de las caídas en el camino de la vida.
  2. Nos abrigaremos en el frío de la noche de este mundo.
  3. La unidad será nuestra fuerza; como cordel triple, no se rompe fácilmente.

IV. La rivalidad es vana (vv. 13-16).
  1. A través de un ejemplo, Eclesiastés vuelve al inicio (v. 14), para no preocuparnos con asuntos relativos. Podemos tenerlos o perderlos.
  2. No son garantía ni siquiera para un rey pues las gentes son volubles y nos podemos quedar solos.

Conclusión: Debemos aprender a vivir tranquilos, compartiendo lo que tenemos con otros.

Ventajas de una vida sabia*

6 Mejor es una mano llena de sosiego que ambos puños llenos de duro trabajo y de aflicción de espíritu.* **7** Otra vez me volví y vi esta vanidad debajo del sol: **8** Se da el caso de un hombre solo y sin sucesor,* que no tiene ni hijo ni hermano; pero no cesa de todo su duro trabajo, ni sus ojos se sacian de riquezas, ni se pregunta:* "¿Para quién me afano yo, privando a mi alma del bienestar?" También esto es vanidad y penosa tarea.

9 Mejor dos que uno solo, pues tienen mejor recompensa por su trabajo. **10** Porque si caen, el uno levantará a su compañero. Pero, ¡ay del que cae cuando no hay otro* que lo levante! **11** También si dos duermen juntos, se abrigarán mutuamente. Pero, ¿cómo se abrigará uno solo? **12** Y si uno es atacado por alguien, si son dos, prevalecerán contra él. Y un cordel triple no se rompe tan pronto.

13 Mejor es un muchacho pobre y sabio que un rey viejo e insensato que ya no sabe ser precavido; **14** aunque aquél para reinar haya salido de la cárcel, o aunque en su reino haya nacido pobre. **15** Vi a todos los vivientes debajo del sol caminando con el muchacho sucesorque estará en lugar del otro. **16** Era sin fin todo el pueblo que estaba delante de él.* Sin embargo, los que vengan después tampoco estarán contentos con él. También esto es vanidad y conflicto de espíritu.

*4:6t Comp. 6:9—7:12; 9:11-18
*4:6 Otra trad., *vanidad y un correr tras el viento*; comp. 1 Cor. 1:21
*4:8a Lit, *sin segundo*
*4:8b *Ni se pregunta*, suplido del contexto
*4:10 Lit., *¡ay del uno que cae y no hay segundo...!*
*4:16 Según Peshita y Vulgata; heb., *delante de ellos*

---

mucho *con duro trabajo* y sin tener en cuenta que nadie está seguro de disfrutar del fruto de una ambición desmedida; mejor gozar de la compañía de amigos que vivir en una peligrosa soledad; mejor un joven pobre y sabio que un anciano, rey y necio. El último ejemplo, sin embargo muestra la relatividad de una actitud sabia cuando ésta depende de la apreciación popular. Ya sabemos que para nuestro sabio lo que realmente alcanza la condición de sabiduría es el contentamiento con lo que Dios ha dispuesto para nuestra vida.

Mejor es una mano llena de sosiego... (v. 6). Los israelitas habían aprendido en su historia (Exo. 16:18) que lo que Dios da es suficiente; sabían que a veces hay una larga distancia entre lo mucho y Dios (Sal. 37:16); que el temor de Jehovah y la justicia dan un valor inapreciable a lo poco; y que Dios puede disipar lo mucho que se procura el hombre. *Ni se pregunta* (v. 8) quiere decir que no debemos reflexionar sobre las cosas. El caso es el soltero que no tiene hijos ni otros para disfrutar de sus bienes. Por eso, ¿para qué preocuparse tanto por las cosas materiales?

Mejor dos que uno solo (v. 9), donde el solo fracasa el acompañado triunfa y lo va a mostrar con tres ejemplos. *Si caen... si duermen juntos... si uno es atacado* (vv. 10-12). En cualquier caso la ventaja está en el acompañado. Mas, ¡ay del solo! *Y un cordel triple...* (v. 12). Posiblemente es un refrán popular, como siempre, oportunamente citado por el autor.

Mejor es un muchacho pobre (vv. 13-16). El tercer ejemplo tiene visos de hecho histórico, y se han propuesto varios casos que lo expliquen. Bíblicamente la historia de José en Egipto tiene la posibilidad de ser el antecedente que inspira al Predicador, pero el final de la historia no se ajusta al relato bíblico. *Era sin fin todo el pueblo que estaba delante de él* (v. 16). Un personaje de la historia comentó sobre su propio caso: "Hay más adoradores del sol naciente que del sol poniente." Pero el entusiasmo popular así como se enciende se apaga o sencillamente pasa la generación de la hazaña del héroe y éste es olvidado. La gloria de un momento se torna en otro momento en *vanidad y conflicto de espíritu.*

El comportamiento ante Dios

5 1* Cuando vayas a la casa de Dios, guarda tu pie. Acércate más para oír que para ofrecer el sacrificio de los necios, que no saben que hacen mal.*

2* No te precipites con tu boca, ni se apresure tu corazón a proferir palabra delante de Dios. Porque Dios está en el cielo, y tú sobre la tierra; por tanto, sean pocas tus palabras. **3** Pues de la mucha preocupación viene el soñar; y de las muchas palabras, el dicho del necio.

4 Cuando hagas un voto a Dios, no tardes en cumplirlo; porque él no se complace en los necios. Cumple lo que prometes. **5** Mejor es que no prometas, a que prometas y no cumplas. **6** No dejes que tu boca te haga pecar,*

*5:1a En heb. es 4:17
*5:1b Otra trad., *que no saben sino hacer el mal*
*5:2 En heb. es 5:1 y así sucesivamente a través del cap.

4. Actitudes en la adoración, 5:1-7

Dios es uno de los absolutos en el pensamiento del sabio. Nuestro pasaje tiene que ver con la conducta ante Dios que debe ser seria, meditada, reverente, como lo requiere la infinita distancia que hay entre Dios y el hombre. Encontramos dos divisiones naturales: *Cuando vayas a la casa de Dios* y *cuando hagas un voto a Dios;* 5:1 y 5:4, respectivamente. Ambos pasajes terminan de una manera similar, sin que tengamos que pensar que en algún momento del texto se encontraban uno después del otro. Adorar a Dios y prometer a Dios, dice el sabio, es algo que el hombre no puede hacer a la ligera. Ni debe permitir que elementos extraños enturbien la relación con Dios obrando neciamente y obteniendo de esta comunión con Dios sólo frustración.

Guarda tu pie, "cuida tu conducta" (Dios Habla Hoy; ver Salmos 119:101). El comportamiento en la casa de Dios debe ser motivo de preocupación para el que asiste a ella, (ver. Sal. 26:12). *El sacrificio de los necios:* La ofrenda del adorador, el sacrificio, era el momento solemne del culto; éste puede ser menoscabado por una disposición impropia del momento.

No te precipites (5:2). "Ni con los labios ni con el pensamiento" (Dios Habla Hoy). *Porque tu Dios está en el cielo...* Refleja el pensamiento que recogió Kierkegaard para su filosofía y más tarde Karl Barth para su teología, cada uno con un particular significado. *Sean pocas tus palabras* (Comp. Mat. 6:7; 1 Tim. 1:6; 2 Tim. 2:16). El silencio es la actitud reverente ante Dios (Hab. 2:20).

Pues de la mucha preocupación (v. 3). Dios Habla Hoy interpreta "porque por mucho pensar se tienen pesadillas y por mucho hablar se dicen tonterías". Posi-

"No hagas compromisos a la ligera"
5:5

Mi hijo Marcos tenía cinco años. Se enteró de que yo salía de viaje en avión.

—Papá, ¿vas de viaje?

—Sí, hijo.

—¿En avión?

—Sí, hijo.

—Yo quiero ir en avión contigo.

—No puede ser.

—Yo quiero, yo quiero.

Fue tal su insistencia que le dije:

—Vale, otro día te llevaré.

—¿El próximo viaje, papá?

—Sí, le dije yo.

Realmente le dije que sí pero no muy convencido, quizás más por terminar con su insistencia que con la intención de hacerlo.

Hoy mi hijo tiene nueve años y cada vez que voy de viaje y sabe que es en avión me recuerda:

—Papá, me prometiste que me llevarías en avión.

Cada vez que esto ocurre me siento mal. ¿No será mejor que un día le lleve? ¡Sí, debo hacerlo!

Si esto nos ocurre entre los hombres, ¿cómo será con lo que a veces por compromiso le prometemos al Señor y no cumplimos?

No hagamos compromisos a la ligera porque, ciertamente, mejor es no prometer lo que no estamos dispuestos a cumplir.

ni digas delante del mensajero* que fue un error.* ¿Por qué habrá de airarse Dios a causa de tu voz y destruir la obra de tus manos?

7 Porque cuando hay muchos sueños, también hay vanidades y muchas palabras. Pero tú, teme a Dios.

*5:6a Lit., *boca haga pecar a tu carne*
*5:6b Otra trad., *ángel;* posible alusión al sacerdote
*5:6c Comp. Lev. 4:2, 22, 27; Núm. 15:22, 29

blemente un refrán popular, parecido al castellano "el que poco habla poco yerra". Evidentemente cuando se está ante Dios ha llegado el "tiempo para callar". *Cuando hagas un voto a Dios* (v. 4). El voto era una promesa hecha a Dios. La ley hebrea regulaba la forma y validez de los votos: Números 30:1-15. Sobre los votos como obligatorios el Señor protestó (Mat. 15:5; Mar. 7:10-13) cuando se usaban como excusa para dejar de lado obligaciones más urgentes. El voto es obligante, hay que reflexionar antes de hacerlo (Prov. 20:25).

Ni digas delante del mensajero (v. 6), de acuerdo a Malaquías 2:7, el mensajero es el sacerdote. Al no cumplir el voto no puede hacer que el sacerdote lo anule admitiendo que fue un error. *También hay vanidades y muchas palabras* (v. 7). El sentido general es el del v. 3, se critica el palabrerío. El original hebreo parece mutilado y no hay manera satisfactoria de entenderlo. Todo el pasaje puede resumirse como en el comentario judío *The Socino Press:* "Qohélet resume la enseñanza de la sección en este versículo. Podría ser traducido: 'Por (la penalidad mencionada es el efecto de) la multitud de sueños y vanidades y muchas palabras'. El significado de *sueños* se determina por su uso en el v. 2 (3 en castellano). La excesiva preocupación por su uso en la tarea de adquirir muchas riquezas, la vana búsqueda detrás de muchas riquezas, y las largas oraciones que llevan a hacer votos que no se pueden

Semillero homilético

Adoración responsable

5:1-7

Introducción: En momentos de culto y adoración, nuestra presencia ante Dios debe ser responsable. No debemos, pues, dejarnos llevar por emociones o deseos de buenas intenciones que después quizás no podamos cumplir por no haber medido el alcance e implicaciones de los mismos. Nuestra adoración debe ser responsable e implica:

I. Una disposición y conducta adecuadas.
   1. Debe ser interna, de corazón.
   2. Debe ser externa, sabiéndose ante la presencia de Dios.

II. Un silencio reflexivo.
   1. Abarca la meditación en la que uno se examina a sí mismo en relación a uno mismo, el prójimo y Dios.
   2. Abarca un silencio que permite a Dios hablar.

III. Una escucha obediente.
   1. Antes de aturdir a Dios con nuestras palabras.
   2. Buscar la voluntad de Dios y estar dispuestos a obedecer.

IV. Un compromiso sincero y firme.
   1. Que manifiesta que estamos listos para cumplir nuestros compromisos con Dios.
   2. Que manifiesta que estamos listos, sin dilación.

V. Una actitud reverente.
   1. Que reconoce la santidad de Dios.
   2. Que valora la relación con Dios.

Conclusión: Una adoración responsable lleva a una vida responsable y plena en Dios.

Paradojas de la vida

8 Si observas en una provincia la opresión de los pobres y la privación del derecho y la justicia, no te asombres por ello. Porque al alto lo vigila uno más alto, y hay alguien aun más alto que ellos. **9** Pero en todo es provechoso para un país que el rey esté al servicio del campo.

---

pagar; estas eran las faltas que motivaban el enojo de Dios y hacían incurrir en el castigo que él infligía."

5. El engaño de las riquezas, 5:8—6:8

La lógica no es necesariamente la que motiva los hechos de los hombres ni tampoco la que puede explicar la historia. Cuando el sabio contempla la vida humana que bulle a su alrededor no ve otra cosa que contradicciones, pero de esas contradicciones aprende: La vida humana y la historia humana son los libros del texto en que adquiere su sabiduría. ¿Qué le sugiere al sabio el abigarrado mundo que le rodea? Si no puede hablarse de una manera absoluta del sentido de la vida, sí puede hablarse de un concepto de ella que la haga placentera; es una meta más modesta, pero siendo que lo absoluto pertenece a Dios es una meta posible y a ella se remite el sabio. *He aquí, pues, el bien que yo he visto; que lo agradable es comer y beber, y tomar satisfacción en todo el duro trabajo con que se afana debajo del sol, durante los contados días de la vida que Dios le ha dado; porque esto es su porción* (5:18).

La humilde vida del hombre, compuesta de comer, beber y trabajar es, con todo,

---

Semillero homilético

La fuerza de derecho vs. el derecho de la fuerza

5:8, 9

Introducción: Los abusos sociales no son algo nuevo. Son tan antiguos como el hombre mismo y tienen su raíz en el pecado tanto individual como estructural. Eclesiastés denuncia este hecho y pone sus miras en la providencia divina.

I. El derecho de la fuerza.
   1. La corrupción política lleva a la opresión de los más desvalidos y, por lo general, en provecho de unos pocos que ejercen el poder. Se trata de los subalternos oprimidos y corruptos en una provincia, quienes a su vez se aprovechan y oprimen.
   2. El abuso de poder se convierte en el ejercicio de la ley del más fuerte. Los pobres salen perdiendo.
   3. Al pobre no se le respetan sus derechos para favorecer al fuerte.
   4. Al pobre la justicia nunca le es aplicada sino que se tuerce en favor del poderoso.
   5. No debemos de asombrarnos que esto ocurra así y que siga ocurriendo. Sin embargo, tendrá fin.

II. La fuerza del derecho.
   1. Toda injusticia tiene su fin y hay mecanismos para remediarla. El que ejerce dominio sobre la provincia tiene que rendir cuentas ante uno más alto, el rey.
   2. Pero aún más. "Hay alguien aún más alto." En último extremo hay que rendir cuentas a Dios mismo. Al final se impondrá la fuerza del derecho.

III. Esta seguridad en la providencia divina no es para llevarnos al conformismo en el presente y a soportar la injusticia con pasividad. La religión no es "opio del pueblo". Se trata de la seguridad que nos lleva a luchar contra la opresión y la injusticia en la confianza de que Dios en último extremo hará la justicia.

Conclusión: El pecado lleva a la opresión social por falta de amor al prójimo y en busca del provecho personal. Sin embargo, pese a la inhabilidad humana de poner remedio, está la providencia divina. Esta realidad nos ayuda a hacer frente ante los abusos contra los débiles en la confianza de que Dios está del lado de la verdad.

10 El que ama el dinero no quedará satisfecho con dinero, y el que ama las riquezas no tendrá beneficio. También esto es vanidad.
11 Cuando los bienes aumentan, también aumentan los que los consumen. ¿Qué provecho, pues, tendrán sus dueños aparte de verlos con sus ojos?
12 Dulce es el sueño del trabajador, haya comido poco o haya comido mucho; pero al rico no le deja dormir la abundancia.
13 Hay un grave mal que he visto debajo del sol: las riquezas guardadas por su dueño, para su propio mal; **14** o aquellas riquezas que se pierden en un mal negocio. Y al engendrar un hijo, nada le queda en la mano. **15** Como salió del vientre de su madre, desnudo, así volverá; tal como vino, se irá. Nada de su duro trabajo llevará en su mano cuando se vaya. **16** Este también es un grave mal: que de la misma manera que vino, así vuelva. ¿Y de qué le aprovecha afanarse para el viento? **17** Además, consume todos los días de su vida en tinieblas, con mucha frustración, enfermedad y resentimiento.

---

su *porción*, la que Dios, el dador de toda buena dádiva, le ha otorgado. Parece muy poco pero la significación que demos al concepto del trabajo nos permitirá una visión más amplia y siempre posible del pensamiento del Predicador. Trabajar no implica forzosamente la tarea ingrata de encontrar los medios para sobrevivir. El poeta trabaja, el investigador trabaja, el político trabaja, el sabio trabaja y de la misma manera el obrero. El trabajo debe ser creador en cualquiera de las esferas de que se trate. Debe ser creador y forjador de la personalidad del obrero. Mirando desde este punto de vista, la conclusión del Predicador no nos parece tan mortificante. *En una provincia*, división política en la organización del imperio persa.

La opresión de los pobres y la privación del derecho y la justicia (v. 8). Dos cosas que la sociedad hace con el pobre: tiene derechos, pero no se los reconoce; y positivamente se le oprime. Es una situación tan vieja como el mundo. *Hay alguien aun más alto que ellos* ¿Quiénes son éstos que son más altos? ¿Se refiere al rey? ¿Se refiere a Dios? Preferimos la segunda posibilidad. *Que el rey esté al servicio del campo* (v. 9), tiene un sentido oscuro en el original por lo que las traducciones son generalmente interpretaciones del texto. Curiosa es la traducción de Dios Habla Hoy; "¡Y a esto se le llama progreso del país y estar el rey al servicio del campo!" La Biblia de las Américas traduce: "Mas el beneficio del país, para todos, es que el rey mantenga cultivado el campo." Habría que interpretar el texto como queriendo decir que lo mejor para evitar los abusos es que el rey mismo y no sus servidores, culpables de exacciones y opresiones, sea el que se ocupe del cultivo del campo.

El que ama el dinero... y el que ama las riquezas (v. 10) nos da otra paradoja. No hay forma de satisfacer la ambición del dinero, cuanto más se tiene más se desea. León Dujovne en su traducción castellana del texto hebreo traduce: "El que ama el dinero... y el que ama la abundancia (de propiedades)..." El dinero se hace el dueño del hombre. Un rabino acuñó este aforismo: "¿Quién es rico? El que se goza con lo que tiene" (Aboth). *Aparte de verlo con sus ojos:* La única satisfacción es la de contemplar sus riquezas. ¡Pobre satisfacción del avaro! *Al rico no le deja dormir la abundancia* (v. 12). Se entiende, por el exceso de comida no puede dormir. Otra traducción tiene: "La hartura del rico." También podría referirse a la preocupación y al temor del rico de verse privado de sus riquezas.

Hay un grave mal que he visto (v. 13). Sigue el tema de las riquezas. Lo que sigue puede ser algo real que el sabio ha visto o sencillamente un ejemplo ideado para ilustrar su enseñanza. Nuestra versión presenta dos casos: el que guarda sus riquezas para su mal o el que las pierde en un mal negocio. Otra traducción posible es "el mal de la riqueza es que se pierde en un mal negocio". El verdadero mal es que, habiendo tenido mucho se encuentra sin nada en el momento de tener un hijo. El

18 He aquí, pues, el bien que yo he visto: que lo agradable es comer y beber, y tomar satisfacción en todo el duro trabajo con que se afana debajo del sol, durante los contados días de la vida que Dios le ha dado; porque ésta es su porción. **19** Asimismo, el que Dios le dé a un hombre riquezas y posesiones, permitiéndole también comer de ellas, tomar su porción y gozarse de su duro trabajo, esto es un don de Dios. **20** Ciertamente no se acordará mucho de los días de su vida, ya que Dios lo mantiene ocupado con la alegría de su corazón.

---

hijo, único en el ejemplo del Predicador, no puede heredar nada de su padre. *De la misma manera* (v. 16), quiere decir que está sin nada, "desnudo". Se afana inútilmente. Nada se lleva, nada deja a su posteridad, esto es *afanarse para el viento. Además,* comienza una nueva paradoja suponiendo que "afanarse por el viento" indica una división natural del pensamiento del Predicador. Vivió miserablemente negándose toda satisfacción con el dinero obtenido para después perderlo.

El bien que yo he visto (v. 18), se refiere al aspecto positivo de la vida: el trabajo moderado, sin ambiciones, que permite alcanzar la felicidad. Pero la felicidad en última instancia depende de Dios: (1) Dios da la vida (v. 18); (2) Dios da los bienes (v. 19); (3) Dios da la facultad de gozar una cosa y otra (v. 19). Viviendo así no hay tiempo para el desengaño y la frustración (v. 20). Se repiten las ideas de 2:24 y 3:12, 13. "No pensará mucho en los años de su vida si Dios le concede alegría interior" (v. 20, Nueva Biblia Española).

En 6:1-8 el Predicador repite la enseñanza de la declaración anterior: supuesto que Dios, dueño de todos los bienes, si al mismo tiempo no da al hombre la facultad de gozar de cuanto le ha dado, esto es un mal *muy gravoso sobre el hombre.* El hombre puede tener bienes (v. 2); honra (v. 2); hijos (v. 3); larga vida (v. 3); pero Dios no le permite gozar de ello, por lo

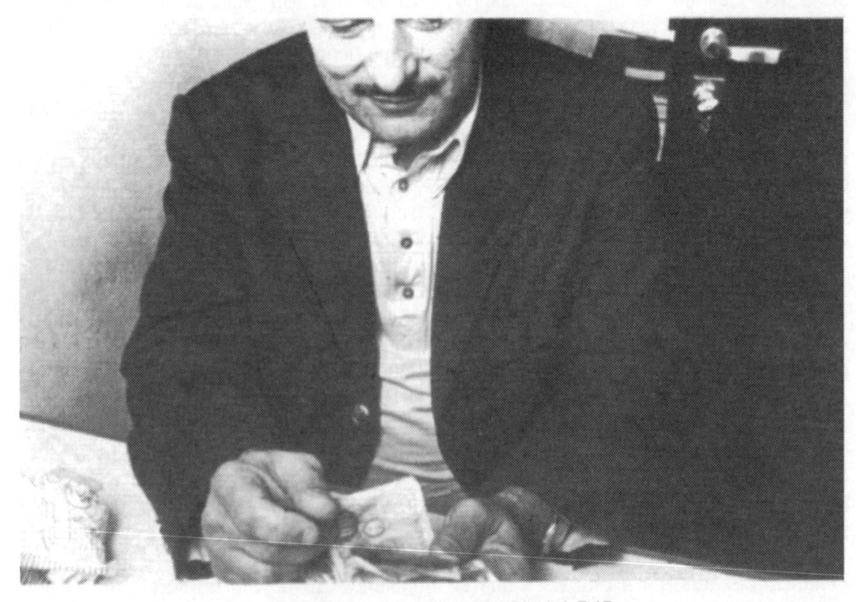

Las riquezas y posesiones no dan felicidad, 5:15

6 **1** Hay un mal que he visto debajo del sol y que es muy gravoso sobre el hombre. **2** Se da el caso de un hombre a quien Dios ha dado riquezas, posesiones y honra, y nada le falta* de todo lo que desea. Pero Dios no le ha permitido comer de ello; más bien, los extraños se lo comen. Esto es vanidad y penosa enfermedad.

3 Si un hombre engendra cien hijos y vive muchos años, de modo que los días de sus años son numerosos, pero su alma no se sacia de sus bienes y ni aun recibe sepultura, digo yo que un abortivo es mejor que él. **4** Porque vino* en vano y a las tinieblas se fue, y su nombre quedará cubierto con tinieblas. **5** Aunque no vio el sol ni nada conoció, más sosiego tiene éste que aquél.* **6** Aunque aquél viva mil años dos veces, sin gozar del bien,* ¿no van todos a un mismo lugar?

7 Todo el duro trabajo del hombre es para su boca; y con todo eso, su alma no se sacia. **8** ¿Qué ventaja tiene el sabio sobre el necio? ¿Qué gana el pobre que sabe conducirse ante los demás seres vivientes?

*6:2 Lit., *nada falta a su alma*
*6:4 Es decir, el abortivo
*6:5 Es decir, el hombre mencionado en v. 3
*6:6 Lit., *sin ver lo bueno*

contrario, *los extraños se lo comen*, esto es vanidad y su condición es la de un abortivo. *Los extraños se lo comen* en este contexto, posiblemente porque no tenga hijos que hereden sus bienes. *Cien hijos y vive muchos años*, aquí son los hijos quienes aparentemente disfrutan. Los bienes, los hijos, la larga vida, eran las cosas apreciadas en la antigüedad, pero todas estas cosas, sin que Dios disponga que se goce de ellas, no sirven para alcanzar la felicidad.

Un abortivo es mejor que él, o sea, la muerte les espera a ambos: A aquel que no tuvo nada y se fue a las tinieblas porque no alcanzó a vivir; y al otro que lo tuvo

Todo el trabajo duro del hombre es para su boca, 6:7

Lo que es mejor para el hombre*

9 Mejor es lo que los ojos ven que el divagar del deseo.* Sin embargo, esto también es vanidad y aflicción de espíritu.* **10** El que existe ya ha recibido un nombre, y se sabe que es sólo hombre y que no puede contender con quien es más fuerte que él. **11** Cuando hay muchas palabras, éstas aumentan la vanidad. ¿Qué ventaja, pues, tiene el hombre? **12** Porque, ¿quién sabe lo que es mejor para el hombre durante los contados días de su vana vida, los cuales él pasa como sombra? ¿Quién, pues, declarará al hombre qué habrá después de él debajo del sol?

*6:9t Comp. 4:6-16; 9:11-18
*6:9a Lit., *alma*
*6:9b Otra trad., *vanidad y un correr tras el viento*; comp. 1 Cor. 1:21

todo pero fue como si no hubiese tenido nada. Mal por mal, el abortivo quedó en mejores condiciones, porque no tuvo la frustración de tener y no gozar. Las mejores condiciones para alcanzar la felicidad de nada sirven si no se gozan de ellas, y esto último depende de Dios. *Y con todo eso, su alma no se sacia.* Si el Predicador sigue con la comparación del abortivo y el que no disfruta de lo que posee, lo que dice ahora, es que el abortivo no deseó nada y por ello no hay frustración en su suerte, lo contrario del que se afanó por tener cosas que hacen a la felicidad y no disfrutó de ellas. El v. 7 es probablemente un refrán popular que cita el sabio.

¿Qué ventaja tiene el sabio sobre el necio? Todo el v. 8 es un tanto oscuro. La interpretación de Dios Habla Hoy: "¿Qué tiene el sabio que no tenga el necio, a no ser sus conocimientos para hacer frente a la vida?"

6. Midiendo los valores, 6:9—7:12

La unidad de este pasaje está dada por una serie de proverbios de valoraciones comparativas un tanto abreviadas, pues el sentido completo sería: "Bueno es... pero mejor". Tener en cuenta esto nos ayudará a entender con más exactitud el sentido de los proverbios. Por ejemplo: *Bueno es el perfume fino, pero mejor es el buen nombre, bueno es el día del nacimiento pero mejor es el día de la muerte* (7:1), etc. Todos estos proverbios están calculados en manera de provocar el pensamiento. Algunos dan la razón, el porqué, del dicho enigmático, otros desafían a la sabiduría y la comprensión del oyente. Y es posible que haya más de un porqué para cada proverbio. Se ha dicho que lo bueno es enemigo de lo mejor, porque podemos conformarnos con lo bueno y no reflexionamos con el desafío de lo mejor. *Si quieres ser perfecto...* dijo Jesús al joven rico, y se puso de manifiesto que éste se conformaba con lo bueno y no procuraba lo mejor.

Lo que los ojos ven (v. 9). Esto no es exactamente igual pero es semejante al proverbio castellano: "Más vale pájaro en mano que ciento volando." J. J. Serrano traduce: "Vale más disfrutar que desear." Muy negativo, el Predicador añade: *Sin embargo, esto también es vanidad y aflicción de espíritu.*

Los valores
6:9

Mejor es lo que los ojos ven que el divagar del deseo.

El realismo del pecado nos lleva una vez más a considerar que debemos valorar y disfrutar lo que en cada momento tenemos. No se debe vivir en la ansiedad y el desasosiego del deseo por cosas que quizás incluso nunca lleguen. Además, divagar en el deseo produce actitudes del avaricia y egoísmo. No es más feliz el que más posee sino el que sabe disfrutar de lo que tiene.

Este es un pasaje tremendamente contracultural en una sociedad occidental de fin del siglo XX en la que constantemente uno es animado a desear y a tener más como respuesta al interrogante de la felicidad.

7 Mejor es el buen nombre que el perfume fino, y el día de la muerte que el día del nacimiento.

2 Mejor es ir a la casa de duelo que a la casa del banquete. Porque eso es el fin de todos los hombres, y el que vive lo tomará en serio.*

3 Mejor es el pesar que la risa, porque con la tristeza del rostro se enmienda el corazón. **4** El corazón de los sabios está en la casa del duelo, pero el corazón de los necios está en la casa del placer.

5 Mejor es oír la reprensión del sabio que oír* la canción de los necios. **6** Porque la risa del necio es como el crepitar de las espinas debajo de la olla. Esto también es vanidad. **7** Ciertamente la opresión entontece al sabio, y el soborno corrompe el corazón.*

8 Mejor es el fin del asunto que el comienzo.

Mejor es el de espíritu paciente que el de espíritu altivo. **9** No te apresures en tu cora-

*7:2 Lit., *lo pondrá en su corazón*
*7:5 Lit., *que el hombre que oye*
*7:7 Otra trad., *hace perder el entendimiento*

¿Quién sabe lo que es mejor para el hombre durante los contados días de su vana vida? (v. 12). A pesar de los proverbios que hablan de lo "mejor" es muy difícil para el hombre discernir lo que en realidad sea mejor: Es *sólo hombre* y no puede contender con Dios (hay que recordar el caso de Job). La muerte asoma nuevamente como el límite de las capacidades del hombre: los días de su vida los pasa *como sombra. Ya ha recibido un nombre* (v. 10) es expresión equivalente a "ya existió". Del hombre se conoce lo que es y lo que puede; no hay nada nuevo bajo el sol.

Estas aumentan la vanidad (v. 11), es decir: Hablar mucho no es saber mucho. Es tema favorito de los sabios (Job 16:3; Prov. 10:19; 15:23; 17:27; Ecl. 10:14, etc.). *Que el día del nacimiento* (7:1), porque el nacimiento es promesa, la muerte es plenitud. Es hasta el momento de la muerte que puede evaluarse lo que se ha vivido. *Mejor es ir a la casa de duelo que a la casa del banquete* (v. 2). Tienen la razón explícita que aclara el sentido del proverbio. Los dolores en la vida sirven para desarrollar una madurez de carácter que la risa no puede producir. *Mejor es oír la reprensión del sabio* (v. 5), es parecido al castellano: "Si el sabio reprende, malo; si el necio aplaude, peor." La Biblia de Jerusalén lo traduce: "Más vale oír reproche de sabio, que oír alabanza de necios." La aprobación del necio, como su risa, carece de todo valor.

Huir hacia el pasado
7:10

Ante la inhabilidad de afrontar los cambios que se producen a un ritmo vertiginoso en el presente, oímos decir con frecuencia de nuestros mayores: "Antes era mejor" o "en mis tiempos...". Esto lo escuchamos en todos los órdenes de la vida: social, político, económico, etc. No hace mucho escuchaba estas mismas palabras de un miembro de la iglesia en referencia al grupo de jóvenes de la misma. Cuando le invitamos a considerar sus tiempos como joven en la iglesia y los nuestros, descubrimos que si no mejores, por lo menos sí bien distintos eran los nuestros (y creíamos en toda sinceridad que mejores): más juventud, mejor preparada, con mayor libertad para el testimonio... Cuando se desprecia el presente comparándolo con el pasado, en la mayoría de los casos el pasado no es analizado fidedignamente como para poder decir que, efectivamente, los tiempos pasados fueron mejores o superiores al presente. Pero en base al descontento con la realidad circundante, a la cual se mira con prejuicios, mira el pasado como si hubiera sido un tiempo de rosas.

A menudo se trata, sin más, de una huida hacia el pasado para refugiarse en lo supuestamente conocido. En la mayoría de los casos, cuando analizamos el referido pasado veremos que no siempre fue tan bueno como se pensaba. Debemos saber afrontar el presente con todo lo que de novedoso nos traiga con valor y confianza en Dios.

zón a enojarte, porque el enojo reposa en el seno de los necios. **10** No digas: "¿A qué se deberá que los tiempos pasados fueron mejores que éstos?" Pues no es la sabiduría la que te hace preguntar sobre esto.

11 Mejor es la sabiduría con posesiones, y es una ventaja para los que ven el sol. **12** Porque la protección de la sabiduría es como la protección del dinero, pero la ventaja de conocer la sabiduría es que da vida a los que la poseen.

La mesura y la prudencia

13 Considera la obra de Dios. Porque, ¿quién podrá enderezar lo que él ha torcido? **14** En el día del bien, goza del bien; y en el día del mal, considera que Dios hizo tanto lo uno como lo otro, de modo que el hombre no puede descubrir nada de lo que sucederá después de él.

15 Todo esto he observado en los días de mi vanidad. Hay justos que perecen en su justicia,

---

La opresión... y el soborno (v. 7), son los extremos con lo que debe luchar el sabio para mantener su sabiduría. Son obstáculos, pero no ocasiones de fracaso.

En 7:8-10 algunos comentadores ven una unidad en estos tres versículos, específicamente en cuanto a la moderación del carácter que se expresa sobre todo en un hablar mesurado. Esta interpretación sería más evidente si se traduce en el v. 8 "mejor es el fin de las palabras que el comienzo de ellas". El término hebreo para "asunto", "cosa", puede traducirse también "palabra". "La enseñanza sería entonces que se debe ser muy cauto al hablar y, hasta donde sea posible, imaginar el efecto que producirán una vez pronunciadas las palabras" (A. Cohen).

El enojo reposa (v. 9), es el mismo término hebreo que aquí se traduce "enojo", *kawas* 3707, y aparece en Proverbios 12:16 y 27:3, y nos da una idea de la reflexión de los sabios sobre el tema. *Los tiempos pasados fueron mejores que estos* (v. 11); para dar unidad al pensamiento algunos interpretan como si el texto quisiera decir: "Me he portado como un necio pero antes no era así, intentando una justificación." *Sabiduría con posesiones* (v. 11), se traducen en otras maneras: "Más vale sabiduría que patrimonio" (La Biblia-Ausejo) para quitar el sabor amargo o irónico de la traducción corriente. También, la Biblia de Jerusalén lo traduce: "Tan buena es la sabiduría como la hacienda".

Pero la ventaja de conocer la sabiduría (v. 12), aceptando esta traducción se corrige un tanto el dicho anterior. Tanto las posesiones como la sabiduría sirven de protección, pero, además, la sabiduría da vida.

7. El valor de la sabiduría, 7:13-22

Se atribuye a Rubén Darío, el gran poeta nicaragüense, la frase: "La moderación es el mayor de los bienes"; el Predicador estaría de acuerdo con ella. Y este tema, el de la mesura y la prudencia, es el tema más importante de esta sección. El comentarista bíblico Roberto Gordis compara el pensamiento hebreo con la doctrina de Aristóteles de la "dorada medianía" que evita el errar tanto por exceso como por defecto. Desde nuestro punto de vista esta es la clave de la comprensión del libro. Lo repetimos: Los absolutos son dos, Dios y la muerte, y la conducta sabia es la que puede manejarse entre estos dos absolutos: contar con Dios y contar con la

Clave hermenéutica

7:14

En el día del bien, goza del bien; y en el día del mal, considera que Dios hizo tanto lo uno como lo otro, de modo que el hombre no puede descubrir nada de lo que sucederá después de él.

"Clave hermenéutica" se denomina en interpretación bíblica o exégesis al pasaje que abre la interpretación del texto para su comprensión. En este comentario bíblico, el comentarista considera este versículo como la clave hermenéutica para comprender todo el libro de Eclesiastés. En sus propias palabras: "La sabiduría reside en vivir de cara a Dios con los recursos que él provee para nuestras vidas."

y hay pecadores que en su maldad alargan sus días. **16** No seas demasiado justo, ni seas sabio en exceso. ¿Por qué habrás de destruirte? **17** No seas demasiado malo, ni seas insensato. ¿Por qué morirás antes de tu tiempo? **18** Bueno es que te prendas de esto y que tampoco apartes tu mano de lo otro, porque el que teme a Dios saldrá bien en todo.

19 La sabiduría ayudará* al sabio más que diez gobernantes que haya en la ciudad.

20 Ciertamente no hay hombre justo en la tierra que haga lo bueno y no peque.

21 No prestes atención* a todas las cosas que se dicen, no sea que oigas a tu siervo que habla mal de ti.* **22** Pues tu corazón sabe que muchas veces tú también has hablado mal de otros.*

---

*7:19 Según Rollos MM; TM, *fortificará*
*7:21a Lit., *No des tu corazón a*
*7:21b Otra trad., *que te maldice*
*7:22 Otra trad., *has maldecido a otros*

---

muerte. El valor de las demás cosas es relativo y ninguna merece de parte del hombre una adhesión total. La sabiduría reside en vivir de cara a Dios con los recursos que él provee para nuestras vidas.

¿Quién podrá enderezar...? (v. 13). No es ninguna referencia ética; el texto se refiere a lo que Dios ha dispuesto para nuestra vida y que es inmutable. Como tal, si no podemos cambiar las cosas cambiémonos nosotros mismos para hacerles frente.

En el día del bien, goza del bien (tobe 2896), que puede significar prosperidad. Con relación al versículo anterior: aceptamos el bien y el mal que Dios nos envía. Se puede comparar con la expresión de Job: *Recibimos el bien de parte de Dios, ¿y no recibimos también el mal?* En los vv. 15 al 17 otra vez habla el sabio de los extraños caminos de Dios: permite el sufrimiento del justo y parece no tener en cuenta el pecado del mal (v. 15). No te aflijas como justo ni te engrías como malo, no lleves ni tu justicia ni tu maldad al extremo, busca comprender una y otra cosa. Convendría recordar el adagio latino: *summun ius, summa iniuria* ("La justicia extrema es la iniquidad extrema").

¿Por qué habrás de destruirte? Algunos entienden que la consideración de que Dios no premia de inmediato el bien lleva a la confusión y el desánimo personal, se destruye en la angustia de su pensamiento. Desgraciadamente no deja de ser verdad que quien se destaca por su excelencia cae en el aborrecimiento y la crítica (1 Jn. 3:12).

¿Por qué morirás antes de tu tiempo? (v. 17). Dios tolera el pecado del hombre, pero la paciencia de Dios tiene un límite, pasado ese límite, no se puede eludir su castigo. *Y tampoco apartes tu mano de lo otro*, se interpreta que el consejo del sabio tiene que ver con los dos consejos anteriores: "No seas demasiado justo", "No seas demasiado malo". Una y otra cosa deben guardarse al mismo tiempo, ambas cosas en exceso conducen a una mala experiencia.

Más que diez gobernantes (v. 19). Por supuesto que diez gobernantes que no fueran sabios. ¿Es referencia a los diez ciudadanos que formaban el consejo de las ciudades griegas? Sería difícil afirmarlo. Podríamos decir que mejor es *mi* sabiduría que las opiniones de muchos consejeros. *No hay hombre justo en la tierra* (v. 20); para hacer esta misma afirmación el apóstol Pablo cita los Salmos 14:1-3 y 53:1-3 en Romanos 3:10. *Muchas veces tú también* (vv. 21, 22). El juicio apresurado con que juzgamos a los demás puede caer también sobre nosotros. Por otra parte, se puede tolerar la crítica de un siervo que conoce nuestra intimidad. No nuestra crítica de la conducta de otra persona cuya razón para obrar como lo hace no conocemos. Un tanto distinta es la interpretación de la Nueva Biblia Española: "No hagas caso de todo lo que se habla ni escuches a tu siervo cuando te maldice" o como la

Afanosa búsqueda de la sabiduría

23 Todas estas cosas he probado con la sabiduría, y dije: "Me he de hacer sabio." Pero ella estaba lejos de mí. **24** Lo que está lejos y muy profundo, ¿quién lo podrá hallar? **25** Pero yo volví en mi corazón a conocer, a explorar y a buscar la sabiduría y la razón, para conocer lo malo de la necedad y la insensatez de la locura. **26** Y yo he hallado más amarga que la muerte a la mujer que es una trampa, cuyo corazón es una red y cuyas manos son ataduras. El que agrada a Dios escapará de ella, pero el pecador* quedará atrapado por ella. **27** "Mira", dice el Predicador,* "habiendo considerado las cosas una por una, para dar con la razón, he hallado esto **28** —mi alma aún busca pero no halla—: Un hombre* he hallado entre mil, pero una mujer* no he hallado entre todos éstos. **29** Mira, he hallado sólo esto: que Dios hizo al hombre recto, pero los hombres* se han buscado muchas otras razones."

*7:26 Otra trad., *el que falla en agradarle*
*7:27 Heb., *Qohélet*
*7:28a, b Es decir, que busca la sabiduría
*7:29 Lit., *ellos*

Biblia de las Américas: "Tampoco tomes en serio todas las palabras que se hablan". "Saber escuchar con ecuanimidad": ¡Valioso consejo del Predicador!

8. Los límites de la sabiduría, 7:23—8:1

La afirmación: *Todas estas cosas he probado con la sabiduría* (v. 23), no tiene que ver con los versículos anteriores sino con lo que sigue. Y ¿qué halló el Predicador? Algunas pocas cosas: Que la sabiduría es muy difícil de encontrar; que la mujer mala es más amarga que la muerte, de modo que sólo el que agrada a Dios puede escapar de ella; que son pocos, hombres o mujeres, que buscan la sabiduría; y que, sin embargo, la sabiduría es de gran valor para el hombre. La resolución de hacerse sabio es fácil de tomar pero difícil de realizar y, con todo, hay que procurar alcanzar la sabiduría.

Lo que está lejos y muy profundo (vv. 23, 24) La sabiduría es el medio para alcanzar la felicidad, pero la sabiduría misma es una cosa muy difícil de alcanzar (1:13; Job 28:20-24). Lo que nuestra versión traduce como "muy profundo" en el hebreo dice: "profundo, profundo". Nótese cómo la interpreta la Biblia de Jerusalén: "Lejos está cualquier cosa y profundo lo profundo: ¿quién lo encontrará?"

La mujer que es una trampa (v. 26), podría referirse a todas las mujeres o más concretamente "a la mujer que es una trampa". Más claro está en la Biblia de Straubinger: "Y hallé que más amarga que la muerte es aquella mujer cuyo corazón es lazo y red, y cuyas manos son cadenas." Es una apreciación positiva de la mujer, como en Proverbios 18:22; 31:10-31. *Una casa y riqueza son herencia de los padres, pero una mujer prudente lo es de Jehovah* (Prov. 19:14).

Un hombre he hallado entre mil, pero una mujer no he hallado entre todos éstos (v. 28). La sabiduría es rara en el hombre pero lo es más en la mujer; lo cual no quiere decir que no hay mujeres sabias. De hecho las hubo en Israel, como por ejemplo, la mujer sabia de Tecoa que debió ser famosa en su tiempo (2 Sam. 14:2).

Dios hizo al hombre recto (v. 29), es una solemne advertencia sobre el uso de la libertad humana. Dios ha hecho al hombre, es decir a la humanidad toda, con capacidad de decisión propia. Dios tiene sus propósitos para el hombre pero el hombre puede anular los planes de Dios. *Pero los hombres se han buscado muchas otras razones*; el propósito del Predicador es que el hombre se ajuste a la rectitud con que fue creado, y deje de lado las muchas razones con las que pretende justificarse.

8 ¿Quién como el sabio? ¿Quién conoce la interpretación de las cosas? La sabiduría del hombre iluminará su rostro y transformará la dureza de su semblante.

La autoridad y la justicia

2 Guarda el mandato del rey, digo yo;* y a causa del juramento hecho a Dios, **3** no te apresures a irte de su presencia, ni te detengas en cosa mala, porque él hará todo lo que le plazca. **4** Ya que la palabra del rey tiene poder, ¿quién le preguntará lo que hace? **5** El que guarda el mandamiento no conocerá el mal. El corazón del sabio conoce el tiempo y el proceder.* **6** Pues para todo deseo hay un tiempo y un proceder,* aunque grande es el mal que le sobreviene al hombre. **7** Porque éste no sabe qué ha de suceder; pues lo que ha de ser, ¿quién se lo declarará? **8** No hay hom-

*8:2 Lit., *yo...*; vers. antiguas omiten *digo yo.*
*8:5, 6 Otra trad., *el cuándo y el cómo*

Otra manera de entender el proverbio: "Dios hizo al hombre equilibrado, y él se buscó preocupaciones sin cuento" (Nueva Biblia Española). Una idea que también pertenece al libro es esta: "¿Por qué no vivir de la manera sencilla para la cual fue creado por Dios?"

La sabiduría del hombre iluminará su rostro (v. 1). Como comentan Reichert y Cohen: "Cuando un hombre posee sabiduría ésta se refleja en la feliz y serena expresión en su rostro."

Joya bíblica
La sabiduría del hombre iluminará su rostro y transformará la dureza de su semblante (8:1b).

9. Una cuestión de autoridad, 8:2-13

Con este pasaje entramos en un tema común a la literatura sapiencial del antiguo oriente. "Obtener una buena posición y mantenerla en el ambiente de la tiranía e intriga de un palacio oriental requería gran variedad de dones, y todos del más alto nivel moral: Lealtad al poder gobernante, el saber evitar tanto un excesivo temor como un desconsiderado espíritu de oposición, prontitud para enfrentar situaciones complejas, una gran capacidad para disfrazar sus propios sentimientos, paciencia para aprovechar sus oportunidades y habilidad para escoger los medios adecuados para alcanzar un objetivo dado" (Roberto Gordis). Claro que el sabio israelita con la formación ética de su fe, procura alcanzar otros objetivos con medios menos mundanos. De paso notamos que la sabiduría hebrea no es una sabiduría para cortesanos sino una sabiduría sencillamente para la vida humana de cualquier condición. Es una sabiduría más "democrática".

A causa del juramento (shebowah 7621) *hecho a Dios.* Esto no es tanto en consideración al mismo rey como a Dios ante el cual se ha jurado (2 Sam. 5:3; 2 Rey. 11:17). *No te apresures a irte de su presencia* (v. 3); el comentario de este concepto podría verse en 10:4. Interpretando "no te apresures a irte" con el significado de "romper con" podríamos hallar en el texto el siguiente consejo: "no te apresures a rebelarte". *¿Quién le preguntará lo que hace?* (v. 4). se sobreentiende que esta es una pregunta en son de crítica difícilmente aceptable por un rey. Hay que recordar la argucia con la que Natán trató el caso del pecado de David (2 Sam. 12:1-15).

Para todo deseo hay un tiempo y un proceder (v. 6). El "tiempo" tiene que ver con el momento oportuno, la oportunidad; el proceder, con el modo. Por supuesto se entiende que se refiere a sus relaciones en la corte. *Lo que ha de ser, ¿quién se lo declarará?... Ni hay poder sobre el día de la muerte* (vv. 7, 8). El futuro es incierto. Sólo la muerte es segura en ese futuro incierto. Cuatro cosas que están más allá del poder humano: la vida, la muerte, la hombre que tenga poder sobre el hálito de vida,* como para retenerlo, ni hay poder sobre el día de la muerte. No hay tregua* en semejante guerra, ni la impiedad librará a los que la poseen.

9 Todo esto he observado, y he dedicado mi corazón a todo lo que se hace debajo del sol. Hay tiempo en que el hombre se enseñorea del hombre, para su propio mal. **10** Asimismo, he observado esto: que los impíos, que antes entraban y salían del lugar santo, son sepultados y reciben elogios* en la ciudad donde así hicieron. Esto también es vanidad.

11 Cuando la sentencia contra la mala obra no se ejecuta enseguida, el corazón de los hijos del hombre queda más predispuesto* para hacer el mal. **12** Aunque un pecador haga mal cien veces y prolongue sus días, con todo yo sé que a los que temen a Dios, a los que temen ante su presencia, les irá bien. **13** Pero al impío no le irá bien, ni le serán alargados sus días como la sombra; porque no teme ante la presencia de Dios.

*8:8a Otra trad., *sobre el viento*
*8:8b Otras trads., *embajada de paz*; o, *licencia de servicio* (militar)
*8:10 Según varios mss. y vers. griegas; TM, *son olvidados*
*8:11 Lit., *se llena*

---

guerra y la impiedad (ver nota de RVA). El poder del hombre es muy limitado.

Los vv. 9 y 10 se refieren a dos males que llaman la atención del Predicador: el dominio que ejerce el hombre sobre otro hombre para causarle daño, y la alabanza que recibe el impío cuando es sepultado. Otra traducción: "Por ejemplo, he visto a la gente mala llevada a la tumba. Partieron del lugar Santo, y se dio al olvido en la ciudad que hubiesen obrado de aquel modo" (Biblia de Jerusalén). Otros prefieren: "Asimismo he visto a los inicuos sepultados (con honra), y así llegaron (a su fin); mientras tanto los que tenían costumbre de salir del lugar santo, fueron olvidados en la ciudad" (León Dujovne). De cualquier manera que se interprete estamos dentro del pensamiento del Predicador.

Más predispuesto para hacer el mal (v. 11). Hay que comparar estas palabras con Salmos 14:1-3 y 53:1-3; donde el necio cree que Dios no se ocupa de los asuntos humanos, se convierte en un ateo práctico, posiblemente por la razón que da el Predicador en este versículo. Se ha afirmado: "Si no hay Dios, todo está permitido al hombre."

Semillero homilético

Una incomprensible realidad que reclama paciencia

8:10-15

Introducción: La vida está llena de contradicciones que difícilmente alcanzamos a comprender.

I. Hay desórdenes en el gobierno moral de Dios, vv. 10, 14.
   1. La prosperidad de los malos.
   2. La miseria de los buenos .
II. Hay aparente pasividad en Dios.
   1. Esto hace que los que obran maldad lo hagan con impunidad.
   2. Esto hace que el hombre cuestione sobre la providencia divina y su justicia.
III. Hay promesa que al final Dios actuará en forma justa.
   1. Castigando a los malos.
   2. Recompensando a los justos.
IV. Hay necesidad de tener paciencia.
   1. Disfrutemos de lo bueno en el presente.
   2. Aprovechemos al máximo la vida que nos es dada, pues viene de Dios.

Conclusión: No nos compete entenderlo todo ni nos toca a nosotros dar la recompensa sino a Dios. Confiemos pues en él y él hará (cf. 9:1).

Vanidad del destino humano

14 Hay una vanidad que se hace sobre la tierra: Hay justos a quienes sucede como si hicieran obras de impíos, y hay impíos a quienes sucede como si hicieran obras de justos. Digo que esto también es vanidad. **15** Por eso yo elogio la alegría, pues el hombre no tiene debajo del sol mejor bien que comer, beber y alegrarse. Esto es lo que le queda por su duro trabajo en los días de su vida que Dios le ha dado debajo del sol.

16 Al dedicar mi corazón a conocer la sabiduría y a ver la tarea que se realiza sobre la tierra (porque ni de noche ni de día los ojos del hombre disfrutan del sueño), **17** vi todas las obras de Dios. Ciertamente el hombre no logra comprender la obra que se hace debajo del sol. Por más que se esfuerce buscándolo, no lo alcanzará; aunque el sabio diga que lo conoce, no por ello podrá alcanzarlo.

Los vv. 12 y 13 dan un sentido claro, aunque se diga en el v. 12 que *aunque un pecador haga mal cien veces y prolongue sus días* y en el v. 13 *al impío no le irá bien... porque no teme ante la presencia de Dios.* El sabio espera en su fe más de lo que puede esperar en lo que ve.

10. Las aparentes injusticias en la vida, 8:14—9:10

Como en las reflexiones del Predicador que hemos visto hasta aquí, también en esta sección aparece la cara y la cruz de la vida humana. Si la vida alcanza algún albor no es por la vida misma sino por vivirla de cara a Dios. Hablar del destino humano sin tener en cuenta a Dios es hallar la vanidad de la vida, pensar en el significado de la vida cuando ésta se recibe como un don de Dios es hallar la plenitud de la vida. Aunque el sabio no lo diga expresamente, esa es la conclusión de este pequeño y profundo tratado, y no entenderlo así condena al lector a una falsa interpretación del mismo. Nosotros interpretamos al autor o como un pesimista obstinado o como un buscador del placer por el placer mismo, pero no es ni lo uno ni lo otro. El Predicador tan solamente es objetivo, pero sin que su objetividad obscurezca su fe. Su fe también es objetiva, y tiene mucho que enseñarnos para los días que estamos viviendo.

Hay una vanidad que se hace... (v. 17) La vanidad es que se confunden los valores: el justo recibe la retribución que corresponde al impío, y el impío la que corresponde al justo. Cuando esto, como lo pensaba el Predicador, viene del mismo Dios, aumenta la perplejidad. Valdría la pena recordar algunas enseñanzas del NT. Dios hace salir su sol sobre malos y buenos y hace llover sobre los justos y los injustos (Mat. 5:45). O en el mismo evangelio, 20:1-16, cuando el dueño del campo da la misma recompensa a los que habían trabajado todo el día y a los que habían trabajado sólo una hora.

Yo elogio la alegría (v. 15), pero no cualquier alegría sino la que viene de disfrutar los pequeños placeres de la vida cuando previamente se han ganado con duro trabajo.

Los vv. 16 y 17 contienen otra expresión de los límites del hombre. El Predicador se hace consciente de su propia ignorancia, pero ya sabe algo, porque sabe que no puede saber, como cualquier hombre.

Por más que se esfuerce buscándolo... (v. 17): el Predicador dice que nadie, ni aun el sabio, puede hallar sentido y finalidad a lo que se hace debajo del sol. Y esto no es porque el que trabaja no sepa para qué trabaja. El tiene su finalidad en lo que hace, pero ¿la alcanza? De muchas maneras ya ha dicho el sabio que no. Especialmente la muerte quita toda sentido a lo que se hace.

Los justos y sabios, y sus hechos están en la mano de Dios (9:1). Lo que se es y lo que se hace están bajo la soberanía de Dios y nada puede hacerse sin su beneplácito. En más de un sentido es cierto que *no depende del que quiere ni del que corre, sino de Dios que tiene misericordia* (Rom. 9:16).

9 Ciertamente he dedicado mi corazón a todas estas cosas para aclarar todo esto: que los justos y sabios, y sus hechos, están en la mano de Dios. Si se trata del amor o del odio, el hombre no lo sabe. Todo lo que está delante de ellos **2** es vanidad,* puesto que a todos les sucede lo mismo: al justo y al impío, al bueno y al malo,* al puro y al impuro, al que ofrece sacrificios y al que no los ofrece. Como el bueno, así es el que peca;* y el que jura, como el que teme el jurar.

3 Este es el mal que hay en todo lo que se hace debajo del sol: que a todos les sucede lo mismo; también que el corazón de los hijos del hombre está lleno de mal, que la locura está en su corazón mientras dura su vida, y que después descienden al lugar de los muertos. **4** Pero para todo aquel que está unido a los vivos hay esperanza, pues mejor es perro vivo que león muerto. **5** Porque los que viven saben que han de morir; pero los muertos no saben nada, ni tienen más recompensa, pues la memoria de ellos es puesta en el olvido. **6** También han desaparecido su amor, su odio y su envidia. Ya no tienen parte en este mundo, en todo lo que se hace debajo del sol.

*9:2a Según Peshita; comp. otras vers. antiguas; heb., *todo es*
*9:2b Según vers. antiguas; heb. omite *y al malo.*
*9:2c Otra trad., *el que falla en hacer lo bueno*

Si se trata del amor o del odio, el hombre no lo sabe (v. 1). Todo se recibe de Dios, pero lo que hemos recibido somos incapaces de discernir si son o no pruebas de su amor. Desde luego los bienes materiales tienen esa ambigüedad de sentido. En el NT Pablo necesitó una revelación de Dios, para saber que su "aguijón en la carne" era para su bien (2 Cor. 12:8-10).

A todos les sucede lo mismo (v. 2). Y sigue una serie antitética de actitudes humanas, pero no hay diferencia alguna en el destino de ellos. Lo mismo acontece a todos. La referencia es a los males comunes que padece la humanidad. Así como el sol sale para todos, también las tempestades, las pestes y los terremotos vienen sobre todos. Que haya excepciones no es algo que motive la preocupación del sabio. Para un pensamiento análogo hay que ver Job 9:22: *Al íntegro y al impío él los consume;* para una idea distinta hay que ver Job 5:20-23. Precisamente el Predicador discute esa forma de pensamiento, aunque posiblemente diría que el justo que sufre cuenta con Dios, incluso en su sufrimiento, cosa que el impío no puede hacer.

Que después descienden al lugar de los muertos (v. 3). La última de las cuatro cosas que manifiestan la semejanza del destino de todos los humanos.

Mejor es perro vivo que león muerto (v. 4.) Evidentemente viene de un refrán popular. El perro era el más despreciable de todos los animales (1 Sam. 17:43; 24:14; 2 Sam 9:8, etc.) y el león el más poderoso (2 Sam. 1:23; 17:10; Prov. 30:30). El estar vivo es lo que hace preferir ser perro que ser león. *Saben que han de morir* (v. 5). ¡Irónica ventaja, después de todo, la que tiene el vivo sobre el muerto! *Pues la memoria de ellos es puesta en el olvido.* Se repite el pensamiento de 2:16. El Predicador no se puede consolar de la muerte pensando en la inmortalidad del recuerdo. *Su amor, su odio y su envidia,* abarcan las poderosas motivaciones de la conducta humana, y que no tiene ningún significado en el lugar de los muertos. Representa el triste énfasis de la condición de los muertos según el AT.

En los vv. 7 al 10 tenemos una apreciación positiva de la vida, el disfrute de los bienes elementales, pero en su justa proporción. En cuanto queremos hacer un absoluto de ellos se transforman en aflicción de espíritu. Se ha señalado el paralelo de este pasaje con el poema de Gilgames: "Tú, Gilgames, llena tu vientre, alégrate día y noche. Haz cada día una fiesta de regocijo; baila y salta día y noche. Que tus vestidos estén limpios, tu cabeza lavada; báñate en agua. Presta atención al pequeño (niño) que tienes en tus manos. Que

7 Anda, come tu pan con gozo y bebe tu vino con alegre* corazón, porque tus obras ya son aceptables a Dios. **8** En todo tiempo sean blancas tus vestiduras, y nunca falte aceite perfumado sobre tu cabeza. **9** Goza* de la vida, con la mujer que amas, todos los días de tu vana vida, que Dios* te ha dado debajo del sol;* porque ésta es la porción de tu vida y del duro trabajo con que te afanas debajo del sol. **10** Todo lo que te venga a la mano para hacer, hazlo con empeño.* Porque en el Seol,* a donde vas, no hay obras, ni cuentas, ni conocimiento, ni sabiduría.

El poder de la sabiduría*

11 Entonces volví a observar debajo del sol que no es de los veloces la carrera, ni de los valientes la batalla, ni de los sabios el pan, ni de los entendidos las riquezas, ni de los conocedores la gracia; sino que a todos les llegan el tiempo y el contratiempo. **12** Porque el hombre tampoco conoce su tiempo. Como los peces que son atrapados en la mala red y como los pájaros que quedan presos en la trampa, así son atrapados los hijos del hombre en el tiempo malo, cuando éste cae de repente sobre ellos.

*9:7 Lit., *buen*
*9:9a Lit., *Mira*
*9:9b Lit., *él*
*9:9c Según algunos mss., Targum y LXX; TM añade *todos los días de tu vanidad.*
*9:10a Lit., *con tu fuerza*
*9:10b O sea, la morada de los muertos
*9:11t Comp. 4:6-16; 6:9--7:12

tu esposa se deleite en tu regazo. Porque esta es la tarea de la humanidad." No debe esto extrañarnos, dado el carácter universal de la literatura de sabiduría.

Porque tus obras ya son aceptables (v. 7). Ibn Ezra entiende esta oscura declaración como: "Porque estas son las cosas que Dios espera que hagas" (A. Cohen). Dios quiere que el hombre sea feliz. *Todo lo que venga a la mano para hacer* (v. 10), lo que nos brindan las oportunidades de la vida. Hay que recordar que bíblicamente el trabajo como realización del ser humano es anterior a la caída (Gén. 2:15). *Porque... a donde vas, no hay obras, ni cuentas.* Como las obras de sabiduría, el Predicador también aprueba el trabajo como realización de la vida humana.

11. El poder de la sabiduría, 9:11-18

A pesar de lo dicho en 1:16-18, si no se espera demasiado de la sabiduría ésta tiene su valor para el ser humano, valor que no depende del reconocimiento social de la sabiduría sino de la íntima satisfacción del que puede hacer un uso adecuado de ella. El sabio, como el necio, está sujeto a las vicisitudes de la vida, y no siempre puede escapar a éstas. Sin embargo, hay ocasiones en que el uso de la discreción y la sabiduría manifiestan su valor. No hay duda que en el pensamiento del Predicador se puede dar el caso de una sabiduría necia, por eso el consejo que ya hemos visto: *No seas demasiado justo, ni seas sabio en exceso. ¿Por qué habrás de destruirte?* (7:16). El sabio no sólo es sabio sino que también sabe cuándo y cómo debe usar de ella, pero aun esto último depende de un imponderable: la oportunidad que puede estar oculta a su entendimiento *porque el hombre tampoco conoce su tiempo* (9:12).

No es de los veloces... ni de los valientes... ni de los sabios... ni de los entendidos (v. 11). Con esto no quiere decir el Predicador que el lerdo, el cobarde, el ignorante, son los que han de triunfar, sino sencillamente que algunas veces no bastan para triunfar las buenas cualidades humanas. Hay circunstancias que a veces desafían la mejor disposición humana pero en la mayoría de los casos las buenas cualidades humanas hallan la manera de triunfar, y es lo que el sabio dirá con el ejemplo del hombre que salvó la ciudad. ¡Hay que

13 También he visto esta sabiduría debajo del sol, la cual me parece grandiosa: **14** Había una ciudad pequeña con pocos hombres en ella, y contra ella vino un gran rey y la rodeó edificando contra ella grandes torres de asedio. **15** Y se encontraba en ella un hombre pobre, pero sabio, el cual con su sabiduría libró a la ciudad. Pero nadie se acordaba de aquel hombre pobre. **16** Entonces dije: "Mejor es la sa-

contar siempre con lo imprevisto! *El tiempo y el contratiempo* se refieren a la oportunidad y el tropiezo, que pueden hacer fracasar al capaz y triunfar al incapaz. Sucede pocas veces ¡pero sucede!

El hombre tampoco conoce su tiempo (v. 12). No se refiere aquí, como algunos interpretan, al tiempo de su muerte, sino como en el versículo anterior, al hecho de que se le escapa la oportunidad. *Como los peces... como los pájaros.* Son como seres irracionales que están bajo el dominio del hombre (Sal. 8:8) y a los cuales compara el sabio al hombre que cae bajo el dominio del tiempo malo, queda al dominio de sus circunstancias.

Los vv. 13 al 18 representan una unidad en el contenido. Es una historia que no hay que buscar que tenga antecedentes en las Sagradas Escrituras y que debemos interpretar más bien como un ejemplo ideado por el autor para ilustrar su doctrina. El corazón de la enseñanza está en que siendo pobre y sin recursos, pudo, no obstante, salvar la ciudad. El hecho de que luego de su acción nadie se acordó de él, es sólo un detalle, aunque muy pertinente, del relato imaginado. *Una ciudad pequeña ... un gran rey* (v. 14), representa una forma maestra de describir la situación y dar valor a la acción del sabio pobre con pocos recursos frente a los recursos abundantes del "gran rey".

El cual con su sabiduría libró a la ciudad (v. 15), manifiesta el hecho que el recurso no fue la fuerza. ¿Cómo? El texto no lo

El pensamiento del hombre está lleno de maldad, 9:3

duría que la fuerza, aunque el conocimiento del pobre sea menospreciado y sus palabras no sean escuchadas."

17 Las palabras del sabio, oídas con sosiego, son mejores que el grito del que gobierna entre los necios. **18** Mejor es la sabiduría que las armas de guerra, pero un solo pecador destruye mucho bien.

Proverbios sobre causa y efecto

10 Las moscas muertas hacen heder el frasco* del fino perfume del perfumista. Así afecta un poco de necedad a la sabiduría y a la honra.

2 El corazón del sabio se inclina a su derecha; pero el corazón del necio, a su izquierda.

*10:1 Según LXX; heb., *emite*

---

dice, pero quizás ofreciendo una rendición favorable para la pequeña ciudad. *Pero nadie se acordaba de aquel hombre pobre*, para mencionar lo que hizo. Algunos comentan el ejemplo como queriendo decir que el hombre sabio y pobre pudo haber salvado a la ciudad, ¡si se hubieran acordado de él! Pero no lo hicieron y la ciudad se perdió. En un caso se trata de ingratitud, en el otro de necedad. Posiblemente la intención del Predicador apunte a este último sentido.

> **Joya bíblica**
>
> **Mejor es la sabiduría que la fuerza... Las palabras del sabio oídas con sosiego, son mejores que el grito del que gobierna entre los necios (9:16, 18).**
>
> ¡Qué texto tan fuerte para quienes ejercen autoridad! Quien no tiene argumentos, generalmente utiliza la fuerza y los gritos. Sin embargo, la sabiduría pide el diálogo y la comprensión.

Aunque el conocimiento del pobre sea menospreciado, y sus palabras no sean escuchadas (v. 16). Pareciera que esta conclusión apoya la intención que hemos admitido más arriba, pero no en forma absoluta, ya que podría entenderse que, a pesar de la ingratitud de los hombres, la sabiduría de aquel hombre pobre era mejor que la fuerza de quienes tuvieron que recurrir a él en última instancia.

Los vv. 17 y 18 contienen dos observaciones que se desprenden del ejemplo aducido: mejor los consejos del sabio, fuesen o no requeridos y escuchados, que los gritos de quienes defendían la ciudad. En este caso queda un poco descolocado el final del v. 19. Hay quienes traducen: "Un solo *error* causa grandes destrozos" (Dios Habla Hoy).

12. Temas misceláneos, 10:1—11:8

Bajo el título de esta sección se incluye una colección de proverbios cuyo tema es el de las virtudes prácticas. Estos proverbios se presentan sin mucha conexión lógica entre ellos pero apuntando a la conducta que puede llevar al éxito en la vida porque después de todo, como lo indica el título de nuestra versión, hay una relación entre causa y efecto y si quiero los efectos debo ceñirme a las causas que los producen. Este último pensamiento debe guiarnos en la comprensión de estos proverbios a los cuales el traductor y comentador judío Robert Gordis ha puesto por título: "Las virtudes que conducen al éxito."

Las moscas muertas (v. 1). "Una mosca muerta pudre..." Biblia de Jerusalén, Dios Habla Hoy. Esta traducción hace que el sujeto concuerde con el verbo que es singular en el hebreo. De este modo impresiona más la línea que sigue: "Así afecta *un poco* de necedad a la sabiduría y a la honra."

El corazón del sabio se inclina a su derecha ... el del necio a su izquierda. "La *mente* del sabio se inclina al bien, pero la

3 Aun cuando el insensato ande en el camino, le falta entendimiento, y a todos hace saber que es insensato.
4 Si el ánimo del gobernante se excita contra ti, no abandones tu puesto; porque la serenidad apacigua grandes ofensas.*
5 Hay un mal que he observado debajo del sol, como el error que proviene de un gobernante: **6** El insensato* es colocado en grandes alturas, y los ricos* habitan en posición humilde. **7** He visto siervos a caballo y príncipes andando a pie* como siervos.
8 El que cava un hoyo caerá en él, y al que rompa el cerco le morderá una serpiente.
9 El que corta piedras se lastima con ellas, y el que parte leña corre peligro con ella.
10 Si se embota el hacha y no es afilada, hay que añadir más esfuerzo. Pero es más ventajoso aplicar la sabiduría.

*10:4 O: *pecados*
*10:6a Según vers. antiguas; heb., *la insensatez*
*10:6b O: *nobles*
*10:7 Lit., *sobre la tierra*

---

del necio se inclina al mal", interpreta Dios Habla Hoy.

Aun cuando el insensato ande en el camino (v. 3). No importa lo que el necio haga, de inmediato mostrará lo que es. Recordamos el proverbio castellano: "Aunque la mona se vista de seda, mona queda." *Y a todos hace saber que es insensato.* Hay dos maneras de traducir el texto hebreo: la de nuestra versión o "llama loco a cualquiera que pretenda corregirlo". Hay quienes prefieren esta última forma. *No abandones tu puesto*, "no lo repliques" (Nácar-Colunga). En aquellos tiempos, como en los nuestros, era peligroso no estar de acuerdo con el poderoso.

La serenidad apacigua grandes ofensas. Como en Proverbios 15:1: *La suave respuesta quita la ira.* Otra manera de entender este proverbio es traducir "no abandones tu puesto" como "no renuncies de inmediato".

Los vv. 5 al 7 indican que en todo tiempo los favoritos de los que gobiernan no son los mejores hombres, ni siquiera los que están mal considerados, son los peores. Calígula, el emperador romano, por despecho al cuerpo senatorial, nombró cónsul a su caballo. *Príncipes andando a pie*, como Jesús lavando los pies de sus discípulos como el ínfimo esclavo de la casa (Juan 13:4, 5), claro que ¡por otros motivos!

El que cava un hoyo caerá en él (v. 8). se entiende, quien quiera hacer caer a su contrario en una trampa (Sal. 7:15; 57:6; Prov. 26:27). *Al que rompa el cerco* lleva el sentido de romper con el intento de robar o hacer algún daño. *Una serpiente le morderá* nos hace recordar el caso semejante en Amós 5:19.

> **Joya bíblica**
>
> **Si el ánimo del gobernante se excita contra ti, no abandones tu puesto; porque la serenidad apacigua grandes ofensas (10:4).**

El que corta piedras... y el que parte leña (v. 9). El más sabio, diestro en su oficio, puede lastimarse si se descuida. *Si se embota el hacha...* (v. 10), o sea, una herramienta mal preparada hace que el que la usa deba añadir más esfuerzo. Lo sabio es preparar adecuadamente la herramienta que se usa.

Si la serpiente muerde antes de ser encantada (v. 11), ver la nota del texto en nuestra versión. Algunos comentan: de nada sirve saber la técnica del encantamiento si no se hace uso de ella. En un sentido un poco distinto: "¿Quién se compadecerá del encantador mordido de serpientes?" (Ecl. 12:13, Biblia de Jerusalén).

Los vv. 12 al 15 enfocan el tema de la sabiduría y la necedad en el hablar, tema común entre los sabios (ver Prov. 8:6; 10:19, 32; 14:23; 15:23; 23:9; etc.).

11 Si la serpiente muerde antes de ser encantada, de nada sirve el encantador.*

12 Las palabras de la boca del sabio son agradables, pero los labios del necio causan su propia ruina. **13** El comienzo de las palabras de su boca es necedad, y el final de su hablar es locura nociva.

14 El insensato multiplica las palabras, aunque el hombre no sabe lo que ha de suceder. Y lo que habrá de ser después de él, ¿quién se lo declarará?

15 El duro trabajo fatiga al necio,* de manera que él ni siquiera sabe cómo ir a la ciudad.

16 ¡Ay de ti, oh tierra, cuando tu rey es un muchacho y tus príncipes se festejan de mañana! **17** Bienaventurada tú, oh tierra, cuando tu rey es un hijo de nobles, y tus príncipes comen a su hora, para reponer sus fuerzas y no para embriagarse.

18 Por la pereza se hunde el techo, y por la flojedad de manos tiene goteras la casa.

19 El alimento se prepara para disfrutarlo, el vino alegra la vida, y el dinero preocupa a todos.*

*10:11 Lit., *dueño de la lengua* (con que se encanta)
*10:15 Lit., *los necios*
*10:19 Otra trad., *responde a todo*

¿Quién se lo declarará? (v. 14). El insensato habla de cosas que no entiende (comp. 8:7; 1 Cor. 8:2: *Si alguien se imagina que sabe algo, aún no sabe nada como debiera saber)* . *El duro trabajo fatiga al necio* (v. 15). El trabajo como ocupación placentera agrada al sabio (ver 2:10, 24; 3:22; 5:18, 19) y aun el duro trabajo, pero el necio, ¡ni aún sabe qué camino tomar para ir a la ciudad! (ver Isa. 35:3c).

Los vv. 16 y 17 contienen un ¡ay! y una bienaventuranza. El mejor comentario a estas palabras del Predicador se encuentra en 1 Reyes 12:1-20 con el relato de la insensatez de Roboam. *Por la pereza se hunde el techo* (v. 18). El perezoso es tema favorito de los sabios (Prov. 6:6-11; 13:4; 19:24; 26:13-16).

El alimento... el vino... el dinero (v. 19). Simplemente observaciones sin que se abra juicio sobre el tema. Hay quienes unen las tres cosas en la traducción, p. ej.: "El pan es para disfrutarlo, y el vino para gozar de la vida; mas para eso hace falta dinero" (Dios Habla Hoy). Ver nota al pie en RVA.

Porque las aves del cielo llevarán la voz (v. 20). Es una figura que nos es familiar: "Me lo contó un pajarito." Aquí hace referencia a algo mucho más serio: los déspotas disponen de espías que les pueden comunicar hasta las cosas que se creen más secretas.

Los proverbios
10:1—11:8

Cervantes definía un proverbio como una sentencia corta basada en una experiencia larga. Y ciertamente es así. Los proverbios recogen sabiduría de la vida a manera de juicio en el que se relacionan por lo menos dos ideas. Generalmente son difundidos por el pueblo quien se apropia la enseñanza como una verdad para sí y de validez universal. Muchos proverbios nacen del pueblo mismo. Otros son citas famosas de pensadores que reflexionan sobre la vida. Es interesante que los proverbios son patrimonio de todos los pueblos y que encontramos proverbios similares en todas las culturas.

Hay quienes se han preocupado de recoger por escrito colecciones de proverbios, algunos datan del siglo XIII como los *proverbes ruraux* franceses, los *proverbs of hending* ingleses o los proverbios morales de Sem Tom, castellanos, que datan del siglo XIV.

Mucho más antiguos que estos son los proverbios que encontramos en las Sagradas Escrituras, no sólo en el "Libro de los Proverbios" que se atribuye a Salomón sino también los que encontramos en muchos otros pasajes, como esta colección en Eclesiastés 10:1—11:8. Estos proverbios de las Sagradas Escrituras tienen un carácter especial y es que conforman la experiencia del hombre con la vida, a la luz de su relación con Dios mientras que muchos otros proverbios no tienen en cuenta el factor divino en la vida del hombre sino sólo el humano.

20 Ni aun en tu alcoba* maldigas al rey, ni en tu dormitorio maldigas al rico;* porque las aves del cielo llevarán la voz, y las criaturas aladas declararán el asunto.

11 Echa tu pan sobre las aguas, porque después de muchos días lo volverás a encontrar.

2 Reparte a siete, y también a ocho; porque no sabes qué mal vendrá sobre la tierra.

3 Si las nubes se recargan de agua, derramarán lluvia sobre la tierra. Y si el árbol cae hacia el sur o hacia el norte, en el lugar donde caiga, allí quedará.

*10:20a Según prop. Stutt.; heb., *conocimiento*
*10:20b O: *noble*

Echa tu pan sobre las aguas (11:1). Se han dado a este proverbio dos interpretaciones: una de ellas tiene que ver con el comercio marítimo y sería una exhortación a arriesgarse en ellos ya que la recompensa es segura; la otra, con la generosidad en socorrer a los necesitados que a la larga traerá su recompensa (Prov. 19:17).

Reparte a siete, y también a ocho (v. 2). Como en el versículo anterior también este puede interpretarse de dos maneras: con referencia a tener más de una manera de ganarse la vida porque si uno tiene una sola manera, y esta fracasa, el fracaso es total; la otra interpretación sería una exhortación a ser generosos con nuestros bienes en toda circunstancia posible para asegurar la gratitud y la recompensa. Como pensaba el mayordomo injusto (Luc. 16:1-9), solo que el Predicador se refiere al uso de los propios bienes. Puede referirse a la sabiduría de la diversificación y no limitarse a una la actividad o inversión.

Si las nubes se recargan de agua, derramarán... (v. 3). Hay que tener para dar. Comparar con Efesios 4:28: *... trabaje esforzadamente... para tener qué compartir con el que tenga necesidad. En el lugar donde caiga, allí quedará.* Como un árbol permanece en la dirección en que ha caído, el sabio debe permanecer en la orientación que ha dado a su vida.

El que observa el viento... el que se queda mirando las nubes (v. 4). El viento hace difícil la siembra que se hacía "al voleo", la lluvia impide la cosecha. Quien teme una u otra cosa, ni sembrará ni segará, pero este temor es, a veces, el argumento de holgazán. Otro argumento semejante se da en Proverbios 22:13.

Semillero homilético

Dos consejos muy sabios

11:1, 2

Introducción: Durante siglos se ha debatido el significado de estos versículos y su aplicación específica. De todos modos, tienen verdades que nos ayudan a vivir mejor.

I. Echa tu pan sobre las aguas, v. 1.
   1. Puede tener interpretación de índole económica, animando al lector para involucrarse en forma activa en comercios. Algunos interpretan el pan como referencia a barcos comerciales, lo cual era negocio muy común en aquel entonces.
   2. Puede tener interpretación de aplicación social, de ofrecer ayuda a las personas necesitadas, sin evaluar el caso específico. Uno tiene la confianza de que tarde o temprano recibe recompensa por tales actos de misericordia.

II. Reparte a siete y también a ocho, v. 2.
   1. Extender nuestras relaciones sociales a otras personas. Tendemos a limitar los contactos a los amigos probados desde hace años. Pero el escritor nos anima a cultivar nuevas relaciones.
   2. Buscar maneras de multiplicar nuestros negocios y actos de caridad para alcanzar a más personas.

Conclusión: Aunque el autor podría ser pesimista en decir que todo es vanidad, nos da consejos que pueden servir en forma positiva. Estos dos consejos tienen mucho que nos puede beneficiar si los seguimos.

4 El que observa el viento no sembrará, y el que se queda mirando las nubes no segará.

5 Como tú no comprendes cómo entra el espíritu a los huesos en el vientre de la mujer encinta, así no comprenderás la obra de Dios, quien hace todas las cosas.

6 En la mañana siembra tu semilla, y por la tarde no dejes reposar tu mano; porque tú no sabes cuál será mejor, si esto o lo otro, o si ambas cosas son igualmente buenas.

7 Agradable es la luz, y bueno es a los ojos ver el sol.

8 Si el hombre vive muchos años, alégrese en todos ellos; pero traiga a la memoria los días de las tinieblas, que serán muchos. Todo lo que habrá ocurrido es vanidad.

Como tú no comprendes... así no comprenderás. Para algunos la referencia es a la gestación de la vida humana en el vientre de la madre, para otros, teniendo en cuenta que la palabra para viento y para espíritu es en hebreo la misma, traducen: "Así como no sabes por *dónde va el viento*, ni cómo se forma el niño en el vientre de la madre tampoco sabes nada..." (Dios Habla Hoy). La ignorancia del hombre con respecto a la obra de Dios es un tema aquí repetido (ver 8:17).

En la mañana... por la tarde... porque tú no sabes (v. 6). Al no conocer qué actitud tendrá éxito hay que mostrarse diligente en todo momento, pero confiando en Dios. Es como el refrán castellano: "A Dios orando y con el mazo dando."

Los vv. 7 y 8 son una introducción al capítulo final. Agradable es la luz y bueno el sol, pero también hay días de tinieblas. Lejos está el Predicador de pensar que los días de tinieblas, que inexorablemente han de llegar, resten su alegría a los días de luz (7:14; 8:15). Refleja una concepción positiva, pero realista, de la vida.

En la mañana siembra tu semilla... 11: 6

Exhortación para los jóvenes

9 Alégrate, joven, en tu adolescencia, y tenga placer tu corazón en los días de tu juventud. Anda según los caminos de tu corazón y según la vista de tus ojos, pero ten presente que por todas estas cosas Dios te traerá a juicio. **10** Quita, pues, de tu corazón la ansiedad, y aleja de tu cuerpo el mal; porque la adolescencia y la juventud son vanidad.

IV. EXHORTACION PARA JOVENES, 11:9—12:8

En este momento final de su composición el Predicador vuelve a reflexionar sobre la muerte. Su mensaje es que en vista de la muerte el hombre debe aprovechar la vida. Su pensamiento es paralelo al del Salmo 90: *Enséñanos a contar nuestros días, de tal manera que traigamos al corazón sabiduría* (Sal. 90:12). Hoy diríamos: "El pesimismo es malo, el optimismo engañoso, el camino justo es la fe." Por eso su exhortación es contar siempre con Dios, en los días pletóricos de la juventud como en los días melancólicos de la ancianidad. Y para hablar de la muerte el Predicador se vuelve poeta, porque la muerte se hace plenitud cuando la vida se ha vivido en la presencia de Dios. Y hay un momento propicio y adecuado para buscar a Dios y es el momento de la juventud que es el momento de las grandes decisiones de la vida. Si la decisión por Dios ha sido la correcta, toda la vida es, no vanidad, sino plenitud. Y en esto desemboca el peregrinaje que nos ha conducido el Predicador en su obra.

Alégrate, joven en tu adolescencia (v. 9). Es un consejo positivo; la juventud se pasa, antes de que eso suceda hay que gozar de ella. *Anda según los caminos de tu corazón*, o sea, la vida es tuya, vívela de la manera que creas adecuada. Pero recuer-

Alégrate joven... en los días de tu juventud... 11:9

12 Acuérdate de tu Creador
en los días de tu juventud:
antes que vengan los días malos, y lleguen los años de los cuales digas: "No tengo en ellos contentamiento";
2 antes que se oscurezcan el sol y la luz de la luna y de las estrellas, y las nubes vuelvan tras la lluvia;
3 cuando tiemblen los guardias de la casa y se dobleguen los hombres valerosos;
cuando estén inactivas las muelas, por quedar pocas, y se oscurezcan los que miran por las ventanas;

---

da: *Dios te traerá a juicio.* El camino del placer tiene sus riesgos, eso ya lo ha dicho el Predicador (2:1, 2), por eso la invitación a una prudente reflexión. Libertad, sí, pero libertad con responsabilidad. Retengamos que el Predicador no quiere amargar los momentos felices del joven, trayendo a su memoria el juicio de Dios, pero sí quiere en el joven una vida responsable.

Quita, pues, de tu corazón... aleja de tu cuerpo... vanidad (v. 10). "La vida es muy corta para hacerla pequeña", es un refrán contemporáneo que está dentro del pensamiento del Predicador. Hay muchas maneras de empequeñecer la vida: hay que huir de todas ellas.

Acuérdate de tu Creador... antes que vengan los días malos (12:1). La palabra "Creador" es *bara* 2154, un plural de majestad en el original, y una manera de enfatizar la autoridad de Dios: el barro no puede altercar con el alfarero (Rom. 9:20, 21). ¡Buscar a Dios en la plenitud de la vida!, este es el consejo del sabio.

Joya bíblica

Acuérdate de tu Creador en los días de tu juventud: antes que vengan los días malos, y lleguen los años de los cuales digas: "No tengo en ellos contentamiento" (12:1).

Los días malos... los años de los cuales digas: "No tengo en ellos contentamiento". Ya no hay alegría en el vivir, queda sólo la carga de la vida. Si en estas circunstancias se busca a Dios se lo busca para la muerte y no para la vida.

Los vv. 2 al 5 contienen una serie de figuras poéticas para describir la extrema ancianidad. Un ejemplo que podemos recordar es el de Isaac (Gén. 27), acabado, engañado, burlado. La muerte ha aparecido ya algunas veces en el escrito del Predicador, pero hasta aquí habló el sabio; ahora habla el poeta. No ahorra tintes oscuros al poema, como, por ejemplo los endechadores, que hacen duelo por dinero, y que andan esperando el momento del desenlace. Pero no se debe olvidar que esto mismo se puede vivir de dos maneras: con Dios, o sin él; y sobre todo no se debe olvidar que es necesario buscar a Dios antes de que lleguen esos días.

Antes que se oscurezcan el sol... la luna... las estrellas (v. 2). Justo J. Serrano cita aquí el Targum: "El sol es la cara; la luz, los ojos; la luna las mejillas y las estrellas, la niña de los ojos."

Y las nubes vuelvan tras la lluvia. Después de la lluvia, no sale el sol, se acumulan nuevas nubes. Es una figura patética de los continuos achaques de la senectud.

El v. 3 contiene figuras poéticas, y no todas son de fácil interpretación, de hecho el *Talmud* presenta distintas formas de hacerlo. El Predicador va describiendo un organismo humano que poco a poco va perdiendo sus fuerzas hasta llegar a la misma muerte. *Los guardianes de la casa* se interpreta generalmente como los brazos y las manos. Otros los interpretan como las ijadas y las costillas. *Los hombres valerosos* son las piernas que sostienen el cuerpo que se debilitan con la edad. *Cuando estén inactivas las muelas.* Las muelas se refiere a los dientes, y es una alusión a la falta de apetito del anciano si se compara con su juventud. *Los que miran por las ventanas* se refiere a los ojos que pierden su visión con la edad.

Se cierran las puertas de la calle, o sea, los labios, o quizá mejor la dureza de oído

4 cuando se cierren las puertas de la calle,
y se debilite el ruido del molino;
cuando uno se levante ante el gorjeo de
un pajarito, y todas las hijas del canto*
sean abatidas;
5 cuando también se tenga miedo de la
altura y haya horrores en el camino;
cuando florezca el almendro, la langosta se
arrastre pesadamente y se pierda el deseo.*
Es que el hombre se va a su morada eterna,
y los que hacen duelo rondan alrededor de
la plaza.

*12:4 Otra trad., *todas las melodías*
*12:5 Otra trad., *y la alcaparra pierda su efecto*

típica del anciano. *Y se debilite el ruido del molino.* El ruido del molino, motivo de alegría (Jer. 25:10; Apoc. 18:22) que deja de oírse por alguna calamidad o por la sordera progresiva del anciano. *Se levanta ante el gorjeo de un pajarito*, es referencia al sueño liviano del anciano, y dentro de esto, el insomnio que lo hace despertar temprano. *Todas las hijas del canto sean abatidas* es referencia a las *notas musicales* "hijas del canto" que apenas se oyen por la sordera. Ver la nota de nuestra versión.

Cuando se tenga miedo de la altura... (v. 5). Cualquier altura se hace peligrosa para el anciano y se limitan sus paseos. *Cuando florezca el almendro*; los comentadores judíos ven en esta figura los "picos de loro" que aparecen como artrosis en la extremidad inferior de la espina dorsal y causan dolores y dificultades para caminar. Otros ven en la flor del almendro el color de las canas que "florecen" en la cabeza del anciano.

La langosta se arrastre pesadamente y se pierda el deseo. La langosta que se arrastra, ¿será símbolo de la agilidad perdida? Ver en la nota al pie de la página la otra traducción para "y se pierde el deseo". Si se entiende por "deseo" el deseo sexual, y por la "alcaparra" que pierde su efecto un afrodisíaco que ya no es efectivo, se tiene la misma idea. *El hombre se va a su morada... y los que hacen duelo rondan alrededor...* Se refiere a la vecindad de la muerte con sus ritos. Un fin melancólico de las figuras de la ancianidad.

Antes que se rompa el cordón de plata (v. 6). Cuatro figuras del momento de la

Semillero homilético

Realizando mi vida con Dios

11:9—12:8

Introducción: La vida es un camino a recorrer en el que el hombre busca la realización de sus sueños y esperanzas. Lo mejor, pues, será reconocer a Dios desde joven.

I. Conlleva la ventaja de conocer su voluntad como Creador.
1. Da una vida completa en que servir a Dios.
2. Da una felicidad completa en servicio a Dios.

II. Nos evitará los caminos malos.
1. Que pueden perjudicar nuestras vidas.
2. Que pueden descalificarnos como siervos de Dios.

III. Nos apoyará en momentos difíciles.
1. Cuando no tenemos a quién acudir en este mundo.
2. Cuando estamos rodeados de problemas que no podemos solucionar.

IV. Nos acompañará en todo el camino.
1. Cuando nos rodea la oscuridad.
2. Cuando todo se ve brillante.

Conclusión: Al volver a Dios habiendo andado sus caminos, nos gozaremos de estar ante su presencia.

6 Acuérdate de él*
antes que se rompa el cordón de plata
y se destroce el tazón de oro;
antes que el cántaro se quiebre junto al manantial, y la rueda se rompa sobre el pozo.

7 Es que el polvo vuelve a la tierra, como era;
y el espíritu vuelve a Dios, quien lo dio.

8 "Vanidad de vanidades", dijo el Predicador;* "todo es vanidad."

*12:6 *Acuérdate de él*, suplido del v. 1
*12:8 Heb., *Qohélet*

muerte, las que es el mejor tomar como una descripción total del suceso. En el *Targum* "la cadena es la lengua; la lámpara, la médula; el cántaro, la vesícula con su hiel y la rueda, el cuerpo" (J. J. Serrano).

En los vv. 7 y 8 el Predicador ve en la muerte el cumplimiento de la antigua sentencia contra el hombre (Gén. 3:19; Ecl. 3:20), comparar Job 10:9; Sal. 104:29). La muerte, si no hay otra instancia distinta que la vida debajo del sol, es la total vanidad. *Y el espíritu vuelve a Dios, quien lo dio.* Una tenue luz hasta que llegue la perfecta claridad del Nuevo Testamento.

CONCLUSION, 12:9-14

Llegamos al epílogo escrito seguramente por un discípulo. Algunos distinguen dos epílogos: uno sobre el hombre (vv. 9-11) el otro sobre su obra (vv. 12-14). El epílogo contiene lo que podemos llamar la primera interpretación del Eclesiastés, la moraleja que nos puede servir de interpretación para nuestra propia interpretación hoy. Hay que buscar maneras de entender

Acuérdate de tu Creador... antes que vengan los días malos..., 12:1

Conclusión del discurso

9 Y cuanto más sabio fue el Predicador,* tanto más enseñó sabiduría al pueblo. También sopesó, investigó y compuso muchos proverbios. **10** El Predicador* procuró hallar palabras agradables y escribir correctamente palabras de verdad.

11 Las palabras de los sabios son como aguijones, y como clavos hincados son las palabras que forman parte de una colección* y que son expuestas por un Pastor.

12 Además de esto, hijo mío, queda advertido: El hacer muchos libros es algo sin fin, y el mucho estudio fatiga el cuerpo.*

13 La conclusión de todo el discurso oído es ésta: Teme a Dios y guarda sus mandamientos, pues esto es el todo del hombre.* **14** Porque Dios traerá a juicio toda acción junto con todo lo escondido, sea bueno o sea malo.

*12:9, 10 Heb., *Qohélet*
*12:11 Comp. Prov. 25:1
*12:12 Lit., *la carne*
*12:13 Otra trad., *el deber de todo hombre*

---

una obra tan controvertida como ésta, y poner final a una obra que ha desafiado y desafiará aún la comprensión humana.

Tanto más enseñó sabiduría (v. 9). A pesar de las limitaciones que tiene sabiduría y que el Predicador ha ido destacando a lo largo de su obra, la nota editorial afirma que lo que el Predicador había alcanzado a conocer, esto también lo enseñó. Los sabios tenían en alta estima las enseñanzas que permiten al hombre orientarse en la vida. Para ellos la fuente primaria de sabiduría está en la misma naturaleza que es el libro de texto de Dios (Job 35:10, 11; Ecl. 12:7, 8), pero no descartaban en absoluto la sabiduría que un hombre prudente podía comunicar a otros. Nos han dejado testimonio de la lamentación de quien no oyó los sabios consejos de sus mayores (Prov. 5:11-13). Transmitir la comprensión que se ha logrado era tenido como un deber (Job 4:3, 4). La vida misma es una gran maestra (Job 8:9, 10) y sobre todo, especialmente en el libro de los Salmos, Dios, sin duda a través de su ley, es el gran maestro de la vida. *También sopesó, investigó y compuso muchos proverbios.* Estudió el trabajo de sabiduría anterior a él para aquilatar su valor, pero también hizo un trabajo original. Era la manera ordinaria de proceder.

En el v. 11 vemos que las palabras de los sabios son como aguijones. Es decir, estimulan el pensamiento del interlocutor y hacen progresar el pensamiento ético. De ahí la forma enigmática que tienen. *Forman parte de una colección* significa que debían existir en aquellos tiempos series de proverbios para educar a los jóvenes en las diversas circunstancias que les tocaba vivir. Primero debieron circular en forma oral y luego en la forma escrita que ahora presentan. La literatura universal de este tipo pasó por ese proceso. *Expuestas por un Pastor* (v. 11): Pastor de almas, aunque el epíteto no deja de llamar la atención. Algunos suponen que la expresión está sugerida por el término "aguijón" usado anteriormente. Los pastores del rebaño que es Israel, según Ezequiel eran las clases dirigentes del pueblo. El texto de Ezequiel 34 es el que usa Jesús para expresar la naturaleza de su persona y su misión, resulta de esta forma un texto mesiánico. El Salmo 23:1 es muy conocido para no recordar en esta circunstancia.

Teme... guarda (v. 13). Temer a Dios, en el sentido de contar con él en toda circunstancia. Dios es comienzo, contenido y final de la verdadera sabiduría. *Esto es el todo del hombre* (v. 14). Así el epiloguista contesta a la pregunta que inició el camino del Predicador: ¿Dónde encontrar el sentido de la vida? El sentido de la vida se ha de encontrar en la manera de vivir de cara a Dios, quien finalmente ha de juzgar la vida del hombre.

CANTAR DE LOS CANTARES

Exposición

Pablo A. Deiros

Ayudas Prácticas

Bernardo Stamateas

INTRODUCCION

El amor es la fuerza humana más poderosa que existe en el mundo. El Cantar de los Cantares es el libro de la Biblia que presenta los poemas más extraordinarios en cuanto al amor que une a un hombre y una mujer. En él se habla de un amor consumidor y todopoderoso. Sus cánticos exaltan un amor irresistible, invencible y triunfante. El libro no es meramente una composición delicada ni tan sólo una pieza literaria atractiva. Hay algo impresionante y celestial en el Cantar, que llega al límite de lo fantástico y sublime. Se trata de una égloga, que alaba el idilio de una pareja. Por sobre todas las cosas, es una colección de cantares de amor, un amor que trasciende las barreras del espacio y el tiempo, para vencer y someter todo lo que se pone en su camino.

SU LUGAR EN LA BIBLIA

El Cantar de los Cantares es parte de la tercera sección de la Biblia hebrea, los *Ketubim* o Escritos. El libro es el primero de los *Megillot* o "Cinco rollos" que integraban esa colección. Estos libros se leían en diversas fiestas judías. Cantares se leía en la fiesta de la Pascua. En la Biblia hebrea aparece generalmente después de Job. Su título en hebreo, "El Cantar de los Cantares", es una expresión superlativa que denota la mejor o más excelente de las canciones. La LXX lo titula *Asma Asmaton* y lo ubica después de Eclesiastés. La Vulgata lo titula *Canticum Canticorum.*

Probablemente, Cantares entró bastante tarde al canon de la Biblia hebrea. Todavía en el año 90 d. de J.C. los rabinos discutían su lugar en el canon. Sin embargo, según la declaración del rabino Aqiba ante el Concilio de Jamnia (132 d. de J.C.): "En todo el mundo no hay nada que iguale el día en que el Cantar de Salomón fue dado a Israel. Todos los Escritos son santos, pero el Cantar de los Cantares es el más santo." Posiblemente el hecho de que se atribuya el libro a Salomón fue la razón de su inclusión en el canon bíblico.

SU AUTOR Y FECHA

La razón para atribuir el libro a Salomón es sin dudas el hecho de que el libro lo menciona (1:1, 5; 3:7, 9, 11; 8:11, 12); y también porque era muy sabio y compuso muchos poemas (1 Rey. 4:32). Además, Salomón fue famoso por sus muchas esposas y concubinas (1 Rey. 11:1-3), un "experto" en cuestiones amorosas. Sin embargo, es dudoso que el libro en su conjunto le pertenezca. Se ha sugerido que el lenguaje y el estilo indican una fecha posterior a Salomón (971-931 a. de J.C.). El vocabulario es muy particular y contiene muchas expresiones en arameo. Hay también palabras que vienen del persa y del griego

(4:13; 3:9). No obstante, la aparición esporádica de palabras tardías no prueba que el libro en su conjunto sea tardío, ya que podrían ser adiciones posteriores. Es difícil fechar el libro. Hay cierto consenso en asignarle una fecha postexílica, en el siglo III ó II a. de J.C. Los que hacen una interpretación cúltica del poema dicen que la forma original es preexílica.

UNIDAD Y FORMA LITERARIA

El carácter del libro debe ser determinado por sus evidencias internas. Hay dos posibilidades. El libro puede ser considerado como una obra poética homogénea o bien como una colección de cánticos separados. Algunos siguen el primer criterio y lo ven como un drama. Pero no hay evidencias de un desarrollo dramático o una trama coherente. Ni siquiera hay seguridad de quién está hablando en ciertos momentos, ni cuál es el escenario de la acción. Más bien, parece ser que la pieza poética es lírica en su carácter. Hay quienes ven al libro como un solo poema, que describe el progreso del amor humano desde las primeras expresiones de afecto, pasando por el noviazgo y casamiento, hasta el estado matrimonial. Pero el libro presenta más bien episodios y no hay mucha evidencia de continuidad de pensamiento entre ellos.

Si el libro no es un drama ni un poema lírico, entonces puede ser entendido como una colección de poemas de amor. Algunos eruditos ven paralelos en las ceremonias de bodas orientales (en Siria, por ejemplo), en las que se cantan canciones de amor parecidas. Se dice que el libro contiene una colección de canciones derivadas de ceremonias similares en el antiguo Israel. Otros eruditos señalan a los ritos de los cultos de fertilidad como explicación para la poesía amatoria de Cantares. En este sentido, el libro sería una colección de poemas litúrgicos. Es difícil, sin embargo, pensar que expresiones litúrgicas paganas hayan sido aceptadas e incorporadas en el canon hebreo.

Lo más probable es que Cantares sea una colección de poemas amorosos, de origen incierto, compuestos simplemente como una expresión del amor humano más sublime. Las diversas piezas poéticas provendrían de autores diferentes, tendrían un carácter eminentemente popular y provendrían de diferentes partes de Palestina. Si bien el libro no tiene una estructura coherente, la unidad de estilo y la temática general presuponen un trabajo de edición final. Esto no excluye la posibilidad de que algún material haya sido de origen salomónico.

SU INTERPRETACION

Hay cuatro maneras en que el libro puede ser interpretado:

1. La interpretación alegórica. Esta ha sido la más tradicional desde los rabinos, pasando por los Padres de la iglesia, hasta el judaísmo ortodoxo y la Iglesia Católica Romana actual. La alegoría consiste en suponer que un pasaje bíblico no se refiere a hechos históricos concretos del pasado, sino que es un medio para expresar una verdad espiritual más profunda. Este método de interpretación ignora el significado histórico-gramatical del texto. Lo que el autor original dijo ocupa un segundo lugar respecto de lo que el intérprete quiere decir. En la Mishnah y el Talmud se ve a Cantares como una expresión del amor de Dios hacia su pueblo a lo largo de toda su historia. Los alegoristas cristianos vieron en el libro un poema que exalta el amor entre Cristo y la iglesia.

Si bien los poemas de Cantares pueden ser usados para ilustrar verdades espirituales, la debilidad básica del método alegórico aplicado a los mismos está en su subjetividad. Además, toda vez que en la Biblia se emplea alegóricamente la relación hombre-mujer, ello se indica explícitamente (Eze. 16; 23; Ose. 1-3). Pero en Cantares los lugares y las situaciones son reales. Por otro lado, el método alegórico de interpretación es de origen pagano, y acepta el concepto platónico y gnóstico de que todo lo físico y material es malo por definición, particularmente la sexualidad.

2. La interpretación tipológica. Esta es diferente de la alegórica. La alegoría niega o ignora la historicidad de lo ocurrido e impone un significado más profundo, escondido o espiritual al texto bíblico. La tipología reconoce los hechos como reales, pero los liga con eventos o enseñanzas en el NT, o bien traza paralelos con ellos señalando que el AT los anticipa. La interpretación tipológica no da un significado "diferente" del que el texto parece ofrecer, pero agrega una dimensión extra al sentido que ya está presente en el texto. Esta aproximación a Cantares ha sido muy popular en la historia de su interpretación. Una razón para ello es que en el AT hay una "canción de amor" (Sal. 45, título), que es citada cristológicamente en el NT (Heb. 1:8, 9). La doctrina de la unidad de la Biblia y la idea de que el NT es el cumplimiento y culminación del AT es la base de este método. Sin embargo, debe ser utilizado con cautela. Una tipologización de toda la Biblia puede ser peligrosa y llevar a confusión. Ciertas partes de algunos libros del AT fueron interpretadas de manera cristológica en el NT. Otras partes se utilizan para ilustrar ciertas enseñanzas neotestamentarias sin una cita específica. Pero hay que tener cuidado de no ver alegorías y tipos por todas partes.

3. La interpretación dramática. Esta es tan antigua como la alegórica, si bien decayó durante el siglo pasado. Esta interpretación asume dos formas. Según la primera, la estructura del drama es relativamente simple; los caracteres principales son dos, Salomón y la pastora Sulamita, a quien el rey hace su esposa. Según la segunda, la trama es más compleja y sus detalles varían según el intérprete. Pero básicamente hay tres personajes, que son Salomón, la Sulamita y su amante campesino, a quien ella permanece fiel a pesar de los intentos de Salomón por ganar su amor. Otras partes están a cargo de un coro mixto. No obstante, el carácter literario de Cantares es tal que no permite un análisis en términos de parlamentos, mímica, escenas, actos, escenografía, y cosas por el estilo, a menos que se haga una reconstrucción demasiado subjetiva. Como ya se indicó, no es posible ver una trama dramática convincente en el libro. Además, entre los semitas en general, y los hebreos en particular, el drama como tal era desconocido.

4. La interpretación literal. Esta es la que interpreta el libro según lo que éste parece ser: Una serie de poemas que hablan con claridad y de manera explícita de los sentimientos, deseos, esperanzas y temores de dos jóvenes amantes. No hay necesidad ni razón para alegorizar, tipologizar o dramatizar el texto a fin de evitar los evidentes elementos eróticos que están presentes en él. Así se entendió Cantares en el primer siglo.

Hay quienes pretenden eliminar de la Biblia la sexualidad y el erotismo, porque sostienen que el mensaje bíblico tiene que ver con la redención del pecado, y según ellos la sexualidad es pecaminosa por definición. Sin embargo, la simple lectura del AT muestra que los escritores bíblicos no pensaban así. Desde Génesis hasta Apocalipsis la sexualidad humana es considerada como un don de Dios, y por lo tanto, algo sagrado. Cantares alaba este regalo de Dios a la pareja humana, y celebra la dignidad y pureza del amor sexual. Lejos de ser un escrito obsceno, Cantares es un poema de carácter didáctico y moral, cuyo fin es enseñarnos cuánta belleza y placer hay en la comunicación sexual entre un hombre y una mujer que se aman de verdad. Es cierto que la sexualidad puede ser usada y expresada de maneras pecaminosas, pero en Cantares hay un cuadro de cuán rica, variada, pura y sublime puede ser la relación sexual entre dos que se aman en el contexto del matrimonio.

SU ESTRUCTURA

Como ya se indicó, la mayor parte de los eruditos no considera a Cantares como una sola composición, sino como una colección de diversos poemas de amor reunidos en un libro. No se trata de una mera antología amorosa, puesto que el libro presenta cierta unidad literaria. Pero es casi imposible encontrar una estructura dramática o una trama de desarrollo progresivo. Esto hace que sea muy difícil elaborar un bosquejo. Se nota una cohesión interna alrededor de su tema central del deseo mutuo de los amantes y su entrega al amor. Por eso, es conveniente tratar el libro como una unidad.

A los efectos del presente comentario, se seguirán en general las divisiones que presenta el texto de la RVA. Sin embargo, parece evidente que el libro está dividido en dos partes con un clímax en el medio (ver comentario sobre 5:1). La primera parte describe las experiencias de la amada y el amado, posiblemente previas a la consumación de su amor (3:6—5:1). La segunda parte considera sus experiencias matrimoniales. A su vez, es posible definir subdivisiones del material tomando en cuenta la repetición de la sentencia *¡Juradme, oh hijas de Jerusalén!* (2:7; 3:5 y 8:4), como conclusión a esas partes. Otras subdivisiones concluyen con experiencias de consumación sexual (5:1 y 8:14). A su vez, cada sección comienza con la idea de la excitación sexual de uno o ambos amantes (2:10; 5:2; 8:5) o la llegada de uno de ellos y la invitación del otro (1:2, 4; 2:8, 10; 3:6; 5:2; 8:5-7).

Bosquejo de Cantar de los Cantares

I. TITULO, 1:1

II. DESEO, 1:2—3:5

1. Preparación para el matrimonio, 1:2—2:7
   (1) La amada, 1:2-4a
   (2) El cortejo nupcial, 1:4b
   (3) La amada, 1:5-7
   (4) El amado, 1:8-11
   (5) La amada, 1:12-14
   (6) El amado, 1:15
   (7) La amada, 1:16—2:1
   (8) El amado, 2:2
   (9) La amada, 2:3-7
2. Sueños y frustraciones, 2:8—3:5
   (1) La amada, 2:8-13
   (2) El amado, 2:14
   (3) La amada, 2:15—3:5

III. CASAMIENTO Y CONSUMACION, 3:6—5:1

1. El cortejo nupcial, 3:6-11
2. El amado, 4:1-15
3. La amada, 4:16
4. El amado, 5:1

IV. REALIZACION, 5:2—8:14

1. Sueños y frustraciones, 5:2—8:4
   (1) La amada, 5:2-8
   (2) El cortejo nupcial, 5:9
   (3) La amada, 5:10-16
   (4) El cortejo nupcial, 6:1
   (5) La amada, 6:2, 3
   (6) El amado, 6:4-12
   (7) El cortejo nupcial, 6:13a
   (8) La amada, 6:13b
   (9) El amado, 7:1-9
   (10) La amada, 7:10—8:4

2. Consolidación del matrimonio, 8:5-14
   (1) El cortejo nupcial, 8:5a
   (2) La amada, 8:5b-7
   (3) El cortejo nupcial, 8:8, 9
   (4) La amada, 8:10
   (5) El amado, 8:11-13
   (6) La amada, 8:14

Ayudas Suplementarias

Cate, Robert L., *Introducción al Estudio del Antiguo Testamento.* El Paso: Casa Bautista de Publicaciones, 1990.

Comentario Bíblico Moody: El Antiguo Testamento. Editor: Pfeiffer, Charles. El Paso: Casa Bautista de Publicaciones, 1993.

Gillis, Carroll. *El Antiguo Testamento: Un Comentario Sobre su Historia y Literatura*, Tomo V. Segunda edición. El Paso: Casa Bautista de Publicaciones, 1992.

Nee, T. S. (Watchman). *Cantar de los Cantares.* Terrassa, España: CLIE.

CANTAR DE LOS CANTARES

TEXTO, EXPOSICION Y AYUDAS PRACTICAS

1 1 El cantar de los cantares, el cual es de Salomón.

La amada*

2 ¡Oh, que él me besara
con los besos de su boca!
Mejor que el vino es tu amor.
3 Tu nombre es como perfume
derramado;
por el olor de tu suave perfume
las jóvenes se enamoran de ti.
4 Atráeme en pos de ti. ¡Corramos!
El rey me ha llevado a sus habitaciones.

El cortejo nupcial

Nos gozaremos y nos alegraremos contigo.
Nos acordaremos de tu amor más que del
vino.
Con razón te aman.

*1:2t La identificación de los personajes en los títulos de este poema nupcial se basa en el contexto y en los géneros de verbos y pronombres en hebreo.

I. TITULO, 1:1

El libro comienza con las palabras hebreas *sir hassirim* 7892, lit. "de todas las canciones, ésta es **la** canción," es decir, la mejor o la más hermosa. *El cual es de Salomón* puede referirse a que Salomón lo escribió, lo editó o publicó, o que fue dedicado a él. También puede indicar que Salomón es el protagonista masculino de Cantares.

II. DESEO, 1:2—3:5

1. Preparación para el matrimonio, 1:2—2:7

A lo largo de toda esta sección, la pareja de enamorados intercambia expresiones de deseo, dudas, estímulo y expectativa en su juego amoroso. Aparentemente se trata de una mujer y un hombre que esperan casarse y anticipan con gran anhelo la consumación sexual de su amor.

(1) La amada, 1:2-4a. Las primeras palabras del libro son las de la muchacha enamorada que anhela los besos de su amado. Ella espera también su amor sexual (*dode* 1730), que le resulta más apetecible que el vino. En la cultura hebrea el vino era símbolo de una celebración gozosa. Al pensar en el nombre de su amado, la joven recuerda un perfume de gran valor que es derramado. Así es su aprecio por él. Tan atractiva es la personalidad de su amado que otras doncellas se sienten atraídas por él. En la antigüedad, existía la costumbre de frotar el cuerpo con aceite de oliva perfumado después de bañarse, especialmente para ocasiones festivas. El calor del cuerpo hacía que poco a poco el ungüento expidiera su aroma (Sal. 133:2). La joven enamorada, excitada por

La preparación para el matrimonio

Durante la época del noviazgo la pareja debe buscar maneras de fomentar la initimidad. Muchos matrimonios fracasan por falta de este elemento. En los Cantares hay pasajes que nos ayudan para fomentar la intimidad. Algunos dicen que es el tema del libro. Encontramos cinco niveles donde la pareja casada debe intimar: espiritual, sexual, intelectual, corporal y afectivamente. Muchas parejas luego de años de estar casados, ¡no lo están!

Sorprende ver el desconocimiento en muchos de los planos anteriormente mencionados. Cantares va promoviendo un conocimiento más íntimo entre jóvenes que están enamorados y piensan casarse.

La amada

5 Soy morena y bella,
oh hijas de Jerusalén.
Soy como las tiendas en Quedar*
o como los pabellones de Salomón.
6 No os fijéis en que soy morena,
pues el sol me bronceó.
Los hijos de mi madre se enojaron
contra mí
y me pusieron a cuidar viñas.
¡Y mi propia viña no cuidé!
7 Hazme saber, oh amado de mi alma,
dónde pastorearás;
dónde harás recostar el rebaño al mediodía
para que yo no ande errante*
tras los rebaños de tus compañeros.

*1:5 Descendientes de Ismael (ver Gén. 25:13), que habitaban tiendas de pelo de cabras de color oscuro
*1:7 Según vers. antiguas; heb., *como con velo*

estos pensamientos, pide a su amado que la lleve a su dormitorio, ¡y que lo haga pronto! Es notable el poder que tiene el amor para atraer a los que se aman (ver Jer. 31:3; Ose. 11:4).

(2) El cortejo nupcial, 1:4b. Frecuentemente en el AT, las expresiones *nos gozaremos y nos alegraremos* están ligadas a la alabanza a Dios por su liberación. Aquí el objeto de la alegría es el amante. El coro imaginario parece alegrarse por lo que está ocurriendo en la intimidad de la habitación. Para ellos también el acto amoroso es más atractivo que la mejor de las celebraciones (*más que del vino*).

(3) La amada, 1:5-7. Ella habla primero a otras doncellas de Jerusalén, y les expresa sus dudas sobre su atractivo físico. Como toda casamentera, se siente mirada por las demás mujeres, quizá de piel menos curtida que la de ella. Su piel está bronceada por el sol, quizá por ser una muchacha campesina que pasó mucho tiempo al aire libre. A pesar de sus temores, sabe que es bella como *las tiendas en Quedar* (ver nota de RVA), o como los cortinados (*pabellones*) que Salomón tenía en su palacio, también hechos con pelos de cabras negras. Luego la muchacha parece hablarse a sí misma (v. 6b), al reflexionar sobre su aspecto físico y las razones que justifican su rusticidad. La frase *los hijos de mi madre* estaría fuera de lugar si su padre viviera, por lo cual esta joven sería huérfana de padre. Sus hermanos eran

Semillero homilético

Elementos esenciales para un matrimonio feliz

1:5-11

Introducción: Siempre nos interesa considerar todo lo que tenga que ver con un matrimonio de éxito. Es interesante que el autor de los Cantares nos ayuda con tres elementos.

I. Una autoapreciación que presta atención a detalles personales (v. 6).
1. La amada había pasado tanto tiempo atendiendo la viña de los hermanos, y había descuidado su propia apariencia.
2. La amada no se dio cuenta de los efectos dañinos del sol sobre su piel.

II. El deseo constante de fomentar el compañerismo entre los cónyuges (vv. 7, 8).
1. La pareja necesita poder aislarse de los demás (v. 7).
2. La pareja necesita experimentar la intimidad (v. 8).

III. Una admiración profunda de su cónyuge (vv. 9-11).
1. Elogia su hermosura física (bajo la figura de una yegua adornada para un desfile con los carros del faraón).
2. Manifiesta su amor y atención por regalos de perfume y joyas (vv. 10, 11).

Conclusión: Los tres elementos son tan necesarios hoy como en el día de Salomón. Necesitamos promover la expresión sincera del amor en estas maneras.

El amado

8 Si no lo sabes,
oh la más hermosa de las mujeres,
sigue las huellas del rebaño
y apacienta tus cabritas
cerca de las cabañas de los pastores.
9 A mi yegua, entre los carros del faraón,
te he comparado, oh amada mía.

muy estrictos y la obligaron a trabajar duro en las viñas de la familia todo el día. Probablemente esto ocurrió en las montañas del Líbano (4:8). No se dice en el texto por qué sus hermanos se enojaron con ella. La cuestión es que por cumplir con el deber impuesto ella no pudo prestar atención a su propia persona y a hacer realidad sus sueños: *¡Mi propia viña no cuidé!* ¡La joven era una especie de Cenicienta! ¡Cuántas jovencitas en América Latina corren la misma suerte de esta morenita del norte de Israel!

Finalmente, ella habla al amado de su alma, a quien ha escogido amar profundamente. Se refiere a él como un pastor de ovejas. Ella quiere saber dónde puede encontrarlo sin perder el tiempo buscándolo por todas partes, *errante* como si fuese una prostituta (*como con velo,* como andaban las prostitutas en la antigüedad; ver nota de RVA). Ella quiere encontrarse con él al mediodía, cuando el calor es insoportable y hace que animales y seres humanos descansen en lugares sombreados. Esta jovencita campesina vive el drama de todas las muchachas de su edad. Se sabe bonita, pero tiene algunos complejos por su apariencia personal frente a otras jóvenes, quizá de un contexto más sofisticado y pulido. Con quien de veras se siente plenamente bien es con su amado pastor de ovejas. Tan ansiosa está por verlo que no puede esperar a la noche y le

Caballos y carros de Egipto, 1:9

10 ¡Qué bellas son tus mejillas entre tus aretes,
y tu cuello entre los collares!

11 Te haremos aretes de oro
con engastes de plata.

---

pide le informe en qué lugar hará su descanso de mediodía, para que pueda ir a verlo.

(4) El amado, 1:8-11. Parece que el joven recibió el mensaje de su enamorada y ahora le contesta. Nótese qué bien conoce el amado a la joven, puesto que al complejo de ella, él responde llamándola *la más hermosa de las mujeres.* No será la última vez que la califique de esta manera. Luego, le da las instrucciones para que ella llegue hasta su lugar de descanso. Ella debe seguir *las huellas del rebaño* hasta *cerca de las cabañas de los pastores.* Es interesante que en sus indicaciones el amado utiliza palabras que en otros contextos tienen un evidente sentido erótico. La palabra hebrea para *huellas* [6118] se traduce *talón* o *cascos* en otros lugares (Gén. 3:15; 49:17), y ocasionalmente se utiliza como eufemismo para los genitales (Jer. 13:22). Las *cabritas* son también símbolos sexuales, ya que servían como pago para una prostituta sagrada (ver Gén. 38:17). El joven crea en su amada una expectativa para el encuentro amoroso.

El mismo se excita anticipando ese encuentro a mediodía en la frescura de un oasis. El hacerle saber a su amada el camino hacia el amor hace que él recuerde su hermosura y la exalte. Para él, ella es su *yegua.* En Hispanoamérica decirle "yegua" a una mujer significaría el peor insulto. Pero no en Israel, donde los caballos eran de un valor incalculable. Recuérdese que los caballos fueron uno de los tesoros más preciados de Salomón (1 Rey. 10:26-29). Además, según el hebreo, se trata de *una* yegua *entre* fuertes caballos de guerra. El joven le está diciendo a su amada que ella es como una hermosa yegua entre los corceles que tiran de los carros del faraón. ¡Su atractivo no puede pasar desapercibido! Una yegua crearía una intensa excitación entre los corceles reales. Ella es la compañía más hermosa a la que un príncipe pueda aspirar. La expresión *amada mía* aparece nueve veces en Cantares, siempre en labios del amante, y generalmente en relación con una declaración explícita de la belleza de la amada. El significado de la raíz verbal es guardar, cuidar de, atender, con énfasis sobre el placer y deleite que esta responsabilidad involucra. El joven enamorado quiere brindar a su amada el amor que ella no recibió de sus hermanos en su hogar (v. 6). Esta expresión de verdadero amor tiene que haber resultado sumamente alentadora y confortante para ella.

El amante sigue pensando en los arneses de una yegua, engalanados con joyas, metales preciosos, cuero, telas y plumas. Al hacerlo, compara estas imágenes de belleza decorativa con la belleza del rostro de su amada, que se ve resaltada por los ornamentos que lo rodean. De igual modo, su cuello luce precioso engalanado con collares. Tal es el entusiasmo del joven, que le promete mandar hacer otras joyas de oro y plata para obsequiarle. En todas las culturas de todos los tiempos los regalos han sido una manera adecuada de expresar amor. La belleza natural de la joven y el cuidado que ella pone en resal-

El diálogo, elemento esencial

Un ejercicio pastoral que se usa frecuentemente al estar frente a la pareja es decirle al hombre que comience a hablar como si fuese su mujer; por ejemplo: Yo soy Estela y me gusta... a los cinco minutos de hablar llega el silencio, el desconocimiento hace su aparición. Luego le toca a la mujer, se coloca como si fuese su marido, comienza a hablar y a los cinco minutos... el silencio aparece nuevamente. No cabe duda, falta de INTIMIDAD.

La amada

12 Cuando el rey estaba en su diván,*
mi nardo liberó su fragancia.
13 Mi amado se parece a un manojito de mirra,
que duerme entre mis pechos.
14 Mi amado se parece
a un racimo de flores de alheña
de las viñas de En-guedi.*

*1:12 Otra trad., *en su círculo de invitados*
*1:14 Oasis en el desierto de Judá, junto al mar Muerto

tarla con su arreglo personal, no sólo son un incentivo para la alabanza de él, sino también para que él se sienta movido a hacerle regalos.

(5) La amada, 1:12-14. Parece que finalmente ocurrió el encuentro amoroso tan esperado. La mujer se describe recostada junto al *rey* sobre su *diván*. Este era una especie de cama donde las personas se reclinaban para comer. La escena aparentemente es de un banquete íntimo. La mujer se perfumó con *nardo*, que era una fragancia aceitosa muy cara e insinuante. Con el calor del cuerpo, el perfume se iba liberando, mientras los dos comían juntos.

En este contexto de intimidad, la mujer responde a la comparación que hizo su amante (v. 9), con otras dos comparaciones: Por un lado, dice que él *se parece a un manojito de mirra*. La mirra era una resina que se obtenía de un árbol del sur de Arabia. Era la costumbre que la mujer llevara una bolsita de mirra alrededor del cuello durante la noche. Ella está diciendo que su amado, apoyado entre sus dos pechos, es como esa bolsita perfumada de mirra. La otra comparación dice que él es como *un racimo de flores de alheña*. La alheña es una planta común en Palestina, cuyas hojas se utilizaban como tintura de color naranja o amarillo, y cuyas flores son fragantes. El oasis de En-guedi (ver nota de RVA), "el lugar de las cabras salvajes", fue por siglos un lugar de refrigerio para los viajeros. Las *viñas* se refiere a todo tipo de plantas que crecen allí, especialmente aquellas de las que se fabrican cosméticos y perfumes. Así como en 1:9 la yegua es el mejor de todos los equinos del faraón, aquí los productos de En-guedi son lo mejor de lo mejor. La muchacha devuelve los cumplidos de su amante en términos de lo mejor que ella conoce, las viñas (ver v. 6) de En-guedi. Siempre es bueno hablar de la persona que se ama usando los mejores términos y conceptos. Mucho mejor es decirle a él o ella las cosas más bonitas que puedan brotar de la mente y el corazón.

(6) El amado, 1:15. Nuevamente el amado pondera la belleza de su dama, volviendo a repetir su expresión de v. 9 (*amada mía*) y haciendo otra comparación, esta vez con una paloma. Según él, lo más bello de ella son sus ojos, que parecen dos palomas. La belleza de los ojos era tenida como expresión de perfección en una

Intimidad afectiva
1:15, 16

Este es otro de los elementos pastorales rescatados en el libro de los Cantares. Desgraciadamente para el varón de nuestra cultura latina, intimar es algo así como "superficialidad", "trivialidad" o "algo de maricas". Una buena pastoral de la pareja debe revisar lo que es ser "hombre" según la Biblia.

Todos los varones estamos traumatizados, algunos más otros menos; hemos sido víctimas de mandatos y creencias de nuestros antepasados y de nuestra cultura actual.

Sí, no nos enseñaron lo que es ser varón, lo que es la masculinidad; o, mejor dicho, hemos sido golpeados con estereotipos que conciente o inconcientemente nos vendieron. Nos vendieron un catálogo sobre lo que es ser varón y mujer, y algunos creyentes confundidos hasta lo defendieron como "inspirado por el Espíritu Santo", siguiéndolo fielmente.

El amado

15 ¡Qué bella eres, oh amada mía!
¡Qué bella eres!
Tus ojos son como de palomas.*

La amada

16 ¡Qué bello y dulce eres tú, oh amado mío!
Nuestra cama es frondosa,
17 las vigas de nuestra casa son los cedros,
y nuestros artesonados son los cipreses.

2 **1** Yo soy la rosa de Sarón y el lirio de los valles.

El amado

2 Como un lirio entre los cardos
es mi amada entre las jóvenes.

*1:15 Según Peshita, heb. comite *como de.*

mujer (ver Raquel y Lea, Gén. 29:17). La tradición rabínica identifica la belleza de los ojos con la belleza de la personalidad (ver 2:12, 14). Además, la paloma es símbolo de inocencia y pureza. Así era ella, como sus ojos, bella e inocente.

(7) La amada, 1:16—2:1. Ella no se queda corta en sus cumplidos a su amado. Al igual que la de él, su alabanza comienza con la expresión, *¡qué bello...!* La palabra aparece catorce veces en Cantares, pero sólo aquí en su forma masculina y dirigida al amado. La expresión *bello y dulce* está cargada de ternura. Algunos se sorprenden de que en este contexto tan romántico, la mujer mencione un mueble propio del dormitorio, como es la cama. Sin embargo, la cama es símbolo de la relación sexual que corona el amor de la pareja. Al calificarla de *frondosa,* probablemente se esté refiriendo a una cama con baldaquino o dosel, y profusamente decorada con paneles tallados en maderas finas. Ella se conmueve con sólo pensar en el escenario de su amor. De igual modo, ella piensa en las *vigas* del techo de su casa y en los *artesonados* (adornos con molduras, que se ponen en los techos y bóvedas), que seguramente contemplará cuando se consume el acto de amor con su amado. La madera era escasa en Palestina, y sólo se usaba en los templos y palacios más lujosos (1 Rey. 7:1-8). El *cedro* seguramente provenía del Líbano, mientras que los cipreses serían enebros fenicios. Para esta mujer, la cama no representaba un lugar de tortura ni de experiencias desagradables. Por el contrario, para ella era el lugar deleitoso.

Se ha dicho que la casa es una extensión del cuerpo de la mujer. Una casa bonita, bien decorada y arreglada, no puede ser otra cosa que el resultado de una mujer que se siente ella misma como *la rosa de Sarón.* Sarón es la región de la llanura de la costa al sur del monte Carmelo. Allí crecía abundantemente una rosácea silvestre de color carne con un tallo sin hojas. El *lirio de los valles* se refiere a una planta de seis hojas o una flor de seis pétalos que crecía en los valles fértiles y húmedos. La belleza que la mujer se reconoce es como la de las flores silvestres: sencilla en su aspecto, pero atractiva. ¡Cuánta belleza hay en la mujer hispanoamericana, sencilla, humilde, la más de las veces pobre, pero llena de valor, nobleza y pasión!

(8) El amado, 2:2. El varón confirma la autoevaluación de su amada. Ella es como un *lirio,* es verdad, sólo que su belleza es tal que a su lado las demás mujeres parecen *cardos.* Ella también es su *amada,* su amiga y compañera, la más bonita de todas las doncellas. ¡Qué manera maravillosa de alentar la autoestima de su amada, que por un momento dudó de su belleza frente a las demás jóvenes! Quizá esas jóvenes se pasaron la vida "cuidando su propia viña". Como muchachas pudientes, tuvieron más tiempo y recursos para prestar atención a su arreglo personal. Pero ella tiene una belleza natural sin

La amada

3 Como un manzano entre los árboles
del bosque
es mi amado entre los jóvenes.*
Me agrada sentarme bajo su sombra;
su fruto es dulce a mi paladar.
4 El me lleva a la sala del banquete,
y su bandera sobre mí es el amor.

*2:3 Lit., *hijos*

parangón. Esta frescura y belleza simple es también característica muy destacada de la mujer latina.

(9) La amada, 2:3-7. Después de una seguidilla de piropos entre el amado y la amada, ella es la primera en irrumpir en un monólogo cargado de excitación sexual y contradicciones, de nuevas comparaciones con el reino animal y vegetal, y de una gran expectativa por hacer el amor. Es muy probable que en la primera parte de su monólogo (vv. 3-7), la amada esté describiendo un sueño erótico. Es interesante notar que, como ocurre en otros casos de poesía amatoria del Cercano Oriente, la mujer es la que toma la iniciativa y la que más se expresa. Algo similar ocurre en algunas subculturas del continente latinoamericano.

La amada no tiene inhibiciones en expresar toda la pasión y deleite sexual que siente junto a su amado. Lo compara con un *manzano*, que es un símbolo del amor (ver 8:5). Ella pondera aquí su destreza para hacer el amor. En América Latina, donde generalmente son los varones los que alardean de sus cualidades sexuales, sería interesante conocer qué piensan las mujeres. Nótese el paralelismo entre las palabras de ella y las de él en el versículo anterior. La expresión *me agrada sentarme bajo su sombra; su fruto es dulce a mi paladar* ha sido un rompecabezas para los exégetas. En buena medida, esto es así debido a prejuicios respecto de las expresiones de la sexualidad en la pareja humana. Se ha sugerido que la mujer se está refiriendo al efecto deleitoso y refrescante que produce en ella la presencia de su enamorado. Otros ven aquí una referencia al sabor dulce y fresco de las palabras y acciones del amado. Aun otros señalan el manzano como símbolo de sus caricias amorosas, que ella saborea y disfruta. En cualquier caso, la muchacha está expresando aquí su placer en las técnicas amorosas en las que él la ha instruido.

La *sala del banquete* (lit. "casa del vino") es el lugar donde el vino se cultiva, se produce, almacena o consume (i.e. la viña). Puede ser la recámara o dormitorio privado donde se celebra el banquete íntimo. El toma la iniciativa en llevarla al lugar de celebración del amor. *Su bandera* se refiere al hecho de que él es dueño de ella, y en consecuencia, ella puede mirarlo y seguirlo en la dirección en que él la conduzca. Esta dirección, en este momento particular, es hacer el amor con ella. La frase puede ser traducida literalmente "y su deseo en cuanto a mí fue hacer el amor", o más simplemente "sus intenciones eran hacer el amor".

El solo pensar en que su amado la lleva a

La expresión verbal del afecto

El enamorado le expresa una y otra vez a su amada palabras de amor y de ternura: 1:8, 11, 15; 1:16; 2:14; 4:15, etc. Palabras que ella devolverá también en afecto: 2:37, 16, 17, etc. Ambos intiman afectivamente a través de las palabras y las miradas.

Igual a aquella esposa, que en el silencio de la noche le dice a su esposo:

—Querido, ¿me amas?

El, mirándola fijamente a los ojos y con voz tierna, le responde:

—Querida, hace 40 años te dije que te quería, y sigo queriéndote más ahora que cuando primero nos casamos.

El amor se expresa en hechos pero también en palabras. Ambos son parte de de la intimidad afectiva.

5 ¡Oh, agasajadme con pasas,
refrescadme con manzanas,
porque estoy enferma de amor!
6 Su brazo izquierdo está debajo de mi cabeza,
y su derecho me abraza.

7 ¡Juradme, oh hijas de Jerusalén,
por las ciervas
y por las gacelas del campo,
que no despertaréis
ni provocaréis el amor,
hasta que quiera!

---

la experiencia sexual excita sobremanera a la amada, que estalla en una exclamación sumamente sensual. Envuelta de pasión, reclama imperativamente que la agasajen (lit. "sustentar" o "sostener") *con pasas,* y que la refresquen *con manzanas.* Se creía que las manzanas tenían un alto poder afrodisíaco, y combinadas con las pasas o tortas de pasas, tenían la virtud de restaurar las fuerzas para continuar haciendo el amor. Ella está padeciendo de un deseo insaciable, que hace que se sienta literalmente *enferma de amor.*

Por fin, su pasión encendida parece encontrar satisfacción en los brazos de su amado (¡no será la única vez que ella experimente esta satisfacción sexual!; ver 8:3). Este abrazo se refiere a la unión sexual (Prov. 5:20). La posición asumida indica que ambos están acostados. Ella apoya su cabeza sobre el brazo izquierdo de él, mientras él acaricia cariñosamente el cuerpo de ella con la mano derecha, y la prepara para la relación sexual.

De manera inexplicable, la amada parece interrumpir el juego amoroso casi al punto de la consumación, para dirigirse a un grupo de testigos imaginarios. No será ésta la única vez que haga algo así (ver 3:5; 8:4). Sus palabras parecen cerrar la primera parte de su monólogo, comenzado en 2:3. Su reclamo es urgente y enfático: *¡Juradme!* Según Deuteronomio 6:13 y 10:2, los juramentos sólo podían hacerse en el nombre del Señor: Cualquier otra cosa era idolatría y estaba prohibida (ver Mat. 5:33-37). Para evitar nombrar al Señor, ella jura por *las ciervas y por las gacelas del campo.* Es interesante que aun su juramento es erótico, ya que estos animales que menciona simbolizan el amor y son animales conocidos por su potencia sexual.

La razón de tal juramento no está muy clara en el texto. Puede ser que ella no quiere forzar el amor para que nazca antes de tiempo, sino que se desarrolle como algo natural. Según el comentarista bíblico Delitzsch, lo que ella está pidiendo es que "no interrumpan el dulce sueño de

Obstáculos a la intimidad

El machismo

Nos dijeron que somos "machos" y debemos aguantar en las situaciones difíciles; nos dijeron que llorar es de maricones, nos dijeron que a golpes se hacen los hombres, que no jugar al fútbol o no saber de autos es ser medio afeminado. Así concreto como lo escribo nos lo han enseñado. No sorprende entonces entender por qué en nuestro contiente existen tantos hombres golpeadores, mujeres abusadas sexualmente, hijos sin padre, violencia familiar, etc. Qué decir de muchas enfermedades psicosomáticas que esconden una incapacidad y a la vez una intensa búsqueda de intimar con alguien. También esto explica el por qué es más frecuente que el hombre tenga un aventura extramatrimonial que enamorarse y mantener una relación estable. Justamente enamorarse es entregarse al otro, es estar pensando en el otro, es intimar.

Cantar de los Cantares tira abajo el mito del *cowboy* evangélico que sigue vivo en muchos creyentes. Creen que ser hombre es algo así como el hombre solitario y silencioso, de pocas palabras, en busca de aventuras que enfrentará con valentía. No hay lugar para los sentimientos y debilidades, no hay lugar para el llanto, para conmoverse. Sencillamente ser un *cowboy* evangélico es no expresar NUNCA ningún sentimiento.

8 ¡La voz de mi amado!
El viene saltando sobre los montes,
brincando sobre las colinas.
9 Mi amado es como un venado o un
cervatillo.
¡Mirad! Está detrás de nuestra cerca,
mirando por las ventanas,
atisbando por las celosías.

---

amor que ella está gozando, llamándola a la realidad de la situación presente", o, como es más probable en el contexto, "no comiences el proceso de intercambio amoroso hasta que se presente la oportunidad y ocasión apropiada". La expresión puede querer decir: "No despierten, no aceleren la pasión, antes que esté lista para brotar." Quizá la joven está advirtiendo a las "hijas de Jerusalén" a no entregarse sexualmente a nadie (relaciones premaritales), hasta que sea con la persona adecuada y en el momento debido, como parece ser el caso de ella. Si esta interpretación es la correcta, nos recuerda la exhortación de Pablo en 1 Corintios 6:12-20 y el sabio consejo de Eclesiastés 3:1.

2. Sueños y frustraciones, 2:8—3:5

(1) La amada, 2:8-13. Da la impresión como que el sueño erótico de la amada se ve interrumpido por la llegada del amado. La mujer vuelve a la realidad al despertarse con el timbre familiar de la voz de su amado y el sonar de sus pasos que se aproximan. El v. 8 presenta un paralelismo entre *montes* y *colinas,* y entre *saltando* y *brincando.* La expresión *monte y colina* es común en la poesía hebrea (Isa. 40:4; ver Eze. 6:13). "Saltar" y "brincar" son verbos que también van juntos. La idea es que el amado viene corriendo rápidamente al encuentro de su amada. Los animales que se mencionan, *venado* y *cervatillo,* sirven para reforzar la idea de la agilidad, premura, velocidad y virilidad con que el amado se aproxima a ella.

Ahora él ha arribado (v. 9) y se encuentra *detrás de nuestra cerca, mirando por las ventanas.* El amado está todavía fuera de la casa, pero busca a su amada a través de cada ventana abierta. La expresión *atisbando por las celosías* sugiere que el amado se acerca para mirar por entre las hendijas. Uno se pregunta por qué se demora en esta acción, en lugar de entrar directamente al interior de la casa y encontrarse con su enamorada. Quizá su intención es excitarse y excitar a su amada sexualmente con este juego de escondidas y con la demora del encuentro.

Probablemente desde afuera de la casa y a través de las celosías, el amado despierta a su amada y la invita a dejar de soñar, levantarse de la cama y salir a dar un paseo por el campo. El viene entusiasmado del campo, y por eso su invitación es enfática, según lo indica el uso del imperativo en hebreo y los pronombres que los siguen: *levántate* y *sal.* El día parece estar tan lindo y la naturaleza se muestra tan exuberante, que no es para quedarse en la

Un venado que está brincando, 2:9

10 Mi amado habló y me dijo:
"¡Levántate, oh amada mía!
¡Oh hermosa mía, sal!
11 Ya ha pasado el invierno,
la estación de la lluvia se ha ido.
12 Han brotado las flores en la tierra.
El tiempo de la canción* ha llegado,
y de nuevo se escucha la tórtola
en nuestra tierra.
13 La higuera ha echado higos,
y despiden fragancia las vides en flor.
¡Levántate, oh amada mía!
¡Oh hermosa mía, ven!"

*2:12 Otra trad., *poda*

cama, ni siquiera soñando con el amor, como parece haber estado la joven (vv. 3-7). De esta manera, el mejor tratamiento para una mujer postrada porque se siente *enferma de amor* (v. 5), no es siempre una satisfacción inmediata a su deseo sexual, sino un paseo al aire libre, fuera de la ciudad, en el que los amantes gocen de la compañía mutua.

De todos modos, nótese que su invitación no es una orden ni un capricho de él. El amado quiere sacar de la cama a su amada con expresiones cargadas de ternura y pasión: *amada mía* (ver 1:9; 2:2) y *hermosa mía* (ver 1:8). Su invitación al paseo está envuelta por estas expresiones de amor (vv. 10, 13b). Además, el amante estimula su interés en salir describiendo la belleza de la naturaleza que despierta a la primavera. Esta es la razón de su invitación: Disfrutar la belleza de la creación.

El *invierno,* o estación lluviosa en Palestina, cuando se hacía la siembra, *ya ha pasado.* ¡Es la primavera, la estación del amor! Las *flores* silvestres están floreciendo sobre la alfombra verde de los campos. Las aves y los seres humanos se sienten movidos a cantar. ¡Es el tiempo de la canción! La presencia y canto de la tórtola son evidencias de que la primavera ha comenzado. La *tórtola* es un ave migratoria que hace nido en Palestina durante la primavera y el verano (Jer. 8:7). Por el contrario, la *paloma,* que se menciona en otros textos (1:5; 2:14; 4:1; etc.), es la paloma de las rocas, que reside de manera permanente en grandes números en Palestina.

Después del olivo, la *higuera* era el árbol más importante en Israel y, como la vid, era símbolo de paz y seguridad (1 Rey. 4:25; Miq. 4:3-5; Zac. 3:10). La higuera florece hacia mediados de marzo e inmediatamente produce un primer higo de verano, que es el precursor del verdadero higo, que madura hacia agosto y septiembre. Si el árbol no produce los primeros higos estériles, tampoco va a producir los verdaderos frutos (ver Mat. 21:18-22). Otra evidencia de la llegada de la primavera es que *las vides* están florecidas (2:15; 7:12). La atmósfera está saturada de la fragancia que despiden las flores silvestres y *las vides en flor.* No hay tiempo que perder. La mejor opción para el día es salir a pasear por el campo. *¡Levántate, oh amada mía! ¡Oh hermosa mía, ven!* (v. 13.)

Obstáculos a la intimadad
Estereotipos

Solemos clasificar a hombres y mujeres con características específicas:

Varón	*Mujer*
Activo, fuerte	Pasiva, débil
Independiente	Dependiente
Poco emotivo, duro	Emotiva, blanda, fácil de convencer
Brusco, grosero	Cortés, educada
Intelectual, frío	Afectiva, sentimental
Para el trabajo	Para el hogar
Trae y maneja el dinero	Cuida a los hijos y lo gasta
Toma la última decisión	Obedece a su esposo
Seguro, confiado	Insegura, vueltera
Dominante, "cabeza"	Sumisa, "pies"

Estos conceptos batallan en contra de la libertad de actuar en forma auténtica.

El amado

14 Palomita mía, que te escondes
en las hendijas de la peña
y en los sitios secretos de las terrazas:
Déjame ver tu figura;
hazme oír tu voz.
Porque dulce es tu voz
y preciosa tu figura.

La amada

15 Atrapadnos las zorras,
las zorras pequeñas,
que echan a perder las viñas,
pues nuestras viñas están en flor.
16 ¡Mi amado es mío, y yo soy suya!
El apacienta entre los lirios

---

(2) El amado, 2:14. Nuevamente interviene el joven, quien probablemente todavía no entró a la casa. *Atisbando por las celosías* continúa procurando ver a su amada, mientras la invita a dejar la casa para ir juntos a disfrutar de la naturaleza. Nótese que ella también está jugando a las escondidas, y esto parece ser sumamente excitante para él. Nuevamente, él la llama *palomita* (1:15), como aparentemente era su costumbre (4:1; 5:2, 12; 6:9). No se trata de la *tórtola* (v. 12), sino de la paloma de las rocas, es decir, la que se esconde *en las hendijas de la peña* (ver Jer. 48:28). Al igual que estas aves tímidas y recatadas, la muchacha se oculta de la vista de su amado. No lo hace por vergüenza, sino como parte del juego de escondidas en que ambos están participando.

El amado expresa su deseo de ver su figura y de oír su voz. Lo que quiere es deleitarse en la belleza del cuerpo de su amada. La contemplación de su *preciosa figura* le produce placer. La dulzura de su *voz* (es la misma palabra de v. 12 para la voz de la tórtola) le parece encantadora. Ella no es para él meramente un objeto sexual, nada más que un cuerpo bonito. Ella es un ser humano bello en toda su persona. El disfruta de su presencia.

(3) La amada, 2:15—3:5. Si estos versículos están de alguna manera relacionados con los anteriores podemos presuponer lo siguiente. Por alguna razón, quizá un altercado en la pareja (ver 2:15), el amado dejó la casa para salir al campo. La amada se quedó sola y se fue a dormir. Mientras dormía, tuvo un sueño erótico (2:3-7), que fue interrumpido por la llegada del amado (2:8, 9), quien desde fuera de la casa juega a las escondidas con ella mientras la invita a salir de paseo (2:10-13). Antes de responder a su invitación, la amada parece recordar el motivo del conflicto (v. 15).

Semillero homilético

Cosas pequeñas que dañan el matrimonio

2:15

Introducción: Cuando hay problemas en el matrimonio, casi siempre son las cosas de menor importancia las que se acumulan para dañar el matrimonio. El autor de Cantares habla de las zorras pequeñas que entraban en las viñas en la Palestina para dañar las uvas. Consideremos algunas de las cosas pequeñas.

I. ¿Cuáles son?
   1. Distracción debido a muchas actividades que no nos permiten detenernos y analizar lo que está pasando en nuestro matrimonio.
   2. Descuido de los aspectos importantes, tales como captar lo que está pensando el cónyuge.
   3. Preocupación por cosas secundarias.

II. ¿Cómo obran?
   1. En forma inconsciente, engañándonos en cuanto a nuestros sentimientos.
   2. En forma paulatina, para no captar lo que está pasando.
   3. En forma progresiva, y se acumulan.

III. ¿Qué consecuencias tienen?
   1. Se apaga el amor entre los dos.
   2. Se descarrían los niños y se pierden del hogar.
   3. Se mengua la consagración al Señor.

Conclusión: Para evitar que las cosas pequeñas dañen el matrimonio, hay que estar atentos a lo que está pasando. Las cosas pequeñas no tienen importancia, pero la verdad es que son como el comején. Aunque no lo ve, está trabajando para dañar el mueble.

17 hasta que raye el alba,
y huyan las sombras.
¡Vuelve, oh amado mío!
Sé semejante al venado o al cervatillo
sobre los montes de las especias.*

*2:17 Según vers. antiguas; ver 8:14; heb., *Beter*

En toda pareja hay cosas pequeñas que echan a perder los mejores sueños y proyectos de amor. Las *zorras* socavaban y roían las raíces de las viñas. La joven era una experta en cuidar viñas (1:6), y utiliza esa figura para ilustrar su argumento. Las viñas, hermosas y con flores fragantes, se refieren a su pacto de amor, mientras que las zorras parecen ser un símbolo de los pequeños problemas que carcomen la relación floreciente de los amantes. Estos pequeños conflictos no pueden ser dejados de lado. Deben ser encarados ("atrapados") y resueltos antes que la relación pueda seguir desarrollándose. Estos pequeños animales rara vez medían más de 40 cm. Al cavar sus hoyos aflojaban la tierra y afectaban el crecimiento de las vides. Las zorras son símbolos de destrucción bien conocidos (Neh. 4:3; Eze. 13:4).

A pesar de que ella reconoce que la relación se encuentra algo deteriorada por algún conflicto, no obstante es clara en la afirmación de su pacto de amor con su amado: *¡Mi amado es mío, y yo soy suya!* (ver 6:3; 7:10). La expresión enfatiza la devoción mutua y la dedicación del uno al otro. Más allá de los pequeños problemas domésticos, ambos saben que el amor los une y que se deben el uno al otro. Por eso, ella tiene esperanza y no abriga temor (1 Jn. 4:18). El amor que se tienen hará que *las sombras* presentes *huyan,* y que *raye el alba* (ver 4:6). Ningún conflicto entre dos que se aman de verdad puede durar mucho tiempo.

Mientras tanto, ella es de la idea de que *él apacienta entre los lirios.* La expresión puede querer decir que ella desea que él le brinde su amor, a pesar de encontrarse peleados. Ella se considera como *el lirio de los valles* (2:1), y él mismo la estima de ese modo (2:2). "Apacentar" es pastorear, cuidar y alimentar. Pero en Cantares, la expresión tiene un profundo sentido erótico (ver 4:5). La mejor manera de distender las situaciones de tirantez en la pareja es una buena relación sexual. No debe esperarse a solucionar todos los problemas antes de entregarse sexualmente. La Biblia dice que no hay más que una sola razón para no hacer el amor: la

Obstáculos a la intimidad

Coraza dura

Donald Winnicott, famoso psicoanalista inglés, dice que las personas con dificultades para relacionarse y expresarse son personas que tienen una coraza dura en su exterior que protege un núcleo débil y blando en su interior (el cual trata de mantener oculto), que es la falta de confianza en sí mismo.

Este exterior "duro" hace que nadie permita conocer su interior "débil". Decimos que cuanto "más macho" por fuera más débil por dentro, cuanto más inexpresivo por fuera, más sentimental por dentro. Son personas que no pueden "desnudarse" emocionalmente, creen que deben ocultar ciertas partes de sí, ya que si otro las conociera eso sería algo vergonzoso y peligroso. Viven entonces cuidando de que los demás no conozcan aquello que vigorosamente ocultan para no ser descubiertas. Justamente para estas personas intimar sería que el otro descubra este núcleo débil y pobre, entonces asume características de firmeza y dureza. La persona que puede intimar es la que posee un exterior permeable, y un núcleo firme y consistente. Su autoestima está firme y segura, su interior es estable, puede abrirse y permitir que otros lleguen a lo más profundo de su ser.

Por eso, Erik Erikson, otro psicólogo, dice que el deseo de compartir es una característica del hombre maduro.

3 1 De noche, sobre mi cama, buscaba al que ama mi alma.
Lo busqué, pero no lo hallé.
2 Pensé: "Me levantaré e iré por la ciudad,
por las calles y las plazas,
buscando al que ama mi alma."
Lo busqué, pero no lo hallé.
3 Me encontré con los guardias
que rondan la ciudad, y les pregunté:
"¿Habéis visto al que ama mi alma?"
4 Tan pronto como pasé de allí,
hallé al que ama mi alma.
Me prendí de él y no lo solté,
hasta que lo traje a la casa de mi madre,
a la habitación de la que me concibió.

---

dedicación a la oración (1 Cor. 7:3-5). Puede ser también que los vv. 16, 17a sean una expresión de la entrega mutua total de los amantes, y de la manera en que ese amor compartido se expresa haciendo el amor a lo largo de toda la noche, *hasta que raye el alba, y huyan las sombras.*

La segunda parte del v. 17 quizá exprese el anhelo de la amada durante la larga noche de ausencia de su amado. Este deseo por el compañero ausente aparentemente se cumplió, según 2:8, 9.

En 3:1-5, la amada parece seguir recordando aquella noche triste en que se sintió sola, en medio de sueños eróticos y pesadillas, debido al alejamiento de su compañero. La *cama* sobre la que está recostada es una *cama de amores* (*miskab dodim* [1730], Eze. 23:17). La connotación del término es evidente aquí (ver Gén. 49:4; Núm. 31:17-20). El deseo sexual por él, estimulado por pensamientos o sueños eróticos, hacía que ella lo buscara ansiosamente en su cama. Nótese la repetición del verbo para énfasis, y la gran frustración de la mujer al no encontrar a su compañero.

La frustración por la ausencia del deseado aparentemente hace que el sueño erótico se torne en pesadilla (3:3, 4). La joven se ve recorriendo ansiosamente las calles y las plazas de la ciudad (quizá Jerusalén, ver 3:5), pero con el mismo resultado negativo de no hallar a su amado. La pesadilla se agudiza cuando la muchacha topa con una patrulla de las que *rondan la ciudad.* Lejos de encontrar a su amado, ella se encuentra *con los guardias.* ¿Qué hace una mujer decente en las calles a esas horas de la noche? Su desesperación es tal que antes que ellos la interroguen, ella

Semillero homilético

Los sollozos de los padres solteros

3:1-5; 5:2-6

Introducción: Estamos viendo un aumento en el número de padres solteros, debido al divorcio, el abandono, y mujeres embarazadas que no se casan. Las consecuencias de estos sueños despedazados se pueden percibir en los sufrimientos de las personas que han quedado solas. El autor de Cantares menciona en estos dos pasajes algo de los sentimientos.

I. Soledad por el abandono (3:1).
   1. Se sienten solos porque el amado ya no está.
   2. Añoran las épocas cuando estaban al lado de su amado.
II. Ilusión mal fundada (3:2).
   1. Sueñan con que el amado va a regresar.
   2. Sueñan con que harán otro intento de lograr la felicidad.
III. Desilusión porque no pueden forzarlo a regresar (3:4).
   1. Las relaciones rotas casi nuncan se componen de nuevo.
   2. El intento de agarrar y amarrar no resulta.

Conclusión: Hay un ministerio potencial de significado entre las personas que han experimentado el fracaso de su matrimonio o el engaño amoroso. Es importante ayudarles a encarar la realidad y mirar hacia el futuro.

5 ¡Juradme, oh hijas de Jerusalén,
por las ciervas
y por las gacelas del campo,
que no despertaréis
ni provocaréis el amor,
hasta que quiera!

El cortejo nupcial

6 ¿Quién es aquella
que viene del desierto
como columna de humo,
perfumada con mirra, incienso
y todo polvo de mercader?

levanta su propio interrogante desesperado: *¿Habéis visto al que ama mi alma?* Ni siquiera se le cruza por la mente que los soldados pueden no tener la más remota idea de quién es *el que ama su alma.* ¡Ella lo conoce bien, y le parece que de igual modo todo el mundo lo conoce!

En el v. 4 la pesadilla se transforma una vez más en sueño erótico. Aparentemente los guardias no respondieron a su pregunta o lo hicieron negativamente. La cuestión es que apenas dejó a la patrulla se encontró con su amado. Apenas lo vio saltó a sus brazos, y así, fuertemente abrazada a él, lo condujo a la casa de su madre, que seguramente estaba allí en la ciudad. Tan pronto como entraron en la vivienda, la amada (nótese que es ella quien toma la iniciativa en el juego amoroso) lo conduce al dormitorio de su madre (ver 1:4; 8:2), para hacer el amor. El v. 5 es una repetición exacta de 2:7, y cierra la segunda sección de la primera parte de Cantares.

III. CASAMIENTO Y CONSUMACION, 3:6—5:1

Esta sección de Cantares constituye el corazón del libro, mientras que 4:16 y 5:1 son el pivote central sobre el que gira todo el poema. Toda la preparación de la pareja a lo largo de la primera parte concluye en la boda y la consumación del acto sexual entre los que se aman.

1. El cortejo nupcial, 3:6-11

Estos poemas nos hablan de la boda de los amantes y la consumación de su amor. En 3:6-11 encontramos una canción nupcial en honor de Salomón, que describe una procesión con soldados y una o más carrozas, en ocasión de la celebración de las bodas del rey.

La procesión se encuentra todavía a distancia, pero el despliegue y lujo de la misma hace evidente que el que está por casarse es un personaje noble o real. La que se acerca no puede ser otra que la

Intimidad corporal

A lo largo de muchos años nuestra teología careció de cuerpo; era "salvar las almas", ser "espirituales", "crecer en el espíritu", etc. Parecía que el Espíritu Santo moraba solamente en nuestro espíritu (¡y si moraba en el cuerpo era solamente hasta la cintura!). Mover el cuerpo o cuidarlo era sinónimo de "carnal", "corporal".

Por eso en nuestros hogares existe tan poca intimidad corporal. Hay parejas que han perdido "el toque", "el beso", "la caricia". Muchas mujeres al ser tocadas en el hombro ya lo interpretan como sinónimo de coito: "No querido, hoy no tengo ganas", "¿Otra vez esta noche?" Todo toque se ha genitalizado, por eso lo mejor es evitarlo, y así nuestra intimidad corporal se ha perdido.

Parejas que nunca se han bañado juntas, ¡nunca se han visto desnudas!, nunca se han acariciado, sólo se tocan para tener relaciones sexuales...

Cantar de los Canteres redescubre la intimidad del cuerpo en la pareja (1:13; 2:16; 4:18; 5:10-16; etc.) Los protagonistas aparecen como una pareja que se toca, se mira, se desea. ¡Basta con leer los vv. 3 al 6 del cap. 2! En los Cantares vemos la pareja que ha redescubierto para sí la distancia íntima.

Cuando se llega a la intimidad del propio cuerpo, entonces se puede llegar a la intimidad del cuerpo del otro.

7 ¡Mirad! Es la litera de Salomón.
Sesenta valientes la rodean,
de los más fuertes de Israel.
8 Todos ellos ciñen espadas
y son diestros en la guerra.
Cada uno lleva espada al cinto
por causa de los temores de la noche.
9 El rey Salomón se hizo una carroza
de madera del Líbano.
10 Sus columnas eran de plata,
su respaldo de oro,
su asiento de púrpura;
y su interior fue decorado con amor
por las hijas de Jerusalén.
11 Salid, oh hijas de Sion,
y ved al rey Salomón con la diadema
con que le ciñó su madre
en el día de sus bodas,
el día en que se regocijó su corazón.

---

prometida de un gran rey (ver 6:10; 8:5). La caravana viene del *desierto,* es decir, una región deshabitada, pero que sirve para el pastoreo. Al avanzar la masa de gente, animales y carruajes que integran el cortejo, levanta una *columna de humo* o de polvo. Puede ser que la frase se refiera también a la mirra, el incienso y el *polvo de mercader,* que eran quemados para despedir sus fragancias.

Por fin la caravana se ha acercado lo suficiente a la ciudad como para que se pueda identificar cada carruaje. El asombro de los testigos es evidente: *Es la litera de Salomón.* Llama la atención que en este pasaje aparezca el nombre de Salomón tres veces. Probablemente es una apelación a la belleza y posición de la clase real, como expresión de lo mejor que se conoce (ver 1:9). La escolta de *sesenta valientes... de los más fuertes de Israel* recuerda a la guardia personal de David (1 Sam. 23:8-39). La mención de *Israel* hace suponer que, al menos esta parte de Cantares, puede haber sido compuesta antes de la muerte de Salomón (931 a. de J.C.) y la división del reino. Parte del esplendor del cortejo es que *todos* y *cada uno* de los soldados *ciñen espadas* (nótese la repetición, *lleva espada*), y están entrenados en la práctica de la guerra. Sólo Salomón contó con un ejército tan sofisticado.

Es probable que la reina viajase en la *litera* del v. 7, mientras que el rey estaba en la *carroza* real, sobre la que estaba *su asiento de púrpura* o trono (v. 10). Todo era de lujo en esta carroza: la madera, las columnas, el respaldo, el asiento, el interior. ¡Todo era digno de un gran rey! Y allí estaba él, *con la diadema que le ciñó su madre en el día de sus bodas.* No se trata de la corona real, sino de una cinta hecha con ramas (como la corona de laureles de los Juegos Olímpicos), o bien con piedras o metales preciosos (Sal. 21:3). Esta diadema simbolizaba honor y gozo en ocasión de las bodas del rey. Por eso, quien corona es la *madre.* En el caso de una coronación real quien coronaba era el sumo sacerdote, como representante de Dios (1 Rey. 1:32-48; 2 Rey. 11:11-20).

Semillero homilético

La marcha nupcial

3:6-11

Introducción: El autor de los Cantares nos presenta un cuadro de lo que podría ser un desfile de bodas. Veamos las varias facetas:

I. La llegada de la esposa (v. 6).
  1. Se describe su belleza.
  2. Se describe su arreglo con adornos y perfumes.

II. Los preparativos del esposo (vv. 7-10).
  1. Viene en vehículo de lujo (v. 9).
  2. Tiene escolta para garantizar seguridad (v. 7).
  3. Los adornos reflejan la realeza de su amor por su esposa (v. 10).

III. Los invitados se conmocionan (v. 11).
  1. Por el esplendor de la ocasión.
  2. Por la expresión de interés en los detalles.
  3. Por su deseo de felicitar a la pareja.

Conclusión: A veces se critican los gastos exagerados de las bodas, pero esta descripción refleja el amor que tiene la pareja y su deseo de comunicarlo el uno al otro y a la comunidad.

El amado

4 1 ¡Qué bella eres, oh amada mía! ¡Que bella eres!
Tus ojos son como de palomas,
mirando a través de tu velo.
Tus cabellos son como manada de
cabritos que se deslizan por las
laderas de Galaad.

2 Tus dientes son como rebaños de ovejas
trasquiladas que suben del lavadero:
que todas tienen mellizos,
y ninguna hay sin cría.
3 Tus labios son como hilo de grana,
y tu boca* es bella.
Tus mejillas parecen mitades de
granada, a través de tu velo.

*4:3 Otra trad., *habla*

---

2. El amado, 4:1-15

Esta larga sección está dividida en dos partes. La primera termina en el v. 7, que resume la belleza de la amada, que se describe en detalle en los versículos anteriores. La segunda comienza y termina con la mención del Líbano en los vv. 8 y 15. Todo el pasaje se caracteriza por un intenso erotismo. La pasión parece ir en aumento, hasta alcanzar la consumación en 4:16—5:1.

El amado comienza una detallada descripción física de su amada, desde la cabeza hasta sus genitales. Comienza destacando sus *ojos* (1:15), que lucen hermosos *a través de tu velo.* El velo (4:1, 3; 6:7; Isa. 47:2) era usado por las mujeres en ocasiones especiales, como compromisos (Gén. 24:65) y casamientos (Gén. 29:23-25). En este caso, se trataría del velo nupcial. El cabello de la amada es comparado con una *manada de cabritos,* caracterizados por su pelo largo y negro. El movimiento de un rebaño grande descendiendo por una colina distante produce el efecto como que toda la elevación estuviese moviéndose (ver 1:5; 5:11). Así de suelto es el cabello de la amada.

La idea del rebaño se extiende ahora a los dientes de la amada. Su dentadura es

Intimidad intelectual

La pareja "intima" intelectualmente, no cuando piensa de la misma manera, sino cuando siendo diferentes, pueden abrirse el uno al otro, en sus diferencias y coincidencias. Intimidad es identificarse con el otro, meterse "en el pellejo del otro" sin perder el propio, es estar con el otro siendo uno mismo. Es darle la "bienvenida" al otro en nuestro territorio sin sentirnos invadidos.

Como lo dice la pareja de Cantares; "yo soy de él y él es mío", ¡y no nos invadimos! La intimidad intelectual puede estar dada por una profesión en común, o puede estar dada por un libro, una conferencia, una música, un cuadro, etc.

Dice correctamente Willi Pasini, presidente de la sexología europea, que para que la identificación sea posible son necesarios dos procesos psicológicos: la identificación proyectiva y la introyección. En el primer caso hay que ser capaz de ponerse en lugar del otro sin confundirse, sin tranformarse en el otro. En el segundo hay que ser receptivo a los mensajes del otro, a estar dispuesto a dejarlo entrar en la intimidad sin miedo a ser invadido.

Para que exista intimidad intelectual es importante saber respetar las diferencias en la pareja y saber que ninguno posee "los mejores gustos" sobre determindados temas, sino simplemente "gustos personales".

Para realizar la intimidad intelectual es importante disponer de tiempo, tener un lugar tranquilo y muchas ganas. Cada uno de la pareja escribirá en un papel las siguientes áreas:

Música—Lectura—Política—Salidas—Escribir 3 áreas más.

Anotará en bosquejo qué piensa uno del tema, qué le gusta y qué no, en forma detallada. Luego de completarlo, se encontrarán los dos para compartir lo escrito. Es importante solamente compartir lo escrito sin "querer cambiar la opinión del otro", menos todavía discutir.

4 Tu cuello es como la torre de David,
edificada para armería:
Mil escudos están colgados en ella,
todos escudos de valientes.
5 Tus dos pechos son como dos venaditos,
mellizos de gacela,
que se apacientan entre lirios.
6 Me iré al monte de la mirra
y a la colina del incienso,
hasta que raye el alba
y huyan las sombras.
7 Eres toda bella, oh amada mía,
y en ti no hay defecto.

---

blanca, pulida, brillante, simétrica, y está completa. La descripción de la boca continúa con la mención de los labios, que son *como hilo de grana.* Seguramente la amada tiene los labios pintados de rojo. Los cosméticos eran comunes en el antiguo Cercano Oriente. La mención de los dientes y los labios lo lleva al amado a considerar que toda la boca de ella, como instrumento del habla (ver nota de RVA), *es bella.* Sus palabras han sido para él motivo de gran satisfacción (ver 2:3b). De la boca, el amado pasa a ponderar las mejillas de su esposa, que lucen rosadas como la cáscara de una *granada,* medio cubiertas por el cabello negro que cae sobre ellas y el velo tenue que cubre el rostro. La granada era conocida en Egipto como fruto afrodisíaco, y en Mesopotamia se usaba para preparar pociones de amor (ver 8:2).

El amado continúa recorriendo el cuerpo de ella, pero cambia las comparaciones de carácter telúrico, para usar una imagen de corte militar. El *cuello* de ella es *como la torre de David* (Neh. 3:25), lo cual habla de su aspecto erguido y real. La belleza de su cuello se ve realzada con los ornamentos que lleva, probablemente una serie de collares de cuentas, que se parecen a los *escudos* que se colgaban de las torres para darles mayor protección (ver v. 9). Los comentarios del amado pasan del cuello a los pechos de su esposa en el v. 5. Se repite aquí la idea de la simetría (ver v. 2) al comparar los pechos de ella con *dos venaditos, mellizos de gacela.* Recuérdese el carácter profundamente erótico de estas expresiones (ver 1:7; 2:1, 7, 16; 6:3).

En el v. 6, el amado parece tomar en cuenta el deseo de su esposa, y repite lo

Distorsiones del esquema corporal

Las que más se observan en la consulta pastoral y profesional

1. Miedo al cuerpo: Cada vez más vemos en la práctica pastoral lo que se conoce como fobia sexual, que es donde la persona en forma persistente siente profundo malestar al ser tocada o tocar el cuerpo del otro. Esto es evitado buscando las excusas más frecuentes e insólitas que sean necesarias. Esta aversión puede ser a los genitales, al beso, al contacto, a la penetración, al orgasmo, a desvestirse, etc. Desgraciadamente muchas de estas fobias "aparecen con sorpresa" en la luna de miel. Algunos llegan a sentir repulsión, nauseas y angustia hasta llegar al vómito.

2. Vergüenza al cuerpo: Otras personas sin llegar a la fobia sienten profunda vergüenza de mostrar ciertas partes de su cuerpo. Creen que allí está el asiento de los "peores pecados carnales". Si pudiesen sacarse ciertas partes del cuerpo lo harían por la culpa que sienten. Todo es cubierto y abandonado. Se sigue sosteniendo el antiguo antagonismo gnóstico sin saberlo. Creen que el cuerpo y el sexo son solamente para la reproducción.

3. Exaltación del cuerpo: Totalmente contrario al ítem anterior, la persona vive por y para su cuerpo. En busca del "cuerpo ideal" obviamente inexistente, llega a tener grandes distorsiones de su esquema corporal. La anorexia (pérdida del apetito) y la bulimia (deseo atroz de comer) son las patologías más frecuentes en nuestro continente en lo que hace a la enfermedad de los adolescentes. En la anorexia por ejemplo la persona se "siente y se ve gorda" aunque esté pesando 40 kg. Es una enfermedad que sin tratamiento lleva directo a la muerte. La "magnificación del cuerpo" del "cuerpo perfecto" en nuestra sociedad ha hecho sentir a más de una chica asco y repulsión por el propio cuerpo, en lucha diaria consigo misma y evitando así todo contacto corporal.

8 ¡Ven conmigo del Líbano!*
¡Oh novia mía, ven del Líbano!
Desciende de las cumbres del Amana,*
desde las cumbres del Senir* y del
Hermón,*
desde las guaridas de los leones
y desde los montes de los leopardos.

*4:8a Montañas al norte de Israel
*4:8b Montañas al norte de Israel
*4:8c Monte más alto del Líbano
*4:8d Monte más alto del Antilíbano

que la amada ha dicho en 2:16, 17. La idea del acto amoroso (*apacientan entre lirios... hasta que raye el alba y huyan las sombras)* surge como consecuencia de que ahora el amado pasa rápidamente de los pechos de su amada a sus genitales. El texto presenta un caso de paralelismo sintético, ya que *el monte de la mirra* y *la colina del incienso* parecen ser lo mismo. No se trata de lugares geográficos, porque la mirra y el incienso no son originarios de Palestina. Más bien, estas expresiones se refieren a una parte del cuerpo de la mujer. En este sentido, no puede ser otra cosa que el "Monte de Venus". De esta manera, con excitación creciente, el amado ha estado describiendo el cuerpo de su esposa desde la cabeza hasta los genitales, perfumado (ver 5:1) y preparado para el acto amoroso. Al terminar el recorrido sensual, el amado no puede menos que concluir en forma similar a la que abrió su descripción (v. 7): ¡Ella es perfecta!

El v. 8 interrumpe el juego amoroso justo en el momento en que la unión sexual está a punto de consumarse, y abre un paréntesis en la secuencia de lo que ocurre. Según la traducción de la RVA,

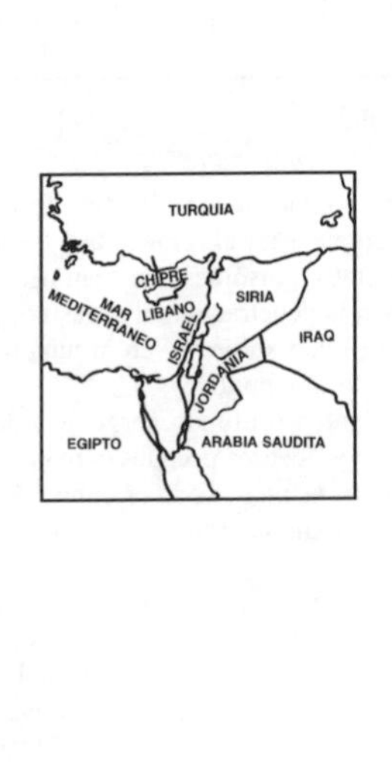

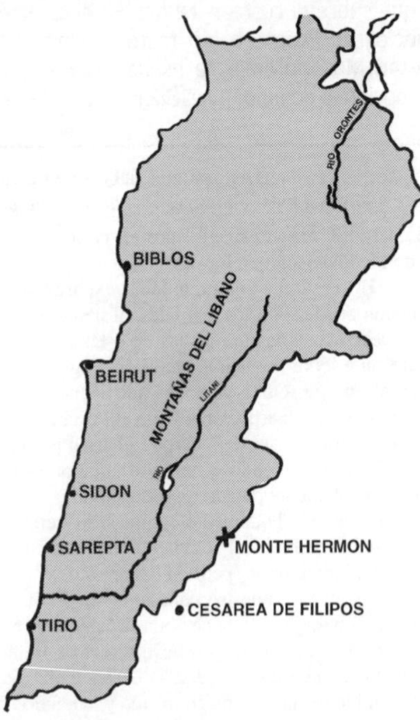

El Líbano, 4:8

9 ¡Prendiste mi corazón,
oh hermana y novia mía!
Prendiste mi corazón
con un solo gesto de tus ojos,
con una sola cuenta de tus collares.

10 ¡Cuán dulces son tus caricias,
oh hermana y novia mía!
Tus caricias son mejores que el vino.
El olor de tus perfumes es superior al
de las especias aromáticas.

Salomón estaría pidiéndole a la Sulamita que venga con él *desde* el Líbano (ver nota de RVA) a Jerusalén. Esto es difícil de compatibilizar con los versículos anteriores, que parecen describir la boda en el contexto de la ciudad de Jerusalén (3:6-11). Es probable que la preposición *min* 4481 se traduzca mejor como *en,* con lo cual el amado estaría aquí invitando a su amada a ir con él *al* Líbano, a los lugares más tranquilos y deleitosos de la región de donde ella era originaria, para hacer allí el amor. Si el v. 8 es una continuación de la secuencia amorosa de los versículos anteriores, lo que el amado está haciendo es invitar a su esposa a hacer el amor. Ella es su *novia.* La palabra sirve para designar a una mujer casada, con énfasis en sus derechos sexuales. No está claro por qué se mencionan los leones y los leopardos.

Después del paréntesis del v. 8, el amado continúa su descripción de la amada en los vv. 9-15, hasta que por fin los enamorados llegan a la consumación en 4:16—5:1. Da la impresión como que el amante vuelve otra vez a recorrer el cuerpo de la mujer, pero esta vez no para hacer una descripción del mismo, sino para expresar el placer que él encuentra al mirarlo, besarlo y acariciarlo, mientras ella responde activamente al juego amoroso. Es claro que él está muy excitado sexualmente (*¡prendiste mi corazón...!).* No sólo los ojos seductores de ella (1:15; 4:1) lo motivan, sino que *una sola cuenta* de los collares que ella luce lo llevan al delirio.

Intimidad sexual

En sexología vemos diariamente parejas que no se conocen. No saben los gustos, preferencias, zonas y toques placenteros. Han hecho el amor durante casi todas sus vidas y jamás han verbalizado qué sienten antes, durante o después de cada relación. En Cantares rescatamos algunos elementos útiles para el enriquecimiento de la vida sexual.

1. Tiene su lugar físico. Sabemos que la crisis de vivienda en nuestro continente da lugar muchas veces al incesto, homosexualidad, perversiones, etc. Una de las causas de problemas sexuales, llámese eyaculación precoz, anorgasmia, etc., es el hecho de no tener un LUGAR donde intimar sexualmente.

Muchas parejas tienen relaciones sexuales cuando sus hijos duermen con ellos y creen que porque ellos estan dormidos ¡no se dan cuenta!, otros manifiestan que tienen relaciones con la puerta abierta para "escuchar si le pasa algo al nene".

2. Es de mutua entrega. Los animales depredadores, como por ejemplo el león, cuando van a tener relaciones, se esconden para no ser vistos. Justamente saben por su instinto que si son capturados en ese momento por otros animales serán presa fácil. Justamente sexualidad es ABANDONARSE, entregarse AL PLACER Y AL AMOR.

Lo importante no es el orgasmo (¡que apenas dura 2 a 4 segundos!) sino toda la relación. Muchas personas no pueden disfrutar de la vida sexual, no pueden abandonarse porque padecen lo que en sexología se conoce como "ansiedad del desempeño". Lo que les interesa es tener orgasmo, o tener varios, o "desempeñarse magistralmente"; entonces se produce un "estrabismo": un ojo de ellos tiene relaciones y el otro desde arriba mira lo que sucede en la relación. Ya Kinsey decía en su famoso informe de 1948 que el 75% de los hombres eyaculaban a los dos minutos de la penetración, y en Argentina aprox. una de cada cinco parejas padece algún problema sexual. Creemos que algo parecido ocurre en los otros países de América Latina. En Cantares vemos a la pareja abandonarse al amor, a las caricias y al romance (3:6—5:1; 8:35; etc.).

(Continúa en la página siguiente.)

11 Tus labios destilan miel como panal.
Oh novia mía, miel y leche hay debajo
de tu lengua.
Y la fragancia de tus vestidos
es como la fragancia del Líbano.

12 Un jardín cerrado es mi hermana y novia,
un jardín cerrado, un manantial sellado.
13 Tus plantas son un huerto de granados
con exquisito fruto.
Hay alheñas y nardos;

Ahora él alaba sus caricias amorosas. Para él, esas caricias son *dulces* (*hermosas,* 1:8) y *mejores que el vino.* Es interesante que él habla del estímulo sexual que ella le prodiga usando las mismas expresiones que ella ha utilizado respecto al estímulo de él (1:2, 4; 2:3). El vino era símbolo de supremo placer. La ternura de este momento de amor queda bien reflejada en la manera cariñosa e íntima con que él la nombra una y otra vez: *¡... oh hermana y novia mía!* La expresión no indica una relación incestuosa, sino la comunicación íntima y confiada que nace del hecho de que ella es su esposa, una mujer casada con él, y no una amante fortuita.

Mientras besa la cabeza de su amada, el esposo percibe el aroma que ella despide (v. 10b). No se trata del olor de los cosméticos y perfumes artificiales que ella usa, sino de la fragancia natural de sus cabellos y de todo su cuerpo. Nuevamente el amante utiliza aquí una alabanza, que ella ya ha hecho de él (1:3). Al besar los labios de su esposa (4:3; 5:13; 7:9), el amado encuentra sus besos tan dulces como la miel. La lengua de él se encuentra con la de ella para paladear juntos tanta dulzura. Una vez más (v. 11b), el esposo pondera la fragancia de su amada, pero en esta ocasión no de su cuerpo sino de sus *vestidos.* La palabra puede referirse al cubrecamas o las sábanas del lecho matrimonial (Deut. 22:17), o bien a la ropa ligera y perfumada que ella lleva, que le permite lucir sus encantos físicos.

Por fin, el esposo llega otra vez a los genitales de ella (vv. 12-15), y parece detenerse allí, para expresar en detalle cuánto placer encuentra en esa parte del cuerpo de su esposa. Metafóricamente, el *jardín* es utilizado como eufemismo para referirse a los órganos sexuales femeninos. El esposo dice que los genitales de ella son como *un jardín cerrado.* Probablemente lo que él quiere decir es que ella todavía es virgen. El juego amoroso no ha llegado a su culminación, con el desfloramiento de ella. Antiguamente, los manantiales se sellaban para proteger el agua para el uso exclusivo de su legítimo dueño (ver Prov. 5:16). Al pensar en la vagina de ella (su *jardín*), él encuentra satisfacción en saber que su esposa es virgen y no se

Intimidad sexual (continuación)

3. Se toma su tiempo. Si hay algo llamativo en la pareja de Cantares es que ¡ambos se toman su tiempo para hacer el amor! Vaya si se describen, vaya si tienen todo el tiempo del mundo para ellos. Como veíamos anteriormente la ansiedad de muchos, y la exaltación del orgasmo como lo más importante en el sexo, hace que tengan relación sexual "rapidísimo". Algunos lo llaman la “relación de tres minutos”: en el 1 la erección, en el 2 eyaculan y en el 3 se duermen.

4. Está fundamentada en el amor. Con esto queremos decir que no es lo mismo una "experiencia íntima", que una "relación íntima". La primera tiene que ver con un momento y con un tiempo especial; la otra tiene que ver con un estado, con un estilo de vida de la pareja. Justamente quienes no pueden intimar buscan una y otra vez "experiencias íntimas", sin ningún compromiso. Si la intimidad no tiene su base en el amor, con el tiempo el sentimiento de intimidad se irá perdiendo. Se puede tener sexo (pura genitalidad) pero no sexualidad (que tiene que ver con el contacto, las palabras, el afecto, nuestra forma de conocernos, etc.). Podemos estar unidos de la cintura para abajo y lejos a miles de km. de la cintura para arriba. La intimidad sexual involucra tanto los genitales como el corazón. De allí que el adulterio puede ser del cuerpo o de la mente. La verdadera fidelidad y amor involucra a ambos, por eso Cantares 8:6, 7.

14 nardos, azafrán, cálamo, canela,
plantas de incienso, mirra, áloe,
con todas las mejores variedades de especias.
15 ¡Es un manantial cercado de jardines,
un pozo de aguas vivas que corren del Líbano!

La amada

16 ¡Levántate, oh Aquilón!*
¡Ven, oh Austro!*
Soplad en mi jardín,
y despréndanse sus aromas.
Venga mi amado a su huerto
y coma de su exquisito fruto.

*4:16 Viento del norte
*4:16 Viento del sur

ha entregado a otro hombre.

La palabra *plantas* en el v. 13 en RVA no aclara muy bien una expresión que es difícil de traducir. Pero a la luz del contexto parece evidente que la palabra hebrea *selahayik* 7964 es muy parecida a la palabra árabe *salk*, vagina. De ser así, el esposo está exaltando con términos superlativos el placer que la vagina de su esposa le prodiga. Más adelante, ella se mostrará muy satisfecha por ello (5:4, 5). Para él, entrar a ella es como introducirse a un *huerto de granados.* La palabra *huerto* (o *paraíso*) es una de las palabras persas que aparecen en Cantares, e indica un jardín cercado, generalmente de forma circular. ¡El esposo siente que el acto amoroso con su esposa es como entrar al Paraíso! El placer indecible que encuentra allí queda expresado en la multiplicidad de símbolos de belleza y sensualidad, de fragancias y especias que menciona (vv. 13b, 14).

El acto de amor

"No debemos avergonzarnos en hablar lo que Dios no se ha avergonzado en crear."

Para el acto de amor hace falta un lugar cómodo, tiempo y tranquilidad. La pareja debe disfrutar de la privacidad necesaria para poder entrar en el diálogo, el juego de amor y la consumación del acto. Ojalá haya habido la preparación adecuada para que los dos experimenten el orgasmo. Después, debe haber oportunidad para verbalizar su amor y aprecio. Describen sus sensaciones antes, durante y después del acto sexual. Dialogan sobre maneras de enriquecer la vida sexual. Hablan de cosas que impiden la satisfacción completa.

Todas estas especias exóticas que se enumeran tienen generalmente connotaciones eróticas en la poesía amatoria. Ella parece estar lista para el acto amoroso: Es *un manantial cercado de jardines* y *un pozo de aguas vivas.* El momento de la consumación ha llegado.

Joya bíblica

Venga mi amado a su huerto y coma de su exquisito fruto (4:16).

3. La amada, 4:16

Después de las palabras tan sensuales de su marido, describiendo y recorriendo la belleza de cada parte de su cuerpo; después de la manera excitante en que él ha reconocido cuánto placer toda ella le prodiga, la mujer está al máximo de su excitación. Ella había clamado que no despertaran ni provocaran el amor antes de tiempo (2:7; 3:5; 8:4). La joven no quería tener relaciones sexuales hasta que no fuese el momento oportuno y ella estuviese bien preparada para ello (*hasta que quiera*). Ahora ese momento tan deseado ha llegado, y es ella misma la que grita "¡Despierta!" (*¡Levántate!*). Encendida de pasión, le ruega a su esposo que inicie el acto sexual (*ven,* ver Gén. 38:8, 16; Eze. 23:44). Ella desea que él entre (*sople*) como viento (ver notas de RVA) en su vagina (*jardín*). Ella está totalmente dispuesta y lista para ofrecer en amor a su esposo todo el placer que él espera. Su mayor deseo ahora es que él venga a tomar posesión de su *huerto* y goce de *su fruto.*

El amado

5 1 He venido a mi huerto, oh hermana y novia mía.
He recogido mi mirra y mi perfume.
He comido mi panal y mi miel;
he bebido mi vino y mi leche.
¡Comed, oh amigos!
¡Bebed, oh amados!
¡Bebed en abundancia!

---

4. El amado, 5:1

La respuesta del amado es tan apasionada como los reclamos de ella, y la intimidad plena que ahora gozan es la culminación que tanto han deseado. En la RVA se traducen los tiempos verbales como pretéritos perfectos (*He venido,* etc.), lo cual sugiere una acción comenzada en el pasado y que continúa en el presente. Pero quizá, a la luz del contexto, sería mejor traducir los verbos como lo que en inglés se llama "presente continuo" (*estoy viniendo),* lo cual indica una acción en curso o en vías de completarse.

Nótese que el amado, mientras penetra a su esposa, va respondiendo a cada una de sus invitaciones. El *huerto* está ahora abierto para él (ver 4:12). Ella ya no es virgen. En consecuencia, ya no será más la *novia,* sino la esposa (*amada,* ver 6:4). El está recibiendo todo el placer que había anticipado durante el juego amoroso (*mirra* y *perfume,* vv. 13b, 14). Toda la dulzura de ella ahora es suya (*panal* y *miel,* ver 4:11a), y él se deleita en saborear tanto placer que ella le prodiga (*vino* y *leche,* ver 4:11b). En la poesía amatoria del Cercano Oriente, frecuentemente se usaba la figura de la miel y del panal como eufemismos para referirse a los genitales femeninos.

Las tres líneas finales del versículo presentan el problema de quién o quiénes están hablando, y a quiénes se está invitando. Algunos eruditos sugieren que quien habla es el esposo, lo cual no es probable porque estaría invitando a un grupo de personas a servirse sexualmente de su esposa, que le pertenece a él de manera exclusiva. Otros han dicho que las palabras se dirigen a la pareja de enamorados, de parte de los testigos imaginarios de la boda. Es posible que quien habla sea Dios, a quien por otro lado no se lo menciona en todo el libro. De ser así, Dios estaría hablando a los que se aman en este punto culminante del poema, animándolos a disfrutar de su sexualidad, que es fruto de su amor providencial y poder creador. En este caso, Dios estaría invitando a los *amados* (*dode* [1730], "los que hacen el amor") a beber de su pasión sexual hasta que estén borrachos de amor (*¡bebed en abundancia!).*

Es interesante notar que precisamente en este momento de la consumación del acto amoroso nos encontramos en la mitad exacta de Cantares en el texto hebreo. Hay 111 líneas (60 versículos, más el título de 1:1) desde 1:2 hasta 4:15, y 111 líneas (55 versículos) desde 5:2 hasta 8:4. En 4:16 y 5:1 hay cinco líneas de texto en el hebreo, y representan no sólo el clímax del amor de los enamorados sino también el punto culminante del pensamiento del poema. Todo hasta este punto se ha estado moviendo hacia la consumación del amor. A partir de este punto, todo se moverá en dirección a la consolidación y confirmación de lo que hasta aquí han experimentado los enamorados. La relación se presentará más estable y profunda, a medida que los esposos se van entregando cada vez más plenamente.

IV. REALIZACION, 5:2—8:14

La segunda parte de Cantares presenta el proceso de maduración de la pareja en su relación matrimonial. La situación no parece ideal. Se presentan nuevos problemas, conflictos y frustraciones. La pareja necesita ajustarse mutuamente, especialmente en su vida sexual. Pero la solución a estas tensiones viene cuando los enamorados reconocen su responsabilidad com-

La amada

2 Yo dormía, pero mi corazón estaba
despierto,
y oí a mi amado que tocaba a la puerta
y llamaba:
"Abreme, hermana mía, amada mía,
paloma mía, perfecta mía;
porque mi cabeza está llena de rocío
y mis cabellos están mojados
con las gotas de la noche."
3 Ya me había desvestido;
¿cómo me iba a volver a vestir?
Había lavado mis pies;
¿cómo iba a volverlos a ensuciar?
4 Mi amado metió su mano
por el agujero de la puerta,
y mi corazón se conmovió a causa de él.

---

partida y los deberes que el uno tiene para con el otro (ver 1 Cor. 7:3-5). Nótese que a lo largo de esta segunda parte (como en la primera) es la mujer la que mayormente se expresa. Evidentemente en Cantares se oye el timbre distintivo de la voz femenina.

1. Sueños y frustraciones, 5:2—8:4

Esta sección nos presenta básicamente la perspectiva de la amada sobre los conflictos que se plantean en la vida matrimonial.

(1) La amada (5:2-8). Una vez más, la amada se encuentra soñando (5:2-7). Puede ser que este sueño haya ocurrido inmediatamente después de su primera experiencia sexual (4:16—5:1), aunque no necesariamente. Nuevamente hay una combinación de invitación y negación, de búsqueda y encuentro, con un cierto tinte de angustia y frustración, como en el sueño-pesadilla anterior (2:3-6; 3:1-4). Nótese que en cada caso, la experiencia onírica concluye con un reclamo a las *hijas de Jerusalén* (2:7; 3:5; 5:8). La mujer es la protagonista de la acción (nótese el uso enfático del pronombre personal *yo*, vv. 2, 5, 6, 7), y el contenido de este poema tiene que ver con su relación con su esposo.

En su sueño, la mujer ve y oye a su esposo golpeando con insistencia a la puerta y llamándola (2:8). La actitud de él parece tierna y seductora, a juzgar por la manera en que la nombra (*hermana mía, amada mía, paloma mía, perfecta mía*). Frente a tales piropos, ¡qué mujer se resistiría a abrir la puerta a su amado! Sin embargo, ella no parece estar muy dispuesta a hacerlo (v. 3). ¿Será que hubo una riña entre los enamorados y que este sueño inquieto es expresión de ello? Ella no parece tener muy en cuenta la situación de él, que está empapado por el rocío, quizás después de haber pasado la noche entera fuera de la casa (v. 2b), bien sea porque efectivamente se pelearon o porque así lo requería su trabajo como pastor (1:7). La cuestión es que las excusas que ella pone (v. 3) para no levantarse y abrir la puerta, parecen de poco peso, en labios de una mujer que en otro momento se excitaba con sólo oír la voz de su amado (2:8).

> **El corazón despierto**
> 5:2
>
> 1. Está presto para escuchar.
> 2. Está presto para responder.
> 3. Está alerta a las señales de peligro.
> 4. Está presto para ofrecerse para servir.

Su primera excusa es "estoy desnuda," y la segunda es "no me quiero ensuciar los pies." La palabra *cómo* (*ekaka* [349]) refleja una indisposición petulante para actuar, más bien que una imposibilidad de actuar. Ella no quiere saber nada con él. Es probable que su rechazo tenga connotaciones específicamente sexuales, es decir, que frente a los avances de él, ella no está dispuesta a hacer el amor esa noche. En algunos casos, el vocablo *pies* es un eufemismo para los genitales. "Lava tus pies" y "dormir con mi mujer" son expresiones paralelas en 2 Sam. 11:8, 11 (ver Deut. 28:57; Rut. 3:3-9; Isa. 7:20). Es probable que el poeta esté jugando con un doble sentido en esta sección. Por un lado, parece describir una situación concreta de una mujer acostada y durmiendo en una

5 Entonces me levanté
para abrir a mi amado,
y mis manos gotearon perfume de mirra.
Mis dedos gotearon mirra
sobre la manecilla del cerrojo.
6 Abrí a mi amado,
pero mi amado se había ido;
había desaparecido.
Se me salía el alma,
cuando él hablaba.
Lo busqué, pero no lo hallé;
lo llamé, pero no me respondió.
7 Me encontraron los guardias
que rondan la ciudad;
me golpearon y me hirieron.
Me despojaron de mi manto
los guardias de las murallas.
8 Juradme, oh hijas de Jerusalén,
que si halláis a mi amado,
le diréis que estoy enferma de amor.

---

habitación, que no quiere abrir la puerta a un hombre mojado por el rocío de la noche, que golpea porque quiere entrar. El otro sentido es el de un sueño erótico, en el que el hombre solicita sexualmente a la mujer, pero ésta se niega a hacer el amor presentando excusas no muy convincentes.

Tomando en cuenta el carácter de Cantares, el segundo sentido parece ser el dominante. En este caso, el v. 4 indicaría que el amado logró vencer la resistencia de la mujer, iniciando un juego amoroso muy agresivo: *metió su mano.* El vocablo *mano* (*yad* 3027) es usado a veces con connotaciones sexuales (ver el heb. en 1 Sam. 15:12; 2 Sam. 18:18; Isa. 56:5), y específicamente con referencia al pene (*memorial* en Isa. 57:8; y especialmente 57:10). Si *mano* se refiere al órgano copulativo masculino, entonces *el agujero de la puerta* no puede ser otra cosa que la vagina de ella. El efecto de esta acción sobre ella es claro: *Mi corazón se conmovió a causa de él.* Nuevamente, hay instancias en que el *corazón* (lit. *vientre*) se refiere a los órganos reproductores masculinos (2 Sam. 7:12) o, como en este caso, femeninos (Rut. 1:11; ver también Gén. 25:23; Sal. 71:6; Isa. 49:1). Es evidente la excitación sexual de ella.

Ahora la amada parece deponer su actitud renuente a hacer el amor. Rota la resistencia, ella está dispuesta a entregarse totalmente a él. Nótense los paralelos en éste y los versículos que siguen con 2:10—3:5. Se repite la invitación del amado a levantarse (2:10, 13) y la respuesta de ella (3:2). Da la impresión como que ahora ella quiere reparar su indiferencia anterior, y se involucra intensamente en el acto amoroso (el pronombre personal "yo" es enfático en los vv. 5 y 6). Lit., ella "se rinde" ("abrir", ver 2 Rey. 15:16; Isa. 45:1) al amor.

En el v. 6, da la impresión como que el sueño erótico se torna en frustración, para pasar a ser una verdadera pesadilla (v. 7). Después del acto sexual (*abrí a mi amado*), éste parece esfumarse. El alejamiento de su esposo hace que ella se sienta morir. Nuevamente se repiten las sensaciones de 3:2. La angustia que ella experimenta en esta parte de su sueño se ve reflejada en su insistencia. Nótese el paralelismo de las últimas dos líneas. El v. 7 repite 3:3, sólo que en este caso la pesadilla es más dura, ya que antes de hacer su pregunta, ella resulta víctima de los que se supone están para proteger la ciudad y sus habitantes. Aparentemente la agresión de los guardias tiene connotaciones sexuales, ya que la mujer fue golpeada y despojada de su ropa. No es extraño que el inconsciente de ella elaborara un sueño de este tipo, después de un posible altercado con su esposo. La asociación de excitación sexual y orgasmo con su amado, y agresión sexual por parte de extraños parece un tema onírico lógico en un contexto de conflicto matrimonial.

El v. 8 cierra la sección de sueños y pesadillas, de deseos y frustraciones. El refrán se repite en 2:7 y 3:5, y reaparecerá en 8:4. En estos casos, sirve para introducir el versículo final de una sección mayor dentro de Cantares. Pero aquí, el balance del versículo es diferente y no parece concluir una sección importante.

El cortejo nupcial

9 ¿Qué tiene tu amado
que no tenga cualquier otro amado,
oh la más hermosa
de todas las mujeres?
¿Qué tiene tu amado
más que cualquier otro
amado, para que nos hagas jurar así?

La amada

10 Mi amado es blanco y sonrosado;
sobresale entre diez mil.

En cualquier caso, la amada parece hacer aquí un balance más objetivo de la situación real. Más allá de los extremos de búsqueda y rechazo, deseo y frustración, ella no puede dejar de reconocer la verdad de que está desesperada por hacer el amor con él. La expresión *que si halláis a mi amado, le diréis que estoy enferma de amor* en hebreo es una pregunta retórica. Ella está desafiando a las *hijas de Jerusalén,* preguntándoles: "¿Qué van a decirle a mi amado? ¿Que estoy exhausta (*hala* 2470, "débil, enferma, fundida") de tanto hacer el amor? ¿Que no quiero más?" En su giro retórico lo que en realidad está queriendo decir es: "No sean tontas. ¿Cómo podría no querer más?"

(2) El cortejo nupcial, 5:9. Las preguntas de las muchachas de la ciudad sirven para montar la escena para una descripción pormenorizada de los encantos del amado. El amado parece ser mejor que cualquier otro amante, y las muchachas parecen tener curiosidad en averiguar en qué aspectos él es el mejor. Nótese que ellas nombran a la amada (ver 6:1) de la misma manera en que él ya la ha calificado (1:8).

(3) La amada, 5:10-16. Los poemas de amor que describen los encantos físicos de los enamorados eran comunes en el mundo antiguo, especialmente en relación con la mujer. Este es uno de los pocos casos en que un poema pondera la belleza física del varón. Como en el caso de la descripción de la belleza de la amada (4:1-5; 6:5-

Posibles conflictos matrimoniales

1. Debido al concepto de que el sexo es pecado. Los gnósticos influyeron grandemente en los primeros cristianos. La mayoría consideraba al cuerpo como fruto del mal, fuente de impureza para el alma. Había entre ellos dos grupos: los que lastimaban el cuerpo torturándolo, ya que lo importante era el espíritu; y los que le "daban rienda suelta" a los apetitos ya que no importaba mientras cultivasen el espíritu. Creció el concepto de que el sexo era expresión de la naturaleza carnal. Agustín, en el siglo V, fue más allá de sus contemporáneos al afirmar que el acto conyugal no es pecaminoso en sí mismo, pero sí es el único medio para que se transmita el pecado original; la única finalidad de la sexualidad eran los hijos dentro del marco de la fidelidad ya que el matrimonio era indisoluble. Sin embargo, hasta hoy algunos consideran que el acto sexual es pecado.

2. Debido a conceptos de que en ciertos días no se debían tener relaciones sexuales. Por ejemplo, en la Edad Media (siglos VI al X) en el catolicismo aparecen los "manuales penitenciales" que mostraban las penitencias que correspondían de acuerdo con los pecados cometidos. A los matrimonios estériles se les imponía la abstinencia, el placer sexual era implícitamente considerado como pecaminoso. Esto se ve muy claramente ya que durante ciertas fechas se prohibían las relaciones sexuales: los domingos, ciertas fiestas, etc., por ser "tiempos sagrados". Por ejemplo, los días jueves no se podían tener relaciones, en memoria de la captura del Señor, los viernes en memoria de su muerte, los sábados en memoria a la virgen María, los domingos en homenaje a su resurrección, los lunes en conmemoración a los muertos, ¡y los martes y miércoles libre! siempre que no fuesen días de ayuno o festividades religiosas. Este es el germen de alejamiento entre lo "espiritual" y lo "sexual", herencia que pesa aún en el día de hoy a nivel social y religioso. Estaban prohibidas las relaciones durante la menstruación por la creencia de que podían nacer hijos deformes.

11 Su cabeza es oro fino.
Sus cabellos son ondulados,* negros
como el cuervo.
12 Sus ojos son como palomas junto a los
arroyos de aguas, bañados en leche y
sentados sobre engastes.
13 Sus mejillas son como almácigos de
especias aromáticas, que exhalan
perfumes.
Sus labios son como lirios
que despiden penetrante aroma.
14 Sus manos son como barras de oro
engastadas con crisólitos.
Su vientre es como una plancha de marfil,
recubierta con zafiros.*

*5:11 Otra trad., *son como racimos de dátiles*
*5:14 O: *lapislázuli*

7; 7:1-5), el amado es descrito desde la cabeza hasta los pies, se lo compara con algunos animales, con bellezas naturales, con flores y especies, con fuentes y arroyos, con la obra de los arquitectos, herreros y joyeros. La belleza que se presenta es la de un varón ideal. El es un hombre modelo.

El v. 10 hace una descripción general del amado. No se refiere a que él sea caucásico en cuanto al color de su piel, sino que es radiante y saludable (*sonrosado*). Evidentemente, se trata de un individuo distinguido, un hombre sumamente buen mozo. Parece que su cutis luce el tono cobrizo-dorado (*su cabeza es oro fino*) característico de alguien que pasa mucho tiempo al aire libre y expuesto a los rayos del sol. Sus largos cabellos, sueltos y flexibles, son *ondulados* y *negros como el cuervo* (v. 11). Nótese que la amada describe los ojos de él de la misma manera en que él ha descrito los ojos de ella (*como palomas,* ver 1:15). Tan detallada es su descripción, que ella parece destacar el contraste entre el color del iris y el blanco de la esclerótica (*bañados en leche y sentados sobre engastes*).

Nuevamente se mencionan las *mejillas* (ver 1:10), pero esta vez son las de él las que se alaban. Es interesante notar que muchos de los piropos que él le ha dicho a su amada, ahora ella los aplica a él. ¡Más de un varón hispanoamericano se sentiría algo molesto si su amada lo ponderara por estar bien perfumado! Pero un poco de loción facial no viene mal, si se aplica para agradar a la persona que se ama. Lo mismo vale para los labios, como instrumentos del beso amoroso (ver 4:3). Es difícil que una mujer, por enamorada que esté, quiera besar a un hombre barbudo, con mal aliento y transpirado.

De la cabeza de su amado, la amada pasa a la descripción de sus manos y sus brazos (el término hebreo puede referirse a cualquier parte del brazo, ver Jer. 38:12). El *vientre* es el tronco del cuerpo, que a ella le parece *como una plancha de marfil,* quizá por lo blanco (son las partes menos expuestas al sol). La mención de piedras preciosas no debe ser tomada más que como expresiones hiperbólicas, que pretenden destacar la belleza del cuerpo del varón. Finalmente, ella llega a las piernas

Maravillosamente hecho

El cuerpo humano está hecho de tal manera que puede derivar el placer del toque de todas las partes que se mencionan en los Cantares. Un ejercicio positivo para las parejas es el siguiente: La pareja debe retirarse a un lugar íntimo y disponer de por lo menos 1 hora. Uno de los dos comenzará a masajear y acariciar al otro por lo menos durante 20 minutos. El que es masajeado solamente percibirá las caricias y el placer recibido, diciéndole cómo y dónde gusta más ser tocado, en qué forma, velocidad y presión.

No se deben tocar las zonas genitales ni tener relación sexual. La finalidad de este ejercicio es redescubrir la intimidad de los cuerpos y el contacto corporal desgenitalizado.

Luego se cambia de papel, el que fue receptor se convertirá en dador, diciéndole en dónde y cómo le gusta ser acariciado.

15 Sus piernas son como columnas de
mármol cimentadas sobre bases de oro.
Su figura es como el Líbano, escogido
como los cedros.
16 Su paladar es dulcísimo;
¡todo él es deseable!
Así es mi amado y así es mi amigo,
oh hijas de Jerusalén.

El cortejo nupcial

6 **1** ¿A dónde se ha ido tu amado, oh la más
hermosa de todas las mujeres?
Dinos en qué dirección se fue,
y lo buscaremos contigo.

---

o muslos, que los ve como *columnas de mármol,* debido a la fuerza de sus músculos y cómo están torneadas.

Para la amada, él es superlativo desde la cabeza hasta los pies (v. 15b). Para ella, *su figura es como el Líbano,* puesto que no hay nada más majestuoso que esa región al norte de Palestina, ni nada más imponente que los cedros que allí crecen. A sus ojos, él no tiene parangón. Además, reconoce que su boca, como órgano del habla, es dulce (ver 2:3). Este hombre no sólo es físicamente atractivo para ella, sino que su conversación la seduce. *¡Todo él es deseable!* (v. 16). El es su *amado* (heb. *dode* [1730], "amante," 1:13), es decir, su compañero sexual. Pero también es su *amigo,* es decir, su camarada y compinche. Un buen esposo debe ser ambas cosas para su esposa: un buen amante y un buen amigo.

(4) El cortejo nupcial, 6:1. Después del panegírico de la amada, las doncellas de Jerusalén levantan una segunda pregunta. Esta pregunta no significa que él se haya alejado de ella, o se esté ocupando en otros menesteres. Más bien parece ser un recurso retórico del poeta para intro-

Del mito a la expectativa

En terapia familiar, se llama "mitos" a todo lo que cada uno de los integrantes cree; sus gustos, su forma de ver la vida, lo que considera bueno o malo, su forma de comer, de vestir, los roles que debe tener cada uno, etc. Desde que nacemos vamos formando nuestro mundo de valores. Muchos provienen de nuestros padres y su enseñanza hacia nosotros; otros vienen de la cultura en la que estamos inmersos y otros los elaboramos nosotros.

El terapeuta familiar Antonio Ferreira define el mito como "el conjunto de creencias bien sistematizadas y compartidas por los miembros de la familia respecto de sus roles mutuos y la naturaleza de su relación, aunque muchas puedan resultar falsas".

No siempre este sistema de mitos o creencias es conciente para la persona o explícito. Los "mitos" se tranforman en verdades "inspiradas por el Espíritu Santo de Dios" que deben cumplirse, sí o sí. Decimos que una pareja está más enferma cuando posee mayor cantidad de mitos, son muy rígidos, están más arraigados, son más inconscientes y están más distorsionados o alejados de la realidad.

En las familias más normales estos mitos son más conscientes para la persona, pueden modificarse, se acercan más a lo que podríamos llamar "expectativas".

La expectativa es la esperanza de que algo suceda de una determinada manera, pero puede ser modificada según las circunstancias.

El mito es verdad incuestionable, a ultranza, no admite confrontación; dice: "Tú debes estudiar música, sí o sí, yo sé lo que te digo, sé que te hará más feliz."

La expectativa "influye"; el mito "atrapa". "Me gustaría que estudies música, pero es una decisión que te coresponde a ti, a lo que tú creas que te hará feliz."

En el matrimonio más feliz se progresa del plano de los mitos a un plano de vivir con expectativas, sin presionar demasiado ni intentar imponer nuestros deseos o apreciaciones.

Este sector de Cantares hace énfasis en el respeto mutuo que sienten los cónyuges. Pueden expresar en forma franca la apreciación que tienen el uno por el otro, sin temor a ofender o herir.

La amada

2 Mi amado descendió a su huerto,
al almácigo de las especias,
para apacentar en los jardines
y para recoger los lirios.
3 ¡Yo soy de mi amado,
y mi amado es mío!
El apacienta entre los lirios.

El amado

4 ¡Qué bella eres, oh amada mía!
Eres como Tirsa,*
atractiva como Jerusalén
e imponente como ejércitos abanderados.*
5 Aparta de mí tus ojos,
porque ellos me doblegan.
Tu cabello es como manada de cabras
que se deslizan por las laderas de Galaad.*

*6:4 Significa *deleite*; era una ciudad de Manasés y primera capital del reino del norte.
*6:4 Otra trad., *estrellas relucientes*
*6:5 Región montañosa al oriente de Galilea, famosa por su ganado

ducir el acto amoroso, que parece consumarse en 6:2, 3. La pregunta de las muchachas sirve para que la amada diga cuál fue la reacción de su amado al juego amoroso que ella inició. Se nota una cierta envidia de parte de las doncellas, que quieren participar, como ella, del placer que la amada ha anticipado.

(5) La amada, 6:2, 3. Ella responde segura de contar con el afecto y la pasión fiel de su amado. Después de un período de creciente excitación sexual, en el que ella tomó la iniciativa mediante la alabanza del cuerpo de su amado, ahora él *desciende a su huerto* (v. 2). Como se indicó (ver 4:16—5:1), esta expresión y las que siguen se refieren al acto sexual. La repetición de expresiones poéticas (cuatro en total), que tienen que ver con el acto amoroso, no sólo expresan la tremenda excitación sexual del momento sino que sirven para enfatizar la intensidad del mismo. Al entregarse a su esposo, ella vuelve a experimentar lo que ya ha experimentado antes (2:16) y volverá a experimentar más tarde (7:10). El acto sexual es un poderoso recurso para sellar el pacto de mutua pertenencia entre los esposos. No hay otra experiencia, en la vida de una pareja, que sirva mejor para confirmar y solidificar las mutuas promesas de amor y fidelidad (Gén. 2:24).

(6) El amado, 6:4-12. Terminado el acto amoroso, mientras ella descansa relajada a su lado, el amado parece seguir excitado y entusiasmado con la belleza de su amada. Quizá hasta el momento de hacer el amor se mostró algo resentido, probablemente por la anterior indiferencia de ella (5:3). Pero ahora, después de haber disfrutado juntos el uno del otro, él se siente más que motivado a exaltar los encantos del cuerpo y el carácter de su amada. Muchos de estos piropos ya han sido dichos, pero hay otros que se mencionan por primera vez en el poema.

Ella es *bella.* Esta no es sólo su opinión (1:15; 4:1), sino también lo que otras personas piensan (6:1). Ella es tan bella como la capital del reino, Jerusalén (Lam. 2:15), o como una de las ciudades más deleitosas de Palestina, Tirsa (ver nota de la RVA). Ella es radiante y espléndida (*imponente como ejércitos abanderados,* ver 6:10). Nótese que él comienza con una descripción general de la belleza de ella, para pasar luego a una descripción pormenorizada de sus encantos (6:5-7). En este sentido, su panegírico sigue el orden inverso del hecho por la amada, quien comenzó con los detalles (5:10-15a), para concluir con una observación general (5:15b, 16).

El amado comienza por destacar los ojos de su esposa. Ya ha hecho referencia a ellos como hermosos y seductores (1:15; 4:1, 9). Ahora él dice que esos ojos "lo ponen loco," es decir, la mirada de ella es tan sugestiva que para él es irresistible. Su descripción del cabello, dientes y mejillas repite lo ya indicado en 4:1-3. No se sabe por qué el amado corta aquí la

6 Tus dientes son como rebaños de ovejas
que suben del lavadero: que todas
tienen mellizos, y ninguna hay sin cría.
7 Tus mejillas parecen mitades de granada,
a través de tu velo.
8 Hay sesenta reinas, ochenta concubinas
y un sinnúmero de jóvenes mujeres.
9 ¡Pero una sola es mi paloma, mi perfecta!
Ella es la única hija de su madre,
quien la considera predilecta.
La ven las mujeres y la llaman:
"Bienaventurada."
Las reinas y las concubinas la alaban
diciendo:
10 "¿Quién es aquella que raya como el
alba y es bella como la luna,
radiante como el sol e imponente
como ejércitos abanderados?"*
11 Al huerto de los nogales descendí,
para ver los retoños del valle,
para ver si las vides ya han florecido;
si han brotado los granados.

*6:10 Otra trad., *estrellas relucientes*

descripción física de su amada, que en el cap. 4 se extiende a sus labios, cuello, pechos y vagina.

No es probable que la referencia a *reinas, concubinas* y *mujeres* en el v. 8, tenga que ver con el harén de Salomón (1 Rey. 11:3). Más bien lo que el poeta parece querer destacar es el lugar único y especial que la amada ocupa en el corazón del amado. Nótese el número creciente de mujeres (*sesenta, ochenta, un sinnúmero*) y su rango descendente (*reinas, concubinas, jóvenes mujeres*), todo lo cual destaca la singularidad de la amada. Para él no hay otra que, como ella, sea su *paloma* y *perfecta* (5:2). Ella es también la favorita de su madre, más que la hija única. No tendría sentido llamarla "favorita" o *predilecta* si era hija única. Ella es una mujer muy especial. Las mujeres de Jerusalén (1:5) la consideran feliz en gran manera (*bienaventurada*). Tan grandiosa es, que incluso las reinas y concubinas la alaban, es decir, la ponderan. *¿Quién es aquella?* se preguntan las mujeres más encumbradas (3:6). La respuesta no puede ser otra que ella, la amada. Esta hermosa mujer se levanta luminosa como el alba, *bella como la luna, radiante como el sol e imponente como ejércitos abanderados.*

Rebaño de ovejas

Algunos comentaristas consideran que el amado termina aquí la descripción de la amada, que comenzó en 6:4. Su descripción estaría encerrada entre dos cláusulas similares (*imponente como ejércitos abanderados*, vv. 4, 10). En este caso, los vv. 11, 12 corresponderían a la amada y expresarían su creciente anticipación de la unión sexual, que vendrá más adelante. Nótese que será ella quien repita la segunda parte del versículo en 7:12. Sin embargo, en la RVA los vv. 11, 12 son considerados como parte del monólogo del amado. En este caso, la referencia del amado no puede ser a otra cosa que a la experiencia sexual ya vivida (6:2, 3). En 6:2, 3 tendríamos la evaluación de la mujer de esa experiencia, mientras que

12 Y antes que me diese cuenta,
mi alma me puso sobre los carros de mi generoso pueblo.

El cortejo nupcial

13* ¡Vuelve, vuelve, oh Sulamita!*
¡Vuelve, vuelve; queremos mirarte!

La amada

¿Qué habréis de observar en la Sulamita, cuando danza en medio de los dos campamentos?

*6:13 En heb. es 7:1.
*6:13 Significa *la pacífica*, apelativo cariñoso, quizás la forma femenina de *Salomón*.

aquí se expresaría la evaluación del esposo sobre la misma (como en 4:12; 5:1). Nótense los paralelos y las diferencias que existen. Si bien la experiencia sexual es la misma, las vivencias de cada uno tienen matices diferentes. Al igual que en 6:2, 3, las metáforas tomadas de la agricultura en los vv. 11, 12 son de marcado tono erótico (ver 7:12).

El v. 12 es el más difícil de interpretar de todo Cantares, y uno de los más difíciles en todo el AT. Las palabras son claras, pero la sintaxis es muy compleja. Probablemente, lo que el amado está diciendo es que, después de haber hecho el amor con su esposa, y quizá en medio de la somnolencia y estado de bienestar general después del orgasmo, él se imaginó (*mi alma, napsi* 5315) que se trasladaba *sobre los carros* de su pueblo. En otras palabras, comenzó sin darse cuenta a quedarse dormido y a soñar que iba al frente de su pueblo, liderando una cuadrilla de carros reales. Un hombre satisfecho sexualmente suele tener este tipo de sueños.

(7) El cortejo nupcial, 6:13a. Los textos hebreo y griego numeran a este versículo como el primero del cap. 7 (ver nota de la RVA), de modo que este capítulo consta allí de 14 versículos en lugar de 13 como en la RVA. Es evidente la urgencia del pedido que hacen los testigos anónimos (*vuelve, subi* 5437 se repite cuatro veces). Lo que no parece muy claro es el propósito del reclamo. Aparentemente, lo que estas personas quieren es que la mujer regrese, a fin de que ellos puedan examinar detenidamente la belleza de ella, que acaba de ser descrita. Por primera vez, se nos da a conocer el nombre de la amada. *Sulamita* puede indicar un nombre propio, o el nombre del lugar de donde ella proviene. También es probable que no signifique otra cosa que "mujer de Salomón" y sea simplemente una forma femenina del nombre Salomón (ver nota de la RVA).

(8) La amada, 6:13b. Otra posibilidad de interpretación del nombre *Sulamita* es que la raíz hebrea *slm* en este contexto tiene el significado de "dar un regalo de consumación" a una esposa, la mañana siguiente de la boda. En este caso, la *Sulamita* sería la "consumada," una mujer que ya ha tenido una relación sexual. Lo que sigue es una respuesta a: "¿Qué ven en alguien que ya no es más virgen?"

La última línea plantea un serio problema interpretativo. La *danza* era una parte importante de la cultura hebrea, como expresión de gozo por la victoria en una batalla (Exo. 15:20; 1 Sam. 18:6), de alegría en la adoración a Dios (Sal. 149:3; 150:4), o simplemente de gozo por acontecimientos felices (Jer. 31:13). Generalmente era una práctica grupal, acompañada de canto e instrumentos. En este caso, probablemente se trata de un tipo particular de danza, conocida como la *danza en medio de los dos campamentos* o "danza de los dos grupos" (o ejércitos). De ser así, la mujer está preguntando a los testigos anónimos: "¿Por qué quieren ustedes mirarme a mí cuando hay tantos otros participando en esta danza?" Una vez más (ver 1:6), la amada hace gala de su modestia y recato.

El amado

7 **1*** ¡Qué bien lucen tus pies con las sandalias, oh hija de nobles!
Los contornos de tus muslos son como joyas, obra de las manos de un artista.
2 Tu ombligo es como una copa redonda a la que no le falta el vino aromático.
Tu vientre es como un montón de trigo rodeado de lirios.
3 Tus dos pechos son como dos venaditos, mellizos de gacela.
4 Tu cuello es como torre de marfil.
Tus ojos son como los estanques en Hesbón,* en la puerta de Bat-rabim.*
Tu nariz es como la torre del Líbano, que mira hacia Damasco.

*7:1 En heb. es 7:2 y así sucesivamente a través del cap.
*7:4 Lugar al oriente del Jordán

(9) El amado, 7:1-9. El amado parece ser el que responde a la pregunta que levanta su amada (6:13b). La respuesta se presenta en dos partes. En la primera (vv. 1-5), el amado parece repetir algunas metáforas y comparaciones anteriores (4:1-6; 6:5-7), agregando nuevos elementos. En la segunda (vv. 6-9), la descripción es más íntima y personal. En ambos casos, el contenido de la descripción es bien explícito y erótico.

El amado comienza su primera alabanza de ella a la altura de sus pies y va subiendo hasta llegar a la punta de su cabeza. Por 6:13b da la impresión como que la Sulamita está danzando delante de él con ropas muy sutiles o totalmente desnuda, de manera que sus encantos físicos quedan bien a la vista. Es natural que, a la inversa de las descripciones anteriores que comienzan en la cabeza, aquí el amado se fije primero en los pies de su esposa. Ella está danzando con sandalias muy atractivas, que destacan la belleza de sus pies en movimiento. Ella sabe moverse cuando baila, de tal modo que sus caderas parecen más redondeadas y seductoras. ¡Sus caderas son una joya! ¡Sus muslos están tan bien torneados que son *obra de las manos de un artista*!

Los ojos del amado pasan de las caderas en movimiento ondulante al vientre desnudo, que también se mueve de manera sugestiva. La palabra traducida *ombligo* (*sarr* 8270) muy probablemente se refiere a toda la zona genital femenina. La palabra árabe *sirr* indica las partes "secretas". La raíz *sr* significa un valle o un lugar para ser cultivado. La idea de "arar" como eufemismo para la relación sexual está bien atestiguada en la literatura. De ser así, las partes íntimas de ella no sólo estaban perfumadas sino que eran promesa de gran placer (*vino*). De allí, el amado pasa a describir el vientre propiamente dicho, es decir, la parte baja del abdomen, por debajo del ombligo. La referencia al *montón de trigo* puede querer significar el color de la piel en esa parte del cuerpo, mientras que la expresión *rodeado de lirios* puede ser una referencia al bello púbico. ¡Este hombre no deja de ponderar cada solo centímetro cuadrado del cuerpo de su amada, con el lenguaje más exquisito

Un contraste marcado

Hay un contraste marcado entre las palabras que se expresan aquí por el autor de los Cantares y algunos conceptos contemporáneos que rechazan la igualdad.

Sorprende ver que este tema genera reacciones "violentas" en muchos hermanos cuando se analiza la IGUALDAD en la interacción de la pareja. Pesan sobre nuestras espaldas interpretaciones parciales de las Escrituras, una historia machista y la propia historia personal. No por nada el tema de los papeles es uno de los temas principales en los conflictos de pareja. En Cantares vemos a una pareja darse el mismo lugar.

El machista es alguien con un profundo sentimiento de inferioridad y resentimiento hacia la mujer; su búsqueda es racionalizar argumentos que le permitan cubrir sus propios conflictos con el sexo opuesto.

5 Tu cabeza es como el Carmelo,
y tu cabellera es como púrpura real
aprisionada en trenzas.
6 ¡Qué bella y dulce eres,
oh amor deleitoso!*
7 Tu talle es como una palmera,
y tus pechos como racimos de dátiles.
8 Pensé: "¡Subiré a la palmera
y me prenderé de sus racimos!"
¡Sean tus pechos como racimos de uvas,
y la fragancia de tu boca* como de
manzanas!
9 Tu paladar es como el buen vino que
corre suavemente hacia el amado
y fluye por los labios de los que se duermen.

*7:6 Lit., *en el placer*
*7:8 Otras trads., *abertura*; o, *nariz*

que uno se pueda imaginar! La mención de los dos pechos repite su alabanza de 4:5, sólo que aquí la comparación con los venaditos y los mellizos de gacela parece más adecuada, en razón de los movimientos de la mujer mientras danza.

El recorrido de la mirada del amado sigue ahora más arriba, para presentar símiles repetidos, pero modificados. En 1:10 y 4:4, el *cuello* aparece rodeado y engalanado con bellos collares; aquí se lo alaba por su belleza natural (su dignidad, *torre;* y su color, *marfil*). Los *ojos,* que anteriormente se los comparó con los tonos iridiscentes de la malva y el gris de las palomas (1:15; 4:1; etc.), aquí son descriptos como *estanques,* es decir, calmos, profundos. Cerca de los ojos está la *nariz,* que es mencionada aquí por primera vez. Se la compara con *la torre del Líbano.* Es probable que el símil se refiera a la blancura (*laben* 3836, "ser blanco") de la nariz, más que a su tamaño o forma. El v. 5 completa la observación de la cabeza, que se presenta majestuosa como el monte Carmelo. La cabellera, arreglada primorosa y lujosamente (*como púrpura real),* cae sobre los hombros de la mujer *aprisionada* (peinada) *en trenzas.*

En 7:6-9 la alabanza que el amado hace de su esposa adquiere un tono aún más íntimo. El hombre está encandilado con la belleza física de su mujer (ver 1:8), quizá tanto como ella lo está respecto a él (ver 1:16). El no puede dejar de pensar en el placer que le produce recordar cuando hizo el amor con ella (4:16—5:1), o anticipar tal experiencia (7:10-12). ¡No hay nada más grande para un hombre y una mujer enamorados, que hacer el amor!

Aprender del pasado

El autor de los Cantares nos puede enseñar mucho con relación a la actitud debida hacia la esposa. La historia contrasta con los Cantares.

En la revolución industrial, el hombre estaba en la calle y la mujer en el hogar. El en la calle, luchando y peleando y la mujer en la casa, tranquila y limpiando. El esperaba que ella recibiera a quien venía cansado de trabajar todo el día, que dijera a los hijos: "No lo molestes que papá viene cansado." "Mira, trabajé todo el día y lo único que quiero es comer, mirar 'tele' e irme a dormir." Lo femenino se asoció a lo doméstico y lo masculino a lo intelectual y a la lucha. El matrimonio era un trato comercial. *La menagier* de París decía en 1939:

"Tú, teniendo 15 años, y en la semana en que nos casamos, me rogaste, por favor, que fuera indulgente ante tu juventud y perdonara el que no supieras atenderme bien, hasta que hubieras aprendido más, y prometiste poner el mayor cuidado y diligencia... pidiéndome humildemente, en nuestro lecho, que, por el amor de Dios no te corrigiera delante de extraños o de parientes, sino que lo hiciera todas las noches o día a día en nuestra alcoba, mostrándote las cosas impropias o tontas hechas en el día pasado, y castigándote, si lo deseaba, luego no dejarías de enmendarte, de acuerdo con mis enseñanzas y correcciones, y harías todo lo posible por obedecer mi voluntad... y como estas dos cosas, salvar tu alma y alegrar a tu marido, son las más importantes, las he colocado en primer término."

La amada

10 ¡Yo soy de mi amado,
y él me desea con ardor!
11 Ven, oh amado mío, vayamos al campo.
Alojémonos en las aldeas;*
12 madruguemos para ir a las viñas.
Veamos si han florecido las vides,
si se han abierto sus botones,
o si han brotado los granados.
¡Allí te daré mi amor!
13 Las mandrágoras* ya despiden su fragancia,
y a nuestras puertas hay toda clase de frutas selectas:
tanto frescas como secas que he guardado para ti, oh amado mío.

*7:11 Otra trad., *Pasemos la noche entre flores de alheña*
*7:13 Planta cuyo fruto se asociaba con la fertilidad; ver Gén. 30:14-16

Como dice el amado: "Qué extraordinariamente deleitoso es el amor por sobre todos los demás placeres."

Ella es alta y elegante como una palmera. Sus pechos, que ya fueron descritos como dos venaditos (7:3; 4:5), ahora son comparados con *racimos de dátiles,* quizá para continuar con el símil de la palmera y expresando la dulzura y deleite que producen. Sumamente excitado, él quiere abordarla sexualmente y acariciar sus pechos. En el v. 8b continúa el símil en relación con los pechos, pero esta vez su dulzura (placer) es comparado con *racimos de uvas.* La palabra traducida *boca* (ver nota de RVA) puede referirse a los pezones o a la vagina. En razón del contexto altamente erótico de este pasaje, es muy probable que el amado esté hablando de la fragancia de las partes íntimas de su esposa, bajo la excitación sexual (*como de manzanas,* ver 2:3, 5). En este momento, los besos de ella son tan placenteros como *el buen vino.* Para ella los de él son igualmente deleitosos (ver 1:2).

(10) La amada, 7:10—8:4. Ahora, la mujer que ha sido objeto de tantos piropos de parte de su amado, le responde afirmando su entrega total. Por tercera vez (2:16; 6:3), ella confirma su fidelidad y su confianza en el amor que él le profesa. Ella se considera plenamente realizada, porque se siente una mujer deseada por su esposo. Su respuesta al deseo de él se expresa en los términos en que él ya la ha invitado a disfrutar de la vida (2:10-14). La idea de ir al campo es para pasar allí la noche juntos (ver nota de RVA). Se nota cierta urgencia en su invitación (*madruguemos,* lit. "comencemos temprano"). Las frases que siguen se refieren todas al acto amoroso y tienen un marcado tinte erótico (ver 1:6; 2:13, 15; 6:11). Ella está ansiosa por hacer el amor con su esposo (*¡allí te daré mi amor!).*

La amada parece estar preparada para el acto sexual. La *mandrágora* es considerada como planta afrodisíaca (ver nota de RVA). Los amantes no necesitan mayor estímulo que el que ya tienen, pero aquí probablemente la mención de la "manzana del amor" y su "fragancia" es otra referencia al hecho de que ella está lista para el acto sexual. Todos sus atractivos y encantos

Conceptos equivocados de la mujer

Juan Luis Vives en 1528 en "Instrucción de la mujer cristiana" decía: "Que en el amor de la esposa debe haber gran obediencia y acatamiento al marido pues él ocupa el puesto de Dios en la tierra."

Fray Luis León en 1583 en "La Perfecta casada" decía: "No las dotó Dios del ingenio que piden los negocios mayores ni de fuerza... mídanse con lo que son y conténtense con lo que es su suerte, y entiendan en su casa y anden en ella, pues las hizo Dios para ella sola."

El escritor Honore de Balzac en 1829 decía: "El destino de la mujer y su única gloria es hacer latir el corazón de los hombres. La mujer es una propiedad que se adquiere por contrato; un bien mueble, porque la posesión vale por un título; en fin, hablando propiamente, la mujer no es más que un anexo del hombre."

8 1 ¡Oh, cómo quisiera que fueses mi hermano,
que mamó los pechos de mi madre!
Así, al encontrarte afuera,
yo te besaría sin que nadie me menospreciara.
2 Yo te llevaría y te metería
en la casa de mi madre,
y tú me enseñarías.
Y yo te haría beber vino aromático
y jugo de granadas.
3 Su brazo izquierdo está debajo de mi cabeza,
y su derecho me abraza.
4 ¡Juradme, oh hijas de Jerusalén,
que no despertaréis
ni provocaréis el amor,
hasta que quiera!

El cortejo nupcial

5 ¿Quién es ésta que sube del desierto,
recostada sobre su amado?

---

están ahora a disposición de él, para que él se sirva como de un plato repleto de frutas frescas y secas, para que coma cuanto le plazca. Ella ha estado reservándose para él, y ahora es su gozo entregarse plenamente a su amado, expresándole de este modo su amor.

En 8:1, la amada introduce un deseo hipotético respecto de su amado. Lo que desea no es que él sea su hermano carnal, sino que él se sienta con la libertad de expresar públicamente su amor por ella. Lo que no estaba permitido hacer en público entre esposo y esposa, sí era permisible entre hermanos, como por ejemplo, besarse. Otra cosa que ella haría de ser hermana de él, es llevarlo y meterlo en casa de su madre (v. 2). Obviamente, el propósito no sería el de jugar como hermanos carnales, sino hacer el amor como amantes. *Tú me enseñarías* significa que él le enseñaría los secretos del amor, en el lugar donde ella tuvo sus primeras experiencias sexuales (3:4). Ella está dispuesta a aprender de él el arte de amar, aun cuando a lo largo de Cantares la amada se expresa sexualmente con gran maestría. La intención erótica de la mujer queda clara en las dos últimas líneas del v. 2. Las expresiones son de carácter distintivamente sexual (5:1; 7:2). Probablemente el v. 3 es el cumplimiento del deseo expresado por la amada en el v. 1, y repite 2:6.

En el v. 4 se repite por tercera vez este refrán (2:7; 3:5), que concluye con una cuarta sección de Cantares. A estas alturas, el amor ya está despierto y consumado (ver 8:5), y no necesita de mayor estímulo por parte de los testigos anónimos. De esta manera, toda esta parte, que comenzó con sueños confusos y frustraciones, alejamientos y desencuentros, concluye con los amantes cada uno en los brazos del otro.

2. Consolidación del matrimonio, 8:5-14

En esta última sección de Cantares, todos los protagonistas del poema amoroso parecen darse cita para hacer sus últimos comentarios, mientras los amantes consolidan su relación de amor reafirmando su compromiso mutuo, sellándolo con la unión sexual.

(1) El cortejo nupcial, 8:5a. Esta sección comienza con las mismas palabras con que se inicia la tercera sección de Cantares (3:6—5:1), y ambas terminan con la consumación del amor. La pregunta *¿Quién es ésta?* aparece también en 6:10, si bien en 8:5 la respuesta es explícita: se trata de la amada. Ella viene *recostada sobre su amado,* lo cual indica cercanía e intimidad. Los enamorados parecen regresar de hacer el amor en el campo (7:11, 12). Ahora están tranquilos y su amor se ha vuelto a confirmar. La intervención del cortejo provee una transición a lo que sigue.

(2) La amada, 8:5b-7. Una vez más es la mujer quien toma la iniciativa para expresar sus sentimientos respecto a las experiencias sexuales que está viviendo. En este caso, ella está asociando el *manzano* con la casa materna del amado. Ya

La amada

Debajo de un manzano te desperté;
allí donde tu madre tuvo dolores,
allí donde tuvo dolores la que te dio a luz.
6 Ponme como sello sobre tu corazón,
como sello sobre tu brazo.
Porque fuerte como la muerte es el amor;
inconmovible como el Seol* es la pasión.
Sus brasas son brasas de fuego;
es como poderosa llama.*
7 Las poderosas aguas
no pueden apagar el amor,
ni lo pueden anegar los ríos.
Si el hombre diese todas las riquezas de
su casa para comprar el amor,
de cierto lo despreciarían.

*8:6 O sea, la morada de los muertos
*8:6 Lit., *llama de Jehovah* (Yah)

---

se ha indicado la connotación sexual que tiene el manzano en Cantares. En una ocasión anterior, ella comparó a su amado (el que hace el amor) con un manzano (2:3), y pidió ser refrescada con manzanas (satisfecha sexualmente, 2:5). Probablemente aquí se esté dando a entender que la pareja tuvo alguna relación sexual sobre la misma cama donde la madre del amado lo dio a luz (ver 3:4; 8:2). Así como ella "despertó" sexualmente (ver 2:7; 3:5; 8:4) en aquella ocasión, él también lo hizo gracias a ella.

Joya bíblica

Las poderosas aguas
no pueden apagar el amor,
ni lo pueden anegar los ríos (8:7).

Los vv. 6, 7 son los más hermosos de todo Cantares, y resumen el tema central de todo el poema, que es el amor. En estos versículos, la amada presenta tres imágenes, y cada una de ellas, a su vez, sugiere una característica distintiva o una cualidad del amor. Las imágenes son la muerte, la tumba y el fuego; los atributos o virtudes sugeridos por estos cuadros son la fuerza, la pasión y la vehemencia.

La *muerte* es algo que ningún poder en la tierra jamás ha podido vencer. La muerte tiene una fuerza irresistible. Nadie ha podido contra ella, salvo Jesucristo. Así es el amor para la amada: inquebrantable e irresistible como la muerte. De esta manera, el v. 6 presenta el grito apasionado y urgente de la amada, que quiere estar cerca de su amado, para ya no separarse nunca más de él. Esto se ve claramente en la referencia al *sello sobre tu corazón* y *sobre tu brazo.* El sello era un anillo trabajado o una piedra preciosa labrada. El hombre lo llevaba en uno de sus dedos, y la mujer atado con un cordel colgando de su cuello y arreglado de manera que pendiera sobre su corazón. Cuando estos sellos eran intercambiados por los amantes, esto era señal de que sólo la muerte podía separarlos. La fuerza de su amor era tan sólida e irresistible como la muerte misma. Además, los sellos eran usados como marca de propiedad, como la firma personal en nuestros días. El contexto sugiere que la amada quiere marcar a su amado como propio (ver 2:16; 6:3; 7:10).

La segunda imagen es la de la tumba, y la virtud en cuestión es la pasión. Según la amada, la pasión (el deseo de poseer a la persona amada) es inflexible como la tumba. El amor tiene algo muy importante en la pasión sexual. El deseo ferviente por el ser amado enriquece y mantiene viva la llama del amor. La pasión cautiva en forma absoluta a los que se aman. La palabra *inconmovible* traduce un término hebreo que significa "duro", "firme", "obstinado". Así es la tumba (*el Seol,* ver nota de RVA y Prov. 30:15, 16). No hay lágrimas ni gemidos que la conmuevan, ni ruegos o súplicas que hagan que devuelva los seres queridos que en ella yacen.

La tercera imagen es la del fuego, y la

El cortejo nupcial

8 Tenemos una hermana pequeña
que todavía no tiene pechos.
¿Qué haremos de nuestra hermana
cuando de ella se empiece a hablar?

9 Si ella es muralla, edificaremos sobre ella
torreones de plata.
Si ella es puerta, la recubriremos con
paneles de cedro.

---

virtud que expresa es la de la vehemencia. ¡El fuego ardiente del amor es una llama divina! Estas palabras hablan de la intensidad del amor. Tan profundo y fuerte es el amor verdadero, que no hay adjetivos humanos que puedan describirlo. La amada dice que es una *llama de Jehovah* (ver nota de RVA). De aceptarse esta lectura, éste sería el único lugar en todo el poema en que se nombra a Dios. Tan vasto es su alcance y hondo su contenido, que es una hoguera imposible de apagar. El agua de todos los mares no puede apagar las brasas del amor (v. 7a), como tampoco las aguas de los ríos pueden diluirlo o lavarlo (v. 7b).

Estas son algunas de las razones por las que el amor no está a la venta ni se lo puede comprar (v. 7c). El amor no tiene precio. Si alguien ofreciera todas sus riquezas por un poco de amor, lo único que recibiría serían las burlas de la gente. ¿Por qué la gente despreciaría a una persona así? Porque piensa equivocadamente que el amor se puede ganar, comprar o merecer. La amada, de amante pasa a ser filósofa, y a partir de su propia experiencia personal presenta una de las reflexiones más profundas y hermosas sobre el amor que une a un hombre y una mujer.

(3) El cortejo nupcial, 8:8, 9. Según algunos comentaristas, Cantares termina en el v. 7, puesto que lo que sigue no parece tener mucha relación con el resto del poema y representa un anticlímax después de los vv. 6, 7. Hay quienes consideran que los versos finales son como una especie de apéndice o agregado de editores posteriores. Los vv. 8, 9 parecen reflejar una profunda preocupación por una hermana menor de edad, que evidentemente no ha alcanzado todavía su madurez sexual. La cuestión concreta que provoca inquietud respecto a ella es qué hacer cuando un hombre la pida en matrimonio (*cuando de ella se empiece a hablar,* ver Eze. 16:7-14). Estos versículos pueden referirse también a la experiencia anterior de la amada, durante su pubertad o adolescencia. La posible relación de estos versículos con 8:10 apoyaría esta interpretación, en cuyo caso los vv. 8-10 hablarían de la amada en términos de antes y después, de infancia y adultez sexual.

En cualquier manera, el pasaje habla de un tiempo de preparación para el matrimonio (v. 9). La estrategia de preparación tiene que ver con el carácter de ella. La *muralla* sugiere la firmeza de su carácter, que será fortificado mediante *torreones de plata.* Así, si ella es solicitada por los jóvenes, su familia la animará y estimulará a mantener su posición virtuosa. Por el contrario, *si ella es puerta,* es decir, está abierta a ser seducida o es accesible a ello, su familia proveerá de *paneles de cedro* para protegerla. En realidad, estas dos cláusulas no están contrastadas sino que están en aposición, es decir, ambas imágenes enfatizan la necesidad de preparar a la jovencita proveyéndole fortaleza y seguridad. De este modo, estímulo y disciplina se combinan en un balance admirable, para desarrollar a la muchacha y prepararla para una vida de mayor felicidad sexual, en el contexto del matrimonio.

(4) La amada, 8:10. Quien habla ahora es una mujer madura y sexualmente realizada. En clara referencia a las imágenes usadas por el cortejo en los dos versículos anteriores, la amada proclama su madurez y disposición para el amor y el matrimonio, que ya está experimentando. Ya no es la jovencita que necesitaba protección y disciplina; ahora es una mujer plenamente desarrollada (ver Eze. 16:7-14). Desde su

La amada

10 Yo soy muralla,
y mis pechos son torreones.
Entonces llegué a ser a sus ojos
como quien encuentra paz.

El amado

11 Salomón tuvo una viña en Baal-hamón,
la cual entregó al cuidado de guardias:
Cada uno de ellos debía traer
mil piezas de plata por su fruto.
12 ¡Pero mi viña está delante de mí!
Las mil piezas sean para ti, oh Salomón,
y doscientas para los que guardan su fruto.
13 ¡Oh tú que habitas en los jardines,
mis compañeros desean escuchar tu voz!

---

pubertad frágil y su sexualidad inmadura, esta mujer ha llegado a ser, con el correr de los años, una persona sexualmente admirable para su esposo (*a sus ojos*). En la relación con su amado, ella es una fuente permanente de "paz," es decir, de plenitud, armonía y realización total. No es extraño que su nombre sea Sulamita: "la pacífica" (ver nota de RVA en 6:13), "la plena" o "la completa".

(5) El amado, 8:11-13. Las palabras iniciales de este verso recuerdan la parábola de la viña de Isaías 5:1-7, que es también una canción de amor. En el caso de Isaías se trata de una alegoría (Isa. 5:7), pero aquí no, si bien la interpretación tradicional identifica la *viña* con el harén de Salomón (ver 1 Rey. 11:3). Pero no debe identificarse necesariamente al amado con el rey Salomón. El contraste que estos versículos plantean es entre los derechos del rey a administrar sus propias posesiones y el derecho de la amada sobre su propia persona. Algunos ven aquí un contraste entre las grandes propiedades de Salomón (su harén con numerosas esposas y concubinas) y la persona de la amada, sobre la cual sólo ella tiene plenos derechos. Ella no es una propiedad de la que él pueda disponer y entregar al cuidado de otros, como pudiera ser el caso de otras mujeres de su harén.

La idea en este pasaje es que el propietario de la viña en Baal-hamón, Salomón, la entregó en arrendamiento a los *guardias*, para que la explotaran. La renta que el propietario esperaba recibir era de *mil piezas de plata*, algo así como unos seis meses de trabajo en la mayoría de nuestros países de América Latina. El propietario (*Salomón*) tenía pleno derecho a recibir el pago de la renta acordada. De igual modo, los arrendatarios tenían derecho a un 20% de la ganancia obtenida (*doscientas* piezas de plata quedaban en sus manos, v. 12c). En contraste con este contrato de arriendo de la viña, basado en el derecho de propiedad del dueño y la obligación contractual de los arrendatarios, el rey tiene una *viña* en relación con la cual rigen otros principios. Esta viña particular es *mi viña*, que no puede ser otra que su amada. Muchas veces ella misma se comparó con una viña (1:6; 2:15). Esa viña, que durante los años de su pubertad y primera juventud, estuvo celosamente guardada por sus hermanos (8:8, 9), ahora está madura y fructífera delante de él (v. 12a), lista para rendir frutos abundantes para su satisfacción, frutos que no tienen precio.

Una igualdad hermosa

El autor de los Cantares refleja el concepto de la igualdad entre los cónyuges. Fomenta una apreciación mutua entre los dos. Esto contrasta con los conceptos contemporáneos.

Así sucede muchas veces con la pareja: Se parte del presupuesto falso de la desigualdad en los derechos y libertades, de los papeles y responsabildades de cada uno. El problema no son las peleas, sino el erróneo presupuesto del cual se ha partido.

Muchas parejas no ven las soluciones por que no pueden ver el problema. Una aceptación completa el uno del otro ayudará a resolver este problema.

La amada

14 ¡Escápate, oh amado mío!
Sé semejante al venado o al cervatillo
sobre los montes de las especias.

Anticipando el placer del último encuentro sexual, con el que concluye Cantares, el amado reclama ahora a su amada una palabra personal. Los *compañeros* (¿de él o de ella?; el hebreo no dice *mis*) son probablemente el grupo que se reunió para la celebración en 6:13. Ellos quieren oír a la amada, el personaje central de todo el poema, decir una última palabra. El más ansioso por oírla es su esposo, que la invita a responder a su presencia y reclamo sexual (ver 2:14).

(6) La amada, 8:14. La mujer responde a su amado, y su respuesta es una síntesis de muchos de los anhelos expresados a lo largo de Cantares. Por cierto, su respuesta no podía ser otra que una invitación excitante a hacer el amor de inmediato. Ella lo llama a apurarse y a volar hacia ella (*¡escápate, oh amado mío!*). La frase tiene connotaciones eminentemente sexuales y expresa el reclamo de ella a que él le haga el amor de manera inmediata. Literalmente, ella parece estar pidiéndole que la atraviese o penetre. El verbo hebreo *barah* [1254] se usa con esta connotación en Exodo 36:33 (*beriah*), y en Isaías 27:1 en relación con la serpiente tortuosa o penetrante, que es también un símbolo sexual muy común. Las imágenes del *venado* y el *cervatillo* representan el jugueteo y la potencia sexual (ver 2:9, 17). *Los montes de las especias* (ver 2:17; 4:6, 8, 10, 14; 5:13) son otra manera de referirse al *monte de la mirra y a la colina del incienso* (4:6), es decir, los pechos y las partes íntimas de la esposa. Ella está invitando a su amado a disfrutar sexualmente de "su viña", a gozar con ella de la celebración del amor y la comunicación sexual a la que tienen derecho como esposo y esposa.

De este modo, el placer de la unión física y de la expresión sexual plena entre un hombre y una mujer que se aman en el contexto del matrimonio, cuenta con la aprobación divina, ya que el Cantar de los Cantares es parte del registro inspirado de la palabra de Dios revelada en las Sagradas Escrituras.

PLAN GENERAL DEL
COMENTARIO BIBLICO MUNDO HISPANO

Una descripción de los diferentes
tomos de este comentario

PLAN GENERAL DEL COMENTARIO BIBLICO MUNDO HISPANO

Tomo	Libros que incluye	Artículo general
1	Génesis	Principios de interpretación de la Biblia
2	Exodo	Autoridad e inspiración de la Biblia
3	Levítico, Números y Deuteronomio	La ley
4	Josué, Jueces y Rut	La arqueología y la Biblia
5	1 y 2 Samuel, 1 Crónicas	La geografía de la Biblia
6	1 y 2 Reyes, 2 Crónicas	El texto de la Biblia
7	Esdras, Nehemías, Ester y Job	Los idiomas de la Biblia
8	Salmos	La adoración en la Biblia
9	Proverbios, Eclesiastés y Cantares	Géneros literarios del Antiguo Testamento
10	Isaías	Teología del Antiguo Testamento
11	Jeremías y Lamentaciones	Instituciones del Antiguo Testamento
12	Ezequiel y Daniel	Historia de Israel
13	Oseas, Joel, Amós, Abdías, Jonás, Miqueas, Nahúm, Habacuc, Sofonías, Hageo, Zacarías y Malaquías	El mensaje del Antiguo Testamento para la iglesia

El *Comentario Bíblico Mundo Hispano* es un proyecto en el que participan unos 150 líderes evangélicos del mundo hispano. Usted puede encontrar más información en cuanto a la diagramación y contenido de los diferentes tomos leyendo el Prefacio (pp. 5-8).

Tomo	**Libros que incluye**	**Artículo general**
14	Mateo	El período intertestamentario
15	Marcos	El mundo grecorromano del primer siglo
16	Lucas	La vida y las enseñanzas de Jesús
17	Juan	Teología del Nuevo Testamento
18	Hechos	La iglesia en el Nuevo Testamento
19	Romanos	La vida y las enseñanzas de Pablo
20	1 y 2 Corintios	El desarrollo de la ética en la Biblia
21	Gálatas, Efesios, Filipenses, Colosenses y Filemón	La literatura del Nuevo Testamento
22	1 y 2 Tesalonicenses, 1 y 2 Timoteo y Tito	El ministerio en el Nuevo Testamento
23	Hebreos, Santiago, 1 y 2 Pedro y Judas	El cumplimiento del Antiguo Testamento en el Nuevo Testamento
24	1, 2 y 3 Juan, Apocalipsis e Indices	La literatura apocalíptica